D0238610

LES AMANTS DE MA MÈRE

Du même auteur

- *Serenity house ou les vieux jours de l'ogre*, Actes Sud, 1996
- *À travers l'Angleterre mystérieuse*, Actes Sud, 1998
- *Le Roi des horloges*, Actes Sud, 2001

Titre original : *My Mother's Lovers*
Pour l'édition originale publiée en 2006 par Atlantic Books,
an imprint of Grove Atlantic Ltd.

Dépôt légal : août 2007
ISBN : 978-2-7557-0214-9
N° 0214-1

---

www.editionsdupanama.com

CHRISTOPHER HOPE
LES AMANTS DE MA MÈRE

TRADUIT DE L'ANGLAIS
PAR ANNE RABINOVITCH

Éditions du Panama, 26, rue Berthollet, 75005 Paris

« En Afrique, une chose est vraie au petit jour et mensonge à midi. »

Ernest Hemingway.

I
LE PETIT JOUR

« Ils essaient de rendre Johannesburg respectable… de nous faire perdre notre fierté d'avoir eu pour ancêtres une bande de durs à cuire qui ne savaient rien de la culture et sont venus ici pour chercher de l'or. »

Herman Charles Bosman.

I

Un jour, j'ai demandé à ma mère qui était mon père.

Nous étions en train de chasser le buffle et, pour la première fois, elle a manqué son coup, exprès. Elle a tourné ses immenses yeux bleus vers moi – le fusil a violemment reculé, le .375 H&H Mag. vous balance près de vingt kilos en plein dans l'épaule – et elle a dit de sa voix la plus calme : « Je n'en ai pas la moindre idée. » Puis elle m'a tendu l'arme, le modèle Holland & Holland qu'elle avait choisi, fabriqué pour la première fois en 1912, toujours populaire chez les grands chasseurs. « À toi maintenant, a-t-elle dit. Rappelle-toi, ces bêtes sont rusées. Surtout si tu ne l'abats pas. Le capitaine Cornwallis Harris aimait remarquer que le buffle te piétine, s'agenouille sur toi, te râpe la peau avec sa langue rêche, et puis revient à la charge. »

Je n'ai pas reposé la question.

Et, a-t-elle ajouté sans que je l'interroge, j'étais né sous un acacia dans les plaines africaines alors qu'elle se trouvait « avec » (voyageait, couchait avec ?) un sorcier blanc du nom de Harry Huntley. Il l'avait emmenée – très enceinte – dans le *bundu*, le veld lointain et désolé, l'avait installée sous un acacia et, armé seulement d'un couteau et d'un sac de sel, il était parti dans le bush chasser les abeilles sauvages et le petit gibier.

Je me suis toujours dit : pourquoi du petit gibier, pourquoi pas un bon Dieu de gros gibier ? J'avais une très mauvaise opinion de Huntley, depuis le début, il m'avait paru n'être qu'un branleur.

En tout cas, selon sa version, c'était sous l'acacia qu'elle avait mis au monde son fils, seule, et il – moi, l'enfant – aurait pu mourir si son sorcier blanc itinérant n'était pas revenu pour trancher le cordon ombilical d'un coup de son couteau de chasse – vous saisissez ?

Ma naissance bundu paraissait sujette à caution, mais le *bozo* avec son sac de sel était vraiment typique. L'Afrique en regorge. Sauveurs d'âmes, illuminés, mystiques, mendiants, rêveurs des régions humides du nord de l'Europe en quête d'union spirituelle avec l'A-fri-que !

Harry Huntley venait tout droit de Leicester, et avait pris goût à l'Afrique de la même manière que certains prennent goût à l'alcool. Il aimait aller chasser l'éléphant dans le Bechuanaland et apparemment ses chasseurs tswana l'adoraient : il se promenait pieds nus, et vivait à la dure dans le veld, se nourrissant de miel, de racines et de baies ; il trayait les cobras qu'il gardait dans un sac ; il prenait son eau dans les mares les plus boueuses, et la nuit il dormait entre les racines des baobabs géants. Un parcours empreint d'un hédonisme effréné.

Mais, comme je l'ai dit, ce n'était pas nouveau. Harry Huntley vous ramène en droite ligne à David Livingstone. Ces types disaient tous la même chose : ils étaient en Afrique pour construire des chemins de fer, sauver des âmes, accélérer les échanges, et/ou mettre fin à l'esclavage. Passe-temps populaires, et combines utiles. Songez à leurs drôles de chapeaux, à leurs costumes ridicules, à leur errance bizarre dans un brouillard d'ignorance, alors qu'ils prétendaient apporter la lumière dans ce putain de pays... Certains voulaient être des dieux blancs. D'autres se fondirent parmi les indigènes et devinrent des *sangomas*, des faiseurs de pluie, des bushmen chrétiens du renouveau, ou des chanteurs de louanges ; d'autres entreprirent de sauver les âmes, les bébés noirs, les lépreux et les rhinocéros blancs. Mais les négriers, les prophètes, les saints, les coloniaux poseurs avaient tous une chose en commun : ils avaient déposé un brevet pour « leur » Afrique et la fourguaient comme le modèle original.

Donc, j'ignore pourquoi Huntley était venu en Afrique, et je serais incapable d'expliquer pour quelle raison une personne telle que ma mère avait pu tomber amoureuse d'un rosbif à demi nu de Leicester affublé d'une jupe en cuir. Elle parlait l'anglais, l'allemand, le hollandais, l'afrikaans et le swahili. Elle savait piloter un avion, monter à cheval, tirer – et tricoter. Elle avait aussi des notions de boxe : dans une salle de Mombasa, elle s'était battue contre Hemingway pendant trois rounds, mais « il était déjà très bas », précisait-elle.

Pourtant elle s'était aventurée dans le bush avec un sorcier blanc déjanté.

Huntley était-il mon père ?

Je n'ai jamais eu l'occasion de lui poser la question. Un jour, il décida de traverser le fleuve Orange. Peut-être sa vieille éducation européenne avait-elle pris le dessus et imitait-il Byron plongeant dans l'Hellespont. Peut-être avait-il juste envie de prendre un bain. Toujours est-il qu'à mi-parcours il se trouva en difficulté et se noya.

La légende qui entourait l'homme n'en fut que renforcée : on raconta qu'il était capable de traquer les lions, de parler aux serpents, que c'était un faiseur de pluie et un découvreur de sorciers. Au cours des années, un nombre incalculable d'adeptes vinrent parler à ma mère de Harry Huntley. Hollywood prit des options sur l'un des multiples ouvrages sur lui, des livres intitulés *Le Maître des abeilles*, *L'Homme qui aimait les lions*, des pamphlets quasi religieux trouvés sur des rayons de librairie consacrés aux « sciences occultes africaines », et qui avaient à peu près autant à voir avec la vraie Afrique que le porno soft avec le vrai sexe.

En ce qui concernait la paternité, je ne disposais pas du moindre indice, et ma mère se taisait. Je savais que pendant la dernière guerre elle avait tenté plusieurs fois de se marier, mais chaque fois le pilote qu'elle avait eu l'intention d'épouser était mort au combat. Elle n'en avait jamais fait grand cas, sinon pour dire que l'espérance de vie des pilotes de chasse de l'armée de l'air sud-africaine (SAAF) dans le désert du Kalahari se comptait en semaines. N'importe lequel de ces hommes aurait pu être mon père. Je n'avais aucun moyen de le savoir.

Mon acte de naissance indiquait que j'étais né à Johannesburg en 1944. À ce propos, ma mère confia une fois que ma « paperasse » avait été « très difficile à obtenir ». Mon certificat de baptême m'apprit que j'avais été baptisé dans l'église St. Mary, à Orange Grove, en 1945 (pourquoi cet intervalle de un an, je n'en ai aucune idée) et qu'on m'avait appelé Alexander Ignatius Healey. On me donna le nom de famille de ma mère, laissant entendre que j'étais né hors mariage, mais rien de tout cela ne prouve que Huntley était mon père.

Il n'est peut-être pas étonnant que j'aie toujours eu l'impression d'être un enfant trouvé, bien que ma mère ait soutenu le contraire, affirmant qu'elle était ma mère biologique, légale.

« Enfin, mon garçon… je n'ai pas *l'air* d'être ta maman ? »

Belle réplique. Comme si, par mon incapacité à déceler les traits caractéristiques de la maternité, j'avais échoué au test de la loyauté filiale. Bien sûr qu'elle n'avait pas l'air d'être ma mère. Même pas à un putain de kilomètre. Notre parenté tenait plutôt du compromis : elle était ma mère parce qu'elle le disait, et j'étais son fils parce que je l'admettais, non sans quelques doutes.

Et puis il y avait mon nom.

« Si tu avais été une fille, je t'aurais appelée Alexandra, comme la township. Alexander, c'est ce que j'ai trouvé de plus approchant… dans ton cas.

– Ça veut dire quoi "dans mon cas" ?

– Alex est un beau nom, tu ne trouves pas ? J'ai appris à boxer à Alex. »

Alexandra et Sophiatown, en fait, dans les années trente. Ses sparring-partners étaient des Noirs avides d'accéder à la célébrité et à la liberté grâce à leurs poings.

Voilà. Les éléments de sa vie dressaient la carte d'un pays qu'elle appelait l'Afrique. Mais pour moi, c'était plus un miroir qu'une carte. Je devais accepter a priori l'idée que juste derrière elle, ou par-dessus son épaule, je pouvais entrevoir ce pays. Mais ça n'arrivait jamais vraiment. Chaque fois que je regardais, son visage emplissait le miroir.

Et quel visage…

Quand j'étais petit, elle m'achetait des bandes dessinées le samedi matin, et j'ai honte de dire que je la remerciais en décelant chez elle une ressemblance légère, mais inquiétante, avec Dan Dare, le desperado fanfaron à la puissante mâchoire. Certes, Dan Dare portait une barbe drue et noire de plusieurs jours, ce qui n'était pas le cas de ma mère ; du moins, je ne le crois pas (mais je dois reconnaître que quelquefois, elle *en donnait l'impression*). Pour moi, donc, même si, contrairement à lui, elle n'en avait pas eu l'intention, ma mère symbolisait une sorte de virilité.

Pourtant elle était aussi totalement féminine, avec un faible pour les cardigans et les grands sacs à main en cuir, et elle adorait les turbans, sauf quand elle faisait un safari. À mes yeux, personne n'a jamais fumé une pipe aussi joliment, ni coupé, allumé et manipulé un cigare avec autant de grâce et d'habileté. Je pense que mon opinion ambivalente à son sujet n'était guère plus que le reflet de son incroyable registre : elle pouvait être grave et tendre, sauvage et subtile.

La vision différente que nous avions l'un de l'autre continua de s'amplifier durant toute notre vie, révélée par la distance qui séparait les lieux que nous habitions. Non sur le plan de la géographie, mais sur celui du tempérament. Nous avions simplement une notion très contrastée du pays où nous vivions. Ma mère avait toujours opté pour une vue de l'Afrique des plus grandioses ; pour elle, c'était un stand de tir, un ciel sans fin, et elle considérait les aventuriers européens, les Huntley, Livingstone et autres, comme des présences remarquables, et même des Africains remarquables. Pour moi, des gens comme Huntley, et les autres types qui traversaient notre vie, n'étaient ni des mystiques ni des faiseurs de miracles mais des types particulièrement louches. Je n'aurais acheté à aucun d'entre eux un bracelet en cuivre ni une bible marquée de taches roussâtres.

Ils m'apparaissaient comme des acteurs en puissance auditionnant constamment pour des rôles dans des films à l'eau de rose. Des comédiens falots qui se cherchaient, et ne prenaient forme que si on les imaginait dans la peau de personnages évoluant sur un continent issu de leurs propres scénarios. Non pas l'Afrique, la masse de terre gémissante où tant de gens ont été trahis par des hommes en tunique, en djellaba, en costume, qui prétendaient aimer l'endroit, pour déclencher ensuite l'habituel anéantissement, mais la production Afrique, le film Afrique, le spectacle Afrique en tournée.

Ma mère jugeait ce point de vue banal et inepte.

Et chez elle ? Il y avait certainement une part de théâtralité. Sauf qu'elle ne se déguisait pas et ne s'inventait pas un nouveau personnage ; elle jouait son propre rôle.

Il y avait aussi son ambition. Elle n'avait jamais été particulièrement sud-africaine (c'eût été un objectif beaucoup trop modeste), elle n'avait jamais affiché l'amour-propre restrictif particulier aux Sud-Africains noirs et blancs, qui les conduit à considérer que rien d'autre n'est réel, et que personne d'autre n'est digne d'intérêt. Ma mère n'avait pas l'intention de se laisser reléguer dans un seul coin d'Afrique, dans la partie basse du continent ; l'ensemble lui revenait de droit, et elle l'aimait avec une passion dénuée de ce désir d'immersion qui émeut certains jusqu'aux larmes (bien que l'épisode Huntley montre qu'elle était sujette à des accès de niaiseries genre « Jock of the Bushveld »).

Mais dans l'ensemble, elle était sensée.

Prenons par exemple son attitude à l'égard de la faune et de la flore, toujours une bonne manière de distinguer un vrai Africain d'un mythomane transplanté. Face au gros gibier qui n'était plus foisonnant mais encore abondant, sa réaction était simple : elle prenait son fusil et tirait sur quelque chose. Son admiration pour Karen Blixen, à qui elle avait parfois rendu visite quand elle était enfant, ne s'inspirait en rien de l'histoire d'amour de Blixen avec les hauts plateaux du Kenya ; elle se fondait sur une chose beaucoup plus simple :

« Bon Dieu, cette femme savait abattre un lion ! »

Je ne l'ai accompagnée à la chasse que rarement. C'était un bon professeur, très patient, et elle m'a beaucoup appris, mais ça n'a jamais vraiment marché. Je n'étais tout bonnement pas doué pour ça. Nous nous sommes envolés pour Livingstone, en Rhodésie-du-Nord, et ensuite nous avons roulé dans le bush. Les buffles ne voient ni n'entendent très bien mais leur odorat est exceptionnel, et on a une meilleure chance de s'en approcher si on traque un animal seul plutôt qu'un troupeau. Nous avons suivi un vieux mâle la plus grande partie de la journée, avançant toujours sous le vent. Il avait d'énormes cornes et de belles bosses qui le faisaient ressembler à un juge fossilisé.

La comparaison ne l'a pas amusée.

Elle portait son short kaki habituel, et des *veldskoen*, des chaussures en peau de vache, pas de chaussettes, et quelques munitions dans la poche supérieure de sa chemise. Pendant que nous marchions, elle parlait.

« Autrefois, quand on allait à la chasse, il y avait des tas de buffles, et on les traquait la nuit parce que c'est le moment où ils aiment paître, à la fraîche. Mais dans le noir on ne voit rien. Problème ! Alors nous attachions un bout de tissu blanc au canon du Mauser – à l'époque, nous utilisions des cartouches de calibre 9,3 × 57 – et le fanion tenait lieu de viseur de nuit et de gonio. Le jour, nous chassions en groupe, avec, disons, cinq ou six fusils ; nous traquions le troupeau à partir de plusieurs directions, et quand on ouvrait le feu, il y avait toujours le risque que les bêtes s'enfuient précipitamment et nous fauchent au passage, aussi il fallait tirer à feu continu, en espérant abattre le buffle de tête qui fonçait sur vous, puis sauter sur sa masse et s'en servir comme d'une sorte de tremplin de tir. »

J'avais beau apprécier sa chaleur et son savoir, la chose me laissait indifférent. Je saisissais assez bien le danger. Les buffles sont très puissants, et ils font volte-face pour vous attaquer ; ils sont capables de se retourner avec une rapidité stupéfiante, et ils vous tuent dès qu'ils vous voient.

Nous sommes arrivés à moins de cinquante mètres du buffle, elle a pris sa mire en respirant doucement et elle a dit : « OK, vas-y. Souviens-toi, tu dois causer le plus de dégâts possible dès le premier coup de feu. Ne vise jamais la tête ni la nuque. Vise les tripes, et, si tu as de la chance, tu toucheras l'os. Il est très, très rare d'abattre le buffle d'un seul coup, alors prépare le deuxième ; et souviens-toi qu'il peut se mettre à courir, et que nous devrons suivre. C'est traître. »

J'ai eu de la chance : ma balle lui a brisé la colonne vertébrale et l'a achevé. Elle était contente : « C'est très, très rare », répéta-t-elle.

Après, nous avons fait du ragoût avec les rotules du buffle – une longue cuisson dans une marmite en fer sur le feu –, elle a parlé de chasse, et moi, de la température de l'air. C'était l'effet du bush sur moi, j'avais des démangeaisons, j'avais trop chaud, je m'ennuyais.

« Il n'y a pas de putains de ventilateurs dans le veld, a-t-elle dit.

– Non, maman. Mais il existe des méthodes. »

Je lui ai parlé du système de l'évaporation. « Tu trempes un drap dans l'eau et tu le suspends dans la brise. C'est la climatisation naturelle.

– Où diable as-tu trouvé ça ?

– Je l'ai lu dans un livre.

– Oh là là ! Vraiment ? a-t-elle répondu. L'air ? J'aimerais mieux que tu oublies ça. »

J'aimais lire de quelle manière on le modifiait et le traitait. Comment on le lavait pour contrôler ses impuretés, avant de l'enfermer dans un espace clos, de maîtriser sa température. J'aimais surtout l'effet de cet intérêt – si mineur, si neutre, si innocent, si léger – sur les gens, dans un pays où la bière, le sang et les balles jaillissaient si aisément. Mon intérêt pour l'air les rendait dingues. Il leur semblait non seulement pervers, mais carrément séditieux.

Dans la vieille encyclopédie Cassell que ma mère possédait, je trouvai l'histoire de John Gorrie, et il devint une sorte de saint pour moi. Gorrie était un médecin et un savant, né en Caroline : cela en soi était magique – la Caroline était si lointaine ! aussi lointaine que je voulais bien l'imaginer dans mes rêves. Et comme si ça ne suffisait pas, il y avait deux Carolines : celle du Nord et celle du Sud.

Gorrie fit ses études de médecine à New York. Puis il partit sur la côte du golfe et s'établit dans une ville du nom d'Apalachicola, en Floride. Je n'avais jamais entendu un nom aussi beau, je le répétais encore et encore. Mais quand je le mentionnai en classe les gens ne furent pas du tout impressionnés, leur visage s'assombrit, ils froncèrent le sourcil – même des gens très intelligents – et s'écrièrent : « C'est quoi ? » En apprenant que c'était une ville de Floride, en Amérique, ils se mirent souvent en colère, ou se raillèrent de moi. « Ah ! vraiment. En Floride, hein ? »

Ma mère réagit de la même façon : « Apala… quoi ? Honnêtement, Alexandre, si j'avais su quel usage tu allais faire de ces vieux livres, je les aurais donnés à une vente de charité. »

L'usage que j'en faisais et qu'elle déplorait tant n'avait pas grand-chose à voir avec l'information dans le sens le plus strict du terme : pour moi, la lecture était beaucoup plus vitale, plus physique, plus gratifiante ; elle me montrait comment m'échapper. Elle m'entraînait hors de la maison, hors du pays, jusqu'à Apalachicola. Ah ! le son de ce nom… aujourd'hui encore !

À Apalachicola, John Gorrie traitait la malaria et la fièvre jaune, même si à l'époque personne ne voyait la différence ; sauf que la malaria se déclarait par de terribles frissons, des tremblements et de la fièvre ; elle se manifestait par des crises répétées, et était parfois mortelle. Beaucoup plus mystérieuse était la fièvre jaune, qui ne survenait qu'une fois, et vous laissait mort ou vif. Elle commençait aussi par des spasmes et une forte température, une soif dévorante, de violents maux de tête, puis une douleur terrible dans le dos et les jambes. Le lendemain on devenait aussi jaune qu'une vieille feuille d'automne. Le pire, c'était le vomi noir, la chute de température et le début du coma ultime.

Comme les gens croyaient généralement que l'effroyable maladie venait du « mauvais air » – *mal-aria* –, ils recouraient à des expédients désespérés pour chasser les effluves nocifs : du vinaigre sur un mouchoir, de l'ail sur les souliers, des draps imbibés de camphre, faire brûler du soufre ou de la poudre à canon, ou, même, tirer des coups de canon.

John Gorrie essaya la glace. Il en suspendit des bassines au-dessus du lit du patient : l'air froid est plus lourd que l'air chaud. Cela apaisait, très littéralement, la fièvre de ses malades. Mais il était difficile de se procurer de la glace – il fallait la faire venir par bateau des lacs au nord du pays – et Gorrie eut alors une idée révolutionnaire : il décida de construire une machine pour fabriquer de la glace.

En 1851, il déposa une demande de brevet pour une machine à glace. Je savais par cœur le texte de sa courte requête et il me suffisait de le réciter tout haut pour faire hurler ma mère.

« "Si l'air était hautement comprimé, il serait chauffé par l'énergie de la compression. Si cet air comprimé était propulsé dans des tuyaux métalliques refroidis par de l'eau, et si cet air refroidi à la température de l'air était dilaté de nouveau sous l'effet de la pression atmosphérique, de très basses températures pourraient être obtenues, assez basses même pour geler l'eau dans des récipients à l'intérieur d'un réfrigérateur." »

L'énergie du compresseur, estimait Gorrie, pouvait être produite par de la vapeur, de l'eau, des ailes de moulin, ou peut-être des chevaux. Il faisait tomber la température en forçant le gaz à se dilater rapidement. Comprimez le gaz et il chauffe ; relâchez la pression et le gaz se dilate, et pendant qu'il se dilate, il absorbe la chaleur, et rafraîchit l'espace qui l'entoure. Le principe de base de Gorrie est celui qu'on utilise le plus souvent aujourd'hui dans la réfrigération ; à savoir, le refroidissement provoqué par la dilatation rapide des gaz.

Il avait une vénération pour la glace ; il croyait qu'elle soignait la fièvre. Il se trompait. Les moustiques, et non la chaleur, étaient la cause de la malaria. Mais ce qui fit de lui un héros à mes yeux, c'est qu'il voulait soulager la souffrance de ses patients, qu'il souhaitait les rafraîchir, et purifier le

« mauvais air » qui les rendait malades. Bref, Gorrie était persuadé que l'abaissement de la température apaiserait leurs maux.

J'appris avec intérêt qu'à l'époque il y avait ceux qui le haïssaient, qui était persuadés que fabriquer de la glace était un blasphème. Gorrie avait fait ce que seul Dieu pouvait accomplir. Il fut diffamé en conséquence, et mourut jeune, le cœur brisé.

Je savais que, sur un plan essentiel, il avait eu raison. Dans mon pays, nous vivions avec le mauvais air – la *malaria* –, nous avions contracté la maladie qui devait paralyser toute l'Afrique avant longtemps. Nous étions victimes de la fièvre, des sueurs froides, de la douleur, de la frénésie provoquées par les idées pernicieuses, hautement contagieuses, qui imprégnaient l'atmosphère : la pureté du sang, et l'intégrité de la tribu, du groupe et de la nation. Chez nous, cela conduisit à la folie et au meurtre, et le même processus s'étendit à toute l'Afrique, tandis qu'un pays après l'autre accédait à l'indépendance. On aurait pu appeler cela du nationalisme si ce mot n'avait pas été trop doux pour une maladie mortelle. Le grand désastre de notre temps.

Ma mère n'en portait pas la moindre trace, et je l'admirais pour cela. Elle suivait sa voie sans prêter attention aux limites, aux frontières, aux divisions, aux races, aux tribus ni aux nations : comment quelque chose d'aussi stupide, d'aussi vulgaire, d'aussi ennuyeux, d'aussi étriqué pouvait-il être sérieux ? Pourtant elle pouvait adopter un moment – selon l'endroit où elle se trouvait – un peuple particulier qui incarnait à ses yeux une réalité de l'Afrique. Elle se prit d'affection pour les pygmées d'Ituri, ou hommes-léopards, ou même, parce qu'ils avaient brièvement accueilli son père comme un des leurs, pour les Boers des anciennes républiques sud-africaines. Elle n'avait aucune notion du clan ni de la couleur, pour elle, il n'y avait que des amis et des ennemis. C'était magnifique, d'une certaine manière. Pourtant, c'était de l'aveuglement. D'après sa vision du monde, la race ne comptait jamais. Elle ne l'intéressait pas, c'est tout. Mais la race finit par s'intéresser à elle.

2

De l'époque où je n'avais guère plus de cinq ou six ans, j'ai gardé le souvenir très précis de la senteur de pin de ses bottes de vol, enduites de dégras cireux, le produit utilisé pour les selles, les fontes et les étuis des fusils. Je me rappelle l'odeur de sa pipe et l'âcreté du tabac Boxer. Ailleurs, n'importe où, quelque part, étalée dans son large fauteuil en osier, le lustre de la pointe de ses bottes m'évoquant le chatoiement du miel, elle puisait des brins de tabac parfumés dans le sachet de coton blanc fermé par un cordonnet, bourrant sa longue pipe noire garnie d'un capuchon d'argent fixé à une chaînette, qui se vissait sur le fourneau quand le tabac rougeoyait. Ma mère avait de multiples visages. Parfois elle m'apparaissait semblable à la mer : toujours la même, toujours changeante. À d'autres moments, elle me faisait penser à un homme portant perruque, du genre de Jack Lemmon dans *Certains l'aiment chaud*. En plus grande, avec une poitrine plus généreuse, un transsexuel dont l'opération aurait fait des miracles, avec sa chevelure châtain bouclée, séparée par une raie au milieu, qui se déployait sur ses oreilles tel un rideau à festons, pas vraiment convaincant.

Ses longues jambes se tendaient devant elle comme des échasses ; elle exhalait une épaisse fumée crémeuse dans l'atmosphère, et à cet instant-là j'étais réellement heureux.

Parce qu'elle était là ; parce qu'elle était tranquille, et ne bougeait pas ; parce qu'elle était à la maison ; parce que nous étions ensemble ; parce qu'elle était revenue de là où elle était partie : de Mombasa, Lagos ou Stanleyville. Redescendue de l'altitude à laquelle elle avait volé ; au Kenya, au Nyasaland ou dans le Sud-Ouest africain ; de retour de chez l'oncle auquel elle avait rendu visite alors – oncle Hansie, oncle Papadop ou oncle Bertie du Natal, qui affirmait être un Zoulou blanc.

Bertie avait été l'un de mes premiers oncles. Il dirigeait un grand hôtel en Angleterre ; il avait gagné beaucoup d'argent et, d'après lui, « la nation zouloue » était aussi proche qu'on pouvait l'être à l'époque moderne des Romains de l'Antiquité en matière de « talents au combat et de courage stoïque ». Pourquoi ne pas devenir un Swazi blanc, ou un Xhosa blanc ? Eh bien, parce que, pour des hôteliers romantiques tels que l'oncle Bertie, seules certaines tribus faisaient le poids. On voyait cette fascination saugrenue dans tout le putain de continent. Au Kenya, c'étaient les Masai qui gagnaient haut la main ; en Arabie, les Bédouins. Pour l'oncle Bertie, c'étaient les Zoulous.

Il était parti pour le Zoulouland à l'époque trouble du milieu des années soixante, où, comme si ce n'était pas déjà assez terrible de vivre parmi des escrocs et des criminels qui se prenaient pour l'essence des pionniers dans cette région d'Afrique, nous ployions sous le joug des puritains collet monté. Nous avions l'habitude de faire face à la bassesse grossière, mais la domination de types profondément convaincus d'avoir été consacrés par Dieu était une expérience jusque-là inconnue (et dont nous ne nous sommes jamais remis). Certes, l'oncle Bertie, qui venait d'Angleterre, ne savait foutrement rien de tout ça. Il ne connaissait que « l'Afrique ». Dois-je en dire plus ? Les types qui dirigeaient notre pays aimaient bien Bertie, ils appréciaient son énergie, son refus de voir la réalité, ses tentatives pour se montrer raisonnable et rationnel.

Ils appréciaient aussi son point de vue sur les tribus. Ne se considéraient-ils pas comme une tribu africaine, même si celle-ci était destinée par le Seigneur à flanquer la trouille à toutes les autres tribus ?

L'oncle Bertie fut fait Zoulou blanc par le roi Cyprian Bhekuzulu kaSolomon. Son nouveau nom était Nqobizitha, qui signifie « Conquérir les ennemis ». Quand il venait en visite à Johannesburg, il exécutait une danse zouloue sur la pelouse, à côté des dahlias. Un hôtelier corpulent, torse nu en jupe de cuir avec des parements en peau de léopard, les pattes sautillant sur ses tétons, qui agitait une massue dans les airs.

« C'est un idiot, déclarai-je à ma mère.

– Prends garde à ce qu'il ne t'entende pas, il ne te laisserait plus jouer avec ses sagaies, répliqua-t-elle. Et il se peut que nous habitions dans l'une des maisons de Bertie la prochaine fois. »

Ce fut le cas. Il avait acheté une réserve de gibier au Natal et ma mère allait y chasser. Sur le mur, à côté de la reine, il avait accroché le certificat confirmant qu'il avait été accueilli au sein de la nation zouloue.

Nous semblions déménager presque toutes les semaines pour nous rendre dans un nouvel endroit, en fonction des plans de vol de ma mère, de ses parties de chasse, ou de l'oncle du moment. Nous vécûmes dans des propriétés ou des petites fermes, dans le veld du Transvaal ; nous passâmes quelque temps dans de coquets bungalows de banlieue en pierre ; et dans de grands manoirs de Johannesburg, dont les immenses pelouses s'étendaient jusqu'à de lointains murs blancs, et où le soleil qui filtrait à travers les mailles de la haute clôture ciselait des diamants de feu sur le sable rouge sang desséché du court de tennis.

Quand je regarde en arrière, je ne peux les distinguer, et toutes ces demeures – nos havres de passage – se sont fondues dans notre vraie maison, celle où nous avons fait halte de nombreuses années après, la maison de Forest Town, en haut de la route qui partait du zoo. De la même façon que tous mes souvenirs se sont focalisés sur ces images de ma mère, ce jour où elle se trouvait à la maison et où nous étions ensemble.

À cette occasion je me souviens qu'elle était arrivée peu avant au club d'aviation, avait garé son Stinson dans le hangar et conduit sa vieille Land Rover pour rentrer à la maison. Au cours des années, ma mère a piloté une quantité d'appareils, Piper et Beechcraft, mais ce fut un Stinson Voyager, construit en 1947 à Wayne, dans le Michigan, qu'elle garda le plus longtemps. Quatre places pour les passagers, si on ajoutait les deux sièges arrière, et énormément d'espace si on s'en abstenait ; une machine puissante, capable de transporter environ trois cents kilos sans difficulté.

Lorsqu'elle partait à l'intérieur de l'Afrique, elle volait généralement avec un train d'atterrissage conventionnel jusqu'au Kenya, où elle se posait sur la piste bosselée de tel ou tel oncle, qui se trouvait posséder un barrage ou un réservoir commode. Le lendemain elle échangeait son train d'atterrissage contre une paire de flotteurs, ce qui signifiait qu'elle pouvait se poser sur une pièce d'eau là où elle le souhaitait. Et l'endroit choisi, où qu'il fût, lui appartenait.

Je me souviens si bien de ce retour-là parce que, contrairement à son habitude, elle n'avait ramené personne avec elle : pas d'amis du vaste bush qu'elle avait survolé et où elle s'était posée ; pas de sorciers ni de chasseurs blancs du Gabon, du Congo ou du Kenya. Cette fois, c'était juste elle et moi, juste nous. Je l'étreignis et elle sentait l'ailleurs : les feux de camp, la cordite, le tabac de pipe, le cirage pour les bottes et l'huile d'avion. Je m'assis pour la contempler, je sus qu'elle existait réellement, et j'espérai qu'elle ne bougerait plus jamais. Je savais que ça n'arriverait pas, bien sûr ; elle se reposait seulement ; sa vie ne consistait pas à s'arrêter, mais à se lever et à partir, à cet instant pourtant, on ne l'eût jamais cru, à voir sa posture abandonnée, le lustre du cuir de ses bottes, les pointes d'un foulard lavande rehaussé par la bordure en laine blanche de sa veste de vol.

Sur le rayonnage derrière elle, à côté du dos bleu des *Grandes Histoires du monde* de Cassell, relié en cuir, se trouvait la photographie de son père dans un cadre sculpté en ivoire : un visage vif, éveillé, avec une moustache fournie et dans ses yeux vert foncé une expression téméraire et meurtrie à la fois. Et des photos du Dr Schweitzer et de Hemingway, ainsi que la façade du club Muthaiga à Nairobi et une vue du Kilimanjaro, et tous ces gens et ces endroits qu'elle appelait « mes vieux potes » – sans jamais faire de distinction entre les lieux et les êtres vivants. Et parce qu'elle ne voyait jamais beaucoup de différence entre les gens et les contrées, elle prêtait des sentiments humains à différents pays et attribuait des spécificités géographiques à des gens : le Congo, dit-elle une fois, « a une nature timide, réservée ; il manque vraiment d'assurance »... Et Hemingway était « enclavé ; il rêvait toujours d'avoir son propre accès à la mer ». Pendant des années, j'ai cru que Hemingway était un pays quelque part en Afrique.

« Quand tu as un homme pour adversaire, tu dois protéger tes seins. Et les bras de Hem étaient si foutrement longs. Mais il n'a pas pensé à préserver sa taille, aussi je me suis approchée et je lui ai assené un coup. Nous mesurions à peu près pareil, plus de un mètre quatre-vingts, mais il était très avantagé par son poids. Je lui portais un direct du gauche trop bas, il l'esquivait de son gauche et avançait sa droite. Hem était fort, bien sûr. Dans une bagarre de bar il m'aurait massacrée, tandis que sur le ring il y a de l'espace, on peut se déplacer ; il frappait mon torse, mes épaules, mes côtes. Mais son timing était erratique. Je reculais, je reculais ; ça lui plaisait ; il me poursuivait, et je battais en retraite, sachant qu'il voulait me frapper de sa droite, et alors je m'avançais et je lui portais des coups secs. Je le frappais sur le nez ou la bouche. En fait, il connaissait bien les boxeurs ; il connaissait la position, le discours, et il se croyait bon. Mais c'était un amateur. Et moi aussi. Mais il y a des années, je me suis entraînée avec des gens comme Ezechiel Dhlamini et Slugger Ntombi ; ils étaient super. »

Il y avait sa photo de Hemingway vêtu d'un short et rien d'autre, la tête rasée, la peau brûlée par le soleil, presque noire, une épée à la main.

« Il traversait sa phase je-suis-un-chasseur-wakamba. Il aimait bien frimer, Hem. J'avais pitié de Mary. Tout ce que cette femme a enduré ! »

Hemingway avait décidé qu'il lui fallait une femme africaine et avait donc trouvé une fille parmi les Wakamba.

« Qu'il était fier de Debba ! Il avait le rêve de vivre avec Mary, son épouse "claire", et Debba, son épouse "sombre", dans un shamba, parmi les Wakamba. C'est comme le music-hall d'autrefois, n'est-ce pas ? »

Il y avait sa photo de Hemingway quand il faisait son travail de gardien honoraire chargé de la protection des animaux avec des Kikouyous sous ses ordres. Il est vêtu d'un uniforme conçu par lui-même, beaucoup de kaki et sa large ceinture « *Gott mit uns* » prise à un soldat allemand mort, à ce qu'il racontait, et ses troupes le saluent.

« Grands dieux, il aimait se déguiser ! »

Comme tous les autres. Quel autre pays que l'Afrique procurait aux Blancs costumés plus de distraction, de plaisir, ou de pouvoir ? L'Afrique était le seul endroit où ils faisaient vraiment impression ; pas tant par leurs talents ou leur morale, pourtant Dieu sait qu'ils aimaient à le croire. Non, ce qui impressionnait, c'était leur puissance de feu, le nombre d'assassinats à leur actif ; tout était si amusant, si facile, si brillant. Et ça leur montait à la tête. Comme leurs chapeaux.

Ensuite il y avait ses points de repère :

« Mon vieux papa... »

« Mes vieux potes... » (c'étaient mes oncles, ou ses anciens terrains de chasse).

« Mon cher garçon... » (c'était moi).

Franchement, je me contrefichais de ses vieux potes. Ils se mettaient entre nous, ils l'emmenaient avec eux ; c'étaient des emmerdeurs.

Et si vous me demandez ce que je n'aimais pas chez eux, je vous dirai qu'ils étaient si foutrement cabotins que c'en était insupportable. Autant que l'endroit. C'était de l'hérésie, je savais que ça ne servait à rien de marmonner le mantra magique « Afrique », comme si ça pouvait vous aider. Ça n'aidait pas. D'après mon expérience, la mention de ce mot était soit une putain d'excuse, soit une menace. Le continent devait renoncer à ce nom et recommencer de zéro avec un autre. Je l'avais si souvent entendue l'employer que j'avais appris à ne pas céder à sa pression manipulatrice. J'adoptai l'idée que chaque fois qu'on entendait quelqu'un dire « Afrique » il valait mieux vérifier son coffre à fusil et son système de sécurité parce qu'il y avait de fortes chances pour que quelqu'un envisage : *a*) de vous emmener faire un tour ; ou *b*) de vous buter.

Le mantra de ma mère ne me fut donc d'aucune utilité. Elle était toujours ailleurs qu'à la maison où j'avais besoin d'elle. C'était l'époque où elle était en voyage environ deux semaines par mois ; où des nounous successives arrivèrent pour s'occuper de moi, et puis repartirent parce que ma mère leur avait trouvé un nouvel emploi d'infirmière ou de vendeuse. Elle considérait le travail de domestique comme un piège à con, ne voyait pas l'intérêt d'avoir du personnel de maison, et à peine m'étais-je adapté à la cuisine, aux habitudes, à la présence de la nouvelle Betty, Blessing ou Ntembi qu'elle disparaissait pour faire une formation d'infirmière, de couturière, de scientifique, et ma mère était drôlement fière de les avoir aidées à sauter le pas.

Cela continua ainsi jusqu'à ce que j'atteigne l'âge de dix ou onze ans, et que j'apprenne à prendre soin de moi, à me préparer des sandwiches pour l'école, à faire cuire un œuf à la coque, et Dieu merci nous n'eûmes plus jamais recours à des serviteurs, mais seulement à un service de nettoyage, De Wet's Flying Dutchmen, des hommes blancs purs dans une camionnette immaculée. Des Afrikaners qui faisaient le ménage et entretenaient le jardin : des hommes grands, bronzés, poilus et moustachus en short kaki, à genoux, astiquant le carrelage de la cuisine, désherbant le jardin et se criant : « *Ek sé, ou doosie, gooi ons die blerrie doek !* » (« Hé là-bas, vieux con, passe-nous la serpillière ! »). Ce fut leur langage qui influença à ce point Baldy, notre perroquet gris, et lui fournit une riche réserve de gros mots afrikaans, tirés des jurons domestiques de ces hommes bourrus : Baldy adorait chanter : « *Die blikksemse seep is kak !* » (« Ce putain de savon, c'est de la merde ! ») et « *My jirre, maar die blerrie Hoover is opbefok !* » (« Bordel, ce putain d'aspi est baisé ! »)

L'organisation de ma mère déconcertait depuis des années les voisins qui nous encadraient : à gauche et à droite, Mrs. Terre'Blanche, Mrs. Garfinkel ; de l'autre côté de la rue, Mrs. Smuts et Mrs. Mason. Un mouvement de tenailles de mémés va-t-en-guerre, c'était ainsi que ma mère les appelait. Mais il faut dire qu'elle aimait bien faire chier le voisinage. Et c'était passablement excentrique de s'adresser à un service de nettoyage masculin et blanc à une époque où toute personne patriote et affichant son identité sud-africaine avait deux, trois ou quatre domestiques qui vivaient dans son arrière-cour ; et toute personne qui n'en possédait aucun était bizarre, pour ne pas dire carrément révolutionnaire.

Elle ne s'intéressait pas du tout à mes études. Je m'en réjouissais. Un jour, elle vint me voir jouer au cricket à l'école, encore en tenue de vol, elle s'appuya contre la palissade et alluma sa pipe. Les autres enfants se demandèrent tout haut : « C'est qui, *ça*, bon Dieu ? »

Je ne savais vraiment pas quoi dire, mais l'honnêteté exigeait une réponse, et je déclarai que c'était, euh, en quelque sorte… ma maman.

Je me heurtai à une totale incrédulité.

« Noon, c'est pas possible ! Putain de menteur ! »

Et en la regardant bien, ils n'avaient pas tort. Mais dans ce cas, si la haute silhouette contre la clôture n'était pas ma mère, qui diable était-elle ?

C'était l'époque de notre parc à lions, le premier dans le Transvaal. Je pense qu'il s'agissait de la riposte de ma mère à Joy Adamson, qu'elle détestait cordialement.

« Ce putain de frimeur ! Un de ces étrangers qui viennent ici et ont de l'Afrique une vision romantique. Nés libres, mon œil ! Je vais te dire une chose, mon garçon, rien ni personne n'est né libre ; aucun de nous n'y a droit ; la liberté est quelque chose qu'on acquiert de haute lutte et qui exige qu'on se batte pour la garder.

– Oui, m'an.

– Arrête avec tes "Oui, m'an".

– Non, m'an. »

Notre parc à lions était censé devenir une mine d'or : l'idée de ma mère était de proposer la chasse au gros gibier à ce qu'elle appelait « l'ensemble des citoyens ». Ils devraient verser vingt guinées contre la garantie de tuer un lion. Elle emmènerait les chasseurs dans sa Landy et veillerait à ce qu'ils obtiennent ce pour quoi ils avaient payé, un trophée léonin à coller sur le mur à côté des canards sauvages et de la petite plaque murale en bois avec l'inscription *Tout ce que j'aime est immoral, illégal ou fait grossir.*

Ce n'était pas une mauvaise idée. Même alors, dans les années cinquante, la chasse en Afrique du Sud était rarement synonyme de gros gibier. Il fallait aller au Nord pour cela. La chasse évoquait plus couramment du petit gibier poursuivi par des grands types en short minable. L'idée de ma mère était de rendre accessible aux Sud-Africains un peu du plaisir qu'elle puisait lors de safaris dans le « Block 66 » du Tanganyika, et les contreforts du mont Kilimandjaro.

Elle loua à la sortie de Krugersdorp plusieurs milliers d'hectares, déjà largement peuplés de springboks, de koudous et de zèbres. Elle discuta avec ses copains d'Arusha et fit venir une demi-douzaine de lions, pour « tester le marché ». Ses lions étaient des lions à crinière noire – une espèce depuis longtemps disparue d'Afrique du Sud – qui vivaient sur un terrain composé d'acacias, de gigantesques tapis d'herbes blondes, de champs de lave noire et de buissons de sansevière tranchante, et elle les fit transporter tout en bas du continent, dans les herbes ondoyantes du *highveld*.

J'étais le gardien. Elle m'habillait d'une tenue de safari kaki avec, dans le dos, ces mots cousus en lettres rouges : *Healey's Hunts*. Je m'installais sur une chaise en plastique devant le portail, tenant un sac de toile pour recueillir ce que ma mère appelait les « pépètes » des citoyens reconnaissants ; elle attendait avec les fusils et la Land Rover. Elle utilisait un vieux Mannlicher .256, « agréable et léger pour le gibier rapide », disait-elle, parlant des daims. Pour le gibier plus lourd comme les buffles et les éléphants, elle se servait d'un .470.

Elle n'avait pas escompté la résistance des Sud-Africains, peu disposés à payer pour quelque chose qu'ils croyaient leur revenir de droit. Le chasseur sud-africain ne s'embarrassait pas de permis, de tentes, d'apéritifs ni de coupes d'argent pour abattre les plus gros buffles. Au contraire des Kenyans, il mangeait ce qu'il tuait. Si vous aviez envie de chasser, vous alliez dans votre ferme, ou dans vos fermes, ou dans la ferme de votre sœur, et vous preniez un camion pour vous lancer à la poursuite des cerfs. La chasse sud-africaine n'avait rien à voir avec le safari, ni le sexe, ni le sport, ni même le style ; le chasseur sud-africain ne se mélangeait pas avec les femmes, il ne prenait pas de porteurs, et méprisait ceux qui en employaient. Payer pour chasser était aussi déplacé que payer pour le sexe : c'était carrément indécent, c'était anti-sud-africain. La chasse était l'affaire des mecs qui se serraient souvent à l'arrière d'un pick-up, traquant le gibier ; qui se soûlaient la gueule au brandy-Coca et dégueulaient sous les acacias. Elle était l'essence d'un Sud-Africain respectable. Les Sud-Africains respectables étaient les derniers aristocrates ; ils possédaient le pays. Ils ne payaient pas pour entrer. Ce genre de traitement était réservé aux étrangers, aux pédés et aux femmes, ce qui, dans l'esprit des chasseurs entassés à l'arrière du pick-up, revenait pratiquement à la même chose.

Les habitudes de chasse de ma mère étaient différentes. Elle chassait dans les forêts pluviales au Congo, en Ouganda, dans le Mozambique et le Nyasaland. Son style se fondait sur le modèle kenyan inventé par les riches Britanniques et les Américains plus riches encore. Son idée du safari avait à voir avec le sang, les balles, l'alcool et le sexe : un souper servi dans une vaisselle en argent après une belle journée dans les salants. Du bon champagne aussi souvent que possible, parce que le vin voyageait mal. Ce qui lui plaisait, je suppose, c'étaient les prérogatives dues à la naissance et à l'éducation. Son style portait la marque qui distinguait les vieux chasseurs blancs qui œuvraient en Afrique du Centre et de l'Est, pour lesquels la chasse s'accordait avec l'argent et un snobisme vigoureux, dont les safaris avaient pour vedettes des barons, des princes, des présidents et des stars de cinéma, qui rêvaient de l'Afrique la nuit dans le bush comme d'une aventure : s'enivrer ou se faire baiser sous une grosse lune huileuse tandis qu'au-delà du cercle éclairé par la lueur du feu les hyènes rôdaient, glapissant tels des agents de change à la Bourse.

En y repensant, je vois qu'elle n'avait pas tort de proposer la chasse à l'ensemble des citoyens, mais qu'elle était très en avance sur son temps. Elle avait mis sur pied ce qui devait se révéler populaire beaucoup plus tard, et qu'on a appelé la chasse bidon, où la victime – lion, buffle, éland – était conduite dans la ligne de mire d'un trou du cul qui avait acheté un permis lui garantissant un trophée mort. Healey's Hunts avait l'intention d'offrir des « esprits apaisants d'Afrique » : friction à l'huile d'aloès ; elle parla même d'une ligne de soins et de cosmétiques, « les lotions Healey's pour la santé et la beauté ». Elle anticipa l'industrie des pavillons « à thème » qui, le moment venu, viendraient souiller le bush sud-africain. Ils s'y dressent aujourd'hui tels des monuments à son idée qui les avait devancés de plusieurs décennies : « centres de bien-être », et *bomas** de soins psychosomatiques, promettant des thérapies africaines de nu intégral comme l'*ubuntu*** inspirant, et tout le décor adéquat – moustiquaires tissées à la main, cabines de douche en toile sous les baobabs, bains apaisants de thé rooibos, ou d'alcool de *buchu*, ainsi que massages zoulous 100 % authentiques, cuisine ethnique du bushveld, et alcools à discrétion – pour seulement 1 000 dollars la nuit.

* Zone circulaire dans le bush, protégée par une barrière d'épines, de roseaux ou de piquets en bois, où le bétail est à l'abri des bêtes sauvages. (N.d.T.)

** Vieux mot africain qui exprime une idée presque mystique de bonté à l'égard de toutes les créatures considérée par certains comme une vertu typique et essentielle en Afrique, et par d'autres comme une absurdité. (N.d.T.)

Healey's Hunts ferma ses portes au bout de six semaines et on n'en parla plus jamais. Je ne sais pas ce qui est arrivé à nos lions. Mais en fait, en ce qui concernait ma propre existence, je ne savais pas grand-chose. La vie, ma vie, toute la vie, semblait toujours partir d'une aventure passée de ma mère ; et il en a été ainsi jusqu'à ce que je me fasse la belle.

Une fois, je lui ai demandé comment elle était devenue aviatrice, et elle a dit :

« Je dois tout ça à la dynamite. »

C'était sa réponse classique aux questions qu'elle jugeait trop sacrées pour être résolues sur un mode laïque. Mais quand je reconstituai l'histoire, je compris à peu près ce qu'elle voulait dire. La vie était une question d'élévation. Elle était littéralement chargée d'énergie propulsive, prête à vous expédier dans les cieux, et, dans le cas de ma mère, à l'y maintenir. D'une manière ou d'une autre, le simple fait d'être en Afrique et d'y habiter suffisait à légaliser vos aventures, à les circonscrire, et à les caractériser par l'usage d'explosifs puissants. En faisant sauter quelque chose, vous confirmiez que vous en étiez propriétaire.

Il n'y avait rien de surprenant à ce qu'elle eût l'habitude d'être admirée. Elle mesurait 1,85 mètre en chaussettes – elle les tricotait elle-même – de chaude laine grise. Elle avait appris à voler à dix-huit ans, et ne regardait jamais en arrière ; en conséquence, à chacun de ses retours, j'avais toujours l'impression qu'elle venait de tomber du ciel, ce qui était vrai, bien sûr.

Elle disait toujours que son vieux père l'avait emmenée à bord des hydravions, et lui avait donné le goût de l'altitude.

Elle arpentait le monde telle la reine de Saba, ou Godzilla, ou le prêtre Jean ; reine guerrière, monstre ou travelo, qui sait ? Et combien d'hommes l'ont aimée ! Ce qui était vraiment curieux, quand on y songeait, car elle m'a toujours semblé trop occupée à tirer sur quelque chose, ou à s'envoler vers une destination nouvelle, pour se soucier beaucoup de ses soupirants désespérés, perdus dans la poussière de ses départs.

De temps en temps, « juste pour s'amuser », elle m'emmenait dans des excursions à basse altitude au-dessus de la fabrique de dynamite de Modderfontein, à l'est de Johannesburg : la plus grande du monde, sinon de l'univers. Elle ne manquait jamais d'être impressionnée comme au premier jour par sa capacité de destruction. Je me disais : et alors ? on la survole, on jette un coup d'œil en bas, on voit la largeur d'un toit ; après tout, ce n'était qu'une putain d'usine, rien de plus.

« Pourquoi c'est si important ?

– Pourquoi ? Comment crois-tu que nous accédons à notre or ? Nous forons des puits dans la roche : et pour découper le filon en fragments accessibles, nous utilisons la dynamite pour creuser des tunnels, ou *stopes* (gradins) qui se déploient comme des rameaux à partir du puits principal. Ces explosions nécessitent beaucoup de dynamite. Trois millions de caisses par an. La dynamite, voilà ce qu'on fabrique à Johannesburg. On a ça dans le sang. »

Elle espérait qu'un jour j'obtiendrais mon certificat de minage. Quand je déclarai que je n'aimais pas les explosifs, elle me fit alors l'exposé suivant sur l'histoire sud-africaine, concernant les explosions notables :

« 1896 a été une année terrible. D'abord, il y a eu le Jameson Raid, suivi par une épidémie de peste bovine qui a décimé toutes les bêtes d'ici au Zambèze. Puis un paquebot flambant neuf, le *Drummond Castle*, a descendu la côte française. Mais le plus spectaculaire de tout, ç'a été la "Grande Explosion de dynamite". Elle s'est produite à Braamfontein le 19 février 1896. Un train, chargé de cinquante-cinq tonnes de dynamite, est resté à cuire sous le soleil du highveld. Il était là depuis trois jours. Une locomotive de manœuvre l'a heurté légèrement et il a explosé, creusant un trou de soixante mètres de large et de vingt-huit mètres de profondeur, tuant plus de cent personnes, et en blessant deux mille. Ils venaient juste de commencer à construire Johannesburg, et ils l'ont fait sauter. Il fallait s'y attendre, Alexander. Souviens-toi toujours que nous sommes mariés avec la dynamite. »

Son idée de l'éducation, d'une vraie qualification, était un permis de dynamiter.

« Mon vieux père a obtenu son certificat de minage quand il avait à peine seize ans. Tu imagines ! Ça se passait dans le Transvaal d'autrefois, et le Parlement, le Kruger Volksraad, a voté une loi disant que seul un homme blanc pouvait poser un bâton de dynamite ; seuls des Blancs avaient le droit de charger un détonateur, de forer les trous dans le roc ou de déclencher la mise à feu. Mais ça s'est heurté au vieux problème sud-africain. Les Noirs, les métis et les Asiatiques étaient de bons dynamiteurs. Venus tout droit des gisements de diamants, bon Dieu, ils maniaient les explosifs aussi joliment que n'importe quel Blanc, et, mieux encore, ils le faisaient pour moitié prix. Imagine le tableau : la piété vaincue par la cupidité. Pourquoi payer un stupide garçon blanc cinq dollars par mois quand un jeune Noir futé s'en tirait mieux et pour moins cher ? Alors comment rester pur tout en entubant les propriétaires des mines qui se contrefichaient de vos fantasmes raciaux ? Très facile. Les sbires de Kruger ont aboli la discrimination raciale mais voté une loi qui n'autorisait que les hommes titulaires de permis à utiliser la dynamite, et par la suite les Blancs ont donc obtenu les papiers nécessaires tandis que les Noirs portaient les outils. »

Je connaissais la leçon par cœur. On ne s'enrichissait pas sans se salir les mains. Autrefois, quand Johannesburg était encore un campement, n'importe qui pouvait acheter des bâtons de dynamite, et creuser un trou dans le filon en espérant avoir de la chance. Mais l'initiative individuelle a cédé à la production de masse, au contrôle, à l'ennui et à la mort.

Joe Healey, mon grand-père, m'a été transmis dans les moindres détails, conservé dans l'aspic des souvenirs de ma mère. Elle qui n'oubliait rien et chez qui les détails du passé perduraient, s'ajustant au fur et à mesure, et d'une manière parallèle, aux événements présents de notre existence. Elle était un almanach ambulant, doué de parole, relatant en détail non seulement le passé de notre famille mais celui de ce pays, et l'histoire folle, comique, souillée de larmes, de l'implantation des Blancs dans la pointe sud de l'Afrique. Les souvenirs de la guerre des Boers, les filons d'or, les maudits Anglais, les intrépides fermiers entraînés dans le combat de Smuts et Delarey, et le talent de son père pour manier des explosifs puissants.

Joe Healey était un pionnier. Ces cons pontifiants pérorant perpétuellement sur la « cité dorée » aimaient dire qu'il était venu « pour faire l'histoire ». En vérité, avec toute la racaille qui avait envahi le Rand à la fin du XIXe siècle, Joe Healey était venu pour gagner de l'argent, et de l'argent douteux par-dessus le marché. Il était venu pour l'or, ce qui voulait dire qu'il avait bientôt été forcé de prendre un fusil.

« Dans la guerre des Boers mon père a combattu avec la brigade irlandaise. »

Un nom bien grandiose pour les va-nu-pieds moustachus de la photo qu'elle gardait sur son bureau.

« Mon vieux père a fait sauter des caniveaux de voie ferrée avec le commandant MacBride. »

Elle appuyait sur le mot *culvert* (caniveau) à la façon des gens de Johannesburg, rallongeant la première syllabe et resserrant la seconde en un « culll-citttz ! » en dents de scie. Puis elle ajoutait : « Bien sûr, c'était avant que John MacBride soit sorti avec Maude Gonne, ou que Willy Yeats apparaisse dans le paysage. Ils appelaient mon vieux père "Spaghetti Joe" parce que quand il posait une mine l'explosion avait pour effet d'entortiller les rails comme des spaghettis. Il s'est distingué en faisant exploser tous les caniveaux de chemin de fer de Bloemfontein jusqu'au Vaal. Les Britanniques » – elle parlait toujours comme si c'était arrivé la semaine dernière – « voulaient nous effacer de la surface de la terre. Pour les Britanniques, nous étions à peine humains, nous étions des hommes des cavernes, presque des singes. Une espèce en voie d'extinction – ils voulaient voir des têtes de "Brother Boer" suspendues sur le mur du club. Ils cherchaient de quel côté tirer, comme si nous étions des faisans… »

Par ce « nous », elle voulait parler des Boers, des *paysans** hollandais taciturnes, têtus, presque illettrés. C'étaient les types auxquels elle s'identifiait passionnément ; c'était « notre peuple ». Mais elle me semblait s'en soucier avec la même passion dont elle faisait preuve pour sauver une espèce menacée comme le bongo ou le rhinocéros blanc. Elle s'en souciait aussi pour la galerie, et bien sûr, pour la chasse.

« Les kaki faisaient irruption dans une ferme et nous donnaient vingt minutes pour prendre ce que nous pouvions, et ensuite ils incendiaient l'endroit. Ils nous considéraient comme des poux, des microbes ! Ils voulaient nous éliminer. Pour revenir au rêve immaculé d'un pays vide où on marche sur de l'or. Comme machine à tuer, l'armée britannique rivalisait avec la peste noire ; elle emportait des gens nuit et jour. »

* En français dans le texte. (N.d.T.)

Elle était née seize ans après la fin de la guerre des Boers, et n'en connaissait que les histoires que lui avait racontées son père, mais ça ne changeait rien. Elle s'était trouvée *là*, et le fait de sa présence substantielle pendant ces épisodes cruels signifiait que je les avais moi aussi vécus.

Je m'aperçus plus tard que cette histoire outrancière était typique de Johannesburg. C'était typique des prospecteurs, des miséreux que de prétendre que tout ce que vous étiez capable de nommer vous appartenait. Au début, le vocabulaire était la propriété. Même son nom actuel qui évoquait un genre de borborygme – Johannesburg – était comme une pensée après coup ; une manière de pomponner ce qui avait été un terrain plat de pas grand-chose, qu'on avait d'abord appelé Ferreira's Camp.

Tout ce qui comptait, c'était que sous les pas des mineurs maigres et affamés coulaient dans la pierre de profondes rivières d'or. Et quand vous considériez le procès-verbal dressé contre ma ville, ma mère n'avait pas tort. Beaucoup des parieurs qui bichonnaient Johannesburg comme une pute de luxe avec un pistolet dans son sac auraient dû être bouclés pour avoir causé des coups et blessures, porté une arme mortelle en état d'ivresse, s'être rendus coupables de parjure, d'escroquerie, et avoir cru qu'un meurtre commis à la légère était une forme de persuasion morale. Bien sûr, dans une certaine mesure, on pouvait dire que les choses se passaient ainsi dans ce pays, depuis que le premier colon avait débarqué sur le rivage et commencé à pourchasser les gens du coin. Et on aurait eu foutrement raison. Mais Johannesburg le fit mieux que personne.

En 1886, dès l'instant où les premiers chercheurs se sont cogné les orteils à des rochers veinés d'or et se sont rendu compte que des fleuves de lingots étaient figés sous leurs pieds, Johannesburg a entamé une ascension qui se poursuit jusqu'à ce jour. À Ferreira's Camp, une poignée de hors-la-loi ont fanfaronné, mis la ville sur un piédestal, et l'ont modelée selon leurs rêves ; de la même manière, ils ont lancé ensuite leurs combats professionnels, leurs courses de chevaux, leurs bordels, avec une prodigalité qu'on n'avait encore jamais vue en Afrique du Sud. « Eldorado-sur-Filon » et « Californie-dans-le-veld », la « Cité d'or », « Egoli », métropole miraculeuse au milieu de nulle part où tout le monde tapait dans la caisse et se remplissait les poches et roulait sur l'or, où les mineurs portaient des chapeaux et se prenaient pour des messieurs, et où des filles gantées de blanc sirotaient du thé dans de la porcelaine d'Anstey et se faisaient appeler « madame ».

Ce fut Paul Kruger, consterné par ses putains, ses escrocs et sa dépravation sordide, qui baptisa la ville « Sodome et Gomorrhe ». La plupart des habitants de Johannesburg le prirent comme un compliment. Ferreira's Camp devint la plus grande ville africaine au sud du Caire, et ses dieux étaient au nombre de deux : l'or et le fusil. Que pouvait-on attendre d'une ville conçue par des immigrants vagabonds entretenus par leur famille ? Pas même une ville, en vérité, mais une série de revendications minables et de placers interdits d'accès. Des hommes avec un chapeau sur la tête, une pelle et une bêche à la main, et la soif de l'or dans le cœur. Un genre de fille insouciante qui montrait sa culotte pailletée d'or à tous les gogos qui passaient.

Sur les murs de ses nombreuses chambres à coucher, ma mère accrochait les photos que son père avait prises de la Johannesburg du début, et que, lors de nos voyages au fil des années, elle avait transportées de maison en maison. J'ai vu le premier des wagons arrivés après la découverte de l'or sur ce qu'on appelait le Witwatersrand ; les premières tentes qui se dressèrent dans une implantation louche perchée sur le filon d'or le plus gigantesque et le plus profond du monde. L'or est le métal barbare et ces hommes étaient des barbares. Ils posent sur les photographies de mon grand-père, le chapeau de côté. Ils se trouvent à côté de la City et de la mine Suburban en 1887, la ville a un an à peine, et ils plastronnent déjà ; ils ont fait exploser le rocher, une profonde fissure entaille la terre et ils ont jeté une poulie en travers. Un homme noir descend un seau au fond du trou béant, dans le ventre rocheux aurifère. Les Blancs, musclés, l'air débonnaire, observent le Noir qui travaille.

La voie et le modèle suivis ensuite par tant d'entre nous trouvent leur origine dans l'histoire de Joe Healey. Ceux qui ont vécu la guerre des Boers n'ont jamais saisi ce qui s'est passé ensuite ; ils croyaient bizarrement que c'était un endroit normal où ils pouvaient mener une vie d'adulte.

Rêvant d'un riche naufrage sur le filon d'or, Joe Healey vint en 1906 à Johannesburg. Une ville de tentes, d'étain et de brique de Kimberley crue, accueillant près de cent cinquante mille mineurs – un sur trois était blanc – et pratiquement pas de femmes. Deux immeubles en pierre, de deux étages chacun : Consolidated Buildings et House. Au début, les mineurs échangèrent des concessions et des actions dans la rue, et les putes aussi. Puis, quand l'argent liquide arriva, ils se construisirent une Bourse, et un bordel, et la plupart des gens ne virent jamais la différence. Depuis, la Bourse est toujours une tour lupanar. Mais ceux qui accordaient trop d'importance à cet état de choses n'en ont pas saisi la dimension spirituelle ; car l'achat d'actions a probablement été la seule expérience d'ordre mystique qu'aient jamais connue la plupart des habitants de Johannesburg.

Cela se passait dans Corner House, où mon grand-père allait travailler comme coursier, transportant des piles de titres provisoires. Du bordel à la Bourse et de la Bourse au bar, courant entre les acquéreurs et les vendeurs avec des promesses écrites annonçant le rachat ou la damnation.

Il saisit très vite la situation. Johannesburg était une jungle, le « Rand » était en plein boom, et se composait du groupe de personnes les plus étranges qui se soient jamais réunies dans un coin d'Afrique en prétendant qu'ils vivaient ailleurs. En Angleterre, par exemple, en Irlande, en Estonie ou en Russie. Car, parmi les Barnato, les Eckstein, les Rosenthal, les Rose-Innes, les Bradley, les Pauling et les Goldreich, au milieu des Lithuaniens, des Angliches et des Yankees, il y avait des escadrons de Chinois importés dans les mines. Pourtant, quand les Hollandais étaient arrivés au Cap, van Riebeeck avait fait venir de Malaisie des centaines d'esclaves, étant bien entendu que les Blancs étaient en Afrique pour s'enrichir, et tous les autres pour travailler.

À Ferreira's Camp, sur le filon d'or, il y avait beaucoup de Noirs, mais les Chinois travaillaient plus longtemps pour un salaire moindre, bien qu'on se plaignît de la difficulté d'apprendre leur langue. Joe Healey parvint néanmoins à acquérir des notions de mandarin, de hollandais, d'allemand, de français, de russe et de swahili.

La ville se développa par blocs d'immeubles carrés, sur des lignes droites tracées par-dessus les souvenirs des anciennes fermes et fontaines. Les larges rues portaient le nom des desperados qui avaient négocié les marchés et travaillé dur, construit des hôtels particuliers dans Parktown Ridge, menti et triché et qui étaient devenus des stars : Eloff et Pritchard, Harrison et Jeppe. Concasseurs de pierres, fouilleurs de puits, géomètres, escrocs et notaires. Leurs temples étaient les maisons minières – De Beers, Consolidated Gold, Anglo-American – et leurs saints, Rhodes, Barnato, Beit et Oppenheimer, dont nous avons appris les noms tout petits, quand nous faisions nos dévotions à la Bourse, lui adressant des prières urgentes et intenses : « Notre-Seigneur qui êtes dans Hollard Street… Rand-ez-nous riches ! »

Ma mère m'accompagna dans les rues de la ville à ses débuts, de la même façon qu'elle m'entraîna plus tard dans les champs de bataille et les camps de concentration de la guerre des Boers. De Commissioner, la seule rue assez large pour y faire tourner un attelage de seize bœufs, aux courses de Turffontein où Joe Healey, originaire de Kilkenny, sans un sou à son actif, n'avait pas tardé à faire courir ses propres pur-sang, puis au Rand Club, au coin de Commissioner et de Market. Avec le champ de courses et le terrain de cricket, le club avait été l'un des premiers bâtiments construits : l'or, le bordel et la Bourse, la trinité sacrilège que Johannesburg adorait.

« Tu me croiras si tu veux, c'est Ikey Sonnenberg qui a donné à Cecil Rhodes, le vilain magicien, le terrain pour ce putain de Rand Club. Pour rien, gratuitement, cadeau, en échange de quoi Rhodes a fondé le Rand Club, qui pendant tout le siècle suivant en a interdit l'accès aux Juifs.

« Rhodes et Beit, et les autres grosses légumes, ont racheté les parts des petits prospecteurs, bâti la plus grosse fabrique de dynamite du monde entier, et creusé des tunnels dans la roche pour arriver aux paillettes de minerai incrustées dans la pierre. Et je vais te dire une chose, ça a marché ; l'industrie de l'or, c'étaient *eux*. Mais crois-moi, nous l'avons chèrement payé. Pour chaque parcelle de minerai extraite du rocher, un peu de notre cervelle s'est échappée de nos oreilles… C'est comme ça ici. »

« Ici », c'était toujours Johannesburg ; entre Le Cap et Le Caire, la seule ville digne de considération. Tout autre endroit tenait de la plaisanterie ; sinon, il méritait la pitié. Johannesburg comptait ; avec son trésor, sa hauteur, le danger et la vitesse, le risque d'une mort soudaine. Et curieusement, comme nous tous, d'une certaine manière, elle puisait dans ces sombres attributs une cause de fierté citoyenne.

« Une histoire ? Nous n'avons pas vraiment d'histoire », a dit un jour ma mère à l'un de mes nombreux oncles. « Juste un casier judiciaire. »

Ah ! ce « nous » : non pas le « nous » de majesté, ni un « nous » éditorial, ni un pronom familial chaleureux. Non, le sien était un « nous » impérial qui allait au-delà de la fierté de sa tribu pour réunir à l'intérieur de son enclos d'airain tout ce qui rendait « nôtre » la ville qui était la meilleure non seulement d'Afrique, mais de tout le foutu monde.

Je discutais.

« Londres ?

– Oh ! je t'en prie !

– New York ?

– Absurde.

– Paris ?

– Tu te fous de moi.

– Shanghai ?

– Tu rigoles. »

Peu après la fin de la Grande Guerre, Joe Healey épousa Millie Brokenshaw, la fille d'un mineur d'étain cornouaillais qui était venu tenter sa chance dans les mines de diamants de Kimberley. Millie mourut en couches et laissa à mon grand-père une petite fille à élever. L'unique talent de Joe Healey, le maniement perfectionné de la dynamite, lui permit de se créer un métier et, plus important encore à Johannesburg, de s'attribuer un titre – il se désigna lui-même directeur général des explosifs de Corner House Investments. Kathleen avait alors douze ans.

C'était un vrai changement. Le garçon autrefois parti en guerre contre les Anglais haïs qui complotaient et assassinaient pour voler son or au Transvaal entreprit de s'adapter à la paix de Vereeniging – « cette horrible et détestable capitulation » (les propres paroles de ma mère) –, qui avait mis fin à la guerre des Boers, en travaillant pour ces salauds – les grosses légumes, les Rand-lords – qui « finançaient » (toujours ma mère) « le cambriolage de l'or et des diamants des républiques boers ».

Ce fut une décision brillante. Dans toute l'Afrique, il y avait des trésors enfouis que les hommes désiraient extraire du sol. Des mines s'ouvraient sur le Rand, à Ndola et au Congo, et les maisons minières adoraient les explosifs puissants. Joe Healey pouvait tout faire sauter : il était capable de planquer une charge dans un gradin les yeux fermés. Cela ne tarda pas à lui rapporter de l'argent, des costumes trois pièces, un attaché-case en peau de porc, et un tas de voyages en hydravion, pour transporter des gens et du courrier à travers tout le continent.

Oui, il y avait des problèmes, des ex-Boers inconsolés, des Noirs furieux et une sorte de cupidité missionnaire, en même temps qu'un culte affiché de la stupidité militante, mais c'était le nouveau monde, et tout le monde était, ou serait, égal. Même les Irlandais catholiques…

Joe Healey se comporta comme s'il était chez lui – et il le croyait –, pourtant, dès le départ, tout indiquait le contraire. Il était en Afrique, et ça faisait toute la différence. Il s'était battu pour les Boers qui avaient perdu la guerre, mais ils avaient gagné la paix. Et quand ils en vinrent à posséder tout le pays ils n'eurent que faire de Joe Healey, ni de sa foi dans le progrès, la dynamite, Johannesburg, la liberté, la raison, le bon sens.

« Nous noierons nos différences, sinon elles nous engloutiront », dit Joe Healey à sa très jeune fille.

Une parole raisonnable, moderne, digne d'un chef d'État. Mais ça se passait en Afrique du Sud, les Boers étaient au pouvoir, et ces sentiments-là avaient un écho creux et futile. Tous les grands discours sur la liberté et le bon sens n'avaient jamais apporté qu'une panoplie de costumes, turbans et chasse-mouches aux patrons – et plongé tous les autres dans une merde plus noire encore.

« Nous sommes fêlés, dit ma mère. Nous sommes les descendants des mineurs que l'or a rendus fous. Avec à peu près autant de goût ou de jugement qu'on peut l'imaginer. Tout pour la frime. Que veulent les gens ? Ils veulent une mine d'or, six limousines et un énorme château dans les banlieues, avec une clôture électrifiée, une grande piscine et un tas de fusils. C'est ce qu'ils veulent de Soweto à Sandton ; tous autant qu'ils sont. Les Noirs, les Blancs, les Asiatiques, les métis et les Chinois... Et ils le veulent tout de suite. Personne ne sait ce qu'il est censé être ; tout le monde fait semblant, c'est du délire. Un jour tu es cambrioleur ; le lendemain, chef religieux. Ce n'est pas si étrange. Nous sommes disposés à tout essayer. Tu commences par être joueur de cricket ou travelo, et tu te retrouves agent de la circulation ou poète. Et ça ne nous pose pas de problème. Ce n'est pas étrange. Si ça te pose un problème à toi, c'est toi qui est *étrange*. OK, oui ? »

OK, non.

Ça me posait un problème. Mon comportement, par la suite, a été une forme de rébellion très calculée pour rendre ma mère folle furieuse. Elle voulait des fusils et des bottes et ce truc qui chauffe, saute, explose. Elle considérait notre prédilection nationale pour les bagarres simplement comme une autre manière de rester en contact, et en était attendrie. Ça me donnait envie de vomir. Alors j'ai pris la direction opposée, j'ai recherché les choses les plus insignifiantes, les plus légères, les plus futiles. Je venais d'une ville où les gens demandaient à leurs domestiques de respirer à leur place, afin d'être libres de se concentrer sur des choses essentielles comme l'or ou les flingues et de bavasser à leur guise. Je venais d'un endroit où nous étions perpétuellement gouvernés par une petite clique de types assommants et déments qui disaient être les fils de Dieu, affirmaient que leur sang était lavé au ciel et leur chair bénie par les anges, et que si quelqu'un n'était pas d'accord, ils se feraient un plaisir d'exploser son putain de crâne, ce qui arrivait souvent. Rien de personnel, juste pour reprendre contact.

À ces types s'opposait une autre bande qui estimait que les Blancs qui dirigeaient et ruinaient le pays étaient si mauvais qu'il fallait, selon les termes de Louis Farrakhan, les tuer et les enterrer, puis les déterrer et les tuer une seconde fois. Et si on n'était d'accord avec aucun des deux camps, si on déclarait qu'il fallait calmer le jeu au lieu d'envenimer les choses, on se retrouvait nulle part. Ou – comme l'avait dit ma mère – on avait un problème.

4

Les autres mères emmenaient leurs gosses à l'église ou dans des galeries d'art pour affiner leur esprit et leur âme ; ma mère m'emmenait en avion pour me faire visiter les charniers de la guerre des Boers. Elle ne l'avait pas vécue mais ça lui plaisait de la revivre depuis le début.

J'aimais voler avec elle ; elle était très calme, si calme qu'elle s'assoupissait quelquefois. Elle ne dormait pas complètement, c'était plutôt un somme éveillé ; l'avion montait et descendait doucement, sur pilote automatique, mais ça faisait tout de même une drôle d'impression. J'observais les *koppies*, les monticules lointains qui sautillaient le long de l'horizon. Je n'osais pas la réveiller, ni toucher les commandes.

À dix-huit ans, elle s'était entraînée sur un Gypsy Moth. Elle avait obtenu son brevet de pilote en 1938 : l'une des très rares femmes en Afrique à voler en solo. Et elle a porté très tard dans sa vie ce qu'elle appelait « mon vieil équipement d'autrefois » : une combinaison de vol doublée de duvet et une veste en peau de mouton. Son casque et ses lunettes de protection devinrent superflus et restèrent toujours accrochés dans le salon, à côté du portrait de Bamadodi, la reine de la Pluie. Le casque était doublé de cuir de chamois et avait des oreillons en caoutchouc. Ses lunettes étaient en cuir noir souple avec un bandeau élastique. Je les mettais mais ma tête ne semblait jamais assez grosse.

Si on y réfléchit bien, j'ai eu ce problème une bonne partie de ma vie, avec ma mère. Rien n'était jamais à la bonne taille…

Quand nous atterrissions dans le veld, elle coupait toujours d'épaisses broussailles qu'elle entassait autour des roues parce qu'il était arrivé que les lions, mais surtout les hyènes, rongent entièrement les pneus.

En l'honneur de mon dixième anniversaire, comme « cadeau spécial », nous passâmes une journée sur une colline du nom de Spionkop, où les Boers avaient assassiné un grand nombre de soldats britanniques.

Nous décollâmes à l'aube de l'aéroport Grand Central, avec nos *padkos* dans un sac en papier : deux sandwiches au poulet, une bouteille de Lemos et deux oranges. En ce temps-là, on s'habillait pour voler. Ma mère était splendide dans sa veste de peau de mouton, avec son casque en cuir et ses bottes étincelantes. Je portais mon chandail gris en lainage, un short et des chaussettes gris, comme à l'école. D'ailleurs, dit-elle, l'endroit où nous nous rendions était pratiquement un cimetière. Nous nous mettions sur notre trente et un quand nous allions déposer des fleurs fraîches sur la tombe de Grand-Papa Joe dans le cimetière de Westpark, n'est-ce pas ? Alors…

Il fallait environ cinq heures pour atteindre Ladysmith, et les secousses causées par l'air chaud qui s'élevait des montagnes du Drakensberg me donnaient toujours mal au cœur. Puis le trajet dans la Vauxhall vert pâle, empruntée au directeur de l'aéroport, qui nous attendait avec, dans son sillage, tous ses mécaniciens et ses employés, tandis que des hommes blancs en ensemble saharien, stupéfaits et embarrassés, regardaient bouche bée cette femme qui sillonnait seule le ciel.

Nous traversâmes le fleuve Tugela, embarquant sur le ferry avec la voiture, je me sentais nauséeux, aussi je me penchai par la fenêtre et ma mère dit : « Tu vas tomber et les crocodiles vont t'emporter. »

Je n'étais pas du tout inquiet ; j'avais toujours l'impression d'avoir été autrefois emporté par des flots aussi profonds, brunâtres et rugissants que le Tugela, mais je ne m'étais pas encore noyé. C'était dans les mères qu'on se noyait. Le Tugela n'était qu'un fleuve, et je savais m'y prendre avec les fleuves.

L'ascension du Spionkop était ardue, j'avais des petites jambes, et ma mère, ses lunettes de vol fixées à la taille, ses grosses bottes faisant crisser le sol, gravissait la pente abrupte d'un pas énergique, sans cesser de parler.

« C'est la position qu'a prise le commando Carolina, tombant comme des mouches quand les tireurs d'élite britanniques se sont glissés parmi eux : Reinecke, De Villiers et Tottie Krige crachaient tous le sang ; des balles dans les poumons. Les Anglais étaient là-haut, ils ont conservé Spionkop un moment, oui ; mais nous avions Conical Hill, et Aloe Knoll. Nous étions fin prêts, mais pas eux ; nous avons braqué nos gros canons sur eux, et ensuite c'était un jeu d'enfant. Un jeu d'enfant ! »

Elle se hissa sur la crête d'où l'on voyait se dresser au loin les sommets du Natal, tels des hommes surpris.

« À la fin, les Anglais ont battu en retraite et nous avions la colline. »

Elle trouva une ligne de tranchée, le sable strié, sillonné de rides, que les pelles des Boers avaient creusée, refermée comme une blessure superficielle. Son visage s'assombrit. « Louis Botha a présenté ses condoléances aux Britanniques ; ils ont été autorisés à enterrer leurs morts. C'était cette sorte de guerre. Ils ont approfondi les tranchées où les soldats étaient tombés, et en ont fait une fosse commune. Étrange, n'est-ce pas ? On pulvérise la figure d'un type et l'instant d'après on parle tranquillement d'un lieu de repos convenable. »

Elle avait toujours l'œil aux aguets ; prompte à repérer des objets que je ne voyais pas, tant ils étaient éraflés, burinés et incorporés à la poussière et aux broussailles où ils reposaient. Mais pour elle, ils reprenaient vie. Elle glissait dans mes mains des champignons de métal brûlant avec une exclamation ravie : « Un bidon anglais, parfaitement conservé. Et ça, c'est quoi ? Un bouton de tunique. » Elle crachait sur le petit bout de métal plat et le frottait contre sa veste de cuir. « King's Royal Rifles... Le 2e bataillon d'infanterie... » Quelquefois elle trouvait des choses qui m'apparaissaient comme des trésors plus intéressants : petites pointes de flèche, grattoirs, minuscules perles en coquille d'œuf d'autruche, légèrement mouchetées de jaune ; matériel de Bushman, traces d'hommes qui avaient vécu là des milliers d'années avant la grande bataille du 24 janvier 1900. J'aimais beaucoup les lames en silex ; elles étaient fines, légères et délicates. Mais pour elle, ces broutilles ne comptaient pas ; elles n'étaient pas réelles au même titre que les bouteilles de gin, les enveloppes d'obus et les balles usagées, que les soldats qui avaient mené une vraie bataille dans une vraie guerre. À ses yeux, ce n'étaient pas des fantômes mais des hommes réels qui se battaient, et les cris, les plaintes des cavaliers agonisants, les hurlements de défi des Boers, tout ce vacarme et tous ces gens étaient encore pleins de vie et de fureur.

« Ils ont perdu quinze cents hommes sur cette colline, mais ils pouvaient se le permettre. Nous en avons perdu cinq fois moins et c'était encore trop. »

Écouter ses lamentations tandis que nous dévalions la pente rocheuse du koppie était comme pleurer sur commande la mort de quelqu'un de soi-disant proche mais qui demeure un étranger. Pour elle, c'était le mouvement, l'histoire. Mais malgré tous mes efforts, il me semblait que rien n'avait changé. Elle avait le sentiment d'appartenance. Elle ne faisait qu'un avec les Boers morts au champ d'honneur, et leurs républiques disparues. Beaucoup plus tard, elle n'avait fait qu'un avec Koosie, quand il s'était caché, et avec les gens qu'elle avait emmenés en avion au Mozambique ou au Lesotho, pendant les longues années de pierre, les années d'ennui, de sang et de folie raciale, quand le régime dément tuait ce qu'il n'approuvait pas. Pourtant, sa haine à l'égard des fous bornés qui nous gouvernaient désormais, et affirmaient être les descendants de ces mêmes Boers, était ancrée, paradoxalement, dans la défaite des hommes qui avaient mené les combats de Spionkop.

« Nous » nous étions battus comme des lions, mais « ils » étaient trop nombreux. « À la fin, ils nous ont épuisés, ils ont brûlé nos fermes, enfermé nos femmes et nos enfants derrière des barbelés dans des camps de concentration, et nous avons été contraints de céder. »

Pour elle, ces garçons qui avaient combattu à Spionkop avaient accompli une tâche digne d'être saluée. Pour moi, c'étaient simplement des hommes que je ne connaissais pas, et qui m'étaient indifférents. Mais nous nous accordions sur un point : ils étaient toujours là. Les Anglais tués ce jour-là s'étaient levés d'entre les morts et revivaient dans ceux qui leur avaient succédé, portant exactement les mêmes moustaches, employant leur grosse voix ; ce n'étaient plus des soldats mais des sportifs et des fermiers, des hommes rougeauds aux grosses mains, qui s'appelaient Dave, Clive ou Geoff, qui étaient quelque chose dans une banque, ou quelqu'un dans les mines d'or. Et les Boers qu'ils avaient combattus étaient toujours parmi nous : massifs, carrés, des hommes en colère avec une barbe et des noms comme Dawie, Gawie et Piet, qui jouaient maintenant un rôle dans les putains de classes dirigeantes.

Pour elle, la guerre des Boers comptait parce qu'elle avait mal fini. J'avais l'impression qu'elle n'était pas du tout terminée ; il me semblait que Dave, Clive et Geoff étaient encore engagés dans une bataille avec Dawie, Gawie et Piet. La même bataille avec les mêmes adversaires ; et si l'un des deux camps était aujourd'hui en tête, quelle importance ? J'étais toujours accablé par la stupidité du long combat. Mais en tout cas, je savais tout à ce sujet, ma mère y avait veillé. C'était peut-être ce qui lui collait le plus à la peau : cette connaissance approfondie de la mort. La mort au combat, ou dans le bush. En la décrivant, elle touchait l'air, choisissant les scènes comme s'il s'était agi de personnages dans une tapisserie.

« Quand la brigade irlandaise MacBride a été renvoyée dans son pays à la fin de la guerre, ses membres ont demandé à mon vieux papa s'il voulait les accompagner, et il leur a répondu d'aller se faire voir ! Après avoir fait sauter la moitié du Transvaal avec sa dynamite, il estimait avoir suffisamment marqué l'endroit de son empreinte pour s'y considérer chez lui. »

« Chez lui ! » Le mot bourdonnait dans sa bouche en un tendre murmure nasal, tel un hymne ou une incantation proférée contre l'esprit malin. « Chez lui ! » entonnait-elle, et l'écho résonnait dans toute la maison.

Nous avions un daguerréotype montrant le chef boer, Paul Kruger, appuyé au balcon de sa maison, face au lac de Genève : il avait été pris par un sympathisant français, et la légende était la suivante : « *Le vieux président regarde avec des yeux nostalgiques la vue du lac Léman**. »

« Après la guerre, mon vieux papa est resté. Il n'est jamais retourné en Irlande. Par un curieux hasard, Kruger vivait exilé

* En français dans le texte. (N.d.T.)

en Suisse, et ton grand-père irlandais était à Bloemfontein, dans sa maison... »

Le daguerréotype était censé vous rendre triste, mais il m'inspirait de la jalousie. Je pensais que Kruger avait bien de la veine de se trouver au bord du lac Léman. L'idée du chez-soi me laissait froid, mais je n'osais pas le dire. Notre chez-nous était un drôle d'endroit, où ma mère n'était jamais ; elle était chez elle partout ailleurs en Afrique.

Même alors, nous avions une divergence d'opinion. Je comprenais pourquoi elle s'envolait ; mais je n'ai jamais bien saisi pour quelle raison elle revenait. « Ailleurs » était tellement plus intéressant qu'« ici » ; c'était quelque chose sur quoi nous pouvions tomber d'accord. Mais nous ne parvînmes jamais à nous entendre sur l'endroit où il valait mieux être « ailleurs ». Des années plus tard, en Asie du Sud-Est, en Russie, dans l'ancienne Yougoslavie, des pays où je me sentais chez moi, je me rendis compte de la différence entre nous : elle était mieux « chez elle », et j'étais chez moi « ailleurs ». Pourtant j'en vins à comprendre que mon besoin de voyager se calquait sur le sien. Nous étions faits du même matériau, comme la Terre et la Lune ; bien qu'un monde séparât nos vies, je décrivais des cercles autour d'elle, légèrement visible mais hors de portée, et tous nos voyages – les siens et les miens – se résumaient en réalité à du temps passé à graviter dans l'orbite de l'autre.

On pourrait mesurer son pouvoir de séduction à la multitude d'hommes qui sont tombés amoureux d'elle, bien que je n'aie jamais vraiment réussi à dénombrer les amants de ma mère, ni à déterminer précisément ce qui les séduisait en elle. Eux-mêmes ne le savaient pas non plus, j'imagine. Après tout, j'étais plus proche d'elle que n'importe quel autre homme, et tout ce que je peux dire, c'est qu'elle exerçait une certaine force d'attraction et que, quand on tombait, on basculait vers elle, on se fracassait contre elle ; à moins bien sûr de se consumer dans l'atmosphère, auquel cas on disparaissait pour toujours.

5

Quand ma mère était une jeune femme, elle partit marcher de l'autre côté de Pretoria, dans une chaîne de montagnes célèbre pour ses chasseurs, ses rebelles boers et ses fantômes. C'était l'été 1943, et comme d'habitude elle était en deuil. Je dis « comme d'habitude » parce qu'elle avait failli se marier à trois reprises. Elle avait tout juste vingt ans quand elle s'était fiancée avec un pilote de chasse ; il avait été abattu. Elle avait essayé de nouveau : son deuxième pilote de chasse avait été porté disparu. Ensuite elle avait épousé un homme qui pilotait des bombardiers Lancaster. Ça s'était bien passé pendant un moment, puis il s'était écrasé au décollage et elle était passée du statut de presque mariée un tas de fois à celui de presque veuve trois fois de suite.

Elle disait toujours qu'il n'y avait rien de tel qu'une longue marche pour atténuer le chagrin. Elle gravit l'une de ces collines si typiques du Magaliesberg, les roches éparpillées sous le soleil de l'après-midi, le bush gris-vert et le grand silence. Quand elle arriva dans un village de huttes aux toits de chaume, aux murs en terre décorés de lignes ondulées vertes, bleues et blanches, de triangles et de zigzags ocre et noirs, elle demanda de l'eau. Bien qu'elle n'en sût rien, dans cet endroit, elle n'aurait pu demander un élément plus précieux, plus sacré.

On la conduisit devant une femme fière aux yeux pareils à des lacs de lait, qui était assise sur un trône en bois recouvert de peaux de lion : elle portait une cape en peau de léopard et tout autour d'elle les gens traînaient les pieds dans la poussière et indiquèrent à ma mère qu'elle devait les imiter. Quand elle voulut savoir pourquoi, ils furent choqués de l'étendue de son ignorance. Ignorait-elle qu'elle se trouvait en présence de la reine de la Pluie du Magaliesberg, Bamadodi VI, monarque des montagnes et souveraine du peuple Lebalola ?

« Mon Dieu, non ! Comment étais-je censée le savoir ? Ça alors, j'avais tout faux ! J'ai demandé de l'eau, et en tant que reine de la Pluie, elle s'est préparée à ouvrir le ciel pour moi. Tu imagines ? »

Les reines du Lebalola faisaient de la pluie depuis des siècles ; et de grands chefs comme Shaka, Dingaan et Cetswayo leur avaient payé tribut. Il existait d'autres reines de la Pluie, dans d'autres régions, et il leur arrivait de guérir les maladies du bétail ou la stérilité des femmes. La reine de la Pluie des Lebalola était cependant la plus ancienne et la plus orthodoxe de toutes les faiseuses de pluie. Bamadodi VI se consacrait à une seule chose : elle faisait de la pluie, comme sa mère et ses grands-mères avant elle.

La reine convoqua ses conseillers, versa sur le sol la bière de plusieurs grosses calebasses noires, et ils entreprirent de laper le liquide.

« C'était ainsi que Bama se préparait à faire de la pluie, tous ses conseillers étaient à genoux et s'efforçaient de laper la bière. Leurs six langues pointues absorbant tant bien que mal le liquide m'ont évoqué six saucissons sur pattes.

– Et ensuite il a plu à torrents ?

– Elle a d'abord dansé, a répondu ma mère, et puis il est tombé des cordes. »

Elle avait apporté son ouvrage ; c'était un chandail pour son fiancé mort qui avait été allergique aux tricots à la machine. La reine fut intriguée par sa collection d'aiguilles. Étaient-ce des lances destinées à transpercer des ennemis ou des ornements pour embellir le corps ? Elle autorisait ma mère à utiliser les corps de ses conseillers pour lui montrer comment fonctionnaient ces petites lances. Les conseillers, rapporta ma mère, cessèrent un instant de laper la bière pour la fixer, leur langue figée entre les lèvres comme des lettres à demi postées.

« Ces aiguilles ne servent pas à tuer, mais à créer », répliqua ma mère, qui avait le don de lâcher des formules fracassantes au moment où on s'y attendait le moins. Elle leva ses énormes mains. « Je dois leur trouver du travail. Et il n'y a rien qu'on puisse réaliser aussi magnifiquement avec ses deux mains – sauf peut-être jouer du piano –, alors je tricote. »

La reine était intriguée. « Montrez-moi. »

Les conseillers recommencèrent alors à laper les flaques de bière. Ma mère exécuta une rangée de points ; elle utilisa deux grosses aiguilles sur un chandail et quatre petites aiguilles rapides sur une chaussette. Bamadodi la pria d'en montrer le maniement à ses filles et elle le fit. Lors de plusieurs visites ultérieures, ma mère donna des leçons de tricot aux princesses, et ensuite elle et Bamadodi restèrent toujours amies.

Et les femmes de sa tribu devinrent de grandes tricoteuses. Des experts ont affirmé que les reines de la Pluie du Magaliesberg tenaient cette activité des missionnaires britanniques qui avaient essayé – sans succès – de les faire renoncer à leurs mœurs païennes. Ils se trompaient : c'était ma mère qui la leur avait enseignée. Elles apprirent tout, du point mousse au point de jersey, au point de torsade. Plus tard, la reine Bama porta souvent, en guise de couronne, une magnifique tour en laine vert, rose bonbon et jaune vif.

Ensuite, la reine Bamadodi vint nous rendre visite une ou deux fois par an à Forest Town. Elle ne nous prévenait jamais et c'était toujours une surprise de voir la limousine royale devant la porte du jardin. Elle possédait une Holden, un véhicule incroyablement exotique car il était australien. La souveraine était toujours assise à l'arrière, son chanteur de louanges à ses côtés, et son porteur au volant, le trône fixé sur la galerie avec des cordes et recouvert d'une couverture ocre. Nous étions informés de sa visite quand le chanteur, portant des peaux de singes et des sonnailles aux chevilles, un fouet en peau de chacal à la main, s'approchait du portail et entonnait : « Contemplez la grande lionne, la mère éléphante de la tribu, la faiseuse de pluie bénie de Dieu qui permet à l'herbe de pousser, au bétail d'engraisser, aux rivières de couler et au veld desséché de suinter comme les seins gorgés de lait d'une jeune femme. »

Et ma mère s'écriait : « Dieu du ciel ! C'est Bama, venez prendre le thé ! »

Le porteur du trône royal remontait alors l'allée du jardin et déposait dans la maison l'objet en beau bois jaune, orné d'éclairs en zigzag, puis Bama et ma mère s'installaient dans le salon en façade. Le plateau à thé était placé entre elles, recouvert d'une gaze très fine à cause des mouches ; toujours le meilleur service à thé, Royal Doulton, en porcelaine vert pâle avec un bord doré, et ma mère se félicitait d'avoir confectionné son célèbre pain aux dattes.

Elles sirotaient leur thé. Et elles échangeaient les récits de désastres imminents ; d'une certaine façon, elles s'effrayaient et se calmaient mutuellement. Le chanteur de louanges de la reine de la Pluie s'allongeait sur l'herbe près de la porte du jardin, cherchant l'ombre ténue du citronnier qui poussait près de la clôture. Le chauffeur royal sommeillait au volant de la Holden.

J'adorais ses visites. J'aimais Bamadodi parce qu'elle gardait la foi et qu'elle était drôle. Je jugeais admirable sa ténacité. Elle passait sa vie à tenter l'impossible – elle désirait préserver la monarchie – et elle dansait pour faire de la pluie. Je l'aimais parce qu'elle continuait simplement d'être elle-même, j'admirais la manière dont elle surmontait la difficulté de garder la foi dans un monde impie. Je l'aimais pour toutes les choses dont elle ne s'occupait pas. Elle défiait le bon sens ; elle se moquait de la science et ne pratiquait pas la comptabilité. Ni le rugby. Elle ne se souciait pas du prix de l'or. Elle faisait de la pluie et rien d'autre.

Parfois, grâce à un mystérieux procédé, elle faisait des bébés, et c'étaient toujours des filles, car seules les femmes gouvernaient le peuple Lebalola.

Je n'avais guère plus de quinze ans quand elle me parla de ses amants fantômes.

« Des apparitions me dispensent leur semence.

– Quel genre d'apparitions ? »

Elle me fixa un long moment de ses énormes yeux marron.

« Alexander, si je le savais, ce ne seraient pas des apparitions. Elles ne viendraient pas la nuit pour satisfaire mes besoins. Et dans ce cas, comment aurais-je des filles ? Je ne vois pas les fantômes qui me rendent visite. Je ne sais pas qui ils sont. Ce n'est pas important, tant qu'ils se souviennent de leur devoir. La porte de derrière dans le noir, et la semence. Après, nous ne parlons plus d'eux.

– Que se passe-t-il quand vous avez des garçons ? »

Ses immenses sourcils s'envolèrent sur son haut front.

« Nous les renions. »

En général, la reine Bama nous rendait visite l'été, vers le soir, à l'heure où éclatent les orages du highveld ; et nous ne savions jamais si la pluie amenait Bama, ou inversement.

Les voisins étaient épouvantés. Ils envoyèrent à ma mère une délégation pour dire qu'ils ne s'étaient pas établis dans la banlieue nord de Johannesburg pour y entendre la sérénade de Johnny le sorcier. Ma mère leur envoya un mot, leur conseillant d'aller se faire cuire un œuf. D'autres gens, plus dangereux, mirent en doute les références de notre reine. Ils affirmèrent que c'était une mystificatrice ; il n'existait qu'une authentique reine de la Pluie, prétendaient-ils, et elle vivait beaucoup plus au nord.

« Excusez-*moi*, dit ma mère, mais notre Bama fait vraiment de la pluie. Je l'ai vu de mes propres yeux. D'ailleurs, elle a un certificat. »

Les années passèrent, et la Holden fut remplacée par une succession de Toyota. La reine Bama avait une bonne opinion des Japonais parce qu'ils continuaient d'avoir des relations commerciales avec nous quand d'autres pays nous boycottaient, et elle admirait leur solide conservatisme et leur absence de scrupules moraux.

Très rarement, elle amenait ses filles que je n'ai jamais connues autrement que sous le nom de Princesse n° 1 et Princesse n° 2, qui buvaient leur thé le petit doigt en l'air et ne prononçaient jamais un mot.

Quelquefois, Bama apportait son certificat du gouvernement et, après les habituelles protestations – « Vraiment, Bama, je ne sais pas si je devrais. C'est un document officiel » –, ma mère se lavait les mains et le lisait à voix haute :

« "Nous attestons que Son Auguste Majesté la reine Bamadodi VI est reconnue par l'Office national de la météorologie sud-africaine comme une météorologue professionnelle, et est qualifiée pour exercer cette qualité à l'intérieur de son homeland tribal." »

Et elle s'écriait ensuite : « Ma parole, Bama, comme vous devez être fière ! »

En général, la pluie interrompait le thé. Le ciel s'abattait tel un couvercle. Puis on entendait au loin un grondement hésitant qui évoquait le raclement de gorge d'un géant. Tout devenait noir, et des zigzags déchiraient la voûte céleste comme une soie irisée. Chaque éclair s'achevait par un coup de tonnerre si fort qu'il vous obligeait à ouvrir et fermer la bouche pour dégager vos oreilles. La pluie se mettait à tambouriner sur le toit de tôle ondulée. Le chanteur de louanges, réfugié dans la Holden, scrutait la vitre embuée telle une âme perdue dans le tumulte des eaux. Puis, brusquement, la pluie faiblissait et s'arrêtait, comme par enchantement. Le soleil apparaissait, la chaleur revenait aussitôt, l'herbe séchait, les oiseaux gazouillaient, et le ciel du soir virait au rose et or estival. Seuls l'eau qui bouillonnait dans les collecteurs d'eaux pluviales et l'arôme âpre et salé de la poussière rouge mouillée indiquaient le passage de l'orage.

La reine Bama soupirait gaiement et acceptait une autre tranche de pain aux dattes, tandis que les princesses considéraient avec stupéfaction le miracle royal.

On avait envie d'applaudir.

6

Le Stinson ne portait pas le nom de break volant pour rien. Il transportait ses armes et ses provisions, si elle chassait au Barotseland ou avec les membres de la tribu Giriama dans les forêts de feuillus de Kilifi ; et ses robes du soir si elle avait l'intention de s'arrêter à Nairobi ou au club Muthaiga. Et étant donné qu'elle volait soit avec un train d'atterrissage conventionnel, soit avec des flotteurs, elle pouvait se rendre pratiquement n'importe où.

Cette liberté flamboyante d'aller et venir dans les airs selon son caprice. Pour elle, c'était une sorte d'hallucinogène. La drogue doit être administrée au hasard pour éveiller une perception de l'étrangeté de l'endroit nouveau, une perception qui démolit tous les éléments assemblés avec soin qui constituent la personne que vous croyiez être. Afin de bien voyager, il est essentiel d'être capable de se perdre vraiment.

Elle y réussissait avec brio. Embrasser les contradictions, troquer les pays, les rôles, les époques conduisait à une sorte de travestisme culturel. Un jour habituel, elle se levait de bonne heure à Johannesburg, et se rendait en voiture à Wemmer Pan, si elle avait l'intention de voler avec des flotteurs. Tout ce qu'elle voyait lui était familier – de l'agent de police dans sa tenue néonazie, avec son calot noir, ses jodhpurs, ses bottes noires en cuir étincelantes, qui réglait la circulation dans l'avenue Louis-Botha, au mendiant qui tambourinait sur son pare-brise de ses mains marbrées à un stop d'Orange Grove. Au Pan, elle mettait les gaz et s'envolait vers le nord. Après s'être arrêtée pour se ravitailler en carburant sur le barrage d'un oncle accueillant, elle franchissait le Limpopo, et plusieurs heures après, des centaines de kilomètres plus au nord, elle atterrissait sur le lac Nyasa.

Pendant quelques années, elle passa la nuit dans un village au bord du lac. Puis elle découvrit un jour que le sorcier avait fabriqué une copie exacte de son petit Stinson jaune, sans oublier les flotteurs, et qu'il l'utilisait comme un puissant médicament. Il y avait dans le village un autel en son honneur.

« C'est un peu trop, de s'apercevoir qu'on est une déesse, me dit-elle. La pression est énorme. Une divinité est toujours en service et ça te rend la vie infernale. Tout le monde veut quelque chose : des remèdes, de la chance, des enfants... Pas étonnant que les dieux grecs se soient épuisés. Si les gens passaient un peu plus de temps à être des dieux, ils seraient plus attentionnés. C'est un très grand choc que des gens s'en remettent constamment à toi, cherchent à t'orner de guirlandes, ou amènent sur ton seuil des chèvres qu'ils sacrifient sur place. Tu veux bien aider, mais il y a des limites. Quoique tes disciples ne voient pas les choses sous cet angle. Tu te heurtes aux croyants et ils n'acceptent pas qu'on leur dise non. Démissionner ne sert à rien. Tu restes divin. Alors je ne suis jamais retournée dans ce village. Je ne savais plus où me mettre. »

Les années qui suivirent la Seconde Guerre mondiale, elle passa de temps à autre à la mission Schweitzer de Lambaréné, au Congo. Un jour, vers la fin des années quarante, elle posa son Stinson sur le fleuve Ogooué, un type en pirogue la remorqua jusqu'à l'île, où le port se dressait au milieu des palmiers, et elle se dirigea vers l'hôpital au toit de tôle.

« J'ai trouvé Sa Majesté en train de souper. "Ah ! Kathleen, a-t-il dit, je regrette de n'avoir pas su que tu venais. Je suis presque à court de potassium, de soufre et d'iode…"

« Ensuite nous avons dîné, puis il a joué du Bach sur le vieux piano miteux qu'il accordait tant bien que mal, et il a raconté des histoires ; il adorait ça, mais il y avait toujours une morale à la fin. Les gens l'appelaient *le grand docteur**. Il n'avait aucun problème de complexe d'infériorité.

« Il m'a dit carrément : "Kathleen, quelquefois j'ai peur d'être Dieu en personne."

« Tu vois, il m'a inspiré un peu de compassion. Je savais tout là-dessus, ayant été moi-même un peu déesse. Et je dois dissiper quelques mythes à son sujet. Fait n° 1 : Dr A. était un vieux paternaliste bourru ; il considérait les Africains comme des sauvages sans instruction, mais il disait, et c'est un bon point pour lui, que c'étaient des sauvages *sérieux*, des sauvages admirables. Il aimait les sauvages. C'était sa passion. Les innombrables façons imaginées par les Africains pour s'entre-tuer étaient l'un des principaux sujets de fascination de son existence. Qu'ils choisissent le poison, l'arme blanche ou la sorcellerie, ils le faisaient, estimait-il, avec tant de gaieté et de naturel qu'il valait mieux les laisser continuer dans cette voie. Nous ne devions pas nous en mêler, sauf pour soulager les souffrances grâce à la science médicale, c'est-à-dire guérir les goitres, les ulcères, la maladie du sommeil et l'éléphantiasis. Pour le reste, qu'ils se débrouillent ! Il n'aimait pas seulement l'idée des nobles sauvages ; il croyait qu'on n'aidait pas la noblesse à s'épanouir en écrasant la sauvagerie. Si quelque chose clochait chez ces enfants de la nature, c'était

* En français dans le texte. (N.d.T.)

 notre présence. *Nous*. Toi et moi et les gens soi-disant civilisés. Le fait d'être en contact avec des gens comme nous les poussait à boire l'argent qu'ils gagnaient, leur faisait oublier comment on taille une pirogue, et convoiter notre sel, notre tabac et nos chaussures. Il était furieux contre eux parce qu'ils voulaient ces choses. » Elle leva les yeux, l'air interrogateur, avec une petite grimace surprise, une expression qui chez elle, était le summum de l'ironie. « Comme si rien de tout cela ne s'était produit chez lui, dans sa chère Europe… En tout cas, c'était un grand bonhomme – et nous avons tous nos défauts, n'est-ce pas ?

« Fait n° 2 : c'était un raciste avec des idées rigides sur la discipline. Il disait de ses sauvages bien-aimés (il les appelait souvent comme ça) : “Il faut leur montrer que la langue qui parle d'amour peut aussi les frapper au point de leur arracher des larmes. *Nicht wahr ?*” Il y avait beaucoup de *Nicht wahr ?* dans les discours de Schweitzer. À Lambaréné, il parlait surtout français, mais il aimait me parler allemand. Peut-être parce que je venais d'Afrique du Sud, et, comme j'avais dit que je n'étais pas anglaise, il avait supposé que j'étais à moitié hollandaise, ou quasi allemande, ou plus ou moins boer, quelque chose dans ce style. »

Les histoires de ma mère. Les amis de ma mère…

Génial. Exactement ce que nous voulions entendre. Sans doute, tout ce que nous sommes *capables* d'entendre. Ce flot d'images projeté sur ma conscience en gestation. De lointains étrangers qui semblaient tous destinés à devenir des vedettes parce que, en fin de compte, la force de caractère existait à travers la pellicule. Même un personnage aussi substantiel qu'Albert Schweitzer, photographié par le Brownie de ma mère, avec son costume tropical blanc, son casque colonial et sa moustache à la gauloise, souriant dans le cadre en bambou jaunâtre à côté de son lit, sous les lettres fleuries de sa dédicace: « À ma chère Kathleen, aviatrice, ange du ciel ! » Même « *le grand docteur* » semble être le sosie d'un acteur qui aurait joué son rôle plus tard, dans un film ringard – le guérisseur exemplaire au chapeau bombé –, et il est étrange que cette imitation paraisse aujourd'hui plus vraie que l'original.

Mais qui se souciait de l'original ? On a dit quelquefois que la conquête, les colonies, l'empire, l'argent et les esclaves avaient été le but de l'invasion blanche de l'Afrique ; mais ce n'est que la moitié de l'histoire. Si on regarde en arrière, cette absurde ruée sur l'Afrique semble être une longue bande-annonce pour la Metro-Goldwyn-Mayer. Tous ces soldats débordant d'énergie qui sont partis à l'assaut du continent noir, ces voyous, ces missionnaires, ces explorateurs, ces chasseurs blancs, la bande de la Happy Valley* et la brigade Bwana, les Boers, les Britanniques et les élégants botanistes français, les aviateurs, mineurs, entrepreneurs, charlatans, résidents à la charge de leurs parents, aventuriers péquenauds d'Ealing, de Chepstow, de Brême et de Bruges, qui étaient venus au Congo ou au Cap, au Kenya ou au Nyasaland, à Windhoek ou à Djibouti, pour faire fortune, avaient-ils dit, ou fuir leur pays, ou les huissiers, ou devenir roi quelque part ; tous n'étaient, en fait, que des doublures ; de la matière pour le cinéma.

Et parce qu'ils ont – que nous avons – toujours eu ce sentiment de redondance, notre vrai moi dévoré par l'altérité de l'Afrique, cela nous a rendus bruyants et musclés. Nous nous sommes plongés avec violence dans le vide qui nous entourait,

* Référence péjorative à une aristocratie européenne mineure (dont faisaient partie Bror et Karen Blixen) qui vivait à Nairobi dans les années trente, et qui traitait l'Afrique comme son terrain de jeux privé. (N.d.T.)

afin de nous sentir vivants, affirmant notre apparence, accentuant nos passions, nos haines, nos cruautés pour nous convaincre que nous n'avions pas été réduits à néant. Nous avons écrit nos noms sur les montagnes et les fleuves, nous avons vanté nos mérites ; en fait, nous avons fait absolument tout pour chasser l'impression que nous étions perdus en un lieu qui ne nourrissait aucune haine à notre égard mais qui, simplement, ne nous remarquait pas. Nous avons appelé cela de la maîtrise. Pire, nous avons même dit que c'était de l'amour.

Les seules choses que les Blancs aient jamais faites sur ce continent sont faciles à énumérer : ils ont abattu quelque chose, ou beaucoup de quelqu'un, ou se sont entre-tués ; ils ont malmené pas mal de monde ; ou bien ils sont morts d'une maladie indigène, comme si succomber à la malaria était un cahier des charges, comme si périr de la fièvre bilieuse montrait que votre cœur était à la bonne place.

Mais je m'écarte du sujet. Je veux dire quelque chose sur les hommes qui vivaient dans la forêt tropicale et se transformaient en léopards. Ce fut le Dr A. qui porta le premier les hommes-léopards à l'attention d'un monde incrédule, et quand il parla d'eux à ma mère, elle dit : « Allons en rencontrer », et ils le firent. Ce qui est assez curieux si on y pense : ce saint effrayant du Congo et cette femme de Johannesburg, et leur sympathie commune pour des types en costume qui découpaient leurs voisins en rondelles d'une manière que ma mère aimait à rapporter :

« Le Dr A. était une mine de bonnes infos ; sur la façon dont ils aiguisaient leurs griffes d'acier, et comment ils fabriquaient leur camouflage en écorce, comment ils limaient leurs dents ! J'adorais ça. C'était si savoureux ! Le Dr A. connaissait un tas d'hommes-léopards : les Anyoto du Congo oriental, les hommes-lions au Tanganyika. Ils lui plaisaient depuis les années trente. En Côte d'Ivoire, les garçons reviennent de leur période d'initiation dans la forêt et exécutent la danse du léopard dans le village. C'est un spectacle magnifique ; beaucoup de mouvements onduleux, de cambrures des reins, de grondements. Les costumes sont superbes, ils ne recherchent pas un réalisme grossier, mais "une interprétation impressionniste de l'âme du léopard telle qu'elle est perçue". (Je cite.) Ils s'habillent d'écorce, tachetée de noir et de jaune, ils s'avancent à pas furtifs en poussant des grognements, se tapissent sur le sol, traquent leurs victimes et se jettent sur elles… » Ses larges mains se raidirent et le vernis rouge de ses ongles effilés étincela à la lumière de la lampe. « Et pendant que les victimes hurlent comme des putois les hommes-léopards les découpent avec des couteaux à deux lames transformés en griffes. Certains se contentent de traquer les gens et de bondir sur eux ; d'autres, comme les hommes-léopards de Lagos, mangent aussi leurs victimes. »

Je sentis se hérisser le duvet de ma nuque.

« Ils les font même pas cuire ?

– Jamais. Ils les tuent, oui, mais ils ne les cuisent pas : ils les dévorent sur place.

– Pourquoi ?

– Comment, pourquoi ? Parce que les léopards ne font pas la cuisine.

– Oui, mais c'est vrai ?

– Qu'est-ce qui est vrai ?

– C'étaient vraiment des léopards ou ils faisaient seulement semblant ?

– C'est vrai en partie ; et en partie de la comédie. Ils ressemblaient à ce que nous, les humains, nous avons tous été autrefois, à l'époque de la préhistoire, quand nous vivions près des animaux, près de la vraie vie ; quand nous étions des chasseurs, des rêveurs et des assassins ; quand nous ne savions pas si nous étions des hommes habillés en animaux ou des animaux qui étaient aussi des gens. On pourrait dire que nous étions des ani-hommes. »

C'était Schweitzer qui lui avait présenté des hommes-léopards.

« Je l'ai emmené en avion dans le nord du Gabon, près d'Oyem, où ils ont pour religion une plante qui s'appelle l'eboga. Elle est issue de la racine d'un arbuste de la forêt, qui est broyée, râpée ou trempée dans l'eau. Ça ressemble un peu à du navet râpé. Les gens d'Oyem nous ont conduits dans une de leurs chapelles, qui était en réalité une hutte construite à côté du village. Parce qu'il était "*le grand docteur*", ils nous ont permis avec joie d'assister à une séance.

« Nous nous sommes assis sur le sol de la chapelle pour regarder. Puis l'un des types, il s'appelait Emana Ola, nous a parlé en allemand tout le long de la cérémonie. C'était drôle d'entendre le Dr A. et Emana Ola bavarder en *deutsch* dans un village au fin fond du Gabon, mais des parties du nord du Gabon ont été autrefois le Cameroun allemand, alors c'est comme ça. Emana Ola nous a dit qu'après avoir mangé de l'eboga Dieu lui était apparu et lui avait déclaré que tous les étrangers qui approchaient du village et qui ne faisaient pas partie de son clan étaient des sorciers déguisés, et devaient être tués pour des raisons religieuses. Dr A. a répondu qu'il ne voyait pas pourquoi il fallait tuer les gens pour des raisons religieuses. Emana Ola a affirmé qu'il existait des différences essentielles entre les croyances blanches et noires. Les chrétiens mangeaient toujours le corps de Dieu, afin de s'unir à lui. C'était ce que les missionnaires enseignaient. Mais le repas sacré d'eboga, qui était le pain de communion d'Emana Ola, ouvrait la porte de la mort et le conduisait en présence de Dieu en personne, et des ancêtres.

« Bien sûr, le vieux Dr A. n'était pas seulement un médecin, c'était aussi un éminent érudit de la Bible. Mais il était protestant et j'ai vu que l'idée de "manger Dieu" avait un relent catholique qu'il jugeait un peu désagréable. Emana Ola nous a demandé si nous voulions nous joindre au culte de Bwiti, et voir Dieu ? Et j'ai dit oui. Le docteur a refusé ; il n'absorbait pas de drogues, merci beaucoup. J'ai donc été la seule à être accueillie ; on m'a donné le nom de *popi*, qui veut dire "initié". Deux personnes sont désignées pour veiller sur toi et on les appelle ton père et ta mère. Ils sont chargés de t'observer et de décider exactement quelle quantité d'eboga ils peuvent te faire absorber avant que tu perdes connaissance ou que tu vomisses. Ils m'ont conduite jusqu'à un torrent avec quelqu'un qui jouait du ngombi, une harpe à huit cordes réservée à la cérémonie du Bwiti. Le Dr A. s'était vexé et était parti bruyamment fumer sa pipe. Ça valait mieux, parce que j'étais à poil ; ensuite j'ai dû confesser mes péchés, puis le prêtre m'a frictionnée avec l'écorce sacrée de douze arbres sacrés, m'a habillée de blanc, et m'a tapoté plusieurs fois la tête avec le fruit de l'acacia parasol – qui ressemble à un énorme phallus – et les gens ont plaisanté à ce sujet. On m'a redonné de l'eboga. Ensuite j'ai eu un genre de vision, j'ai vu mon père, mon cher vieux papa, et il m'a dit : "Qu'est-ce que tu fais, chérie ?" C'était en prime ; mais je n'ai pas vu Dieu comme je l'avais espéré, et puis je me suis évanouie.

« Je me suis réveillée assez sonnée. Le Dr A. leur avait dit que je voulais rencontrer des hommes-léopards et qu'il ne partirait pas avant que je les aie vus. Emana Ola a répondu que certains de ses meilleurs amis l'étaient et qu'il allait les appeler. Une douzaine de types sont arrivés sur leur trente et un. Avec les griffes et le reste. Ils ont commencé à rôder, à grogner et à faire des bonds. Ensuite ils ont grimpé aux arbres mais, franchement, je dois dire qu'ils ne ressemblaient pas à des léopards. Le Dr A. a dit que ces hommes ne cherchaient pas à reproduire l'apparence physique de ces animaux ; ils étaient des léopards par l'esprit. En tout cas, ils sont redescendus des arbres et se sont exercés à faire de petits sauts et à pousser encore des grognements, en montrant les dents. Les humains, bien sûr, n'ont pas de crocs ni d'ergots, et c'est décevant quand on essaie d'être un léopard, même un léopard en esprit. L'ergot du léopard scalpe un homme, simple comme bonjour. Il te met la figure en lambeaux. Ces types ne faisaient pas vraiment partie de cette catégorie. Ils avaient fabriqué leurs griffes avec des couteaux aux lames recourbées : cinq morceaux de métal coupant en saillie, fixés à des supports glissés sur les doigts, qui ressemblaient à des gants de bois. Ou à des poings américains tranchants comme des rasoirs.

« Mais je ne me suis pas moquée. J'ai trouvé leur enthousiasme très sympathique. Le bon docteur aussi ; il passait son temps à hocher la tête, à répéter "*sehr interessant*", et à louer ce qu'il appelait la cohérence de leurs imitations spirituelles. Il estimait que, même s'ils devaient se donner du mal pour ça, les blessures infligées à leurs victimes seraient une honnête approximation des dégâts causés par de vrais léopards après une attaque en bonne et due forme.

« Je dois dire que j'étais frappée par les incohérences du Dr A., et sacrément impressionnée de constater qu'il s'en souciait comme d'une guigne. Le Dr A. fumait la pipe, mais il jugeait détestable la dépendance au tabac chez les habitants du Gabon. Pourtant nous emportions toujours une boîte de feuilles de tabac américain et nous utilisions une feuille à la fois en guise d'argent. Comme des billets de banque. Il détachait une feuille. C'était du tabac noir, puissant, du poison, mais ils adoraient ça. Nous bavardions donc avec des Africains qui se défonçaient avec des drogues psychotropes, qui avaient des visions et aimaient assassiner des gens. Pourtant le Dr A. était un puritain et un homme qui vénérait la vie. Il croyait aux vivants ; il ne se rangeait pas du côté des morts. Les hommes-léopards détruisaient la vie, si on les prenait au sérieux. Ils disaient qu'ils tuaient des sorciers, mais en fait ils assassinaient des passants innocents. Pourtant le Dr A. s'en accommodait, jugeant tout cela "*sehr interessant*" parce que pour lui, tu vois, c'étaient de nobles sauvages, et il préférait de loin les drogués indigènes, déguisés en fauves, se livrant à des délits criminels pour d'authentiques raisons religieuses, à ceux qu'il considérait comme des sauvages intelligents ; les Africains instruits qui étaient selon lui des versions détraquées d'Européens plus détraqués encore... »

Personne ne dit rien à ma mère le jour où elle atterrit à Grand Central avec un passager. Un garçon sur le siège arrière et une imposante femme portant des lunettes de protection et une longue écharpe lavande, qui ressemblait à n'importe quelle autre maîtresse blanche avec son domestique noir. En outre le garçon n'avait pas son costume sur lui, et on ne peut pas repérer un homme-léopard simplement en le regardant. Au naturel il ressemblait à n'importe quel autre cuisinier ou balayeur des rues.

Quand je lui demandai comment elle s'était débrouillée, elle répondit : « Mrs. Garfinkel a bien un jardinier du Nyasaland, alors pourquoi n'inviterais-je pas un ami chez moi ? Un ami du Gabon ? »

Il semblait que ce garçon avait très envie de voir une grande ville. Et en dépit de la mise en garde du Dr A., encore présente dans sa mémoire, sur le poison de la civilisation, ma mère, qui, à sa manière, ne savait pas résister à une mission de sauvetage, le transporta d'une jungle à l'autre, afin de lui donner un aperçu de la vie d'une métropole.

Il s'appelait Nzong, et c'était un type plein d'entrain avec une peau très foncée et de belles mains. Il passa quelques semaines chez nous à Forest Town, et ma mère obtint qu'il me montrât son matériel. Sa tenue de camouflage était un genre de cape en écorce d'arbre, mouchetée de noir et de jaune. Il l'attachait autour de sa taille avec une ceinture, et la ramenait sur sa tête pour former un capuchon. Sa queue était fixée à la ceinture.

Nous nous entendions bien tous les deux, même si nous ne pouvions pas vraiment nous parler. J'allais le voir dans sa chambre au fond de l'arrière-cour, et quand je tapotais mon ventre en actionnant ma mâchoire, et qu'il hochait la tête, je savais qu'il avait faim et je lui donnais la moitié d'une miche de pain et un Coca. Il me laissa essayer le corset et m'apprit ensuite à bondir comme un léopard. J'aimais énormément ses griffes en acier ; et il m'autorisa à les enfiler, bien que ma mère protestât : « Pour l'amour de Dieu, ne te blesse pas, tu m'entends ? » Ensuite Nzong et moi nous entraînâmes à faire des sauts de léopard sur la pelouse sous sa surveillance, pendant qu'elle hurlait : « Cambre le dos, Alexander, et ne quitte pas Nzong des yeux ! »

Il battait des mains quand je réussissais, et j'eus presque l'impression d'être un léopard. Je savais que si j'en avais l'occasion, dans la forêt, j'attaquerais aussi les passants et je les déchirerais avec mes griffes. C'était ce que faisait un léopard qui se respectait. Quand Nzong était un léopard il était si convaincant, ou du moins, sa prestation l'était. Je ne serais jamais aussi bon. Je pense que c'était parce que je n'y ai jamais cru comme lui.

Mais au bout de quelques jours, nous nous lassâmes tous les deux. Je ne blâmai pas Nzong : quand on y réfléchit bien, le répertoire du léopard est limité, spécialement dans un jardin de banlieue. Ainsi que le disait ma mère, pour un vrai homme-léopard, c'était important de tuer une proie de temps à autre, sinon à quoi bon ?

En guise de sortie, nous emmenâmes donc Nzong au zoo.

« Peut-être qu'il s'y sentira plus chez lui », déclara ma mère.

Au zoo, elle nous acheta des cornets de glace et nous promit de faire une promenade à dos d'éléphant. Nous eûmes un peu de mal à persuader le gardien d'accorder à Nzong la permission de monter sur le pachyderme.

« Pas question, décréta l'homme. Les garçons noirs n'en ont pas le droit.

– Ce n'est pas un garçon, rétorqua ma mère ; c'est un homme-léopard. Il vient tout droit du Cameroun allemand. »

Le gardien d'éléphant retira sa casquette ; il avait beaucoup de cheveux blonds et son couvre-chef, qui était au niveau de mon nez, empestait le fauve. Très souvent, les hommes se découvraient quand ils parlaient à ma mère.

« C'est où le Cameroun ? Je n'ai jamais entendu parler de cet endroit. »

Ma mère le lui expliqua comme si n'importe quel ballot connaissait la réponse.

« C'était une colonie allemande en Afrique de l'Ouest, au bord du golfe de Guinée, qui s'étendait au nord jusqu'au lac Tchad. Puis les Français et les Anglais l'ont conquise pendant la Grande Guerre. Mais dans des régions reculées, il y a des gens qui ont continué de parler l'allemand pendant des dizaines d'années. Ce garçon est l'un d'eux.

– Ah ouais ? » Le gardien d'éléphant n'était pas convaincu.

« Parfaitement.

– Alors demandez-lui de dire quelque chose en allemand. »

Ma mère s'adressa à Nzong en kwa-swahili ; et il dit au gardien :

« *Dummer Barbar – verfluchter schwarzer Dummkopf – Sie niedriger Form des Lebens.* »

L'homme était maintenant intrigué. « Qu'est-ce qu'il a dit ?

– Il vous a traité de stupide barbare, de putain de *domkop* noir, et de forme de vie inférieure.

– Bon sang de bonsoir ! » Le gardien d'éléphant était impressionné. « C'est du pur jus : un putain d'authentique Boche noir. »

Il nous permit alors de monter sur le petit siège en bois perché sur le dos de l'éléphant, et nous nous éloignâmes majestueusement. Après, nous allâmes voir les léopards, et je me souviens d'une grande cage avec un vieil arbre planté au milieu d'un sol poussiéreux, et de deux léopards assis sur les branches nues et blanchâtres, balançant la queue. Nzong les regarda et sourit.

« Dieu merci, Nzong a trouvé des amis », s'exclama ma mère.

Il voulut passer la nuit dans le zoo mais elle ne voulait pas en entendre parler.

« Seuls les vrais animaux peuvent dormir dans le zoo la nuit, Nzong, les hommes n'en ont pas le droit. »

Mais elle dut y réfléchir à deux fois car elle lui permit de rester. Après tout, dit-elle, Nzong était aussi un homme-léopard et il avait parfaitement le droit de passer la nuit en compagnie des animaux. Elle lui acheta encore deux glaces et une grande bouteille de *ginger beer*, au cas où il aurait faim ; et nous rentrâmes à la maison seuls, et inquiets. Quand nous revînmes le lendemain matin nous le trouvâmes assis devant la cage des léopards ; il avait mangé les glaces et bu la ginger beer et avait l'air d'aller bien. Les léopards ne semblaient pas du tout impressionnés, mais c'était peut-être parce qu'il ne portait pas son équipement.

Pourtant, Nzong devint encore plus mélancolique, et ma mère vit que les choses devenaient difficiles.

« Il ne veut pas rester enfermé. Je comprends. C'est ce qu'il fait, l'endroit d'où il vient. S'il veut attaquer un passant, il est libre de le faire. Pour obtenir le statut d'homme-léopard, il faut subsister dans la forêt par ses propres moyens pendant huit semaines, et se nourrir de ce qu'on peut tuer soi-même. Mais nous ne pouvons permettre cela à Forest Town. Je n'ai pas la moindre idée de qui il pourrait tuer et éventrer. »

Elle imposa des restrictions : il n'avait le droit de mettre sa tenue de léopard que pendant la journée, à la maison, sur la pelouse, où elle pouvait le surveiller. Il ne devait pas aller seul dans la rue.

Mais elle savait que c'était une erreur et un jour, sans rien me dire, elle partit avec lui. Elle ramena Nzong dans les forêts du Cameroun, où il pourrait bondir et taillader comme bon lui semblerait.

Quelques mois plus tard, nous allâmes voir le film intitulé *Tarzan et les hommes-léopards* au cinéma Lake de Parkview. Dans l'entrée tapissée de peluche rouge il y avait partout des affiches avec des photos de types masqués qui sautaient des arbres et vous dévoraient. Il y avait aussi des pygmées. Mais c'étaient des faux, comme les hommes-léopards qui étaient aussi des faux. Une affiche annonçait : « Du bouge congolais viennent les phénomènes et les merveilles d'Afrique ! »

Je n'aimai pas le film ; je n'aimais pas Tarzan, je n'aimais pas les hurlements – il y avait beaucoup de hurlements – et je ne voulais plus regarder, aussi je sortis et j'allai m'asseoir dans l'entrée, un peu tremblant.

Ma mère vint me chercher. « Qu'est-ce qu'il y a ? Tu as peur ?

– Non.

– Alors quoi ?

– Ça me plaît pas.

– Pourquoi pas ?

– C'est pas réel. »

Elle s'assit et me prit la main. « Alexander. Ce n'est pas censé être réel. C'est juste un film, un bioscope. Ne le prends pas tellement au sérieux ; c'est seulement pour rire.

– J'aime pas ça. »

Elle m'entoura de ses bras. « Ne le prends pas d'une manière si personnelle. »

Mais c'était comme ça. Nzong me manquait. Ce n'était ni un phénomène ni une merveille, c'était juste un garçon-léopard parfaitement ordinaire qui pouvait tuer et dévorer les gens s'il en avait envie. Sur l'écran, les acteurs ne lui arrivaient pas à la cheville, et pourtant tout le monde était censé s'exclamer et dire combien ils étaient réels et terrifiants. Tout le monde, sauf moi. Je ne croyais pas à cette comédie, c'était ça mon problème.

7

Il descendait de sa petite Vauxhall verte devant notre portail, remontait d'un pas hésitant l'allée dallée jusqu'au perron où ma mère était en train de nettoyer son fusil de chasse. C'était un grand type avec une épaisse moustache, des cheveux courts, châtains, vêtu d'une veste de sport assez poilue, couleur de biscuit, avec des boutons de cuir. Il s'appelait Louis Labuschagne, « Lappies » pour ses amis, mais pour nous il était simplement « Oomie » : petit oncle.

Il clignait de l'œil et s'avançait. Ou bien il ralentissait quand il passait devant moi, agenouillé sur la pelouse à ramasser des escargots que je vendais un penny la douzaine.

« Tu ne m'as jamais vu. D'accord ?

– Oui, monsieur.

– Je ne suis pas là. Je ne suis jamais venu ici. Compris ?

– Oui, Oomie. »

Une fois il me confia : « J'ai un travail très, très important, mon petit Alex, mais je ne peux pas te dire ce que c'est. Alors rappelle-toi, quand tu me vois, je ne suis pas là. »

Assez curieusement, l'homme qui n'était pas là devait acquérir une consistance nettement plus tangible. Je n'avais jamais pensé que les hommes qui venaient chez nous avaient une vie à eux ; ils gravitaient simplement dans l'orbite de ma mère et prenaient de l'importance par rapport à elle. Pour commencer, Oomie n'était qu'un oncle de plus et j'avais autant d'oncles qu'il y avait d'escargots dans le jardin : il y avait oncle Barrie, qui voyageait pour Helena Rubinstein, et oncle Jack, qui faisait « quelque chose dans l'aluminium », oncle Papadop de Rhodésie, et oncle Hansie du Sud-Ouest africain, un nombre indéterminé de chasseurs blancs et un Zoulou blanc. Tous ces étrangers de passage, sans exception, prétendant avoir une vraie vie alors qu'ils se contentaient en réalité de bourdonner et de tourbillonner autour de ma mère, comme des abeilles ou des ballons en caoutchouc.

Il me fallut longtemps pour commencer à saisir que, parfois, ces types étaient ce qu'ils prétendaient être, des hommes avec un métier et une histoire, une existence et une épouse, au lieu d'être un ornement dont se parait ma mère avant de s'en lasser. Mais de tous mes oncles, je peux dire sincèrement que Oomie fut celui qui me surprit le plus car j'eus la chance inattendue de le voir dans l'exercice de ses vraies fonctions. Il apparut soudain comme le faisaient les gens quand ils étaient vraiment vivants, quand ils n'étaient pas de simples spots sur mon radar personnel qui signalait un encombrement d'oncles sur la voie.

Ça se passait en 1960, j'avais seize ans, et je travaillais pendant le week-end et les vacances. Ma mère jugeait essentiel d'encourager ce qu'elle appelait « le pouvoir de l'indépendance financière », c'est-à-dire que je devais trouver un boulot et me débrouiller tout seul. « À tout à l'heure », lançait-elle avant de s'envoler pour le Kenya, le Congo ou la Rhodésie, sans me laisser un sou. Elle était très généreuse quand elle était en fonds, mais, répétait-elle encore et encore, l'entretien des machines volantes « coûtait une fortune ». Aussi, quand je n'étais pas en classe, je faisais un tas de petits boulots. Le dimanche matin, je vendais de la gnôle dans un magasin de vins et spiritueux ; à Noël, je travaillais à OK Bazaars ; à Pâques, je tenais le stand de potage instantané au Rand Show, dans Milner Park, tendant aux passants de minuscules tasses de bouillon miracle. C'était de la poudre de nouilles au poulet… « Plein de bonnes choses, fait dans le respect de toutes les valeurs traditionnelles de la ferme d'autrefois… », disaient les affiches publicitaires. « Il suffit d'ajouter de l'eau et de remuer. » Nous n'avions jamais rien vu de tel et cela prouvait sans l'ombre d'un doute qu'envers et contre tous Johannesburg s'élançait telle une fusée vers l'avenir.

Pâques arrivait, et je tenais à nouveau le stand de soupe au Rand Show. La foire se déployait en une grande bousculade où se mêlaient hommes, bêtes et machines, dans un vaste espace occupé par des tracteurs, des charrues et des tuyaux d'irrigation, et des dizaines de brochures vantaient les mérites des feuilles de plastique, des engrais miracle et des moissonneuses-batteuses ; des petits garçons portaient, serrées contre leur poitrine, des piles vacillantes de papier glacé, humant, l'eau à la bouche, l'odeur piquante de ces liasses de journaux poisseux, totalement gratuits. Il y avait des salles d'exposition, des enclos de bétail, des attractions, et un obélisque en béton illuminé, connu sous le nom de Tour de lumière, marquait le centre de cet immense bazar. Ce n'était sans doute guère plus qu'une foire aux bestiaux, agrémentée de balançoires et de manèges pour faire diversion, mais elle était gérée par des hommes qui se présentaient comme des « gentlemen »-farmers, et qui donnaient l'illusion que ce rassemblement était un genre de parade royale.

À l'instar de beaucoup de nos illusions, cette comédie était vitale et consolante parce qu'elle nous permettait de croire brièvement (ce qui valait mieux que rien du tout) que nous n'étions pas, en réalité, le pitoyable résidu d'un groupe de couillons émasculés – anglais, noirs, juifs, catholiques et étrangers en tout genre –, tous impuissants, tous gouvernés par des Boers barbus et butés ; des types au cou épais en short kaki, munis de *sjamboks* ; des puritains méchants, à l'esprit étroit, qui ne se souciaient que de rugby, de pureté raciale et d'avoir raison ; des voyous grâce à qui le mot « fermier » était le genre d'injure que les ivrognes des bars lançaient à ceux qu'ils souhaitaient insulter. Ça nous permettait de prétendre que nous comptions ; que nous n'étions pas des laissés-pour-compte de l'histoire, inutiles et méprisés.

Faire semblant, c'était le grand truc à Johannesburg : pas seulement une forme d'art, mais une putain d'industrie. Nous ne nous faisions pas seulement une montagne d'une taupinière ; nous nous faisions une montagne d'un dépotoir de mine. Nous étions la capitale mondiale de la frime. Nous étions un camp minier qui se faisait passer pour une paroisse anglicane, où des prostituées jouaient le rôle de pasteurs. Nous étions des bandits cupides, sordides, toujours pris en flagrant délit, et essayant toujours de donner l'impression que nous remettions l'argent dans la caisse.

La foire pascale du Rand, quoique « agricole », ne concernait pas les Boers, du moins pas en théorie. Elle existait pour les fermiers dans notre genre, des types à la figure joviale avec des joues rouges et des favoris, qui parlaient anglais, et croyaient au fair-play. Ils conduisaient des Austin et envoyaient leurs fils à Oxford ; des gentlemen-farmers en redingote d'équitation, avec de grosses cocardes rouges. C'était notre manière d'affirmer : Regardez : il existe aussi des fermiers anglais, des fermiers à l'esprit large !

La situation était particulièrement tendue cette année-là à Pâques parce que les organisateurs de la foire se préparaient à une visite du Premier ministre, le Dr Hendrik Frensch Verwoerd, l'homme qui plus que tout autre était responsable de notre obsession profondément pervertie et horriblement ennuyeuse de la pureté raciale, de l'hygiène du sang et du conflit religieux.

Les champs de foire de Milner Park portaient le nom d'Alfred, lord Milner, ancien haut-commissaire en Afrique du Sud pendant la guerre des Boers. Milner était un rêveur brutal dont les visions de jeunes eunuques anglais poseurs et bien bâtis gouvernant le monde de la Tamise à l'Indus dépassaient même celles de Cecil John Rhodes par leur perversion pernicieuse.

Nous avions un lien familial éloigné avec Milner. Jeune fabricant de bombes à l'époque de la guerre des Boers, mon grand-père avait voulu assassiner Milner. Cela se passait en 1901, les Boers rassemblés à Vereeniging étaient au bord de la défaite et avaient décidé de solliciter la paix, lorsque mon grand-père, qui comme le reste de la brigade irlandaise rejetait violemment toute idée de capitulation devant les Anglais, proposa une idée. Lord Milner se rendait à Vereeniging par train spécial pour discuter des termes de la reddition avec les généraux boers, Botha, De Wet, Delarey et Jan Smuts. Dans ce cas, pourquoi ne pas faire sauter le train, le réduire en miettes ? Mon grand-père avait même choisi le caniveau. Hélas, Jan Smuts rejeta l'idée d'une remarque qui blessait toujours mon grand-père (qui vénérait le chef boer) à cause de ce qu'il appela « son excès de bon sens anglo-saxon ».

« On ne négocie pas avec un Milner mort », lui rétorqua Smuts.

Mon grand-père fut assez contrarié. « Et pourquoi donc ? S'il est mort, on pourra lui faire entendre raison. »

Mais Smuts tint bon, Milner resta en vie, les Boers capitulèrent. Ils perdirent la guerre, mais dix courtes années après ils reprirent le pays aux Britanniques. Et en 1910, ils construisirent sur les ruines des républiques boers indépendantes un pays imaginaire dans lequel les quatre provinces de l'ancienne Afrique du Sud fusionnèrent dans une nouvelle Union d'une Afrique du Sud nouvelle, un arrangement auquel ils donnèrent le nom de paradis, mais qui pour à peu près tous les autres se transforma en une prison morne et misérable où nous passâmes la plus grande partie du siècle suivant.

C'était pour commémorer le cinquantième anniversaire de cette union fatidique que le Dr Verwoerd, évangéliste de l'apartheid, sainte figure de la ségrégation, venait parler à Milner Park. L'ironie de la visite – l'apôtre de l'apartheid s'adresse aux philistins anglais sur l'invitation des pauvres imbéciles – n'était pas passée inaperçue mais, comme d'habitude, tout le monde avait décidé de ne pas insister sur le sujet.

Je prenais ma pause-thé quand les haut-parleurs fixés à la Tour de lumière annoncèrent que l'ouverture officielle de la foire par le Premier ministre se déroulait dans l'arène centrale, et je m'approchai pour entendre le discours de Verwoerd, jouant des coudes dans la foule, me disant, comme je le faisais toujours au moment de la foire de Pâques, que c'était sûrement ça, être en phase avec le monde, être dans le mouvement, l'agitation, le tourbillon de la vie, le bétail et les tracteurs, les tuyaux d'irrigation et la barbe à papa, les turbines, les montagnes russes, la joyeuse pagaille qui, j'en étais sûr, était le fondement du vrai monde tel qu'il existait ailleurs, où tant de choses arrivaient en même temps à tant de gens, et qui ne ressemblait pas le moins du monde à la vie à Johannesburg qui se résumait à une succession d'isolements, à une boîte chinoise de vides gigognes, à d'épais murs conçus pour tenir à distance le vaste monde, et qui pourtant ne contenaient absolument rien.

Verwoerd était sur une tribune avec un tas d'autres VIP, une main dans la poche de son costume (croisé, noir) orné d'une cocarde rouge. Ses joues étaient roses et il avait une crinière de cheveux gris fournis. Le président, le colonel Untel, remerciait Verwoerd d'être venu, et s'emballa au point que, lorsqu'il eut fini son discours, il le recommença de zéro. À la droite de Verwoerd se trouvait un type que je pris pour un autre fermier, rien d'autre, et il n'arrêtait pas de glisser la main à l'intérieur de sa veste et de la ressortir, comme s'il s'assurait que ses clés de voiture ou son portefeuille étaient toujours en place. Je ne lui prêtai pas attention, et les autres non plus.

Je fus stupéfait de découvrir que juste derrière Verwoerd se tenait quelqu'un que je connaissais très bien : c'était Oomie. Un instant, je fus absolument incapable de comprendre ce qu'il fabriquait là.

Le Premier ministre était très habitué à être remercié et il attendit que s'achevât enfin le discours du colonel, avec force petits sourires et clins d'œil appréciateurs, puis il prit le micro. Il se mit à parler de cette voix aiguë, étranglée, qui me faisait toujours penser à un ventriloque qui aurait projeté normalement sa voix mais n'aurait pas eu de marionnette, si bien que son miaulement haut placé semblait toujours venir de quelqu'un d'autre.

Les fermiers en redingote d'équitation espéraient un miracle : s'ils feignaient d'être des braves types, le chef feindrait d'être un homme civilisé et ne se moquerait pas d'eux, les traitant avec mépris de cornichons anglais, de stupides progressistes, d'héritiers du vieil ennemi qu'il avait le devoir d'humilier pour le hors-d'œuvre, et ensuite de détruire pour le plat de résistance.

Verwoerd savait que son devoir était d'humilier – pour le hors-d'œuvre – et ensuite de détruire – pour le plat de résistance. Son discours était affable ; il évoluait entre des pseudo-civilités et une provocation sardonique. Il y avait ceux, dit-il, qui voyaient « l'Union » d'Afrique du Sud – ses cinquante années – comme un triomphe pour « le peuple ». Mais l'Union n'était un triomphe que dans la mesure où elle avait émasculé l'ennemi britannique haï. Elle avait été un désastre pour les honnêtes Boers qui, partout, avaient hérité de toutes les contraintes et coutumes imposées par le vieil ennemi impérial.

Les fermiers assis derrière lui sur la tribune regardaient leurs chaussures ; pris au piège entre un profond embarras et une colère furtive, hochant et secouant la tête tour à tour, et s'efforçant de faire croire que ces mimiques exprimaient de manière égale leur respectueuse approbation.

Je ne quittais pas Oomie des yeux ; que diable faisait-il là ?

Verwoerd arrivait à sa conclusion brutale, ses joues rose et blanc tremblotant de passion. Ses yeux bleu pâle étaient aveugles. Cinquante années d'Union – sa voix aiguë monta encore – sous une couronne anglaise était une insulte permanente aux milliers d'hommes morts pour les républiques violées du Transvaal et du Free State, et plus tôt l'Afrique du Sud retrouverait son statut divin prédestiné de république boer chrétienne nationaliste gouvernée par les Boers pour les Boers, mieux...

Puis il se rassit et tous les fermiers sur le podium firent leur sourire faux cul et applaudirent. Ce brave Hendrik : il leur avait encore balancé son pied dans les couilles et ils étaient très, très reconnaissants. Le colonel Quelque chose se leva et recommença à le remercier.

Ce fut à ce moment-là que le type qui, un peu plus tôt, n'avait cessé de glisser la main dans sa poche, se leva et s'approcha du Dr Verwoerd, tenant ce qui ressemblait à un revolver, sauf que je savais que ce n'était pas possible car, dans le cas contraire, le coup risquait de partir. L'homme dit d'une voix agréable, polie et calme : « Dr Verwoerd ? » comme s'il voulait lui demander l'heure, comme s'il n'était pas tout à fait sûr de s'adresser à la bonne personne, et il pointa alors ce qui, selon moi, ne pouvait pas être un revolver, le coup partit, et le Dr Verwoerd tressaillit. Ce fut à cet instant précis que je compris pourquoi Oomie était sur la tribune ; je sus pour quelle raison il ne m'avait jamais révélé ce qu'il faisait. Oomie était un flic, un membre de la police secrète, c'était l'un des gardes du corps du Premier ministre.

L'homme au revolver enfonça son arme contre l'oreille du Dr Verwoerd, et le coup partit à nouveau, plus sourd, plus étouffé cette fois-ci, parce le canon était appuyé directement contre la tempe, et Verwoerd s'écroula et se mit à saigner.

À ce moment Oomie tomba lui aussi, comme s'ils avaient répété la scène à l'avance, se mettant d'accord sur l'ordre des séquences, et ils restèrent allongés là tous les deux, et ne bougèrent plus. Sauf que Oomie ne saignait pas. Alors le colonel Quelque chose s'empara du pistolet, d'autres types entraînèrent le tireur hors de la tribune, et après l'avoir plaqué au sol ils le ramassèrent et s'enfuirent avec lui parce que des gens dans la foule voulaient manifestement le tuer. Des sirènes se mirent à hurler. La foule aussi. Typiquement sud-africain. Quelqu'un avait essayé de descendre un type, et un tas d'autres gens voulaient eux aussi tuer quelqu'un. C'était leur tour, quoi de plus naturel, quoi de plus juste ? Les sirènes devinrent plus fortes, puis le bruit blanc d'une ambulance se fraya un chemin dans la mêlée.

Ce fut à ce moment qu'Oomie, qui était resté à terre tout ce temps, et qu'on aurait pu croire mort, se releva brusquement.

Il n'était pas mort, mais le Dr Verwoerd, lui, en avait bien l'air.

Des coups de feu avaient changé le monde : à Sarajevo, en 1914, il y avait eu Princip, le Serbe, et à l'entrepôt de livres de Dallas, il y avait eu Lee Harvey Oswald. Pour nous, il y eut le 16 avril 1960, quand un homme assis sur la tribune des VIP à la foire pascale du Rand se tourna poliment vers le Premier ministre, et essaya par deux fois de lui faire sauter la cervelle. Et rata son coup.

Son coup de feu retentit dans toute l'Afrique : son écho continua de se répercuter du Limpopo jusqu'au Nil, à travers le bruit des portes claquées à notre nez. À partir de ce jour nous fûmes confinés parmi nos frères blancs fous à lier, dans l'extrémité sud du continent où la race supérieure s'éveillait chaque matin pour entendre vanter brillamment son intelligence et sa noblesse innée, et se couchait chaque soir en ayant englouti docilement une charretée de mensonges. Les résultats furent très éloignés de ce qu'on aurait pu prévoir.

Nous mesurâmes l'impact – ou, plutôt, ma mère le fit – au refus des autorités de lui permettre d'atterrir au Soudan. Pour la première fois de sa vie il ne lui était plus possible de voyager en Afrique à sa guise ; elle était confinée, pour reprendre ses termes, à des putains de casernes, aux enclaves blanches au sud du Zambèze : la Rhodésie, le Sud-Ouest africain, l'Afrique-Orientale portugaise. Et les grands voyages au Kenya ; les pistes d'atterrissage poussiéreuses de fermes lointaines, de Dar es-Salaam jusqu'au Congo belge ; les fleuves et les lacs d'une douzaine de pays où elle pouvait se poser, volant à une altitude de mille mètres à peine, au-dessus des têtes des hippopotames et des lions majestueux, le coucher de soleil au-dessus du lac Victoria, l'aube à Khartoum : l'un après l'autre, ces lieux et ces plaisirs cessèrent de lui être accessibles. Je n'ai pas le souvenir qu'elle ait moins voyagé par la suite, alors que j'étais plus âgé, mais c'était plus difficile à réaliser : elle avait besoin d'autorisations, de plans de vol, de papiers, de permis d'atterrissage, elle devait verser des pots-de-vin pour pénétrer dans l'espace aérien d'Afrique du Centre et de l'Est, elle ne pouvait plus se poser au Congo comme elle voulait, du moins pas sur les aérodromes officiels et les pistes d'atterrissage familières.

Je l'ignorais alors que je me tenais parmi la foule ce jour-là, dans l'Arène principale, et que j'écoutais le discours de Verwoerd, mais ma mère était là elle aussi, tout près. Entre nous se pressaient une multitude de gentlemen-farmers portant moustache et cocarde, et ressemblant à des dindes bien nourries, bien habillées, et tout à fait mortes. Je la croyais en transit, en vol, à Addis-Abeba, Zanzibar ou au Caire.

Toute mon enfance, j'avais regardé vers le ciel pour apercevoir ma mère, et je prétendais reconnaître son avion, le point d'énergie qui accélérait. Mais je ne réussissais jamais tout à fait à la capter : elle volait trop vite pour moi. Plus tard, je l'imaginai plutôt comme le neutrino, cette particule subatomique si petite, si rapide, si insaisissable que les scientifiques essayaient de l'entrevoir quand elle traversait la Terre en plaçant des appareils de mesure sur le sol de mines d'or profondes de mille sept cents mètres, espérant un coup de chance. Pendant des années, ils n'en eurent pas même un soupçon : les particules traversaient directement les intercepteurs qu'ils avaient utilisés et ne laissaient jamais de trace. C'était ainsi que je voyais ma mère, comme un neutrino humain. Elle vivait une vie prévisible mais impalpable, et chaque fois qu'on la cherchait, il était trop tard. Finalement ils ont repéré le neutrino : ils ont vu ses signes éphémères. Il existait. Idem pour ma mère. Toujours en partance, elle filait à travers le continent tel un galion, toutes voiles dehors, totalement indifférente à l'océan de petites vies argentées dans la mer au-dessous d'elle, ou dans l'atmosphère qui l'environnait. Vivre signifiait aller de l'avant. Rester cloué sur place, c'était bon pour les autres, pas pour elle.

Après mon départ, c'est elle qui m'a reproché de ne pas être là. La voix perplexe, elle me téléphonait à Hanoi, Vancouver ou Siem Riep, dans un autre monde. « Tu es où exactement ? Je ne sais jamais où tu es ! » Comme si elle ne se rendait pas compte une seule seconde que le mouvement incessant de ma vie s'inspirait de son modèle.

Le jour en question, le 16 avril 1960, j'estime qu'elle devait se trouver à une vingtaine de mètres, à un endroit d'où l'on voyait très bien le Premier ministre, le président de la société agricole Witwatersrand (quel titre stupidement pompeux !) et le colonel Quelque chose.

Le savoir vous vient d'une étrange manière. La plupart du temps on le puise dans les livres, chez ses voisins ou à l'école ; on le tire de sources plus ou moins exceptionnelles. Mais il existe dans mon pays une tradition ancienne selon laquelle certaines vérités importantes peuvent aussi être transmises par le canon d'un fusil. En voici la ligne essentielle : si vous tombez sur quelque chose ou quelqu'un que vous n'aimez pas, vous criez ; si ça ne marche pas, vous cassez ce que vous trouvez ; et si les connards refusent d'être raisonnables, vous commencez à tirer. L'étude au bout du canon est à peu près aussi traditionnelle chez nous que le thé rooibos ou le *biltong**, ou la mouche tsé-tsé.

C'était sans aucun doute le point de vue de ma mère. Je ne pense pas qu'elle aimait la violence – en principe –, mais elle restait toujours parfaitement indifférente à tout ce qui se passait autour d'elle. Toute cette violence était parfaitement normale. Pour certains, c'était peut-être mal, et il lui arrivait peut-être même d'en frissonner, mais jamais elle n'aurait imaginé la supprimer car c'était ainsi que les gens réglaient les choses. C'était comme la dynamite ; tous les gens qu'elle connaissait travaillaient dans la dynamite car nous vivions à Johannesburg, c'était ce que nous savions faire. Notre vie de famille était ponctuée par les explosions.

Le Dr Verwoerd survécut ; sa guérison, confirmèrent ses médecins, fut stupéfiante ; miraculeuse, affirmèrent ses parti-

* Viande séchée. (N.d.T)

sans. Et il endossa alors le rôle du héros ressuscité de sa tribu, celui qui, défiant la mort, avait sauvé son peuple des rets de Satan, ce qui désignait les étrangers, les Juifs, les catholiques, les communistes, les homosexuels et, bien sûr, les maudits « Anglais ». On a souvent pensé que Verwoerd et ses hommes de main haïssaient les Noirs, c'est faux – ils détestaient tout le monde.

Le soi-disant assassin, un certain David Pratt, fut enfermé dans une clinique psychiatrique. Pour beaucoup, son tort n'était pas d'avoir tenté d'assassiner le Premier ministre – tout le monde comprenait pourquoi il avait voulu le faire –, mais d'avoir été si près du but et de l'avoir manqué à deux reprises.

Les Sud-Africains n'ont jamais cru, ainsi que l'affirme le vieux cliché réconfortant, que la violence ne change rien. Nous savions qu'elle changeait tout, à condition de ne pas se tromper. Les deux balles de Pratt, tirées par un pistolet .22, manquèrent le cerveau. Comment fait-on pour tirer une balle dans l'oreille d'un type sans toucher le cerveau ? Demandez à un Sud-Africain ; demandez à un progressiste.

Et puis il y avait Oomie ; son cas était beaucoup plus difficile à traiter que celui de Pratt. Il présentait des problèmes : d'image, de race, d'autorité, d'humour ou de manque d'humour, de dignité et du besoin de la conserver, le problème du rôle de la police dans ce qu'on évoquait désormais constamment comme l'Afrique du Sud « nouvelle », la république d'Afrique du Sud. Car la question était : alors qu'il était censé protéger le Premier ministre, cette espèce de crétin ne s'était-il pas simplement évanoui ?

Il n'était pas permis d'avancer des hypothèses sur ce sujet en public ; la position officielle était que le garde du corps du Premier ministre :

1. S'était jeté au sol pour consulter le Premier ministre sur la ligne de conduite à adopter.

2. Avait entraîné le Premier ministre à terre afin de le protéger de son corps.

3. S'était laissé tomber comme il avait appris à le faire à l'entraînement, avait roulé sur lui-même et s'était préparé à riposter.

Personne ne dit rien. Il n'y avait rien à dire. Quoi qu'on eût pensé des flics, Oomie était blanc, et le jour où les Blancs commenceraient à s'en prendre à d'autres Blancs, la fin du monde ne serait pas loin.

Les gens disaient que le pouvoir n'écoutait que le pouvoir, mais ils n'y connaissaient rien. En Afrique le pouvoir ne se contentait pas de n'écouter que le pouvoir, il approchait et pratiquait des formes de solidarité consensuelle si perverses qu'elles ne pouvaient être adoptées que par des tyrans consentants.

Après sa chute Oomie vint souvent nous voir. Je soupçonne que nous étions sans doute les seuls à l'accepter sous notre toit. Il arrivait au volant de sa Vauxhall verte et ma mère avait toujours un plateau prêt : du café frais et du gâteau au chocolat parce que, disait-elle, les larmes minaient l'énergie. Oomie prenait son revolver et répétait la scène, nous montrant comment il était tombé sur le sol et avait roulé sur lui-même, ainsi qu'on le lui avait appris à l'école de police, jurant qu'il n'avait pas perdu conscience une seule seconde pendant qu'il se trouvait à terre. Super vigilant, visant l'assassin, prenant sa mire ; et ma mère le calmait pendant qu'il pleurait doucement.

« Courage, disait-elle. Il y a des choses bien pires. »

Il ne lui demanda jamais quelles étaient ces choses. Mais il paraissait penser qu'elle n'avait pas d'opinion politique. Il se trompait. Elle détestait tout ce qui la contraignait. Tout le monde était libre de voler. Elle ne se contentait pas de le croire : elle ne vivait pour rien d'autre.

Si Oomie n'avait jamais posé la question, je le fis, et elle m'envoya promener : « Les *Pass Laws**, les peines de prison, la perte des droits fonciers, la limitation des libertés, la folie raciale, l'ennui mortel. Dans un monde devenu aussi fou que le nôtre, un homme qui commet une erreur est humain d'une façon plutôt touchante. Si tu chasses, tu sais que n'importe quoi peut arriver et que n'importe qui peut avoir un moment de faiblesse. Du moins, il a eu un comportement naturel. À certains égards, mon pauvre vieux Oomie était ce jour-là le seul homme honnête sur la tribune. »

* Loi de 1950 fixant les zones où les différentes races (à l'exception des Blancs) avaient le droit de séjourner. (N.d.T.)

8

J'avais seize ans quand Koosie vint vivre chez nous. Il me dit qu'il avait « à peu près » le même âge. Il y avait un tas de choses que je ne savais pas sur lui parce qu'il ne savait pas grand-chose sur lui-même. Il s'était attaché à ma mère sur le terrain d'aviation, où il vivait des restes que lui donnaient les pilotes et le personnel de l'aérodrome, et il gagnait quelques sous en transportant des sacs dans les avions.

Ma mère le ramena à la maison, comme elle le faisait quand quelqu'un qui lui plaisait retenait son attention ; et ce fut ainsi que nous grandîmes ensemble pendant les sept ou huit années suivantes. C'était une situation inhabituelle dans les années soixante. Il était plus petit que moi, très mince, et il avait de très grands yeux. Il disparaissait toujours chaque fois qu'une personne du dehors passait nous voir.

Il disait qu'il avait perdu ses parents. Il avait l'air de les chercher encore, comme s'ils allaient refaire surface. Il avait eu une maison autrefois, mais on « la lui avait prise ». Je m'en émerveillais : comment quelqu'un vous « prenait-il » votre maison ?

Koosie se fâcha un peu, comme si je l'avais accusé de mentir.

« J'avais une maison et on l'a prise. Je m'en souviens. »

Je ne parvenais pas à me mettre ça dans la tête.

« Qui l'a prise ?

– Ils sont venus avec des bulldozers et ils l'ont fait tomber. »

Ça m'obsédait. « Ils l'ont fait tomber. Pourquoi ça ? »

Il haussa les épaules. « Chais pas. Ensuite ils nous ont emmenés. On a été déplacés. »

Je ne compatis guère à la perte de ses parents. Je perdais régulièrement ma mère et j'avais appris à vivre avec. Mais voir démolir et emporter brique par brique l'endroit qui a fait de vous ce que vous êtes. Et ensuite ils vous déplaçaient vous aussi…

Koosie n'habitait pas dans la maison mais dans la pièce extérieure. Au lieu de l'abaisser à un statut de domestique, cela rehaussait son standing, du moins à mes yeux ; il était indépendant, il avait son propre toit sur la tête et il prenait parfaitement soin de lui-même. Quand ma mère oubliait de nous laisser de la nourriture en quantité suffisante, Koosie allait chercher des provisions au magasin grec au coin de la rue. Je l'enviais, mais je ne me sentais jamais coupable : il savait s'occuper de sa personne et il me montra comment on faisait, mais il portait mes habits, conduisait ma bicyclette, lisait mes livres. Il m'apprit qu'on pouvait subsister avec la moitié d'une miche de pain et un Coca. Il m'emmenait chez Big Lou, au Golden Gate Fish Bar, pour acheter un cornet de frites à six pence.

Le bistrot de Big Lou était à près de deux kilomètres et nous nous y rendions à pied. Big Lou avait une tête ronde et massive, comme un boulet de canon perché sur une pyramide, un cou épais, de grosses épaules, il portait sa chemise blanche ouverte à la taille, il avait une quantité de poils noirs et drus sur sa poitrine musclée, et des hanches immenses.

Il fallait le voir, comme on va voir un volcan en éruption. Lou était toujours prêt à exploser. C'était un vrai spectacle ; nous pouvions le regarder pendant des heures. Lou tapotant le revolver à sa ceinture, bien enfoncé dans les plis de sa bedaine. Lou posant bruyamment le panier de frites sur le bord de la friteuse et attrapant le pot de confiture en fer-blanc perforé qui servait de salière. Versant les frites luisantes et fumantes sur un lit carré de papier blanc étincelant, qu'il avait découpé avec un énorme couteau. Lou faisait de ravissants paquets. Une feuille blanche pour l'emballage, puis une autre plaquée par-dessus et hermétiquement scellée. Et les frites brûlantes vous piquaient les doigts à travers le double emballage, et les vapeurs de vinaigre s'élevaient comme une prière. Quelquefois il se servait de son revolver comme presse-papiers, le canon pointé vers le client.

Lou et ses deux queues, une noire, une blanche. Mais seulement une caisse enregistreuse, ainsi que le souligna Koosie. Lou et sa voix tonitruante quand un type noir sortait de la file.

« Putains de bâtards négros, vous voulez des putains de frites, hein ? Vous voulez des patates chaudes ? Bordel de merde, attendez que je vous fasse signe, si j'vous fais signe ça veut dire qu'vous pouvez avancer, mais seulement quand j'vous fais un signe de tête qui veut dire que j'ai fini de servir le chef, et seulement quand j'ai servi le chef vous serez servis, putains de macaques bâtards, et si un seul d'entre vous ose seulement me regarder de travers il recevra une balle en pleine tronche. »

Et ils riaient – la queue noire riait –, une file de rieurs, ils étaient sincèrement amusés, aux anges parce que, eh bien, parce que c'était Lou ; parce qu'il parlait toujours de cette façon. C'était un spectacle ambulant ; c'était un rigolo.

La queue blanche ne riait pas quand Lou commençait à crier. La file de Blancs regardait de l'autre côté. Ils sentaient que c'était vulgaire, dangereux même, de parler de cette manière. Après tout, les Noirs étaient aussi des êtres humains ; personne n'aimait se faire insulter. Si vous vouliez dire ce genre de choses, il fallait au moins avoir la décence de le faire en privé. Lou était une brute et une grande gueule et la queue blanche souhaitait sincèrement qu'il se tût ; la queue blanche souhaitait que la queue noire cessât de se tortiller et de rire quand Big Lou l'insultait. Ce n'était pas bien, et, d'ailleurs, ça ne trompait personne, personne n'aimait être traité de putains de macaques bâtards ; personne n'aimait qu'on pointe un revolver sur lui et qu'on lui dise « Bordel, arrête de sourire ou je t'explose la gueule », dans ce cas pourquoi riaient-ils de ces paroles ignobles alors que ça ne servait qu'à leur donner l'air pathétique et à embarrasser tout le monde ? Mais c'était le problème avec la queue noire : elle ne faisait jamais ce qu'elle aurait dû, ni ce qu'on attendait d'elle. Pas étonnant qu'il y eût une séparation ; pas étonnant qu'il faille avoir deux queues distinctes : comment pouvait-on se mélanger avec des gens qui ne trouvaient rien de mieux que d'encourager des racistes surexcités comme Lou à les insulter ?

Koosie riait, séparé de nous par un mètre de lino vert. Il prenait tout cela très tranquillement. Pas moi. Lou me terrifiait, et me divertissait, mais il ne m'amusait jamais... Je m'interrogeais à propos de Koosie : est-ce qu'il trouvait Lou drôle ; *sincèrement* ? Je savais ce qu'il dirait après, quand nous serions en train de lécher le vinaigre sur nos doigts : « C'est la vie. Lou nous a bien fait marrer, et les frites sont bonnes. »

Quand ma mère nous tombait dessus, c'était comme une tempête en mer, excitant et perturbant le temps que ça durait, mais nous étions toujours très soulagés une fois que le calme était revenu et qu'elle s'était envolée de notre vie à nouveau, pour repartir vers le delta du Niger, l'Ouganda ou la vallée du Rift, dans l'autre monde que nous appelions « je-ne-sais-où ».

« Où est maman ? demandait-il.

– Partie je ne sais où », répondais-je.

Notre univers était la maison, le jardin et notre amitié paisible qui n'était jamais expliquée, ni remise en question. Derrière la barrière en pieux de bois qui masquait la maison aux voitures de Jan Smuts Avenue, deux adolescents, vivant ensemble pendant sept ou huit ans – jusqu'au jour où Koosie disparut.

« On mange quoi aujourd'hui ?
– Qu'est-ce qu'il y a ?
– Des œufs.
– Parfait, on va se faire des œufs brouillés. »

Deux garçons vivant dans une maison sur laquelle veillaient les photographies de ma mère et de ses amis. Ici, quelque part au Kenya, elle buvait de la Tempo, une bière forte, en compagnie des membres d'une tribu ; là, elle se tenait à côté de son avion après avoir pisté un éléphant ; là encore, elle souriait sur le plateau de *Mogambo*, flanquée de Clark Gable et d'Ava Gardner, et en travers du ciel gris nacré, derrière sa chevelure ébouriffée, l'un des acteurs avait griffonné avec un bâton de rouge à lèvres : « Kate chérie… Bons baisers de nous tous ! »

Koosie cessa d'aller en classe et retourna travailler à l'aéroport, ou bien il jardinait chez les *missuses*, les dames du voisinage. Ça permettait de faire rentrer un peu plus d'argent. Il ne pouvait pas proposer ses services au OK Bazaars, ni au magasin de spiritueux, le samedi matin ; il ne pouvait même pas entrer dans la foire pascale du Rand. Rien de tout cela n'était autorisé. Je gagnais pas mal d'argent ; mais lui, presque rien.

Tout cela était parfaitement normal ; si les choses avaient été différentes, cela nous aurait paru bizarre à tous les deux. Nous étions juste deux garçons qui vivaient ensemble. Mais en grandissant, je devenais un Blanc ; et lui, un aide-jardinier. Koosie cessa d'être réel, cessa d'être visible, il était mon ombre ; il marchait sur mes talons. J'étais le seul à exister.

Derrière la palissade, nous lavions nos vêtements et entretenions le jardin. L'entreprise de nettoyage De Wet's Flying Dutchmen venait une fois par semaine et faisait le ménage de la maison.

De l'autre côté de la clôture, c'était différent. Nous marchions ensemble jusqu'au lac du zoo mais ne nous asseyions pas sur le même banc ; nous ne nous rendions pas ensemble au bioscope ; nous montions dans le même bus rouge et crème à impériale dans Jan Smuts Avenue, mais Koosie s'asseyait sur le dernier siège en haut, réservé aux non-Blancs. J'allais tous les jours en classe ; lui, de temps en temps. Je partais en bus à l'école ; il faisait près de quinze kilomètres à vélo pour rejoindre son établissement, dans Alexandra Township.

Je ne pouvais pas emmener Koosie dans mon école : je ne pouvais pas y parler de lui, pas même à Jake Schevitz, mon meilleur ami. Ça n'aurait pas eu de sens. Même si Schevitz venait à la maison et voyait Koosie chez moi, même s'il ne se formalisait pas du comportement de ma mère et de notre mode de vie, il n'aurait jamais pu comprendre que Koosie était en passe de devenir le frère que je n'avais jamais eu.

Schevitz était le seul garçon de ma connaissance qui ne voyait guère de raison de s'inquiéter de cette cohabitation. « Étrange mais cohérent », disait-il de ma situation familiale. Il voulait parler du fait que je me trouvais seul à la maison pendant que ma mère était ailleurs. C'est-à-dire, seul à part Baldy, le perroquet gris, et l'entreprise de nettoyage De Wet's Flying Dutchmen. Et, plus tard, Koosie et moi, deux garçons, un blanc, un noir, vivant dans une maison de la banlieue de Johannesburg. Accepter ce genre d'excentricités avec calme, discrétion et sagesse était une chose très remarquable dans l'Afrique du Sud en proie à la démence blanche, qui à l'époque n'était pas vraiment un pays, ni une société, mais plutôt une bande armée : prodigieusement pervertie, sauvagement cruelle, atrocement hilarante. Une bande qui n'était pas seulement soudée par une admiration intense pour la stupidité, par une soif rageuse de bêtise ; qui considérait comme un droit divin, comme un point central de la conscience nationale, le fait d'être non seulement plus idiot que n'importe qui d'autre sur la planète, mais très, très fier de l'être.

Schevitz et moi nous demandions tout haut qui nous avait mis sur cette voie et nous en blâmions un type du nom de Jan van Riebeeck, arrivé au Cap avec une horde de flibustiers, au milieu du XVIIe siècle. Les Hollandais firent pousser une haie, construisirent un fort, tirèrent sur tout ce qui passait à leur portée : toutes choses parfaitement normales pour des colons. Sous certains aspects, ils étaient comme tous les envahisseurs d'Alexandre le Grand à Jules César et aux Vikings : ils pensaient qu'assassiner les indigènes était tout à fait légitime ; ils les rouèrent de coups vigoureux.

Rendons-nous à l'évidence, il n'y a pas de bons conquérants, mais prenez les conquistadors, ou les puritains rêvant d'une ville étincelante sur une colline. Prenez les Romains, les Turcs, les Vikings : n'importe qui d'autre que des putains de comptables, d'employés de bureaux et de pasteurs lèche-bottes avec des fusils.

L'astuce était la suivante : d'un coup de fouet, ils allaient transformer la sueur noire en or blanc. Ils donnèrent le ton. Les pères fondateurs de la civilisation blanche de l'extrémité sud de l'Afrique allaient faire fortune sans lever le petit doigt. Et les Hollandais se montrèrent très doués dans ce domaine : ils ne construisirent ni routes, ni ponts, ni écoles, ils ne jouèrent pas de musique, ne composèrent pas de poèmes, ne créèrent pas de journaux, ne rêvèrent aucun rêve ; au lieu de cela, ils restèrent assis sur leur gros derrière et envoyèrent des esclaves gagner leur vie à leur place. À peine avaient-ils mis le pied au Cap qu'il y avait déjà plus d'esclaves que d'hommes libres. Ce qui était le cap de Bonne-Espérance devint le cap des Esclaves – on ne pouvait plus bouger, tant il y en avait – et ça ne posait pas de problème parce que les Blancs ne bougeaient pas, les Noirs étaient là pour ça. Pour se bouger, pour faire bouger le monde.

Plus tard, le vieux van Riebeeck, fonctionnaire hollandais assoiffé d'or, fut canonisé. Il en eût été le premier surpris. Il n'avait jamais voulu se retrouver bloqué au Cap, à la pointe de l'Afrique, au pied d'une montagne étêtée, entouré d'un tas de Hottentots. Mais ils en firent ce patriote. Ils lui donnèrent un noble front, des cheveux châtains et un air grave, et frappèrent son portrait sur leur monnaie. Il y eut des statues. Un ambitieux arriviste, impatient de ficher le camp pour un endroit sérieux, se dressait sur des socles proéminents dans toute la putain de ville.

Quel était l'effet de ce culot éhonté, monumental ? Ça vous rendait fou, oui, et triste, aussi, et peut-être précisément parce que c'était triste, ça provoquait chez Schevitz et moi une sorte d'hilarité rageuse. En réalité, on riait parce que c'était insupportable.

Ma mère voulait que Koosie aimât l'Afrique d'une manière qu'elle devinait n'être pas la mienne. C'est-à-dire : sa manière à elle, son Afrique. Elle s'allongeait sur son fauteuil et nous racontait qu'elle avait été attaquée par des éléphants et des léopards, mais que c'était la hyène qui la terrorisait. Une fois, au réveil, elle en avait découvert une dans sa tente, qui la regardait fixement. Elle nous emmena chasser l'éléphant au Mozambique. Koosie était un chasseur-né, disait-elle. Elle lui apprit à se servir du gros fusil de chasse ; ils traquèrent un vieil éléphant, et réussirent à le prendre de côté. Elle montra à Koosie comment viser un point situé aux deux tiers du flanc, et un peu en arrière des pattes de devant. Le but était de tirer une balle dans le cœur et de briser une patte au même instant ; de tuer aussi vite que possible.

Il tira, manqua sa cible et l'animal disparut.
« Ça ne fait rien, il y aura beaucoup d'autres occasions. Il y a quelque chose que tu aimerais abattre, Koosie ? »
Il fit signe que oui.
« Un lion, un buffle, un éland ?
– Des gens, répondit Koosie. Il y a des gens que je voudrais abattre. »

9

La différence dans notre manière de voir les choses apparut peu à peu. Koosie et moi avions fait un voyage au Congo avec ma mère. Nous avions séjourné avec un petit groupe d'Efe dans leur village qui s'appelait Baudouin, comme le roi belge (ça se passait à l'époque où les Belges gouvernaient le Congo et donnaient des noms européens à tous les endroits, avant que Mobutu eût pris le pouvoir et les eût remplacés par des noms africains). Les Efe étaient très généreux : ils nous installèrent dans une hutte au cœur de Baudouin, et tous les gosses vinrent nous dévisager. Du poisson séché et trois épaisses cornes de buffles pendaient au toit de chaume.

Ma mère partait chasser tout le jour. Koosie et moi voyions beaucoup les enfants qui nous emmenaient dans la forêt et nous montraient comment on jouait au *mangola*, un genre de jeu de dames pygmée, sauf qu'on se servait de graines séchées comme pions, qu'on traçait quatre rangées dans la terre rouge, et qu'on avançait les graines le long des petits sillons. Ils nous montrèrent des empreintes d'éléphants dans la boue, et nous apprirent à manger des champignons jaunes appelés *lobololo*. Les petits Efe avaient des noms français – Mathieu, Lucien et Marta – qui les faisaient paraître très étrangers, ils chantaient beaucoup et nous informèrent qu'il ne fallait jamais toucher certaines orchidées, sinon les pluies les emporteraient, et les branches d'arbres leur tomberaient sur la tête. Ils avaient une centaine de tabous dans la forêt mais nous étions en sécurité, dirent-ils. Car nous étions des *muzungu*, des Blancs.

« Je ne suis pas un putain de *muzungu* ! protesta Koosie. Je suis aussi noir que vous. »

Mais ce n'était pas leur avis.

Les enfants chantaient presque tous le temps, et fumaient beaucoup de *dagga* ; ils se soûlaient au vin de banane, et racontaient de longues histoires sur les sorciers. Je pense qu'au début Koosie en fut agacé, puis il parut assez contrarié. Je ne comprenais pas pourquoi.

Ma mère expliqua que c'était un garçon des villes et que la campagne l'irritait. Je crois à présent que non seulement les jeunes Efe ne le considéraient pas comme un des leurs, mais qu'ils étaient incurablement et totalement eux-mêmes, et pourtant à des millions de kilomètres de Koosie. C'est à ce moment-là que j'ai perçu la différence : il s'agissait de sa vision de l'Afrique à lui, qui n'avait aucun rapport avec ma mère ni moi. Les pygmées l'avaient déçu ; ils n'étaient pas les Africains qu'il voulait qu'ils soient. Ils donnaient à leurs villages les noms de leurs mares, quand ce n'étaient pas des noms de rois belges ; ils mangeaient du manioc frit et du poulet. Les Efe n'avaient aucun sens de l'argent ; leurs vies étaient un long échange. Koosie céda son canif et obtint en retour de la viande fumée d'éléphant qui le fit vomir. Il ne supportait pas leur façon de se reposer sur la forêt, comme s'il s'agissait d'un mélange de dieu, de jardin, de gardien et d'amant. Il ne supportait pas leur comportement défaitiste. Quand ma mère nous raconta que les pygmées babudu utilisaient des filets, une méthode beaucoup plus efficace pour chasser le gibier, il voulut savoir pourquoi les Efe restaient attachés à leurs arcs.

Koosie s'impatienta contre les Efe de la même manière que les premiers colons hollandais sous van Riebeeck s'étaient impatientés contre les Hottentots parce qu'ils erraient ici et là, et contre les Bushmen parce qu'ils volaient sans cesse. Son impatience était la même que celle des Britanniques vis-à-vis des Boers qu'ils considéraient comme des calvinistes illettrés et obstinés. Son impatience rappelait celle des Blancs qui ne supportaient pas que les Noirs refusent simplement de nous ressembler plus ; et quand je regarde en arrière aujourd'hui, je vois que cette impatience est devenue celle des Noirs à notre égard.

C'était un signe, mais je ne savais pas déchiffrer les signes.

Koosie lisait beaucoup de poésie ; il lisait Tennyson, Charles Causley et Auden. Il voulait être poète, mais plus que ça : il voulait écrire sur les fleurs. C'était extravagant. Les fleurs ? Nous ? Il dénicha une série de vieux croquis botaniques dans les livres de ma mère.

« Voici la pensée du Cap, qu'on appelle quelquefois "petit bonnet" ou "gueule de lion". Regarde, ses feuilles ressemblent à des dents étroites. »

Il me montra ses textes ; il me les lut et je me souviens encore de certains vers :

« La lobélie aux yeux blancs me regarde. »

C'était le caractère tranquille et inattendu de ses intérêts qui me captivait. Dans un pays violent je n'avais jamais rencontré personne d'aussi passionné par des choses paisibles et belles. Imaginons d'en parler à Big Lou, pensai-je. Les fleurs... Il prendrait son flingue, il éructerait : « Tu écris... quoi ? Fiche la paix à ces putains de fleurs, petit con de macaque handicapé, ou je te transforme en passoire et alors tu pourras bouffer tes pâquerettes par la racine. »

> Je me penche sur la bouche obscure et veloutée
> du pétunia
> Et quelque chose me dit qu'il n'a que de bonnes
> pensées ;

Jamais il ne me trahira,
Ni ne songera à se trancher la gorge.

C'est ainsi que cela a commencé pour Koosie, par des fleurs, des poèmes et des choses légères. Ça ne s'est pas fini de cette façon, mais bien sûr ça ne finit jamais comme ça ; dans ce pays rien ne finit facilement. Peut-être que rien ne finit.

Koosie était destiné à la résistance à grande échelle. J'aurais dû le voir quand il m'avait souri depuis l'autre queue, dans la boutique de Big Lou. J'aurais dû le voir quand il m'emmenait faire ces balades en ville le dimanche.

Le week-end, le centre-ville était un tombeau désert ; la cité trépidante, alimentée toute la semaine par un carburant à indice d'octane élevé, devenait une ville morte chaque dimanche. Dès le samedi, à l'heure du déjeuner, Johannesburg commençait à se vider, et à cinq heures de l'après-midi tout le monde était parti. Personne n'habitait là ; les Blancs ne le voulaient pas et les Noirs n'en avaient pas le droit. Les Blancs retournaient au fond de leurs banlieues, et se préparaient à leur activité dominicale : ne rien faire. Ils sombraient dans le coma, parce que c'était la loi ; rien ne bougeait le dimanche, et dans le cas contraire les flics voulaient savoir pourquoi. Aucun tram ne roulait, aucun magasin n'était ouvert, personne ne souriait sauf cas de force majeure.

Et les ombres noires qui servaient la cité blanche rentraient aussi chez elles, dans les townships poussiéreuses, loin des regards ; et la ville, si bruyante et déchaînée tout au long de la semaine, devenait un immense plateau vide pour un film jamais réalisé. Les rues filaient telles des rivières grises entre les canyons fantomatiques. Dans Commissioner et Anderson, dans Plein et Jeppe, on n'entendait pas seulement le silence, mais le soupir des agonisants, le passage de vie à trépas. Rien ne bougeait devant les Library Gardens, à l'exception d'une feuille de journal ou d'un pigeon solitaire picorant un gobelet de glace en carton.

Dimanche à Johannesburg : le jour des morts.

C'est alors que Koosie me montra quelque chose d'assez particulier. Nous quittions la maison à pied : il fallait environ une heure de marche. Nous nous dirigions vers un endroit central, comme la rue Commissioner, et nous attendions. Pas très longtemps.

« Regarde, disait Koosie. C'est une Ford Fairlane. »

La limousine de tête était la voiture nuptiale et transportait les jeunes mariés des townships interdites. Derrière la Fairlane suivait une Skyline vert pomme avec une capote en toile escamotable, ses pneus à flancs blancs si éblouissants qu'ils luisaient dans l'ombre des gratte-ciel. Studebaker Hawk ; Hudson Hornet et Chev Corvette, un camaïeu de tons caramel et prune, lumineux comme la voûte céleste, remplies à craquer de fêtards, assis sur le capot et les portières ; des hommes portant des chapeaux mous et des boutons de manchettes, des demi-guêtres et des boutonnières, et les femmes en jupe moulante, les genoux gainés d'un nylon brillant. Limousines tape à l'œil, costumes de zazous, demi-guêtres, petites voilettes coquines ; les invités de la noce devenus rois et reines l'espace de quelques heures dans la cité du dimanche. S'asseoir sur le trottoir pour voir passer les noces dont la gaieté animait la ville plongée dans son coma dépassé, ça valait bien la promenade et l'attente.

« Tu as vu *La Dernière Rafale* ? me demanda Koosie.

– Non.

– Alors vas-y. »

J'y allai, seul, bien sûr. Koosie n'avait pas le droit d'entrer dans nos cinémas. Et je vis Richard Widmark, alias « Styles », sanglé dans son pardessus, en train d'inspirer de lentes et profondes bouffées de benzédrine, et de croquer dans une pomme.

J'estimai qu'ils ne s'étaient pas trompés, les showboys qui roulaient dans Harrison, Jorrissen ou Jeppe à bord d'une Caddie rouge cerise, rouge sang, ou de Lincoln Continental qui donnaient l'impression d'être sculptées dans la crème fouettée, avec la capote relevée, les sièges en cuir ivoire, les garnitures argentées. Koosie les connaissait tous : les Russes, les Américains, la Gestapo, les Berlinois ; tous les voyous *tsotsis* qui portaient des impers à ceinture, comme Widmark, marchaient comme Cagney et parlaient comme Humphrey Bogart. C'étaient des gangsters, des vrais ou des aspirants, ça c'est sûr. Mais qui ne l'était pas ? Ce que vous considériez comme un crime était, pour quelqu'un d'autre, une évolution constitutionnelle. Les types qui régissaient notre vie dans la lointaine Pretoria n'étaient qu'une bande de plus qui prétendait être un gouvernement. Les *tsotsis* de la township qui paradaient dans leurs Chevy ou leurs Lincoln étaient amoureux du style, du flair, de l'apparence, du rythme et de l'irrespect ; ils savaient – mieux que les politiciens, mieux que les truismes de tous les partis de notre lamentable pays – que la vraie rébellion, c'était la légèreté, et non la solidité, l'étrangeté, l'aspect et la couleur, et non l'uniformité. Les folles fêtes de mariage qui animaient la grisaille des rues mortes étaient une gifle pour cette journée réprobatrice.

J'achevai mes études ; je pris un emploi. Koosie ne termina jamais sa scolarité parce qu'il ne l'avait jamais vraiment commencée. Il s'occupait ici et là, comme caddie ou jardinier. Il avait du mal à trouver du travail, mais ça ne l'inquiétait pas parce qu'il avait déjà choisi sa voie. Il allait résister. Koosie était de plus en plus obsédé. Et, curieusement, de plus en plus ennuyeux. Koosie, le poète des fleurs, était devenu si radical que j'en avais le souffle coupé. Le garçon qui m'avait montré le carnaval débridé des limousines défilant dans les rues d'un gris mortel le dimanche, ou qui me parlait du pétunia au regard plein de sagesse – qui faisait preuve dans ces choses d'un courage qui vous saisissait le cœur –, ce garçon avait perdu tout entrain. La montée d'adrénaline de la lutte étouffait la rébellion. La révolution n'arrosait pas de fleurs. L'enchantement avait cédé la place au sérieux, et le sérieux conduisait à l'obéissance. Koosie ne se contenta pas de rejoindre le mouvement, il recevait des ordres sacrés dans une sorte de congrégation de héros semi-divine, une communion de saints des derniers jours et de sauveurs.

Moi aussi j'étais de plus en plus obsédé. J'appris que le Parlement hongrois avait utilisé la glace prise dans un lac pour rafraîchir le bâtiment. J'appris que dès l'an 400 avant Jésus-Christ les Perses avaient construit d'énormes réfrigérateurs souterrains avec des murs épais de plusieurs mètres, isolés du transfert thermique grâce à un mortier composé d'argile, de poils de chèvre et de blanc d'œuf.

Je peux dater l'instant précis où j'ai su que Koosie avait pris une voie qui n'était pas la mienne. Il revenait juste de quelque part. Il ne me dit pas d'où, je ne lui posai pas la question. Nous étions assis dans le salon en façade.

« Big Lou s'est fait descendre. T'as su ça ? » Il éclata de rire.

Je n'aimai pas le son de ce rire.

« Un soir de la semaine dernière. » Ses grands yeux clignaient, sa voix monta. « Big Lou s'appuyait sur son comptoir – tu sais bien, sur un coude – et ce petit mec noir est entré, il était vraiment minuscule. Haut comme trois pommes. Il se met pas dans la queue. Il va directement au comptoir. Il est si petit que son nez dépasse à peine, mais il tient cet énorme pétard dans sa main. Il dit rien. Lou lui jette : “Bon, si t'as perdu ta langue, fous le camp d'ici.” le type dit toujours rien, il le regarde, c'est tout ; les yeux au-dessus du comptoir, comme des yeux de crocodile juste au-dessus de la ligne de flottaison ; et il tire. En plein dans le ventre. Et Lou, il est lourd, alors il s'affaisse sur la droite, on dirait qu'il va attraper son revolver, mais non, il s'effondre sous son propre poids. Le petit bonhomme tire encore, dans la poitrine cette fois-ci... et il s'en va. Lou était mort avant de toucher le sol. »

En l'écoutant, j'entendis dans sa voix de l'amusement et de la stupéfaction, de la colère, de l'admiration. Quelque chose en moi comprenait cette admiration – voilà ce petit bonhomme qui entre d'un air désinvolte et descend l'ogre du Golden Gate.

Ou, pour reprendre les termes de Koosie : « Pas mal pour un putain de macaque bâtard. »

J'étais désolé, pas pour Lou – c'était sidérant que personne ne l'eût abattu des années plus tôt – mais parce qu'une partie de ce que nous étions avait été détruite. C'était cela, bien sûr, le problème essentiel. Après tout, qu'avait tenté Pratt, sans succès, quand il avait enfoncé le canon de son pistolet dans l'oreille de Verwoerd ? Pratt avait loupé son coup. Mais le nain magique avait accompli une prouesse de virtuose, et Koosie en éprouvait de la satisfaction, et il était en colère parce que je ne partageais pas ce sentiment. Nous ne voyions plus les choses de la même façon. Comment l'aurions-nous pu ? Les exigences étaient si différentes, sa colère si grande, et les temps si violents.

Nous étions passionnés, beaucoup trop déjà.

Je voulus savoir pourquoi c'était bien d'avoir tué Lou, mais il fut incapable de me fournir une explication, disant seulement que c'était nécessaire. Je pensai que ce n'était pas nouveau. Koosie voulait que je cesse de réfléchir, que je cesse de me rappeler qui nous étions, que j'arrête de parler de l'idiotie des certitudes raciales. Ses camarades étaient du côté de « l'histoire ». Je répliquai que l'histoire était une orgie d'assassinats émaillée de conneries moralisantes destinées à donner bonne figure aux monstres.

« Ton histoire, peut-être », dit Koosie.

Pour moi, ce qu'il y avait de vraiment intéressant chez le petit bonhomme, c'était la nouveauté de sa méthode. Nous ne savions pas pourquoi il avait tué Lou. Ce qui le rangeait à part, cependant, ce qui le rendait si différent des types maladroits que nous étions, c'était son efficacité. Il était sobre, rapide et habile ; il ne prêchait aucun sermon, ne créait pas de parti politique, il faisait ce qu'il était venu faire et disparaissait simplement. Ce n'était pas un proto-révolutionnaire, ni un combattant de la liberté ; mais peut-être un anarchiste, un improvisateur, un artiste même.

« L'abattre, c'était ce qu'il y avait de mieux à faire. » Koosie revenait souvent là-dessus.

« Pourquoi ?

– Pour la liberté.

– La liberté est un autre conte de fées que nous nous racontons avant d'aller descendre quelqu'un.

– Alex, tu es un faible. »

À partir de ce moment nous nous séparâmes. Ce fut douloureux, profond et permanent. Comme nous partagions la même maison, il était impossible de ne pas savoir ce que l'autre faisait. Koosie était très impliqué dans la révolution. Je construisais des modèles d'attrapeurs de vent. Ils ressemblaient à des entonnoirs, ou à des tours en V, montés sur le toit d'un bâtiment. Ils pouvaient être orientés dans une direction, et aspirer l'air vers le bas, ou bien tournoyer comme une éolienne. Cet écoulement d'air descendant était une forme de climatisation propre et régulière. Si je plaçais l'entonnoir au-dessus d'une bassine d'eau, je m'apercevais que la température baissait de façon spectaculaire. Koosie se tenait devant l'une de mes magnifiques créations, et demandait pourquoi je gaspillais mon temps.

« Enfin, si tu veux de l'air propre et frais tu peux prendre un esclave qui agitera une branche d'arbre au-dessus de ta tête, ou bien tu n'as qu'à ouvrir la porte du fond de ta cave, de ta hutte ou de ton taudis, ou encore tu n'as qu'à laver et sécher l'air que nous respirons. »

« Il y a tant de choses folles, nécessaires… et tu brasses de l'air… ? »

Voilà. Je songeai que l'histoire – la nouvelle histoire que Koosie soutenait à fond – rappelait désastreusement ce qui s'était passé la fois d'avant.

Les années soixante-dix virent le début des massacres. Les flics, les agents de sécurité, les espions, les stratèges du régime furent très efficaces, et ceux qui disaient ou faisaient ce qu'il ne fallait pas étaient frappés encore et encore.

On devait reconnaître – mais personne ne le fit – que les camarades de Koosie n'étaient pas très efficaces. En fait, pour un mouvement de libération formé avant le putain de parti communiste chinois, ils étaient étonnamment nuls. Dans le camp de Koosie, personne ne s'en prit jamais à un flic avec la froideur du tueur nain qui avait abattu Big Lou. Le groupe de Koosie, à mon sens, rappelait à un point alarmant le remarquable duo auquel j'avais eu la chance d'assister à Milner Park : le show Pratt et Oomie, qui à eux deux avaient échoué soit à abattre, soit à sauver Verwoerd.

Ce fut là que ma mère intervint. Les flics chargés de la sécurité infiltraient en profondeur chaque mouvement de libération : il y avait des arrestations, des assassinats, des trahisons, des aveux, et des embrouilles, et ça voulait dire qu'il y avait une file de types très pressés de ficher le camp pour se réfugier dans les pays voisins, au Lesotho, au Botswana ou en Zambie.

Koosie lui fit une proposition parfaitement calculée pour la convaincre. Il lui offrait une chance de servir la cause, et les termes qu'il employa me firent penser à quelqu'un qui aurait trouvé sa famille et se serait engagé sur la voie du salut.

« Ce dont nous avons besoin, c'est d'un type avec un avion, un mec sans aucun lien avec un quelconque groupe politique. Quelqu'un dont les flics n'imagineraient jamais qu'il fait sortir des gens du pays. Un type un peu bizarre, qui se promène un peu partout en Afrique. »

Ma mère ne sourcilla pas. « Alors je suis votre homme. Je vais le faire, pas pour la cause, peu importe ce que c'est. Je le ferai pour m'amuser. »

Elle prenait une chambre dans un hôtel chic comme le Carlton, sous un faux nom, et le matin elle descendait dans l'entrée, portant un chemisier coloré différent, selon les instructions. Chaque jour, pendant une semaine, elle tenait un exemplaire du *Monde* ou de *La Stampa*, et si personne ne se présentait elle rentrait chez elle.

Lorsque le plan échouait elle se répandait en récriminations contre ses organisateurs. « Ça n'a pas marché. Une fichue perte de temps ! Ces types sont vraiment nuls. Je te dis que le mouvement de libération est absolument inutile ! »

Mais elle continuait.

Quand ça marchait, quelqu'un, une femme en général, pénétrait dans l'entrée, venait s'asseoir à côté d'elle et lui glissait un mot avec un numéro de téléphone. Ma mère allait jusqu'à une cabine publique, appelait ce numéro, et on la dirigeait vers un autre hôtel. Là, elle rencontrait la personne qui avait l'intention de fuir le pays. Elle déposait un plan de vol au Kruger Park si elle se rendait au Mozambique, ou au Free State si elle partait pour le Lesotho. Ensuite elle passait du temps dans ces camps de base de diversion pour donner une apparence légale à sa mission. Le jour dit, le client se rendait au terrain d'aviation convenu et ma mère l'attendait. Une fois la frontière passée, elle se posait habituellement sur une route de terre, où elle abandonnait son passager. Ensuite elle retournait à son camp au Kruger et consacrait quelques jours à repérer le gibier. Je suppose qu'elle a dû aider au moins une douzaine de personnes à passer à travers les mailles du filet et à atteindre Maputo, Francistown, Addis-Abeba ou Lusaka.

Deux fois elle fut appréhendée par la police pour un interrogatoire ; elle resta en isolement cellulaire pendant cinquante-six jours, mais ils remarquèrent la taille de ses biceps et se dirent qu'une femme qui allait chasser dans le Sud-Ouest, faisait son biltong elle-même et vous serrait la main si fort qu'elle écrasait vos putains de doigts – « Je te jure, *ou maat* » – n'était pas du genre à aider des connards de négros cocos à franchir les frontières. C'était une bonne fille ; l'essence même du pionnier blanc rustique, endurant.

Si sa couverture était aussi convaincante, c'était parce que, sous beaucoup d'aspects, elle était parfaitement réelle.

Ils l'appelaient « la tata qui vole ».

Koosie fut le tout dernier passager que ma mère emmena en lieu sûr. Il avait été emprisonné à deux reprises, avait passé cent quarante-six jours en isolement cellulaire, et était assigné à résidence à Soweto quand elle l'avait aidé à se faire la belle. Elle le conduisit à Maputo.

Je ne le revis pas avant très longtemps. J'appris qu'il s'était ensuite rendu à Addis-Abeba, puis à Londres. Il était marié avec « la lutte », comme on dit. Quant à moi, j'étais marié avec les attrapeurs de vent, mais ça ne m'empêcha pas de prendre femme et de divorcer deux fois, coup sur coup.

Il ne serait pas vrai de dire – enfin pas exactement vrai – que ma mère ruina mes mariages ; et pourtant elle porta un coup fatal à Bettina Freeman, à la fin des années soixante-dix, puis à Maxine Vermeulen, dans les années quatre-vingt.

Quand j'y repense, son impact était assez stupéfiant, si on considère qu'elle n'était pratiquement jamais là. Mais comme le Gulf Stream, ou l'attraction lunaire, c'était l'effet qu'elle produisait. Dans les années soixante-dix, elle emmenait des réfugiés politiques à Addis-Abeba, Maseru ou Francistown. Dans les années quatre-vingt, elle chassait au Congo ; mais, d'une manière ou d'une autre, elle était toujours dans les parages, « comme une feuille qui tourbillonne dans le vent », dit une fois Bettina.

Bettina et ses seins dansent dans ma tête comme une vieille chanson.

Elle avait été reine de beauté. Miss Transvaal en 1971 et ensuite Miss Orange Free State deux années de suite, un record qui n'a jamais été égalé, et ne le sera plus jamais, les noms de ces endroits ayant changé. À vingt-sept ans, elle se retira des concours de beauté, créa son entreprise de cosmétiques, Bettina Freeman Beauty, et gagna le gros lot. Elle fit breveter une ligne de produits de beauté qu'elle baptisa Jouvence, installa son siège social près d'Oxford Road, fit l'acquisition d'une Bentley et se trouva à la tête de trente employés.

Son sein gauche était légèrement plus gros que le droit. Son teint pâle, lisse comme la craie, était rehaussé par une constellation de minuscules taches de rousseur auburn qui se déployaient sur l'arête de son nez telles de gracieuses fourmis pharaons. Je me souviens de son emploi du mot *paramour**, surtout de sa lèvre qui se retroussait si joliment quand elle le prononçait.

J'étais ce que j'ai entendu ma mère décrire une fois assez justement comme un genre de représentant. Je n'aurais pu mieux dire. Mon travail était décousu mais mon produit était vital, exceptionnellement léger et universellement accessible, et, dans son état non traité naturel, tout à fait gratuit. Le titre de représentant m'allait donc comme un gant.

Benita s'accommodait de ma carrière éthérée. C'était ma mère, ou ce qu'elle faisait, qu'elle ne pouvait accepter. Était-ce son activité de chasseur, de pilote, d'exploratrice qu'elle avait tant de peine à admettre ? Non, en fait, c'était son côté bagarreur de bar. En plus des épaules larges, des muscles solides et des mains énormes que la police de sécurité avait trouvés si convaincants, ma mère avait – après quelques verres – le comportement rigolard qu'on voit chez les Blancs qui se soûlent le samedi soir dans un bar et se querellent au sujet du rugby, ou de la révolution, autant de préoccupations masculines vitales dans ma ville natale. Ivre, ou même seulement un peu pompette, ma mère avait une propension à la méchanceté.

Benita aurait pu n'en tenir aucun compte ; notre ligne de faille n'a jamais été vraiment sociale, elle était raciale. Ce n'était pas qu'elle s'opposât aux idées de ma mère ; c'était son aveuglement sans bornes qui l'exaspérait. Je pense que ma

* Amant. (N.d.T.)

mère ne voyait aucune différence entre le Blanc et le Noir. Elle n'était pas du tout progressiste, elle se désintéressait de la race, plutôt comme un monarque peu soucieux des différences intrinsèques de rang parmi ses sujets. Elle était souverainement aveugle.

Je dois dire que je comprenais la préoccupation de Benita. Si on ne savait pas où on se situait par rapport à la race, on ne connaissait pas sa place. Après tout, les Sud-Africains blancs avaient été dressés depuis le ventre maternel, depuis la toute première poche embryonnaire de cellules à naître, à enregistrer la moindre différence de teint causée par la mélanine. Nous étions si conscients de la hiérarchie des races qu'à chaque frémissement de l'échelle des couleurs de peau nos détecteurs ultrasensibles se mettaient à sonner comme des putains de cloches d'église.

Ma mère n'était pas ainsi. Elle ne tenait aucun compte de ces choses, traitant les gens comme s'ils étaient pareils à elle, ou l'étaient devenus par un heureux coup du sort. Ou comme s'ils étaient pareils à tous les autres, quand visiblement ils n'avaient pas cette chance. On pouvait aller en prison si on raisonnait ainsi. Son aveuglement n'était pas seulement inhabituel, il était illégal, insultant, provocateur, et imprudent.

Il n'était pas « très correct », pour reprendre l'expression chère à Benita.

Benita était persuadée que, si elle essayait sérieusement, elle pourrait vivre dans un monde « tranquille ». Elle mettait tant de nostalgie dans ce mot. Un monde où elle pourrait être comme les gens « convenables », qui vivaient dans des villes comme Stockholm, qui promenaient leur chien et buvaient leur café en paix ; au lieu d'être prise au piège sur un continent qui saignait de partout, où à tout moment quelque chose risquait de voler à l'intérieur de la maison. Ce n'était même pas un endroit, c'était un problème qui remettait constamment en question votre droit à l'existence, qui tournait en ridicule toute tentative de votre part pour marquer de votre empreinte une terre indifférente et infinie qui, par sa putain d'altérité absolue, vous mettait mal à l'aise, vous rappelant continuellement qu'en réalité vous n'aviez pas de statut, pas de valeur, pas de place ici ! Que la seule façon d'être vu, c'était de vous tenir sur les épaules de quelqu'un d'autre. Que vous étiez encore moins réel qu'un personnage de roman ; bon Dieu, vous ne valiez pas le papier sur lequel on vous couchait.

L'autre difficulté était que ma mère n'avait pas de domestiques. De son point de vue, ce n'était pas une position de principe, mais du simple bon sens.

« Je suis désolée, j'ai essayé, mais à quoi bon ? Qu'est-ce qu'ils font ? Je ne vois pas l'intérêt. »

Pour Benita, les domestiques n'étaient pas nécessairement là pour faire quelque chose en particulier ; ils étaient là pour s'interposer entre vous et la vie barbare du dehors ; ils étaient là pour que vous sachiez qui vous étiez : un seigneur de l'univers. Mais ça ne marchait que si tout le monde jouait le jeu, et ça signifiait que vous endossiez vos devoirs de maître et qu'ils se chargeaient de nettoyer la baignoire, de préparer le dîner ou de s'occuper des enfants. Nous n'étions supérieurs que s'ils étaient serviles. Et vice versa. Celui qui n'avait pas de serviteurs ne nous faisait pas honneur.

Benita et moi menions une vie normale : nous avions un domestique noir, Francis : Benita l'habillait d'une tunique blanche et d'une large ceinture rouge, et elle agitait toujours une clochette en cuivre pour le faire venir de la cuisine où notre cuisinière, Emily, préparait les repas ; de la même façon, dans notre jardin verdoyant, deux hommes forts, Nicodemus et Good Man, faisaient pousser des fleurs. De toute ma vie, je n'ai jamais utilisé une pioche, tondu une pelouse, lavé une assiette ou porté un paquet. Tout cela était naturel, parfaitement normal. Nos vies se fondaient sur un principe unique : les gens comme nous ne faisaient rien ; tout était fait pour nous. La seule fois que ma femme levait le petit doigt, c'était pour fermer les fenêtres quand nous attendions que Francis servît le rôti d'agneau car, ainsi qu'elle aimait à l'énoncer : « Nous sommes en Afrique, et quelque chose pourrait voler à l'intérieur. »

Eh bien, ma mère volait à l'intérieur, et elle ne lâchait pas le morceau. Elle voulait que Benita s'envole avec elle, au Congo, au Kenya ; elle voulait lui donner des leçons de boxe.

Et puis il y avait mes oncles.

« Ta mère prend des amants comme d'autres prennent une douche chaude, protestait Benita. Je veux dire, elle se prend pour qui ? »

Je n'avais pas la moindre idée de qui pouvait être ma mère, et c'était le problème.

Benita parlait avec désinvolture des « liaisons » de ma mère. Mais j'avais été exposé toute ma vie aux hommes qui voltigeaient dans nos vies comme des grains de poussière suspendus dans un rayon de soleil, et l'amour ne semblait jamais y jouer un rôle. Quelques-uns m'ont marqué – Oomie, ou oncle Papadop, par exemple – mais les autres ont disparu et je n'ai plus pensé à eux.

« Tu savais sûrement qu'ils couchaient avec elle ? » disait Benita.

Oui, je suppose que je me rendais vaguement compte qu'ils couchaient peut-être avec elle ; mais jamais, au grand jamais, je n'aurais imaginé qu'elle couchait avec *eux*. Cela aurait signifié qu'il fallait la voir autrement que comme une bourrasque de vent ou un orage.

Benita persista. « Si elle ne se souciait pas d'eux, pourquoi le faisait-elle ? »

Je n'en savais rien. Peut-être qu'elle s'en souciait, mais pas beaucoup, pas spécialement. Au mieux, je pense qu'elle se préoccupait de certaines façons d'être humain – oui –, mais que pour l'essentiel elle semblait se moquer éperdument de ceux qui se trouvaient être humains.

Benita était embarrassée ; elle disait que ce n'était pas « correct » pour quelqu'un de l'âge de ma mère d'« afficher » des kyrielles de « *paramours* ».

La raison de cette pudeur n'était pas un formalisme naturel, mais le problème habituel : la race. La vieille et solide croyance répandue chez les Blancs de notre pays, selon laquelle révéler ses désirs, brandir sa sexualité, admettre ses passions était, d'une certaine manière, se rabaisser « au niveau des Bantous ».

Benita n'employait jamais les mots « noir » ou « Africain », des mots non seulement politiquement subversifs mais grossiers. Ils créaient des ennuis, aussi les gens sensés préféraient-ils le terme « bantou » parce qu'il leur procurait un moyen de ne pas parler des choses qu'ils savaient devoir aborder mais qui finissaient toujours par des bagarres et des larmes, les empêchant de progresser dans leur vie et leurs affaires comme souhaitaient le faire les gens ordinaires, sensés, raisonnables – surtout –, et normaux, pour l'amour de Dieu.

Une fois je lui dis, « Attends une minute, tu t'es entendue ? Tu as seulement écouté le son de ce putain de mot ? Ce n'est pas juste absurde, c'est idiot. Un Bantou, deux Bantous... Je préférerais qu'on me traite de Cafre.

– Je n'ai jamais, jamais, jamais... » Elle ne parvint pas à achever sa phrase.

« Jamais ? On m'a traité si souvent de Cafre blanc que ça ne m'affecte même pas.

– Quand ?

– Quand ? Tu veux dire, quand ce n'est pas arrivé ? C'est le genre de chose que les types disent quand ils n'aiment pas ta façon de conduire, ta tête ou tes manières, par exemple : "Hé, ça va pas ? Putain de Cafre blanc !"

– Je n'ai jamais prononcé ce mot horrible, et je ne le ferai jamais. »

C'était ainsi. Le mot tournoyait autour de nous, on ne pouvait pas lui échapper, mais on pouvait préférer ne pas l'entendre. En tant que Sud-Africains, nous n'étions pas séparés par la classe, mais par des degrés d'embarras auditif provoqué par certains sons. Des déclencheurs sonores. Pour moi, c'était le long cri de hibou *ooouuu* de « Bantou ». Je voulais me cacher sous la putain de table, je voulais sortir de la pièce en hurlant. Et pour Benita, c'était le chuintement du *frrrrr* final de « Cafre » s'échappant d'une lèvre tremblotante.

Un jour, Benita s'enfuit avec un petit chanteur roux de country western du nom de Frikkie La Page, le « Caruso boer »...

Elle écrivit dans son mot d'adieu :

« Ta mère est devenue une indigène et je ne veux plus me trouver près d'elle. Je regrette beaucoup, mais c'est elle ou moi... »

Je déchirai sa lettre, je me fis une tasse de thé rooibos, je pris un bain chaud, j'écoutai la radio allongé dans l'eau, et me rappelai vaguement qu'une baignoire est un bon endroit où mourir – si on se tranche les veines, la somnolence vous gagne dans la tiédeur obscure de l'eau. Ils passaient une publicité pour une poudre chocolatée, présentée par un homme qui avait un faux accent hollandais : il nous pressait d'essayer la Bensdorp's Chocolate Sprinkle-Spread... et sa voix était à la fois triste et apaisante.

J'avais de la sympathie pour le dilemme de Benita – ma mère était impossible, oui – mais Benita s'était trompée sur le reste. Ma mère n'était pas « devenue indigène » – une formule qui évoque une distance parcourue –, ma mère était indigène au départ. Benita recherchait une sorte de civilité fondée sur une prétention à la distinction, un monde où le mot «indigène» se traduisait par *Bantooo* et où tout était normal. Au lieu de cela, notre mode de vie, notre pays étaient tels que personne n'avait la moindre idée de ce qui était normal ; et rien n'était jamais plaisant.

Quand elle apprit notre rupture, ma mère proposa de retrouver Frikkie et de lui casser la figure, et j'eus beaucoup de peine à l'en dissuader. Ce n'était pas ce que je voulais : ma femme me quitte pour un autre et ma mère lui flanque une rouste !

« Merci, maman, mais c'est non, dis-je.

– Hé, je te l'ai proposé seulement parce que je t'aime. »

Si Benita était « correcte », je suppose que j'épousai Maxine quelques années plus tard parce qu'elle ne l'était pas. Grande, avec des yeux très bleus. Un front assez merveilleux, large et calme. Une toute petite bouche rose, boudeuse. Maxine enseignait la diction et l'art dramatique à l'université et on aurait pu la prendre pour une bohème farfelue, mais on se serait trompé : elle était très dure, ainsi que je devais le découvrir, et cette découverte changea ma vie à jamais.

Maxine était tellement en avance sur la bande des universitaires de gauche – surtout des marxistes, des trotskistes ou des staliniens – qu'elle était presque hors de vue. En général, nos intellectuels vivaient par procuration ; ils étaient comme des récepteurs de radio de longue portée ; leur inspiration, leurs livres, leurs films et leur langage, leur Marx, leur Fanon et leur Gramsci, leur *New Statesman* et leur *African Communist*, leurs opuscules, leurs affiches, leurs slogans et leurs chansons venaient de loin, imperceptibles indicatifs captés à travers un voile de parasites dans l'endroit que nous appelions « l'outre-mer », ou plus souvent « le monde extérieur », cette immense réserve de tout ce qui était vibrant, admirable, excitant, convaincant. Si les idées ne venaient pas de là, elles ne valaient pas la peine d'être connues, et si vous ne le saviez pas, vous n'étiez pas non plus digne de l'être.

Maxine avait un cousin qui travaillait avec un groupe de militants des droits de l'animal en Angleterre. On parlait d'eux dans *Country Life* parce qu'ils pénétraient par effraction dans les fermes de visons, détruisaient les clôtures et libéraient les animaux. Ils étaient si extrémistes qu'ils n'avaient ni affiches, ni opuscules, ni livres ; ils communiquaient par code. Maxine ne se souciait pas tant des visons que des positions qu'ils défendaient. Elle forma avec des amis un groupe extrémiste qui s'appelait « Les animaux contre l'apartheid ».

Quand je regarde en arrière, je vois que Benita et Maxine, personnes en tous points différentes, avaient ceci en commun : elles voulaient que l'endroit où elles vivaient ressemblât aux pays dont elles rêvaient. Pour Benita, c'était un lieu propre et tranquille, où les gens étaient blancs et polis – comme la Suède. Pour Maxine, c'étaient les marais d'Essex, avec des types en duffle-coat courant dans les champs brumeux, libérant des visons.

Maxine n'avait pas de domestiques et se fichait de ce que ma mère faisait avec les autres gens ; c'était une bonne chose.

Ce furent les animaux qui les séparèrent.

Ma mère traitait Maxine de « dingue de la faune » parce que AAP – Les animaux contre l'apartheid – formait des cordons devant les abattoirs, partant du principe que les bêtes étaient isolées derrière des grillages, emprisonnées et tuées, de la même façon que les Noirs étaient enfermés à l'intérieur des grilles des townships et des homelands.

Maxine traitait ma mère de meurtrière.

Ce furent les voyages au Congo qui contrarièrent ma femme, et en particulier un groupe d'amis, parmi les pygmées wambuti, à qui ma mère rendait visite dans cette région. Les Wambuti, et en particulier les Efe, un peuple qui chassait avec un arc et des flèches, faisaient partie de la famille depuis presque aussi longtemps que les Boers. Nous connaissions les pygmées du Congo depuis que mon grand-père s'était lié d'amitié avec sir Harry Johnston, le chasseur qui avait passé beaucoup de temps dans l'ancien Congo belge à poursuivre les gorilles géants, les papillons et les pygmées ; il croyait que quelque part sur les flancs du Ruwenzori, tout en haut des monts de la Lune, ou au fond des jungles de la vallée Semlik, il découvrirait un dinosaure encore existant ou un spécimen de l'homme primitif.

Au lieu de cela, il avait trouvé l'okapi, une créature grotesque, quelque part entre le cheval, le zèbre et le cerf, connue sous le nom de *ndumba* par les Wambuti – bien que personne n'y prêtât attention – mais rebaptisée en l'honneur de son poursuivant armé, sir Harry Johnston, *Ocapia johnstonia.*

Les premières images de pygmées dont j'avais eu connaissance se trouvaient dans une série de films donnés à mon grand-père par T. Alexander Barnes qui les avait tournés avec ce qu'il appelait son « cinématographe ». Ses films gris hachés montraient les Wambuti dans les forêts Ituri, vêtus de pagnes en feuilles tressées, souriant à la caméra et mangeant leur sel, qu'ils adoraient. M. Barnes les appelait les « nains de forêt », et il était sûr que les Wambuti étaient le chaînon manquant : « Le singe ressortait jusqu'à la chevelure, visible dans certains cas sur tout le corps des nains… »

Ma mère chassait l'okapi dans les forêts depuis des années, et puisque personne ne le connaissait mieux que les Wambuti, ils étaient ses guides. Ses compagnons étaient un couple marié de la tribu Efe, qui s'appelaient Bara et Buti. C'étaient leurs nouveaux noms, adoptés après que le président Mobutu eut décrété en 1972 que tous les anciens noms chrétiens et européens du pays, de ses villes, de ses cités et de ses habitants, devaient être abandonnés et remplacés par des noms africains convenables. Donc le président, Joseph Désiré Mobutu, était devenu Mobutu Sese Seko Kuku

NgBendu wa ZaBanga », qui se traduit à peu près par « le guerrier tout-puissant qui, à cause de sa volonté inflexible de gagner, ira de conquête en conquête, laissant derrière lui un sillage de feu ». Il eût été difficile de trouver une meilleure description, mot pour mot, de pratiquement toutes les mesures répressives prises contre les Africains par leurs odieux dirigeants.

Alphonse et Désirée devinrent donc Bara et Buti.

« De braves petites personnes, vraiment », disait ma mère.

Pourquoi exactement Maxine fut-elle épouvantée par les voyages au Congo, alors qu'à l'époque ma mère séjournait constamment chez les diamantaires libanais, les fermiers rhodésiens, les visionnaires allemands, les chasseurs blancs du Kenya et les hommes-léopards noirs du Gabon, je ne puis le dire, et, étant donné la nature de l'époque, on aurait pu penser que toute personne participant à la vie du peuple du Congo était susceptible d'apparaître aux activistes politiques comme quelqu'un de sacrément progressiste. Mais nos esprits radicaux ne se sont jamais intéressés aux autres pays d'Afrique ; à l'instar de Maxine, ils s'intéressaient aux principes. Maxine n'était jamais allée nulle part en Afrique, mais elle avait des opinions.

J'observais Maxine et ma mère avec désespoir. J'aimais ma femme, et j'aimais ma mère, mais de la même façon qu'on aime la mer. Un élément qu'on aime avoir près de soi, mais où on préfère ne pas se trouver ballotté au gré des vents. J'aimais Maxine pour sa chair douce, pour ses pleurs en plein sommeil et pour le flot qui jaillissait de sa vulve quand nous faisions l'amour, un débordement presque embarrassant. Pour être honnête, j'aimais Maxine pour sa chatte ; le problème, c'était qu'elle avait des principes, et que d'un jour sur l'autre les principes l'emportaient un peu plus sur la chatte.

Ma mère était allée partout, et elle n'avait pas d'opinions. Les pygmées de l'Ituri étaient simplement des amis, une famille, et des traqueurs. Elle prenait des inconnus et les transformait en parents… comme si c'était dans l'ordre des choses, comme si tout le monde le faisait.

Maxine dit : « Le Congo ? Ça m'a l'air d'une excuse bidon. »

Ma mère dit : « "Les animaux contre l'apartheid" ? Plutôt "Les Trous-du-cul contre l'apartheid", si tu veux mon avis. »

Maxine dit d'un ton suave : « Dites-moi l'impression que ça fait d'être une tueuse professionnelle.

– C'est super, répliqua ma mère, haussant ses sourcils d'acier. Je pars demain. »

Ce fut au tour de Maxine d'exprimer son mépris. « Pourquoi le Congo ? Qu'est-ce qu'il y a là-bas ? La lutte, c'est ici que ça se passe.

– Battez-vous donc, rétorqua ma mère. Je vais chasser l'okapi avec les Wambuti. J'en ramènerai peut-être quelques-uns avec moi.

– Des okapis ?

– Des pygmées.

– Vous voulez dire que vous aller ramener des pygmées chez vous ?

– Pourquoi pas ? Pour un peu de "Repos et Loisir".

– Kathleen, ça ne fait que perpétuer le schéma.

– Un schéma ? De quoi parlez-vous ? Quel schéma ?

– On chasse les animaux, on chasse les gens. C'est une manière d'exploiter les êtres vivants pour son profit et son plaisir.

– Je ne perpétue pas le schéma : je dirais qu'il me perpétue. J'ai chassé avec tout le monde, de Karen Blixen à Gregory Peck, et j'en suis fière. Quel rapport y a-t-il entre la chasse et le racisme ?

– Les deux se ressemblent beaucoup, Kathleen. Nous gardons nos Noirs de la même manière que certaines gens gardent des visons.

– Je ne garde pas de Noirs. Pas de visons non plus. Je n'ai jamais vu de vison.

– Pas vous personnellement, ni un vison *en soi*. Mais il y a des gens qui élèvent des visons en captivité, et qui les tuent pour fabriquer des fourrures pour des femmes riches stupides. »

Ma mère était sidérée. « Ils font ça où ?

– Dans l'Essex.

– Dans l'Essex ! »

Oh ! le dégoût, la stupéfaction qu'elle avait mis dans ce mot.

Une semaine plus tard, ma mère téléphona. « Venez rencontrer mes amis. »

« Je n'y vais pas, protesta Maxine. Si elle a des pygmées chez elle je vais piquer une crise. Elle les ramasse et les emporte comme… comme des provisions…

– Ne viens pas, dans ce cas, si ça te perturbe. Il y a toujours un élément de provocation quand elle fait ce genre de chose.

– Provocation ! Écoute, ce n'est pas de la provocation, c'est une guerre ouverte. Bien sûr que je viens. Je sais me battre moi aussi. »

Ma mère était sur le perron, assise sur une chaise en rotin, tirant sur sa pipe ; à ses pieds, il y avait deux petits êtres. Elle se pencha pour tapoter chacun d'eux avec le tuyau de sa pipe. Ses amis étaient minuscules, ils mesuraient environ un mètre vingt. Un mètre cinquante de grillage fin rehaussait les murs du jardin.

« Voici Buti et Bara. Ils ont la jouissance du jardin. »

Buti et Bara ne portaient que quelques feuilles autour de la taille, et ils fumaient des pipes bourrées de ce que je savais être de la marijuana. Leurs gros ventres retombaient sur le bord de leurs pagnes et ils suivaient ma mère partout, comme des chats. Elle parlait kwa-swahili avec eux, et ils riaient beaucoup, mais ils étaient très, très maigres. J'aimais beaucoup leurs trompettes, qu'ils sculptaient dans l'ivoire et portaient en bandoulière sur l'épaule.

Maxine n'avait pas de temps pour les trompettes.

« Vous commencez par tuer ce qu'ils mangent, et ensuite vous les ramassez comme des poupées ! »

Ma mère ne se laissa pas émouvoir. « Ces types ne sont pas des poupées, ce sont des tueurs à part entière. Tant mieux pour eux. Tuer, c'est la chose qu'il ne faut jamais perdre de vue. Ça fait partie de l'air que nous respirons. Les esclavagistes ont décimé les tribus, les tribus se sont entre-tuées, les colons blancs ont tué leurs domestiques noirs, et leurs péons noirs l'ont fait à leur tour à leurs maîtres coloniaux, les Belges, quand ils ont pris le Congo et les ont poursuivis et envoyés au diable. Et absolument tout le monde l'a fait aux animaux, et dans les forêts, les Wambuti se sont fait baiser par pratiquement toutes les tribus des environs… Je leur rends service. En les amenant ici, je leur procure un peu de tranquillité. Je leur offre la liberté de mon jardin. Des poulets à volonté et tout le sel qu'ils peuvent engloutir. Ils adorent le sel. »

Maxine n'était pas de taille. On ne se bat pas contre une tornade, un tremblement de terre, un raz-de-marée. Si on est sage, on prend ses jambes à son cou. J'étais habitué aux amis de ma mère, à ses trouvailles, à ses proies, à ses passions, à ses souvenirs : ils faisaient partie de notre mode de relation, quelque chose que personne ne pouvait comprendre.

« Le grillage, c'est pour quoi ? demanda Maxine.

– Pour s'assurer qu'ils restent dans ce putain de jardin. »

Maxine fut horrifiée.

« C'est comme un poulailler.

– Il vaut mieux un poulailler qu'un oiseau envolé. Sans le grillage ces deux-là franchiraient ce mur en un clin d'œil et se retrouveraient au milieu de la circulation ; ils ne dureraient pas trois minutes au milieu des voitures. »

Maxine se tourna vers moi. « Alexander, tu dois lui faire comprendre. Elle ne peut pas enfermer des gens dans son jardin comme des paons ornementaux.

– Ces petits vauriens mangent n'importe quoi, déclara ma mère, considérant Buti et Bara d'un air rayonnant. Je dois les surveiller de près. Si la moindre occasion se présente, ils sont capables de *faire la peau* à un putain de chat, ou à un animal quelconque. Imagine ce que mesdames Terre'Blanche, Garfinkel, Smuts et Mason diraient de ça ! Un animal domestique égorgé sur le feu. »

Au lieu de chats, elle leur donna des poulets à faire rôtir en plein air, et une grande salière Cérébos bleue, qu'elle remplaçait tous les deux ou trois jours. Ils l'appelaient « Bibi », ce qui l'amusait parce que cela veut dire « l'épouse » ou « la femme mariée » ; et ils paraissaient contents de rester dans le jardin à manger des pilons et à fumer leurs longues pipes.

« Je leur ai donné du dagga. Ils ne peuvent pas s'en passer », expliqua ma mère.

Tout alla à merveille jusqu'au soir où quelqu'un fit irruption dans le jardin et perça un grand trou dans le grillage, à la suite de quoi les Wambuti furent « libérés », selon Maxine, ou « prirent leurs putains de jambes à leur cou », si on écoutait ma mère.

« Et, ajouta-t-elle sombrement, c'est ce qu'ils font aux visons dans l'Essex, je suppose ! Ils mettent ces petits connards en liberté pour foutre en l'air le paysage. »

Bara et Buti ne fuirent pas très loin. Ils allèrent directement dans les jardins voisins et beaucoup plus vastes de mesdames Terre'Blanche, Garfinkel, Mason et Smuts, et s'y terrèrent. Les pygmées de la forêt Ituri passent leur vie cachés ; ce sont des experts accomplis en matière de disparition. Ils grimpent, ils s'enfouissent, ils rampent à l'intérieur des cachettes les plus minuscules, et deux hectares de jardins de Johannesburg leur permettaient de se dissimuler aisément parmi les gommiers bleus, les néfliers et les mûriers.

Mais si Bara et Buti restaient presque invisibles, on les entendait : ils chassaient avec de la musique et c'était la musique qui réveillait les voisins. Quand ils chassent la nuit, les pygmées de l'Ituri s'appellent comme des oiseaux, et ils se servent de leurs trompettes d'ivoire pour produire un son assez semblable à une flûte de Pan. C'est un son très suave et absolument inoubliable, une musique sourde, pleine de charme et de douceur dans la nuit, et merveilleusement éloignée de l'habituelle symphonie d'aboiements, de cris, de coups de feu et de sirènes particulière à Johannesburg.

La première victime fut notre vieux perroquet, Baldy, mais, ainsi que le décréta ma mère, on ne pouvait pas les en blâmer : les Wambuti avait une passion pour le perroquet gris africain. Nous soupçonnâmes qu'ils s'étaient glissés dans la maison et l'avaient emporté. Nous ne trouvâmes pas même une plume. Après cela, étant adaptables, ils se débrouillèrent avec des colombes, des passereaux, des hochequeues, et attrapèrent leurs poulets vivants.

« Bon, dit ma mère, tant qu'ils ne chassent que sur nos terres, pas de problème. Mais j'ai des doutes à ce sujet. Si ça tourne mal, je ferai peut-être appel à toi. »

Ça ne tarda pas. Un matin, Mrs. Garfinkel découvrit la peau de son chien-loup Domitian qui se balançait, sèche et salée, à la branche du mûrier. Par chance, elle raconta à tout le monde ce que tout le monde racontait généralement à tout le monde dans ces circonstances, à savoir que des putains d'indigènes avaient dû tuer ce malheureux Domitian. Les gens prenaient des gros chiens censés attaquer férocement les indigènes, et il était inévitable que les indigènes se vengent parfois sur les chiens. C'était dans l'ordre des choses.

Ma mère me téléphona : « J'ai besoin de toi pour hisser des poids. »

Nous garâmes la Land Rover devant le portail. Puis nous grimpâmes à l'intérieur de l'énorme jardin des Garfinkel. Elle portait une petite sarbacane avec une minuscule torche fixée sous le canon lisse en bambou : une vieille ruse de chasseur à laquelle elle avait recours quand elle poursuivait un léopard la nuit.

Elle traça un chemin de sel entre les rosiers et le mûrier, où elle déposa un gros sac de Cérébos. Quand Bara et Buti sentirent l'appât et rampèrent dans sa direction, elle leur décocha à chacun deux fléchettes chargées de tranquillisants, visant admirablement. La sarbacane de calibre .04 était une belle arme silencieuse : les fléchettes se déplaçaient à une vitesse qui atteignait quatre-vingt-dix mètres à la seconde. Les pygmées s'enfuirent, bien sûr, ce qui rendit la drogue d'autant plus efficace. Nous les trouvâmes dormant comme des bébés.

« Petits vauriens ! s'exclama ma mère, tandis que nous transportions Bara et Buti jusqu'à la Land Rover. Ils ne bougeront pas d'un millimètre avant d'être rentrés chez eux. »

À l'aéroport, elle soupira tandis que nous les attachions sur les sièges des passagers.

« J'aimerais bien que tu touches un mot à ta femme, Alexander. Cette affaire aurait pu tourner au drame. »

Elle se mit à rouler sur la piste et décolla dans l'immense ciel de nuit. Je regardai l'appareil jusqu'à ce que les feux eussent disparu. Le Voyager atteignait une vitesse de 200 km/h. Elle arriverait au Kenya à l'aube, et le lendemain à Stanleyville. Pas de problème.

Je ne la revis pas avant longtemps. Elle passa plusieurs semaines au Congo, à chasser le bongo.

Je ne dis rien à ma femme. Je laissais les gens penser ce qu'ils voulaient. Maxine était persuadée d'avoir libéré les Wambuti de l'oppression coloniale. Mrs. Garfinkel pleura Domitian, mis à mort par des indigènes errants. « Ils fabriquent sans doute des chapeaux avec la fourrure du pauvre animal », dit-elle en frissonnant.

Je choisis donc de m'en aller. C'était une question de survie. Maxine s'imagina que je m'étais enfui avec quelqu'un. Elle avait raison : j'étais parti avec moi-même. Plus de visons, plus de mère, plus de militants de tel ou tel bord. Elles me crurent fou toutes les deux. Pourquoi choisir l'étranger, alors qu'il y avait encore toute l'Afrique à voir ?

À partir de ce jour-là, je me déplaçai sans cesse, et ma mère se mit à me suivre à la trace. C'était un jeu, un safari, la carrière de toute une vie, de voir jusqu'où je pouvais aller avant qu'elle trouvât le moyen de me ramener, de me prendre au piège, de me faire revenir à la maison.

II
LA CRISE CUBAINE

« Il est singulier, ce fils que j'ai attendu comme un amant.
Singulier, pour moi, tel un prisonnier dans un pays étranger... »

Monologue d'une mère,
D. H. Lawrence.

Je venais de passer plusieurs jours à bord du *Mistress of Mandalay*, un vieux bateau à aubes transformé en vapeur qui naviguait sur l'Irrawaddy, entre Rangoon et Mandalay. Ses propriétaires remplaçaient le système de climatisation dans ses six cabines. Nous remontions le fleuve en direction de Bagan, qui s'était appelée Pagan autrefois.

La Birmanie était spéciale. C'était un pays suspendu entre les noms : Birmanie/Myanmar ; suspendue entre le bouddhisme et le brutalisme. Un pays très peu militaire, mal gouverné par les généraux, où toute la puissance résidait entre les mains d'un type connu sous le nom de « Secretary One », dont le portrait était partout.

En Birmanie, on apprenait à respirer de la bonne manière. En Birmanie, on se faisait arrêter parce qu'on parlait, ou qu'on plaisantait, ou sans aucune raison. Et pourquoi pas ? Quand votre existence dépendait entièrement de ce que les gens disaient, ou, autrement, des petits dieux à lunettes dont les photos d'identité paraissaient en première page de *The New Light* (le jour nouveau) *of Myanmar* (connu des lecteurs sous le nom de *The Nightmare* (le cauchemar) *de Myanmar*), comme les portraits des hommes sur les avis de recherche. On montrait les généraux en train d'inspecter « vigoureusement » les installations de traitement des excréments porcins, et de se saluer fréquemment. Cruels, ternes et grotesques ; de parfaits spécimens de l'effet de gargouille du pouvoir démesuré sur les cons pontifiants.

L'idée que le langage devrait être raisonnable ou clair ou juste ou délicat est une illusion durable seulement dans les endroits où vous ne risquez pas d'être abattu ou enfermé par les flics pour avoir employé certains mots. Il existe des signes de la folie du pouvoir que seules les victimes connaissent. Des lieux où tous les mots sont des formes de violence, un moyen d'obtenir ce que vous voulez. Où le droit de parler est en réalité un genre de tyrannie. La langue sous la botte. Des endroits où le chef possède les mots, mais pas vous, et où vous ne risquez pas d'obtenir la permission de les employer avant longtemps. En conséquence, les gens utilisent moins de mots et plus de signes : un soupir, un haussement d'épaules, un tressaillement de sourcil est le moyen dont chacun dispose pour vous dire de baisser votre putain de voix. La liberté de parole est autant une décision gouvernementale que, disons, la gratuité des soins médicaux. En fait, dans certains endroits, et la Birmanie en était l'un des exemples les plus intéressants, baisser la voix était à peu près la seule aide médicale disponible. Parler haut pouvait sérieusement endommager votre santé. Et apprendre à respirer correctement – la climatisation intérieure – était la bonne façon de respirer dans des circonstances difficiles.

J'aimais tant la Myanmar/Birmanie que j'avais presque oublié d'où je venais – j'avais certainement oublié *qui* m'avait donné le jour. Je n'avais pas besoin de penser à la maison, ni à elle, ni à cette putain d'Afrique du Sud avec sa démence pernicieuse. Au lieu de cela, je pouvais examiner une maison de fous asiatique, adoucie par le tempérament bouddhiste, aussi harmonieuse et lente que le ravissant Irrawaddy, avec ses nuées de papillons de nuit flottant le long du bateau, comme des prières au clair de lune.

À Bagan, nous accostâmes contre une rive boueuse, je gravis péniblement les marches de pierre abruptes, et traversai la vieille ville, où des stûpas bouddhiques médiévaux jonchaient la plaine brûlante comme des champignons après la mousson. Les formes peintes des esprits gardiens de la ville se dressaient de part et d'autre de l'ancienne porte ; elles portaient les noms touchants de Mme Poisson Rouge et M. Beau. À côté du Bouddha suprême, complétant sa perfection, imperturbables et subliminals, les Nats, esprits gardiens plus humains et plus sauvages du foyer et de la maison, étaient aussi vénérés.

Autrefois, dans mon pays, les gens vénéraient aussi des êtres du nom de Nats, mais nos dévots étaient des Blancs ennuyeux, puritains et redoutant le sexe qui ne nous apportaient que larmes et effusions de sang. Cela n'édulcora en rien le culte de leurs disciples qui furent aussi nombreux que les stûpas de la plaine brûlante de Pagan, mais récemment, ils avaient tous disparu, comme s'ils n'avaient jamais existé. Un miracle !

Je priai les Nats de Bagan : « Mme Poisson Rouge et M. Beau : protégez-moi des esprits mornes et redoutables dont la vanité pèse sur nous tous comme du plomb. Tourmentez les dirigeants de ce pays et infestez leurs rêves de démons… »

Dans la ville de New Bagan, je suivis une longue caravane de fidèles qui célébraient le noviciat prochain de deux petits garçons sur le point d'être enrôlés comme moines. Les riches parents conduisaient une procession de danseurs, d'archers, de servantes, de canons, de musiciens, avec un éléphant de pantomime en velours noir aux défenses très blanches, et, fermant la marche, quelqu'un portant une pancarte : « Vidéo disponible ! Manchester United contre Arsenal. »

À l'hôtel Bagan, on me tendit un fax. Il m'avait suivi pendant près de dix jours, adressé d'abord chez mes fournisseurs à New York, d'où il avait été expédié à Bagan, et il m'avait attendu pendant que j'étais sur l'Irrawaddy. Je m'installai à l'extérieur de ma chambre, une bière pression à la main. Il venait de Jake Schevitz, et, malgré sa brièveté, j'y perçus le crépitement de sa voix sèche et cassante.

Alexsy, ta mère s'est pointée ici et elle trimballe un petit bonhomme basané – de type latin. Ça doit faire au moins un putain de demi-siècle qu'elle joue les don Juan. Elle me dit qu'ils veulent se marier. Écoute, vieux, je me fais du souci. Il va falloir que tu fasses quelque chose...
Au nom des entrailles du Christ,
Bien à toi,

Jake S.

Les entrailles du Christ, ça me plut.

Jacob « Jake » Schevitz avait toujours été un garçon caustique. En tant que Juif dans une école catholique il avait appris à conduire, aimait-il à dire, des deux côtés de la route. Il connaissait toutes nos prières par cœur ; il était – selon sa propre expression – « ambidextre ». Il avait toujours choisi cet angle-là. Il s'emparait d'un fait connu, établi et indiscutable, et vous le balançait en pleine figure.

Schevitz à quatorze ans environ : un visage anguleux, rusé, avec des oreilles décollées, un esprit incisif comme un cran d'arrêt. Schevitz à trente ans : l'un des meilleurs avocats offensifs qui aient jamais existé. Il défendit pratiquement tous ceux qui s'élevaient contre les imprécateurs qui gouvernaient le pays. Un homme avec une cause. Il avait estimé que l'ancien régime était aussi proche des nazis que nous pourrions jamais l'être, et il l'avait combattu bec et ongles. Si vous étiez bouclé par les flics de la sécurité, vous faisiez appel à Schevitz ; si votre gamin tombait de la fenêtre du dixième étage alors qu'il se trouvait en garde à vue, vous vous tourniez vers Schevitz ; si votre ami mourait à l'arrière du panier à salade et qu'ils racontaient qu'il s'était cogné la tête en agressant un policier, et que le docile médecin du commissariat le confirmait, vous alliez voir Schevitz. D'une inlassable affabilité, mais absolument implacable au tribunal, il mettait en pièces les preuves de la police et faisait pleurer les témoins à charge.

C'était Schevitz dans sa gloire, sauvant les faibles des griffes des hooligans d'État. Schevitz qui collectait des fonds pour les avocats noirs, qui procurait de l'aide aux détenus en isolement cellulaire ; qui créa le bureau d'aide juridique, qui passa lui-même une semaine en isolement cellulaire pour avoir refusé de témoigner au procès de Koosie, inculpé pour usage d'explosifs. Schevitz qui, s'accordaient à dire les experts et les prophètes, serait sûrement nommé juge de la Cour suprême ou même – pourquoi pas ? – ministre de la Justice, sous un gouvernement plus juste, jamais-plus-soucieux-de-la-couleur-de-peau d'une Afrique du Sud entièrement nouvelle…

Ah, mais c'était avant…

Un souffle de chagrin planait à présent sur lui. Plus qu'un souffle : le malheur suintait de tout son être comme de l'humidité. Schevitz avait changé – « évolué », disait-il – et le chien d'attaque en première ligne à l'époque de l'ancien régime était devenu un critique hargneux des nouveaux types qui gouvernaient notre nation arc-en-ciel ; et à la fin d'une illusion dite multicolore, grognait Schevitz, on risquait de découvrir non pas une marmite en or, mais une « putain de boîte de conserve pleine de vers ».

Les choses avaient changé, mais pas Schevitz, et il en souffrait. Simplement, il ne pouvait pas accepter ce qui s'était passé. Et il n'était pas le seul. Il y avait des tas de gens comme lui. Congédiés, méprisés. Ils se sentaient dénigrés, tout en sachant quelque part au fond d'eux-mêmes qu'ils n'auraient pas dû se sentir aussi sonnés, parce que ce n'était pas la première fois qu'on les envoyait au tapis. Ils s'y étaient déjà retrouvés, à plat dos, pour le compte.

Le destin de gens comme Schevitz, des gens comme nous, avait été de vivre deux révolutions. La première avait eu lieu en 1948.

Schevitz me dit une fois : « Quand les cinglés de racistes ont gagné en 1948, les gens, les gens convenables – les démocrates, si j'ose dire – se sont tordu les mains et leur ont déclaré : "Bon Dieu, les gars, c'est un renversement politique, non ?" Et les nouveaux patrons ont répondu : "Va te faire foutre, mec. Nous, on s'occupe pas de renversements ; c'est une révolution." Et nous avons insisté : "Pour le moment. Vous êtes le gouvernement et nous sommes l'opposition… c'est démocratique, n'est-ce pas ? Mais le prochain coup, ça pourrait changer." Et ils ont répliqué : "C'est démocratique, très bien, c'est pour ça que ça ne changera pas. Il n'y aura pas de prochaine fois ; on est là pour rester. Vous autres pensez que nous sommes des Neandertal peu recommandables, que nous vivons dans des grottes. Bienvenue dans le nouveau monde. L'homme des cavernes en est le pivot, et vous êtes drôlement baisés, les mecs."

« Comme on s'était déjà fait sérieusement baiser une fois, dit Schevitz, on aurait dû voir le coup venir. Mais on n'a rien vu du tout. On a encaissé les coups comme des somnambules, les yeux fermés, le menton en avant. Au dernier round, les vainqueurs, c'étaient les cinglés de racistes qui faisaient une fixation sur la couleur de votre peau. Des calvinistes aigris, des tribalistes qui disaient que nous étions le petit pays le plus chanceux sur la terre de Dieu, et qu'ils baiseraient tous ceux qui auraient le culot de les contredire, parce que c'étaient des défaitistes cocos, gauchos, pleurnichards, judéo-gauchisants. »

En effet. Le régime blanc qui avait pris le pouvoir au milieu du siècle avait haï Schevitz. Le combat avait été acharné. La guerre peut être follement amusante quand les méchants sont si fiers de l'être, et que les anges sont dans votre camp.

À présent nous avions de nouveaux dirigeants, des révolutionnaires de la fin du siècle. Et ils étaient vraiment formidables ; ils étaient si saints que ça fendait le cœur ; ils ne formaient pas un parti politique, ils étaient des saints descendus sur terre pour sauver le pays. Bien sûr, c'étaient des nationalistes, mais des nationalistes gentils, bienveillants, impartiaux.

Et pourtant – c'était ça le hic – ils détestaient aussi Schevitz, et en grande partie pour les mêmes raisons que la clique d'avant. Pire, ils le méprisaient – que leur offrait-il d'indispensable ? Un progressisme pourri, fadasse, d'un autre temps et d'une autre culture. Mais ils ne le combattirent pas ; ils ne voyaient pas de raison de le faire ; en fait, ils ne voyaient pas quel intérêt il pouvait avoir – un point c'est tout.

Schevitz fut donc mis au repos. À la retraite. Sur la touche. Et tout ce qu'il représentait, tout ce qu'il faisait, aimait et croyait, devint brusquement dépassé. Du jour au lendemain, ce pauvre Schevvy, le fauteur de troubles gauchiste, le héros de la lutte, devint un vestige du passé : un homme au teint pâle, et hors du coup. Pire encore, dans un pays plus que jamais obsédé par la couleur de votre putain de peau, il était blanc. Ceux qui se retrouvaient ainsi codés par leur couleur n'étaient plus considérés comme des entités vivantes, mais comme des notes de bas de page ambulantes ou des ruines croulantes. Donc : plus de combats, plus de gloire. Juste de la sobriété, du respect, de l'oubli. C'était ce qui restait à Schevitz après les années de feu.

Et peut-être qu'il fallait y regarder de plus près. Peut-être que Schevitz représentait ceux d'entre nous qui, quoi qu'ils eussent fait par le passé, étaient fatalement estropiés parce que ce qu'ils paraissaient être n'avait jamais vraiment constitué leur essence. Quel que fût notre camouflage – et il était vrai que certains d'entre nous donnaient l'impression étonnamment réaliste d'être des comptables, des médecins ou des avocats –, il manquait quelque chose.

Il est vrai que nous autres Blancs sommes fiers de notre ignorance, et qu'en outre nous la protégeons farouchement. Ensuite, étant donné que nous avons été si longtemps forcés de vivre très loin de la réalité, et constamment encouragés à croire à notre statut supérieur, nous avons appris à mener plusieurs vies de front, des vies parallèles. Nous avons presque un don pour jongler avec des existences individuelles, et les assumer plus ou moins simultanément, sans le moindre remords. Car c'est précisément en endossant d'autres rôles, qui servent de masques au nôtre, que nous pouvons nous persuader que nous ne sommes pas seuls. La solitude est ce que redoute avec horreur le peuple dont je suis issu. Et le fait d'entrer dans la peau d'autres gens de façon simultanée compense presque l'absence d'une vraie vie à soi.

Quelle engeance : pas de Faust parmi nous ! Nous avons vendu nos âmes pour pas grand-chose. Des imposteurs. Nous ne nous sommes même pas hissés au rang de vrais salauds. Nous avons juste fait semblant d'être réels. Quelquefois, nous avons failli être à peu de chose près ce que nous prétendions incarner – directeurs de banque, représentants en savon ou magnats des mines –, mais nous n'avons jamais vraiment atteint notre objectif. Pour une raison infiniment importante : parce que le seul rôle assigné aux Sud-Africains blancs était d'afficher leur blancheur. Rien d'autre ne comptait. Certes, nous l'aurions nié avec colère, nous aurions menacé de violence quiconque eût persisté à l'affirmer, mais nous savions que c'était vrai : nous le savions parce que nous avions tant de difficulté à être autre chose. La blancheur n'était donc pas une couleur mais une destinée. Une occupation à plein temps. Cela nous conférait un statut, une richesse, un pouvoir ; cela nous procurait des cuisiniers, des jardiniers, des nounous, ... des ilotes.

Et vous le preniez très, très au sérieux. C'était ce qui ajoutait de la *gravité* à vos transactions avec l'homme qui faisait votre jardin ou la femme qui préparait vos repas.

Pourtant, vous aviez besoin de vous différencier ; de montrer que vous n'étiez pas comme l'autre bande – vos compatriotes afrikaners qui malmenaient les gens et décidaient de tout, de qui vous n'aviez pas le droit d'épouser à ce que vous ne pouviez pas lire, et à quand vous pouviez organiser une tombola ou une vente de charité. Vous, en revanche, vous étiez convenable, tolérant, juste.

Il y avait effectivement une différence, mais elle relevait du pouvoir, non de la morale. Ils l'avaient ; pas vous. Vous étiez faible à un point désespéré, personne ne se souciait de ce que vous disiez et personne ne vous demandait votre avis. Vous vous dissimuliez alors plus encore sous votre déguisement. Il était nécessaire de maintenir les apparences, et pas seulement en tant que professeur, médecin, plombier ; il était plus nécessaire encore de vous imaginer que vous pouviez trouver votre propre voie, un monde plus sain où les gens allaient à l'église le dimanche et appelaient le prêtre pasteur, où la loi était une évidence et où les juges rendaient des verdicts pertinents.

Mais nous n'y avons jamais vraiment réussi ; nous avions hérité de trop d'inhibition de nos ancêtres anglais pour agir avec la conviction qui distinguait si bien les ardents nationalistes qui dirigeaient notre monde. Et qui nous passaient sur le corps.

Schevitz avait été écrasé, on lui avait notifié son licenciement, et maintenant il voulait riposter. Il réagit à son déclin par une démonstration de force – il était sud-africain, après tout. Vous lui demandiez s'il était déprimé par tout ce qui arrivait autour de lui dans la « nouvelle Afrique du Sud », et il vous sautait dessus, fou de rage.

« C'est quoi cette question, hein ? T'es dingue ? Écoute, je suis heureux, je suis *très* heureux. Je pense qu'il y a pas de plus beau pays au monde, pigé ? Montre-moi le pays qui n'a pas de problèmes. Bon Dieu, mec, si un type met le doigt sur certains problèmes, ça veut pas dire qu'il est malheureux. Ça signifie juste qu'il a des questions. Quel mal y a-t-il à ça ? Hein ? hein ? hein ? »

Et il continuait de fulminer. « Bordel de merde ! Je veux dire, qu'est-ce que tu racontes, hein ? Bien sûr que je suis foutrement heureux ! »

Si heureux qu'il avait envie de mettre son poing dans la gueule de quelqu'un.

Je déchirai le fax. Je commandai une autre bière. Je savais que ma mère avait fait un numéro à Schevitz : son plan était de m'atteindre à travers lui.

J'entendais la question de Schevitz tandis qu'il examinait son dernier amant, « Alex est au courant ? »

Et j'entendais aussitôt la réponse de ma mère :

« Certainement pas, et je compte sur toi pour ne pas lui en souffler mot. »

Je me souvins que, dans les années soixante-dix, nous allions voir George Adamson, dans le Kora National Park au nord du Kenya. George avait recours à une ruse de feu de camp géniale. Nous étions au milieu de nulle part et il tirait un morceau de venaison des flammes, il éteignait les lumières et jetait la viande dans le bush, puis il allumait une torche et nous voyions sept paires d'yeux brillants rivées sur nous.

« C'est une course, disait George. C'est nous qu'ils veulent, mais la viande fera l'affaire. »

Ma mère avait regardé dans le noir, elle s'était demandé où j'étais, et avait lancé un morceau de Schevitz dans ma direction.

« Il va falloir que tu fasses quelque chose », avait-il écrit.

Mais il n'y avait rien à faire. Elle était aussi sourde à la raison qu'un feu de veld, qu'une colonie de fourmis légionnaires. Ce n'était pas son problème qu'il fallait résoudre, mais le mien. Elle était à mes trousses : les coups de téléphone s'étaient multipliés, elle avait l'intention de me traquer et de me ramener à la maison. Mais elle était trop bonne chasseuse pour sous-estimer sa proie. Elle avait souvent raconté que son vieil ami Eddie Blaine avait payé cher pour l'avoir oublié. Ils chassaient dans le Masai Mara. Eddie avait visé un buffle, le touchant de trois balles qui avaient atteint leur but, et il était sûr d'avoir causé assez de dégâts ; aussi, quand l'animal avait fait demi-tour pour s'enfoncer dans le bush, Eddie l'avait suivi. Comme il ne revenait pas, ma mère était partie à sa recherche et avait trouvé son corps, une masse de chair déchiquetée et de vêtements en loques que le buffle furieux piétinait et labourait. Elle avait abattu l'animal d'une balle dans le cerveau. Puis elle l'avait examiné attentivement et s'était aperçue que la première balle d'Eddie avait pénétré dans l'épaule, mais un peu trop haut, et qu'il en avait tiré une seconde, légèrement plus bas. Il avait bien visé, mais ce n'était pas tout à fait suffisant. Le troisième coup était une merveille : la lourde cartouche du .470 d'Eddie avait pénétré dans la tête, continué sur sa lancée, et était ressortie à l'extrémité de la cage thoracique.

« Ce buffle, dit-elle, était mort – mais il ne le savait pas, et il n'y a rien de plus dangereux… »

Son récit du drame laissait toujours percer son chagrin et la peine qu'elle avait pour ce pauvre Eddie. Je compatissais au sort du buffle. Mais je ne pouvais pas le lui dire. Elle l'aurait pris comme un coup porté à sa personne, à son rôle de mère, un rôle dans lequel elle était magnifiquement, inoubliablement mauvaise.

J'étais à l'étranger depuis plus de vingt ans, avec des visites peu fréquentes chez moi, et lors de mes voyages je m'étais habitué au cri de ma mère se répercutant le long des lignes téléphoniques, à travers de vastes régions du globe qui, j'étais heureux de le savoir, créaient entre nous un tampon confortable.

« Tu vends de l'air… où ? »

C'était ce que je faisais : je vendais de l'air. Je vendais les compresseurs, les tuyaux, les liquides de refroidissement, les ventilateurs, les pompes et les systèmes pour l'installer là où on en avait besoin, au moment où on le souhaitait, à la température désirée. Je pouvais en produire du chaud et du froid ; personnellement, je préférais l'air froid. Venant de là d'où je viens, vendre de l'air était une seconde nature. Je ne voyais pas vraiment ça comme un travail. C'était facile pour quelqu'un qui avait grandi dans mon pays, où à ma connaissance on consommait plus d'air que n'importe où ailleurs en fanfaronnade, bluff et effets de manche. Tout ce que je faisais, c'était de réinvestir le passé dans l'avenir.

Depuis que j'avais quitté l'Afrique, dans les années quatre-vingt, après ce que je considère comme l'épisode de « Maxine et les pygmées », je n'avais pas cessé de bouger. Je pense que j'étais en quête d'une sorte de chez-moi. En tout cas, j'avais exploré des endroits où l'odeur de l'hypocrisie était si forte, l'absurdité du pouvoir si merveilleusement insolente, que je savais aussitôt où j'étais. À travers l'Asie du Sud-Est, au Vietnam, au Laos et au Cambodge, j'avais retrouvé toutes les senteurs d'autrefois, toutes les choses que j'avais détestées quand je vivais avec elles, dans mon propre environnement, et en les redécouvrant j'avais été gagné par une joie glacée et farouche.

Il me semblait que le monde était sommairement divisé en deux parties. Il y avait les régions du Nord, plus froides et plus stables, de vastes océans d'air, de l'air passablement inerte ; et il y avait des îlots de turbulence où le passage de l'air avait le pas sur tout le reste, emplissant le diaphragme, effleurant les cordes vocales, jaillissant au-dehors sous la forme de cris, de hurlements, d'ordres, d'acclamations, de soupirs, de décrets, de barrissements. Des endroits où il y avait quelques loups favorisés, très gros et très méchants, qui soufflaient comme des bœufs et faisaient tomber tout le monde ; et il y avait une quantité de petits cochons qui avaient pour mission de se faire manger.

La haine s'exhalait toujours, pour ainsi dire. C'était l'air comprimé qui poussait la tribu à avancer. Et partout on pouvait remarquer que les gens qui se conduisaient noblement sous la tyrannie, une fois délivrés, se comportaient aussi mal que leurs anciens oppresseurs. On pourrait dire que dans une tyrannie les victimes doivent tout concentrer dans leur lutte pour la survie, négligeant alors leurs désirs de faire du mal aux plus faibles ou aux plus étranges ; et c'est seulement quand le tyran est chassé que leurs sentiments naturels remontent à la surface et que les anciennes victimes se révèlent aussi cruelles et stupides que les butors qui les ont malmenées autrefois.

En Birmanie, j'avais atteint le point de stase qu'induit un voyage de qualité : j'avais presque oublié d'où je venais, et peu m'importait où j'allais. La houle vaste et douce de l'Irrawaddy sous le bateau apaisait, tranquillisait le cœur. Je n'étais personne, je traversais un endroit qui n'était nulle part. Je vendais de l'air, oui, mais je sentais quelquefois, sans jamais le dire, que c'était plus qu'un travail. C'était une sorte de vocation.

Réfléchissez-y donc : David Livingstone voulait, disait-il, apporter à l'Afrique le commerce et le christianisme, afin d'alléger les vies plongées dans l'ignorance de ceux qu'il y avait trouvés. C'était ce que je faisais moi aussi – j'avais pour mission de poser un climatiseur dans chaque maison, d'apporter de la fraîcheur à des vies surchauffées et moites. Je travaillais pour deux petits fournisseurs américains et nous avions une bonne relation, sur la base de deux conditions expresses : je ne voyageais pas en Amérique et je n'avais pas de téléphone cellulaire. Le téléphone fixe ou le courriel étaient tout à fait suffisants pour me joindre.

L'un de mes fournisseurs, un homme du nom de Hiram, me dit une fois : « Mais si vous aviez un portable, le contact serait plus aisé. »

Et je dus expliquer : « Je ne veux pas que ce soit plus aisé. »

Donc, à la nouvelle des dernières frasques maternelles, je me dis : Poursuis ta route, elle approche. Je n'avais guère d'espoir, remarquez. Elle était sur mes traces. Je fis ce que n'importe quel fils raisonnable eût fait en ces circonstances : je confirmai mon vol pour la Malaisie. J'avais des réunions à Melaka, et je comptais y être présent.

D'ailleurs, je savais tout sur le Cubain de ma mère.

12

Je l'avais rencontré lors de ma dernière visite chez moi, quelques mois plus tôt. Ils étaient dans le petit salon qui donnait sur le jardin de devant, buvant du thé et mangeant du pain aux dattes tout frais ; il y avait une bouteille de rhum sur le plateau.

C'était un honneur insigne, de le recevoir dans cette pièce, car seule la reine de la Pluie y était accueillie. Cette coutume remontait aux premières années des visites à l'improviste de la reine Bama. À cette époque, avant la construction des murs de sécurité, nous n'avions pas de clôture devant la maison, et la reine pouvait garder un œil sur sa Holden Imperial garée de l'autre côté du portail du jardin, avec le chauffeur royal qui somnolait au volant.

Il était assis sur le siège de la reine Bama, sirotant du rhum.

« On commence par le commencement, mon garçon, dit ma mère. Je veux te présenter un ami très spécial. Voici le Dr Mendoza.

– Enchanté. » Mendoza me serra la main.

« *Muy buen !* » Ma mère sourit. « Il m'apprend un peu d'espagnol. Il ne parle que quelques mots d'anglais… n'est-ce pas, Raoul ? »

Elle devait avoir cinquante ans de plus que le Cubain. Dans son fax, Schevitz avait fait une remarque sur leur différence d'âge. Leur disparité de taille, quand je les vis ensemble la première fois, était beaucoup plus saisissante. Elle le dominait. Elle était si grande et si solide. Mendoza était petit, soigné et d'une élégance nonchalante. Mais ce qui me frappa, c'était la joie manifeste qu'il lui inspirait.

« N'est-ce pas qu'il est délicieux ? »

Elle lissa ses boucles, et il retint sa main pour la baiser.

« Tu l'as trouvé où, maman ?

– C'est Papadop qui me l'a amené. Il m'a téléphoné il y a quelque temps, il a dit qu'il avait recueilli ce Cubain, qu'il avait quelques problèmes, et a proposé de me le confier. »

Papadop était l'un de mes oncles les plus anciens. Quand j'étais petit et que ma mère sillonnait encore l'Afrique en avion, nous allions habiter chez Papadopoulos, dans sa maison de Mount Darwin, une petite ville au nord de ce qui était alors Salisbury, où il vendait du matériel agricole dans une boutique, sous un énorme jacaranda. C'était un grand homme brun au corps massif et carré, et à l'époque il conduisait une Hudson Hornet avec deux minuscules teckels suspendus au rétroviseur. Je l'appelais Papadop et le nom lui resta.

Orphelin, affamé et maigrichon, il était venu d'Athènes pour s'installer en Afrique, et comme beaucoup de Grecs il avait ouvert un magasin, au coin de Parkview, et c'était là que ma mère l'avait rencontré. Mais il s'en était lassé. À quoi bon être enfermé dans ces camisoles de force tant appréciées par les Sud-Africains ? Si vous étiez portugais vous vendiez des légumes, si vous étiez grec vous teniez le café au coin de la rue, si vous étiez noir vous étiez condamné aux travaux forcés, et si vous étiez un Sud-Africain blanc vous baisiez tout le monde.

« Le putain de Hollandais ne pense qu'aux Noirs et les Anglais ne pensent qu'aux jeux de ballon. Quelle bande de pauvres types ! »

Il plia donc bagage, partit vers le nord, en Rhodésie, où les gens ne se montaient pas la tête à propos de qui était, ou n'était pas, blanc. Et il vendit des tracteurs et des systèmes d'irrigation à Mount Darwin.

Il devint rhodésien ; c'était, disait-il, « ma période intermédiaire ». Dans sa vie d'avant il avait été grec ; il appelait cela sa « période primaire ». Plus tard, il devint zimbabwéen ; il définit cela comme sa « période finale ». Il était fier de toutes ses périodes ; il était fier de tout ce qu'il avait fait en Afrique. Papadop était un farouche patriote.

« Où as-tu mis ce Cubain ? voulut savoir ma mère quand il lui téléphona.

– Kathleen, je te le dirai quand je te verrai. Il va te plaire. C'est un gentil garçon. »

Deux jours plus tard, il arriva chez elle, à Forest Town. Il conduisait sa Datsun, avec ces minuscules plaques minéralogiques qu'ils ont au Zimbabwe, et ce type l'accompagnait.

« Il s'appelle Raoul », lui dit Papadop.

Ma mère lui serra la main. « Il veut un thé ?

– Tu as du rhum, Kathleen ? Les Cubains aiment beaucoup le rhum… n'est-ce pas, mon garçon ? »

Le Cubain hocha la tête comme un bon chien.

Ensuite ils s'installèrent tous dans le petit salon en façade, buvant du thé arrosé d'un peu de rhum Blue Bay jamaïcain, et Raoul engloutit le pain aux dattes de ma mère.

« Tu l'as trouvé où ? voulut-elle savoir.

– C'est lui qui m'a trouvé. » Papadop tapota les boucles noires du Cubain. « Hein, fiston ? On est des potes.

– Comment tu lui as fait passer la frontière ?

– Je l'ai fourré dans le coffre et je l'ai recouvert d'une couverture.

– Comment il respirait, Papadop ?

– J'ai percé des trous.

– Grands dieux !

– J'en ai pas percé beaucoup, remarque. Ces putains de trous rouillent et mon vieux tacot est en bout de course.

– Autrefois j'aurais pu le prendre dans mon avion.

– Autrefois, Kathleen, ça ne serait jamais arrivé. De toute manière, c'était pas un problème. La frontière est un chaos sans nom. Au point de passage de Beit Bridge on attend deux heures : ils contrôlent tes papiers ; tu traverses, ça leur est égal. Si tu es en voiture. Beit Bridge est aussi embouteillée par des camionneurs. Ils attendent peut-être plusieurs semaines. Ensuite il y a les piétons : les marchands, les colporteurs et les types qui fricotent, essayant d'acheter des devises fortes, ou peut-être de faire passer de la drogue en Afrique du Sud, ou encore ils transportent des sacs vides ou des boîtes ou des bouteilles de paraffine, pour les remplir de l'autre côté et ensuite rentrer chez eux et fourguer leur came. Ensuite il y a les escrocs, les *guma-guma*. Ces types sont une vraie plaie : ils te poignardent ou te font sauter le caisson, si l'occasion se présente. Ils aiment détourner les automobilistes de l'extrême sud. Les pigeons blancs de la République sont une proie facile. Tout le monde sait que la plupart des Sud-Africains ne sont jamais allés en Afrique avant, si on leur presse le nez ce n'est pas du lait qui en sort, mais un troupeau entier de vaches. Le *guma-guma* se coiffe d'une casquette, prétend travailler pour les douanes et taxe de ces touristes sud-africains tout ce qu'ils ont. Les Sud-Africains ont des flics et des soldats qui surveillent les *guma-guma*, mais personne ne peut arrêter le trafic de paraffine ni intercepter les gens ou les armes ; ils sont l'huile qui graisse les rouages de la machine de corruption contrôlée au sommet par Big Brother Bob, notre leader bien-aimé. »

Ma mère servit une autre rasade de rhum au Cubain. « Il parle anglais ?

– Regarde bien. » Papadop leva sa tasse. « Hé, Raoul – *viva Cuba !*

– *Viva Cuba.* » Raoul leva sa tasse.

« *Viva Castro !* s'écria Papadop.

– *Viva Castro !* » dit Raoul, et il ajouta : « Crève… salaud ! »

Papadop hurla de rire. « C'est pas génial, Kathleen ? Il hait Castro. Qui ne le haïrait pas ? Le garçon arrive à Harare frais émoulu de La Havane ; la première chose qu'ils font, c'est de lui prendre son passeport, et ils l'envoient à Mount Darwin comme médecin. Mais notre hôpital est fermé depuis des mois ; nous n'avons pas de médicaments, pas de pansements et pas d'ampoules électriques, que dalle ! Raoul ouvre l'hôpital ; il fait ce qu'il peut ; c'est un médecin super. Chaque mois, notre grand et généreux gouvernement lui verse trois cents dollars US. Mais il n'a pas le droit de les garder. Il doit apporter le fric à Harare et le remettre à son ambassade. Des devises fortes, tu vois. J'ai eu pitié de ce type. Il venait chez moi le soir, on buvait un verre, et je lui donnais un steak et une bière. Et puis un jour il m'a dit qu'il n'y retournait pas. Jamais. C'est vrai, hein, Raoul ? »

Le Cubain acquiesça vigoureusement. « Je m'enfuis. Je me tue. Je retourne jamais. »

Papadop lui tapota l'épaule. « T'en fais pas, petit, je lui ai dit, tu peux pas t'enfuir, fiston ! T'as regardé tes pompes ? T'iras pas loin avec tes putains de savates en plastique. On est en Afrique. Alors je l'ai conduit jusqu'au fleuve, là où j'ai ma cabane de pêche. Je lui ai laissé du lait condensé, des corn-flakes et des oranges. Il s'est cru au paradis, le pauvre bougre. Bien sûr, les flics se sont pointés chez moi le lendemain, cherchant un Cubain. “Quel Cubain ?” j'ai dit. Ensuite les Cubains ont envoyé des hommes de main de Harare pour le coincer. Ils ont cherché dans la ville mais Raoul était au bord du fleuve, en sécurité. »

Je connaissais la cabane de pêche de Papadop sur le fleuve Musengezi. Il n'y avait pas que la pêche qui le rattachait au Musengezi. Papadop avait pour le Musengezi le même sentiment que les Indiens pour le Gange : c'était un fleuve sacré. Il y pêchait, y nageait et buvait son eau. Bien qu'il aimât à rappeler aux gens qu'à une époque encore récente les crocodiles rendaient la natation impossible.

Papadop avait l'habitude de me raconter l'histoire du premier homme blanc à Mount Darwin, un type qu'il appelait « le Porto » ou « ce petit Porto, le cureton ».

L'homme avait été un jésuite portugais du nom de Silveria, qui avait échoué à Sofala en 1560, dans ce qui était aujourd'hui le Mozambique.

« Ce type était un fonceur. En deux temps trois mouvements il avait rencontré le roi Monomatapa à qui le petit Porto avait plu, et qui avait voulu lui donner de l'or, du bétail et des femmes esclaves. Mais Silveria avait répondu : “Non, merci, très peu pour moi.” Il ne voulait pas d'or, rien du tout : il prêchait la parole de Dieu. En tout cas, Silveria s'est dirigé vers ce qui est devenu l'actuel Zimbabwe, et il est arrivé à notre Mount Darwin, il a rencontré le chef de l'endroit, qui était un type correct, sauf qu'il vénérait les crocodiles et vendait les gens aux négriers arabes. Silveria dit au chef qu'il est en total décalage avec le secteur de Dieu : le crocodile est une vilaine bête avec un tas de crocs et n'est pas digne d'être vénéré. D'un autre côté, Jésus est un Dieu sur qui on peut compter. Le chef voit la lumière et dit : “Bon. Plus de crocodiles pour moi. Nous allons éviter les crocodiles, moi, mes femmes et ma tribu, et nous allons prier Jésus.” Tout paraît donc merveilleux à Silveria.

« Mais tu sais comment sont les choses en Afrique – on ferme toujours les fenêtres, sinon quelque chose vole à l'intérieur. Eh bien, quelque chose a volé à l'intérieur. Il y avait ces Arabes, tu vois ? ceux qui vendaient les esclaves. Ils avaient toujours vendu des esclaves. En ce temps-là, en Afrique, si on demandait à un Arabe : “Qu'est-ce que tu fais ?” il y avait de fortes chances pour qu'il réponde : “Je fourgue des esclaves ;

t'en veux combien ?" C'était du business. En tout cas, les marchands d'esclaves s'aperçoivent brusquement que ce curé porto fiche les affaires en l'air en répétant à tous les chefs qu'il rencontre : "Plus d'esclaves." Tu peux imaginer leur réaction. Alors ils vont trouver le chef et ils lui disent : "Écoute, petit, ce curé porto, il porte la poisse, c'est un mauvais *muti* ; un sorcier, un magicien. Les crocodiles sacrés sont très, très fâchés parce que tu les as laissés tomber pour le dieu Jésus. Mais les crocodiles sont prêts à négocier : retrouve tes esprits et ils te récompenseront. En tout cas, le chef gobe leur histoire. Et quand Silveria croit que c'est gagné, le chef fait un signe et ses sbires étranglent le malheureux porto. Ensuite ils jettent son corps dans le Musengezi pour qu'il présente ses excuses aux crocodiles sacrés.

« C'est pas l'une des choses les plus tristes en Afrique, les conneries que les locaux sont prêts à avaler de la part des envahisseurs malins ? Moi y compris ? J'ai gardé le Cubain dans ma cabane sur le fleuve jusqu'à ce que les flics et les Cubains deviennent vraiment menaçants. Et alors j'ai dû le sortir de là.

– Qu'est-ce qu'on va en faire ? demanda ma mère.

– J'espérais que tu allais me le dire. Je ne peux pas le garder. Les choses ne sont plus ce qu'elles étaient dans mon coin… tu es au courant, hein ? »

Quand Papadop était arrivé à Mount Darwin, dans les années cinquante, c'était une ville pleine de vie. Il y avait des fermiers anglais, des familles grecques qui tenaient le garage et l'épicerie générale, des banques, des hôtels, des boutiques et un foyer municipal. Ma mère transportait encore des safaris qu'elle déposait au nord de Salisbury. Quelquefois nous séjournions chez Papadopoulos dans sa petite ferme, avec une quantité de tracteurs neufs éparpillés sous d'énormes arbres.

Puis vint la déclaration d'indépendance de la Rhodésie, et il y eut la guerre du bush, pendant les années soixante et soixante-dix. Les fermiers et les guérilleros se battirent et s'entre-tuèrent. Le foyer municipal devint le cantonnement des soldats où l'association des femmes servait de la soupe chaude.

Après la guerre, Papadop resta. Il n'aimait pas la guerre, et il n'aimait pas les abrutis qui étaient à la tête de la rébellion Smith. Il devint un citoyen du nouveau Zimbabwe, rejoignit même le parti dirigeant. Il parlait un shona parfait, fut élu camarade maire de Mount Darwin, et prit le thé – deux fois – avec Robert Mugabe.

« Un type agréable, parfaitement bien élevé. Il ne ressemblait pas du tout à un fichu coco, plutôt à un gentilhomme campagnard. Il voulait parler de cricket. Des balles, des balles et encore des balles. Je lui ai dit : "Je n'y connais rien, je m'en fous des balles. Mais je vois beaucoup de changements à Mount Darwin, monsieur le Premier ministre – et je pense que le moment est venu de les consolider." »

Mais les changements se poursuivirent. Les Grecs partirent, puis la banque, le garage et l'hôpital fermèrent. Les fermiers blancs qui avaient autrefois considéré que Mount Darwin faisait partie de l'Europe, et voyaient les Noirs comme des domestiques ou des sauvages, plièrent bagage et s'en allèrent. Ils furent remplacés par des fermiers noirs, qui considéraient les Blancs comme une forme de vermine. Papadop se représenta à la mairie et perdit les élections. Le foyer ferma ses portes, le country club devint un bordel, mais l'ex-camarade maire resta dans sa maison sous le jacaranda.

« Je suis le dernier Blanc de Mount Darwin, aimait dire Papadop, avec un mélange de fierté et de chagrin. Ou bien je l'étais, la dernière fois que j'ai regardé autour de moi. Et puis ce Cubain s'est amené. Je veux aider, mais je ne peux pas le garder, Kathleen.

– Alors tu veux que je le prenne ?

– D'après ce que je vois, un million de réfugiés du Zimbabwe crèchent à Johannesburg. Un de plus parmi des amis, quelle importance ? Peut-être qu'il pourrait demander l'asile politique ? Ce qui est sûr, c'est qu'il en est sorti, et qu'il ferait mieux de rester là où il est. S'il se fait choper c'est fichu pour Raoul. Ils le renverront direct à La Havane, ou ils le jetteront aux crocodiles. »

Elle le garda donc chez elle. Le Cubain frisé n'était pas quelqu'un qu'elle pouvait traiter comme de la famille ; il était exotique. Il avait besoin d'une attention particulière. Elle lui trouva des vidéos et des CD espagnols ; elle lui rapporta des boîtes de chili con carne du supermarché parce qu'elle supposait que ça lui plairait. Il ne sortait pas parce que des gens risquaient de le rechercher. Il passait ses journées à la maison, à regarder des feuilletons mélos, et ma mère prenait soin de lui à la manière d'un chasseur. Je l'avais vue à l'œuvre avec Nzong, et avec Bara et Buti. Elle n'accueillait pas des enfants abandonnés mais des proies : celles qu'elle eût été fort capable d'abattre en d'autres circonstances. Mais même moi je voyais qu'il y avait quelque chose de spécial chez Raoul. Peut-être parce qu'il était le premier non-Africain à l'avoir émue.

Il ne tarda pas à devenir une obsession.

« Si seulement j'avais été plus jeune, je l'aurais conduit à Grand Central, j'aurais mis le Piper en marche et pris la direction de Maputo. »

Mais au fond de son cœur elle savait que, même si elle n'avait pas raccroché son casque de pilote, c'était un rêve sans espoir. À l'époque où elle avait transporté des réfugiés, le Mozambique avait été un refuge où on combattait les régimes de l'Afrique du Sud blanche, et où on rêvait de liberté.

« Maintenant qu'ils sont vraiment libres ils ne veulent pas de rebelles. »

Elle joua aussi avec l'idée du Lesotho – un autre abri pour les types en cavale, dans les bonnes-mauvaises années –, pour la rejeter ensuite.

« La plupart des Sotho nous détestent à présent, depuis que nous les avons envahis et qu'ils ont brûlé toutes nos banques. Ce pauvre Raoul se ferait prendre en moins de deux.

– Tu ne peux pas le garder, maman, lui dis-je franchement.

– Je vais trouver un moyen, tu vas voir. »

13

Elle avait conduit sa vieille Land Rover jusqu'à l'immense gratte-ciel de Commissioner Street. La première fois, elle ne sortit pas de l'ascenseur ; elle redescendit jusqu'en bas pour se donner le temps de vérifier le morceau de papier où elle avait écrit les noms africains de Koosie.

Notre Koosie n'était pas seulement rebaptisé, mais propulsé dans les hautes sphères du pouvoir. Après les longues années d'exil, après les décennies de lutte, il était rentré dans son pays en 1993, et un an plus tard il avait été élu membre du Parlement dans le gouvernement démocratique. Ensuite il avait été « redéployé » dans le secteur de la responsabilisation noire, et mis à la tête d'une équipe contrôlant ce qu'on appelait « la transformation des médias », ce qui impliquait de s'assurer qu'un nombre plus important de rédacteurs en chef, de rédacteurs publicitaires et de présentateurs de télé noirs s'intégraient dans le courant dominant.

L'atmosphère était feutrée quand elle sortit de l'ascenseur, au vingtième étage. Les grosses lettres en cuivre au-dessus de l'entrée des bureaux de la direction indiquaient : « Conseil du marketing des médias ». À travers les parois vitrées de l'accueil, elle voyait distinctement le quartier central de Johannesburg : gratte-ciel, dépotoirs de mines, et dans le lointain la tour squelettique de la télévision, tel le chapeau étranglé d'une divinité mineure.

Elle ajusta son haut turban bleu et dit avec une assurance sans faille à la belle réceptionniste bien coiffée :

« Je suis venue voir le directeur, M. Sithembile Nkosi.

– Le *docteur* Nkosi », rectifia la fille.

« Ça m'a remise à ma place. Cette gosse m'a regardée, avec mon turban et ma blouse, comme si j'étais une chose que le chat avait rapportée du dehors. Un vieil oiseau cinglé avec un drôle de chapeau. Et ensuite, quand elle m'a fait entrer dans le bureau, j'ai complètement oublié comment j'étais censée l'appeler. » Ma mère poussa un délicieux gloussement de timidité, où se mêlaient un embarras juvénile et un ravissement coupable. « J'ai dit "Salut, Koosie", et la fille a regardé dans la pièce, essayant de trouver à qui j'avais bien pu m'adresser. »

Le nouveau nom de Koosie suivait le rythme des nouveaux développements, mais cela avait aussi été le cas de son ancien nom. Autrefois, s'appeler Koosie quand on était un garçon noir était une initiative très astucieuse, un gage d'estime pour la classe dirigeante boer. En fait, le nouveau nom de Koosie n'était pas si nouveau que ça. Il s'était toujours appelé Nkosi mais son nom avait été hollandisé en Koosie. Dans l'ère nouvelle, c'était un loser. Un vétéran du combat pour la liberté ne pouvait pas porter une étiquette l'identifiant comme un garçon de ferme afrikaner. Koosie disparut donc, remplacé par le Dr Sithembile Nkosi, directeur du Conseil en marketing des médias.

Sous beaucoup d'aspects, c'était assez équitable ; usurpateurs depuis le berceau, nous avions tous joué toutes sortes de rôles. Nous avions tous mené plusieurs vies. Alors, un masque de plus ou de moins, quelle importance ? Koosie avait déjà été une quantité de choses : orphelin, domestique de maison, jardinier, prisonnier, poète, réfugié, combattant de la liberté, radical noir, et depuis le nouveau régime, homme important.

Aussi, lorsque Koosie et ses amis devinrent le Pouvoir, ils s'empressèrent de faire croire, les malheureux, que le passé avait été fou mais que l'avenir était sain d'esprit et qu'ils étaient l'avenir et que très vite – ah ! très prochainement – de vrais changements allaient se produire.

Koosie n'avait pas tiqué quand elle s'était embrouillée dans ses noms ; il lui prit la main et l'attira dans la pièce, ferma la porte, la fit asseoir, et prit la grosse théière en argent posée sur un large plateau d'argent pour lui servir une tasse.

La scène était donc en place, une scène qui s'inscrirait dans la mémoire, ou en serait rayée, une scène coupée ou conservée. Je les voyais, dans le grand bureau, avec le plateau à thé. La vieille femme, grande, imposante avec son turban bleu ; le Noir élégant, mince (« beaucoup trop ! »), notre ami qui-n'était-plus-Koosie. La scène se déroula comme toujours en Afrique quand des Blancs rencontraient des Noirs. Elle était imprégnée de l'esprit d'un spectacle à paillettes. Nous étions des ombres qui rêvaient toujours de devenir des vrais gens, brûlant de nous transformer en êtres de chair, de penser ce que nous disions, de sentir que nous avions un véritable poids dans ce lieu, que nous en faisions partie, sachant pourtant que cela n'avait jamais été le cas. Car tout ce qu'on pourrait dire à propos du long, très long malentendu entre les Blancs et les Noirs en Afrique, c'est qu'aucun des deux camps n'a jamais paru trouver l'autre.

« C'était encore notre Koosie – mais un Koosie différent. »

Je savais ce qu'elle entendait par là. Je venais le voir quand je revenais en ville, et je ne m'étais jamais non plus habitué à son changement. Autrefois, une lueur dangereuse l'avait habité, éclairant les après-midi mortels où nous allions ensemble voir passer les cortèges de noces. Maintenant qu'il était devenu le Dr Nkosi, il était plus lent et même un peu solennel, et plein de ce que je ne peux qu'appeler une sorte de mélancolie pondérée, comme s'il ne parvenait pas tout à fait à comprendre comment il était devenu ce personnage de cadre respecté en beau costume bleu marine, avec une cravate rouge et une BMW flambant neuve. Il était l'opposé de Schevitz qui était triste parce qu'il n'avait jamais accédé à la place qu'il avait convoitée. À mes yeux, Koosie était triste parce qu'il était arrivé.

« Je savais que ça ne serait pas facile, mais j'ai pensé à ce pauvre Raoul et je me devais d'essayer », dit ma mère.

Koosie versa le thé, offrit des biscuits et lui demanda ensuite en quoi il pouvait l'aider.

« J'ai un Cubain », répondit-elle.

Koosie posa sa tasse. « Quel genre de Cubain ?

– Eh bien, je suppose que c'est juste un Cubain ordinaire, un Cubain tout à fait commun.

– Et ton Cubain, il vient d'où ?

– De La Havane, je pense.

– Et ensuite ?

– Du Zimbabwe. »

Koosie lui versa une autre tasse. Il tourna sa cuillère dans son thé, encore et encore, sans rien dire, et ma mère finit par perdre patience.

« Quelle différence ça fait de savoir d'où il vient ? »

Koosie reposa sa tasse et énuméra les points sur ses doigts.

« Un, il est ici illégalement : il a franchi la frontière ; il n'a pas de papiers. Deux, il a fui le Zimbabwe alors qu'il était en mission pour le gouvernement cubain. Trois, il vit sous ton toit alors qu'il est en cavale. »

Ma mère répliqua. « Une seconde. C'est bien le Koosie que je connais que j'entends parler ? Celui qui habitait dans mon arrière-cour ? Je suis assise en face de l'homme qui s'est battu pour être libre ? Qui s'est fait boucler par la police ? Qui est parti en exil ? Oui, mon Cubain est en cavale. Il a besoin d'aide. De la même manière que nous nous sommes entraidés.

– Oui, Kathleen, nous nous sommes entraidés. Et je ne l'oublierai jamais. » Koosie fit le tour de son large bureau, et posa la main sur son épaule. « Mais nous étions dans la lutte à cette époque.

– C'est aussi son cas.

– Nous combattions un régime illégal.

– À ton avis, qu'est-ce que Raoul est en train de faire ? Il a quitté le Zimbabwe. Un des pires bouges de l'Afrique. »

Koosie tressaillit. « Alors, qu'est-ce que tu attends de moi ?

– Parle à tes amis du ministère de l'Intérieur, Koosie. Obtiens-moi des papiers pour cet homme. »

Koosie secoua la tête. « Qu'est-ce que tu racontes, Kathleen ? L'Intérieur a des immigrants clandestins à ne plus savoir qu'en faire. Si je leur parle de ton Cubain, ils t'enverront les flics en deux temps trois mouvements. Ils te poursuivront en justice pour avoir hébergé un immigrant clandestin, un transfuge. »

Ma mère posa sa tasse, s'essuya la bouche, se leva de sa chaise et se dirigea vers la porte.

« Qu'est-ce que tu aurais dit si je t'avais cité la loi quand les flics étaient à tes trousses ?

– Je te l'ai dit, c'était un régime illégal.

– Celui de Bob Mugabe l'est aussi. »

Koosie soupira. « C'est une question d'opinion. Et de toute manière, ce n'est pas juste Mugabe. Entre toi et moi, je me fous de Mugabe. Mais nous avons aussi nos Cubains. Des médecins qui travaillent dans les campagnes. Les Cubains nous prêtent ces toubibs à condition que nous les rendions – jusqu'au dernier. Mais quelquefois ces cinglés fichent le camp, ils fraternisent, ils tombent amoureux d'une fille du pays, et ensuite elle déclare "Je veux épouser mon Cubain." Et après, ils demandent à rester ici. Et nous ne pouvons pas tolérer ça.

– Vous ne le voulez pas, si je comprends bien.

– Précisément. Parce que si nous l'acceptions, ils le feraient tous. Nous devons nous montrer fermes.

– Et vous vous comportez comment avec vos Cubains ?

– S'ils désertent, nous les renvoyons chez eux.

– Je n'arrive pas à y croire. Des types qui ont peur pour leur vie viennent vous voir et vous les renvoyez chez eux ? Pourquoi faites-vous une chose pareille ?

– Parce qu'il n'y a pas d'autre moyen. On dit oui une fois, et on se retrouve avec une queue qui n'en finit plus. »

Koosie dit qu'il regrettait, et elle aussi. Elle l'appela Dr Nkosi ostensiblement, mais c'était peine perdue parce qu'il *était* Dr Nkosi, ou du moins en donnait fortement l'impression. Ils n'étaient pas du même côté de la barrière. Ça la rendit triste.

Depuis quelque temps déjà, j'avais remarqué la tristesse de ma mère. C'était quelque chose de nouveau, comme les murs qu'elle avait fait construire autour de la maison, le portail de sécurité, et la caméra en circuit fermé. Il était difficile de dire en quoi consistait cette tristesse. C'était comme un parfum, qui changeait selon les émotions, la température intérieure de celui qui l'avait mis. Notre choix se limitait à un nombre très réduit de marques, mais nous portions chacun à notre manière un parfum de mélancolie particulier ; c'était pourquoi il n'y avait pas deux personnes tristes qui sentaient la même chose.

La tristesse de ma mère s'exprimait sur un mode très original. Elle la définit ainsi lors de l'une de mes visites : « Il n'y a plus de nouvelles. »

Je ne sais pas si cette impression lui venait de la télévision ou des journaux. Sans doute ni l'un ni l'autre. Elle ne s'était jamais intéressée beaucoup aux informations avant les grands changements. Chaque fois que je revenais à Johannesburg, c'est-à-dire plusieurs fois par an, elle mentionnait l'absence de nouvelles.

Je lui demandai à quoi elle faisait allusion.

Elle répondit : « Ha ! tu n'imagines pas ! Si tu avais la moindre idée de ce qui se passe… »

Elle était assise dans son fauteuil en Dralon bleu, en train de tricoter sur ses genoux. Derrière elle, sur le mur, se trouvait le portrait de sa vieille amie, la reine de la Pluie, qui passait encore de temps à autre. Les deux femmes avaient le goût de la catastrophe, et pourtant elles s'entendaient parce que leurs démons étaient différents. Chacune réussissait à apaiser, ou du moins à dédramatiser, les cauchemars de l'autre.

La reine de la Pluie était en difficulté, et ce problème prenait des formes ahurissantes. Il était d'ordre scientifique et ne s'accordait pas avec ses méthodes traditionnelles. Il se présenta sous l'apparence de deux jeunes gens effrontés coiffés de casquettes de base-ball qui n'appréciaient pas le certificat et ses liens à l'ancien régime. Les garçons chuchotèrent des mots tels que « trahison » et « démodé ». Ils dirent que si une danse de la pluie avait jamais représenté quelque chose, cela ne correspondait pas à l'esprit de l'Afrique nouvelle.

La reine Bama les avait congédiés.

« Je les ai chassés avec mon fouet, je les ai frappés avec ma massue ! Imbéciles ! L'Afrique est le *désert*. L'Afrique est la *sécheresse* ! En Afrique, on contente les dieux. Ne jetez pas la faiseuse de pluie avec l'eau de la vaisselle. Nous devons respecter. Respecter, Kathleen ! Même les Boers connaissaient le respect. Ils prient pour la pluie. »

Elle se battait pour survivre et ça la rendait susceptible. Les jeunes gens modernes étaient insolents ; ils menaient la barque désormais ; assez de privilèges royaux, d'inondations et de reines, assez de danse pour la pluie. De l'eau pure et gratuite pour tous. C'était ce qu'ils voulaient, dans chaque maison, chaque village, chaque vie, chaque seau. Et ils posèrent une question qui la rendit folle. À *quoi* servait-elle ?

Elle s'était emparée à nouveau de sa canne.

« Les jeunes chiens ! dit-elle Je les ai fait courir ! »

Ma mère, si intrépide dans le bush, commença à réagir à la violence des rues, et au taux de criminalité. Autrefois, elle l'eût ignoré. Sereine et indifférente. Mais à quatre-vingts ans, elle parut faiblir. Ce fut alors qu'elle érigea le mur de sécurité autour de la maison, le garnit de fil électrifié, et fit poser une caméra de surveillance face au portail du jardin. Désormais elle était informée d'une visite royale quand la sonnerie de l'interphone retentissait et que les yeux limpides de la reine Bama la fixaient depuis le moniteur de contrôle.

Elle et Bama se connaissaient depuis si longtemps, se comprenaient si bien, qu'elles restaient là à boire leur thé et à soupirer. Pendant longtemps, je ne sus pas ce qui les préoccupait ; puis, plus tard, je commençai à saisir. Elles se sentaient mises sur la touche : quand elles regardaient dans la glace, c'était leur superfluité qu'elles voyaient.

C'est peut-être ce qui se passe quand une révolution a eu lieu ; peut-être que les jalons, les constantes de la vie de tous les jours sont changés et que tout ce qui a alimenté vos rêves éveillés tarit brutalement. Peut-être que c'était le sens des paroles de ma mère quand elle disait qu'il n'y avait plus de nouvelles.

La vie était un très mauvais, très violent film de série B.

Par manque de nouvelles, les deux amies enchérissaient sur les catastrophes. Un sujet familier de base, aucun doute là-dessus. L'histoire à laquelle elles revenaient encore et encore concernait les hommes enfermés dans un frigo. Cela s'était produit des mois plus tôt : un camion de viande avait été détourné. Rien de surprenant : les détournements n'étaient pas une nouveauté. Mais il y avait eu un rebondissement de l'affaire car six hommes se trouvaient dans le véhicule : des chargeurs, des porteurs, des trimballeurs des carcasses congelées. Les pirates conduisirent le camion à Alexandra Township, ordonnèrent aux employés de décharger la viande, puis les enfermèrent dans l'énorme frigo et s'en furent.

Les captifs tentèrent désespérément de forcer la porte avec des crochets de boucherie. Ils laissèrent l'empreinte de leurs ongles dans la glace qui tapissait les parois, et quand les portes furent ouvertes par la police, chacun découvrit ce spectacle. Six hommes, trois Noirs et trois Blancs, morts à petit feu dans la glacière verrouillée.

La symétrie horrifiait les deux femmes ; mais les contentait aussi, en un sens. Puisque le mélange racial était si parfaitement équilibré, la douleur pouvait se partager équitablement. À une époque de troubles, quand le monde tel qu'elles le connaissaient avait brusquement cessé d'exister, toute information, même sinistre, confirmant le pire, confirmait du moins quelque chose. Ma mère voyait dans les crimes des signes de ce qui arrivait quand on détruisait l'ordre établi. La reine de la Pluie voyait cela comme un présage de ce qui se produisait quand des jeunes gens effrontés coiffés de casquettes de base-ball s'emparaient du pays et crachaient sur les anciennes croyances.

Ma mère ajoutait du drame à la tragédie en imaginant ce qui s'était passé, comme si sa pitié pour les malheureux pouvait améliorer sa propre situation. « Imagine seulement, Alexander, griffer les murs à t'en faire saigner les doigts ! » Elle accentuait sa souffrance personnelle en s'identifiant à celle des autres. « Pauvres, pauvres gens. Tu ne vois pas ? »

Tout simplement, elle pensait que j'en étais incapable. En vivant à l'étranger, j'étais devenu inapte à reconnaître les tragédies qui tourmentaient le pays.

Ma mère regarda ses mains. « Qu'est-ce qui nous arrive, Bama ?

– C'est à toi de me le dire, Kathleen. »

Ma mère tendit la main vers la théière. « Je n'en ai aucune idée, Bama. Aucune idée. »

Et puis il y avait la danse. Le soir, derrière des fenêtres qu'elle obstruait, dans ce qui avait été autrefois la chambre du domestique derrière le garage, Raoul lui apprenait à danser le mambo. Ses mouvements étaient corrects mais elle n'avait plus les pieds agiles. « Je choisis la version digne », disait-elle.

Raoul lui affirmait qu'elle réussissait à merveille. « *Hecho muy bien, Kataleen !* » Il battait des mains et claquait les doigts, et criait, quand elle trouvait le rythme : « *Mambo, qué rico el mambo !* »

Elle adorait ça.

« Raoul dit que "mambo" est un mot africain qui signifie conversation avec les dieux. C'est une fusion du rythme africain et du style européen. C'est quelque chose, non ?

– Maman, tu ne peux pas le garder.

– Je vais trouver une solution, attends seulement. »

Le jour où je devais repartir pour l'Asie, elle m'apprit qu'elle avait accepté un emploi bénévole dans un foyer d'enfants handicapés, un endroit qui s'appelait le Refuge du Rayon de soleil. Je pense qu'elle espérait que cela lui fournirait une couverture si on la voyait partir au travail tous les jours, pendant que Raoul se terrait dans l'ancienne chambre de domestique au fond de l'arrière-cour, où elle le rejoignait après le coucher du soleil, afin de mettre de la musique et de danser le mambo avec lui.

« Il dit que je bouge merveilleusement.

– J'en suis heureux, maman. Vraiment heureux. Mais qu'est-ce que tu vas en faire ?

– Je sais pas exactement – pas encore. Mais grâce à lui je me sens bien. C'est comme autrefois. Avant que je sois clouée au sol. Quand je vivais dans les airs. »

Elle rit de son rire rauque et fracassant, avec la gaieté puérile qui fusait quand on la « chatouillait », une gaieté qui ne l'avait jamais quittée quand elle était plus jeune et moins triste, avant qu'il lui devînt impossible de s'envoler à sa guise, pour aller où bon lui plaisait. Clouée au sol par l'âge, par les guerres qui avaient isolé des régions entières d'Afrique où elle avait volé toute sa vie, sans permission ni passeports, posant le petit hydravion sur n'importe quelle étendue d'eau convenable. Quarante ou cinquante ans plus tôt, quand l'Afrique était ouverte, et quand sa présence dans tout endroit de son choix, n'importe où sur le continent, était à ses yeux une chose entièrement naturelle. Quand les gens voyageaient dans l'Afrique-Orientale portugaise et dans l'Afrique de l'Ouest, dans le Nyasaland et l'Ouganda, à Zanzibar et au Congo, dans le Sud-Ouest africain et dans le Sahara espagnol, sans l'ombre d'une difficulté. Avant que l'Afrique du Sud eût rompu avec ses voisins, puis avec la réalité, et se fût retranchée dans un bunker souterrain de sa propre fabrication, et avant que « son » Afrique ne fût entrée en guerre contre elle-même.

Je lui fis promettre de rester dans la chambre derrière le garage quand Raoul donnait ses leçons de mambo.

« Tu penses qu'il va y avoir une descente chez moi ? Sûrement pas ! Nous sommes dans l'Afrique du Sud nouvelle : les flics ne font plus de descente chez vous. Ne t'inquiète pas pour nous ! Je vais trouver quelque chose. Quelque chose… d'élégant.

– Je ne veux pas que tu fasses peur aux voisins. »

Ça l'amusa. Elle avait toujours fait peur aux voisins.

14

Je me trouvais à Melaka, où j'étais descendu à l'hôtel New Renaissance.

Je commençais chaque journée par un café pris dans l'entrée très ornée, assis dans un large fauteuil en cuir avec le *New Straits Times*. La chaîne hi-fi balançait du Haydn ou du rock'n roll d'autrefois. En Malaisie, tout s'accompagnait de musique enregistrée. Je trouvai un publireportage pour du bouillon de poule, sous forme de pilule, connu sous le nom d'Essence de poulet, produit, affirmait-on, dans les cuisines de Buckingham Palace pour égayer et réconforter George IV. Les promoteurs immobiliers de Kuala Lumpur vendaient des maisons de luxe aux nouveaux riches dont les salons de marbre contenaient des parties encastrées baptisées « puits de conversation » ; plusieurs agences pour l'emploi proposaient une « bonne de confiance » avec une remplaçante gratuite « si elle s'enfuit ».

La Malaisie était autoritaire, profondément et horriblement nationaliste. La Malaisie avait fait ce que font les despotismes modernes en herbe : elle avait veillé à ce que la démocratie vous soit bénéfique en l'utilisant pour mettre en place le grand leader, et l'y maintenir. Une bande de types menaient la danse, des types qui pensaient avec leurs tripes, des fanatiques qui agissaient à leur guise, tandis que tous les autres faisaient ce qu'on leur disait. Un empire de turbulences, de discours menaçants à propos de « la nation », « des élus », « des fils du sol » ; un jet-stream de grandiloquence si échauffé qu'on pouvait survoler le pays en deltaplane en empruntant les courants ascendants.

La Malaisie avait besoin d'apaisement, et c'était bon pour les affaires. Mais c'était curieux, quand j'y réfléchissais. À peine quelques années plus tôt, des endroits tels que la Malaisie étaient, disait-on, sur la pente déclinante de l'histoire, et auraient besoin d'aide s'ils parvenaient à devenir des pays progressistes décents dans le peu de temps qui leur restait avant que l'histoire, déjà officiellement en bout de course en Occident, ne s'achevât partout dans le monde. L'histoire n'était plus brûlante : elle était très froide. À côté de vous, la tolérance et la démocratie avaient raison de la tyrannie ; les despotes retiraient leur police secrète, fermaient leurs cellules de prison et mettaient leurs bourreaux à la retraite. Des pays autrefois considérés comme « arriérés » allaient de l'avant. Partout, les victimes allaient aux urnes en masse et votaient pour la liberté. Et ça ne prendrait pas longtemps parce que l'histoire était pressée de s'assurer que des endroits tels que la Malaisie s'adoucissaient et renonçaient au tribalisme des rares privilégiés.

Cela se passait il y a longtemps, avant le 11 septembre 2001, quand ces avions ont foncé sur les tours dans la lointaine New York. Et aujourd'hui, à la place des petites tyrannies étriquées à l'air étrange et démodé – qui n'allaient pas tarder, mes pauvres petits, à rattraper le monde éclairé et tolérant –, la haine tribale et la guerre raciale sont apparues comme des projets tout à fait raisonnables. Soudain, la Malaisie n'était plus du tout dépassée : bon sang, elle était carrément futuriste. Parce que, dans ce nouveau monde poltron, nous étions tous des tribalistes, et que le discours sur la tolérance s'avéra être un tas de conneries sentimentales. La force primait le droit, mais elle était aussi sensée, raisonnable. Elle était progressiste. Les luttes intestines n'étaient pas belles à voir mais elles étaient nécessaires quand les types d'en face étaient pires. Privés de sérieux sermons de morale, nous redevenions les assassins d'autrefois. Quand l'avion avait percuté la tour, les belles paroles s'étaient dissoutes dans le sang, et chacun s'était réjoui d'être deux fois plus meurtrier que son voisin.

Cela s'était toujours passé ainsi à Melaka. Une ville portuaire, équivoque, rêveuse, scintillant dans la brume de chaleur du détroit de Malacca, où les pirates attendaient, et sur certaines îles des islamistes séparatistes kidnappaient des étrangers. Cela s'appelait Malacca, la ville avait été hollandaise, puis britannique, et elle était toujours semi-chinoise, avec quelques ex-Tamouls en plus pour faire bonne mesure. Aujourd'hui elle était dirigée par une tribu dominante qui, comme toutes les autres, se désignait comme l'élue. L'histoire planait sur Melaka comme un rêve troublé. Melaka avait été tant de choses qu'elle ne savait plus vraiment ce qu'elle était censée être.

Il est curieux que des villes profondément et cruellement colonisées, des capitales construites à la gloire des types qui vous écrasaient, atteignent rarement la grandeur une fois qu'elles ont acquis la liberté. Au lieu de cela, vivant de leurs souvenirs, avec des accès occasionnels de « développement », accomplis dans une tentative frénétique de modernité, elles se transforment en exercices de nostalgie un peu douteuse, intéressants et non dénués de charme. Mais elles n'y mettent guère de conviction, comme si les gens savaient que s'était envolé pour toujours ce qui les avait rendus autrefois importants et puissants, et qui avait fait qu'on s'était battu en leur nom, qu'on était mort pour eux.

Chaque jour, je me perdais avec délice ; marchant le long du Melaka boueux, ou traversant pour m'enfoncer dans Jonker Street, où travaillaient les antiquaires, errant parmi les anciennes vitrines coloniales et de belles maisons où les riches marchands chinois avaient habité autrefois. Je passais du temps dans la boutique de M. Wah Aik. Il fabriquait des souliers en brocart rouge pour les femmes chinoises qui avaient eu les pieds bandés. Les chaussures mesuraient environ huit centimètres de long. La souffrance était grande, expliquait le cordonnier, du moins jusqu'à ce que les os fussent brisés. Il me montra des photographies des pieds après bandage, comprimés à l'extrême : ils ressemblaient à de délicats sabots de porc. Les femmes le faisaient, me dit-il, parce que ça plaisait aux hommes, et on quittait l'échoppe de Wah Aik en songeant à l'amour, à la douleur et aux pieds minuscules, érotiques, irrésistibles en Chine pendant des milliers d'années.

Je passai devant une porte contre laquelle était posé un énorme cercueil ballonné, couleur caramel, orné de guirlandes en cuivre doré. Le magasin de longévité Chin Chin fabriquait des cerfs-volants, et non des cercueils, et le vieil artisan était assis par terre en tailleur, en train de fendre des roseaux. Il y avait des cerfs-volants boîtes et des cerfs-volants oiseaux qui se balançaient entre les chevrons du plafond ; une jeune femme berçait un bébé dans un hamac ; de l'autre côté de la route, quelques touristes pâlots descendaient en se bousculant d'autocars portant l'inscription « Batik Tours », et clignaient des yeux sous le soleil immense du matin.

Je m'appropriai Melaka avec toute la sincérité fallacieuse d'un voyageur qui ne se considère nulle part chez lui, car j'avais coutume de m'enfouir sous la surface d'une ville et de m'en envelopper comme d'une couverture, laissant joyeusement voguer mes pensées : je pouvais m'installer ici – un sentiment totalement sincère mais encore plus fort, remarquai-je, à l'instant où je me préparais à partir.

La magie opérait : j'avais presque oublié d'où je venais. Je m'arrêtais pour prendre une bière ou de temps en temps acheter un bibelot, une théière de la forme d'un petit garçon à cheval sur un buffle, peinte en vert bambou et marron clair. Je dénichai un Bouddha grassouillet et rieur de la prospérité, sculpté, chose inhabituelle, dans de la résine rose. Il s'appuyait contre ses sacs pleins à craquer de souverains d'or, sa panse parfaite astiquée par la caresse d'un millier de doigts qui l'avaient touchée au cours des décennies dans l'espoir de rencontrer la chance.

J'avais passé un après-midi à marcher dans le vieux centre colonial, quelques rues peintes en rouge brique, lamentables et déplacées au milieu de l'agitation de la Melaka moderne, comme si cette tranche du passé avait été mise en quarantaine. J'y trouvai le vieux British Club, collet monté et emprunté, telle une vieille tante célibataire abandonnée dans un bazar oriental. La cathédrale Christchurch, construite par les Hollandais et, comme la plus grande partie de Melaka, occupée par les Britanniques, n'était plus un lieu de culte mais simplement un bâtiment en forme de boîte dédié à un culte étranger dont personne ne connaissait grand-chose à Melaka.

Dans le vieil hôtel de ville hollandais, le Stadthuys, je m'arrêtai devant un portrait à l'huile. Je levai les yeux et je le reconnus instantanément, comme on reconnaît quelqu'un dont le visage est imprimé sur les billets de banque de son pays. J'examinai ce citoyen avec sa barbe châtain, sa collerette de dentelle et son air de gravité imperturbable – la suffisance impavide de ces dirigeants était réellement sublime – et j'eus de la peine à contrôler mon fou rire. C'était bien lui : Jan van Riebeeck. Au XVIIe siècle, il avait été le premier gouverneur du cap de Bonne-Espérance, et il était à la base de toute la pourriture, avions-nous décidé longtemps avant, mon pote Schevitz et moi.

Il n'y avait simplement pas moyen d'échapper à ces ordures.

À l'époque, Le Cap n'avait pas été une affectation très prestigieuse. Une montagne au sommet aplati et une baie au fond de nulle part. Van Riebeeck planta un potager, construisit un fort, abattit un grand nombre d'indigènes et ficha le camp. Il partit vers « l'Est », indiquent nos manuels d'histoire. Maintenant, je savais où. Il était devenu gouverneur de Malacca de 1662 à 1665. Malacca possédait ce que recherchaient les Hollandais : des richesses, de l'or, l'Orient à portée de la main, et l'odeur des épices qui flottait dans la brise.

J'estimai que Malacca s'en était tirée à bon compte. Tout ce qui restait de van Riebeeck, dans sa version orientale, c'était cette croûte dans une salle obscure. En Afrique du Sud, nous n'étions pas encore remis des dégâts qu'il avait causés dans le pays. C'était le problème avec les héros nationaux : que leur portrait apparût sur les billets de banque ou les avis de recherche n'était qu'une question de timing.

La salle s'obscurcissait tandis que s'estompaient les dernières lueurs de l'après-midi. Même les ombres semblaient peser sur vous. Les poutres foncées du plafond, les cadres en bois des fenêtres, le carrelage noir et blanc, les solides commodes alignées contre les murs. Je connaissais des pièces lugubres comme celle-ci ; bordel, j'aurais pu me trouver au Cap.

Le Cap ! Mon cœur se serra.

« Une petite madame démodée avec une putain de colline en plein milieu », avait dit ma mère un jour.

Je fixai van Riebeeck, il me rendit mon regard, et je saisis le message. Nous jouions la mort subite, c'était clair. J'avais été repéré ; l'étau se resserrait. Il est alarmant de découvrir qu'on est allé à l'extrême pointe de l'Asie pour se retrouver face à l'homme dont les aspirations ternes mais rapaces ont poussé des générations de sales types au cœur de pierre à sauver l'Afrique au nom de la civilisation chrétienne occidentale. Et pourquoi cet homme qui avait eu en Afrique un poids aussi écrasant ne paraissait-il être dans cette salle obscure guère plus qu'un accident passager de l'histoire, un pâle et stupide fonctionnaire à l'ambition dévorante ?

Je pense que cela avait un rapport avec le pouvoir. Les Portugais, les Chinois, les Hollandais, les Britanniques de Malaisie étaient puissants, mais pour une raison ou pour une autre ils ne s'étaient jamais montrés insistants, aussi le poison de leur présence avait-il été moins toxique qu'en Afrique ; du haut de leur fierté, ils méprisaient les peuples d'Asie, mais ils n'avaient jamais supposé qu'ils n'existaient pas. En Afrique, ils ne voyaient rien d'humain ; ils dépouillaient le continent de ses habitants, leur réglaient leur compte, pas seulement avec des fusils et des microbes, mais aussi en doutant sincèrement et honnêtement qu'ils eussent jamais été vivants, et ces gens n'étaient donc plus rien. Une fois ce génocide mental accompli, ils avaient pu peupler l'espace vide avec des inventions de leur imagination ; et abattre, rassembler, fouetter, voler et détruire comme bon leur semblait. En conséquence, l'Afrique était encore dépeuplée, vide, aujourd'hui encore, de gens ordinaires, naturels, tranquilles – et remplie de fantômes enfiévrés qui prétendaient à cor et à cri renaître en tant qu'humains.

L'Afrique…

Pour ma mère, c'était un mot qu'elle utilisait sans la moindre trace de gêne – comme si elle la possédait, vivait et ne faisait qu'un avec elle. Et je savais qu'en réalité j'aurais dû éprouver à son égard des sentiments aussi naturels et aussi décontractés. Après tout, l'amour, c'était ça, non ? Au lieu de cela, ce que j'éprouvais à son égard était trop brûlant, déséquilibré et fébrile, comme un accès de malaria. Je sentais que le mot « amour » devait être abordé avec une prudence considérable, en particulier quand il était associé à l'Afrique parce que cela impliquait souvent une sorte de meurtre – ne quittez jamais votre ceinturon des yeux.

Quant à être le fils de ma mère, eh bien, c'était un accident ; son style n'avait rien de maternel. Elle évoquait plutôt une tante folle enfermée en sécurité dans le grenier jusqu'au moment où elle réussissait à sortir, s'enivrait, retirait ses vêtements, faisait un esclandre. Elle était tout ce que j'aimais – et aussi tout ce à quoi je désirais échapper le plus au monde. Chaque fois que je pensais à elle, j'étais épouvanté. Je pense que j'avais éprouvé cela toute ma vie. Et je savais à présent, avec van Riebeeck qui me scrutait dans la pénombre, que plus je mettrais de distance entre nous, et mieux cela vaudrait.

Mais je savais aussi que ce n'était jamais assez loin. Plus je m'éloignais, plus j'étais certain, aussi sûr que deux et deux font quatre, que j'allais la trouver en train de m'attendre au coin de la rue. J'arrivais, anonyme, dans une ville chaude et torride de la frontière où personne n'avait jamais entendu parler de moi et la minute d'après, franchissant la colline au galop avec un mandat d'arrêt et d'extradition contre moi, surgissait la petite troupe des poursuivants de mon passé.

Mais je ne me livrai pas encore. Tôt le lendemain matin, il y avait un rapide pour Kuala Lumpur, et je serais dedans.

15

Pendant tout le trajet depuis Melaka, je partageai un compartiment avec un flic et un prisonnier menotté, qui lisait un livre. Tous les deux étaient des petits hommes bruns et paisibles. Le policier s'appelait Bashir, son prisonnier portait le nom d'Affendi, et ils semblaient être les meilleurs amis du monde. Zaffendi était menotté et Bashir devait lui verser un verre d'eau, l'aider à manger les beignets aux crevettes et au chili que nous partagions tous, et le conduire au bout du couloir quand il avait besoin de pisser.

« Le pauvre garçon n'a pas toutes ses facultés mentales, et il doit être jugé. Il attend son procès depuis quelques années à présent : dix en tout. Il est presque ce qu'on pourrait appeler un prisonnier oublié. Je vois que vous êtes choqué, mais d'un autre côté, s'il n'attendait pas son procès, il serait dans la cellule des condamnés, à la veille d'être pendu. Il a poignardé un touriste dans les hauts plateaux de Cameron il y a quelque temps. Vous connaissez ces plateaux, monsieur ? »

Je les connaissais. C'était là que la brume descendait comme un voile et jouait sur les façades en faux Tudor des faux hôtels anglais ; où le salon de thé Kosy Korner vendait des sarbacanes en même temps qu'il servait des petits déjeuners avec des œufs au bacon, et, dans les jolis jardins des villas, la jungle commençait là où finissait la pelouse anglaise bien entretenue. C'était là que mon ami Jimmy Li Fu avait son hôtel, le Gloucester, qui offrait « le fin du fin de la cuisine britannique » : le bœuf Wellington et le pudding aux raisins de Corinthe et la purée aux choux et à la viande hachée ; des plats de pensionnat transformés par les mains de Jimmy en l'étrange et étrangère cuisine de la lointaine, inscrutable Albion.

Bashir emmenait Affendi à Kuala Lumpur, « pour que ce psy haut de gamme examine sa santé mentale. Et ensuite, si on s'aperçoit qu'il est sain d'esprit, il sera certainement pendu le plus tôt possible. »

Il le répétait souvent comme si cela pouvait rattraper les années où le prisonnier avait été oublié.

Affendi était plongé dans un roman du nord de Londres, le genre qu'on voit beaucoup dans le métro londonien, par des écrivains dont les noms font penser à des banlieues – Pawnsley ou Gormlee –, des problèmes de filles dans Archway Road, ou des gens qui font des coups dans Kentish Town. Affendi lisait *All My Loving* et la couverture montrait Buddy Holly, avec ses lunettes qui lui donnaient l'air d'un hibou brillant comme des lunes jumelles au-dessus d'une vue grenue de Hornsey High Street.

Peut-être pas le genre de chose qu'on s'attend à voir dans les mains menottées d'un prisonnier entre deux geôles, et très possiblement en route pour le gibet. Et pourtant, ces histoires rigolotes, comme les pavillons anglais en faux Tudor dans la jungle des plateaux de Cameron, étaient étrangement exotiques, pour ne pas dire carrément sulfureuses, et à leur place ici. Elles parlaient d'un monde richement terne, et d'un camaïeu gris sans risque, où personne n'était affamé ni ne mourait d'une insolation ou de la dengue, où rien d'horrible n'arrivait jamais – et où quelqu'un exigeait une enquête urgente si le cas se présentait –, où l'ombre du bourreau ne se dressait jamais.

Je jouai aux dominos avec Bashir. Affendi lisait vite, avidement, perdu dans la romantique Hornsey, et seul résonnait le cliquètement de ses menottes quand il tournait les pages. Et le train roulait vers Kuala Lumpur, vers la vie ou la mort. Par la fenêtre, dans les chemins poussiéreux des villages, des enfants à demi nus, leurs jambes frêles heurtant le sol avec un bruit mat, pourchassaient des poulets qui hurlaient, un sport ancien dans les villages malaisiens ; et le chili épicé des beignets aux crevettes échauffait ma gorge.

C'était bon de bouger, d'être libre à des moments comme celui-là. La douleur joyeuse qui vient de la sensation d'être vivant dans un endroit étranger, et merveilleusement perdu. Là où ne s'applique aucune de vos règles, où rien de ce que vous savez n'est utile.

La vieille gare ferroviaire centrale au cœur de Kuala Lumpur avait été construite par les Britanniques dans le style orné, exalté, de leurs grandes cathédrales célébrant l'acier et la vapeur. C'était une vision mauresque, conçue par un architecte qui s'était cru à Grenade. La gare était une floraison de minarets et de flèches décorés comme un édifice jailli des *Mille et Une Nuits*. Aucun créateur de Disney ne pourrait égaler sa pure dinguerie et sa putain d'arrogance. Il avait fallu les grands caricaturistes de l'époque coloniale pour la réaliser. Birmingham rêvant que c'était l'Alhambra. Saint-Pancrace au cœur de l'Asie.

Autour de la gare l'ambiance était chargée des parasites laissés par la grande étoile impériale qui avait depuis longtemps volé en éclats, et elle crépitait sous l'effet des courants d'un passé improbable. Les fantômes des anciens impérialistes ne se contentaient pas de se promener dans la vieille gare de chemin de fer, ils organisaient des putains de manifestations.

Et cette gare me rappela ma mère, bien qu'elle eût détesté la comparaison. Elle était aussi, sous beaucoup d'aspects, construite par les Britanniques : elle était grande, exotique à un point alarmant, et quand on la plaçait dans le paysage africain, c'était un temple gigantesque à la gloire de dieux étranges. C'était un mystère.

Sous le grand toit, Affendi, Bashir et moi déjeunâmes à un étal, de samosas et de café. Affendi portait ses deux mains menottées à sa bouche pour manger, mais il faisait des saletés et Bashir essuyait les miettes de pâtisserie de sa lèvre supérieure, tendrement, comme l'aurait fait une mère. Nous nous étreignîmes tous pour nous saluer. Je ne sais pas pourquoi nous nous sentions si liés, si proches.

Jimmy Li Fu m'attendait. Il avait garé sa nouvelle Toyota à côté du terrain de cricket.

« Bienvenue, bienvenue, Alex, on va à ton hôtel et ensuite on va prendre un bon café au First Cup.

– Quoi de neuf à Kuala Lumpur, Jimmy ? »

Il sourit, son étroit visage brun au nez pointu me rappelant une fois encore l'image d'une guêpe très élégante. Malgré son sourire, il parut légèrement déconcerté. « Rien – je suis heureux de le dire – rien du tout. »

La première fois, j'avais vu Jimmy Li Fu dans le salon de thé de la ferme Victoria et Albert Butterfly, sur les hauts plateaux de Cameron. C'était un endroit spacieux et lumineux parce que l'encagement des papillons était une chose délicate. Il se trouvait au fond du salon de thé, assis à une longue table à tréteaux avec une jeune femme chinoise mince et silencieuse, son téléphone portable à l'oreille, et il buvait un Coca. Il retint mon attention parce que le devant de la salle était occupé par un groupe d'Américains qui visitaient les plantations de thé, et ils étaient gros et gras. Ce n'était pas leur faute, mais ils étaient au mauvais endroit. Comparé à leur carrure solide,

Jimmy était réservé, austère. Mince comme un fil, et très brun, et depuis nous étions devenus des alliés utiles – amis serait un mot trop insolite. Jimmy me donnait parfois l'impression qu'il ne subsistait que grâce à l'air, et à l'excitation.

J'en savais plus aujourd'hui à son sujet. Je savais maintenant que ce jour-là, à la ferme Butterfly, il avait téléphoné à son bookmaker à Singapour. Je savais que la femme qui était en sa compagnie était l'une de ses « ouvrières ». Je savais que Jimmy faisait partie de cette catégorie indéterminée qu'on décrivait le mieux en Asie, d'un ton neutre, sous le terme « homme d'affaires… »

Si vous le regardiez sous un angle quelque peu insipide, Jimmy était louche – joueur, tenancier de bordel, hôtelier, chef de cuisine. Enfant, il avait été membre d'une triade particulièrement méchante. Sur son bras droit était tatoué l'emblème de la triade, composé de dragons rouges. Mais faire peser sur Jimmy le pragmatisme mortel du monde établi était un exercice aussi cruel et stupide que de pourchasser avec un couperet les jolies confections voltigeantes qui tournoyaient dans les cages en plastique du Victoria and Albert – et aussi peu susceptible de saisir l'essence de l'homme.

Jimmy était une âme perdue. Il venait de ce que j'appelais les marginalités, des petites parcelles ethniques qui vivaient à distance de l'identité que leur conféraient la race, le pays, la nation, la tribu, le groupe ou le patrimoine héréditaire, et pour qui même le mot « vivre » était traître ; disons plutôt qu'ils avaient trouvé une façon de coexister parmi des groupes plus importants de puristes raciaux qui les toléraient tout juste (bien) ; qui ne les toléraient pas (supportable) ; ou les jetaient dehors (traître).

Jimmy me conduisit à l'hôtel Federal où je déposai mon sac, et ensuite nous nous arrêtâmes au First Cup, un café situé dans la B&B Plaza, en plein milieu du Triangle d'Or, mais assez loin des tours Petronas pour être civilisé. Les jeunes gens riches de Kuala Lumpur faisaient beaucoup d'achats, et la B & B Plaza était un point chaud pour les amateurs de shopping qui regardaient passer le monde de la terrasse du First Cup.

Nous n'étions pas assis depuis cinq minutes quand les émeutes éclatèrent.

« Ce sont les étudiants, dit Jimmy Li Fu. Ils manifestent contre la loi sur la sécurité intérieure, qui permet de mettre les gens en prison très facilement, et de les y garder. Ces gens n'aiment pas le gouvernement, ni le Premier ministre ; ils n'aiment rien. »

Il y avait des flics partout. Ils bouclèrent le café, les boutiques et la rue, et se mirent à chasser les étudiants en direction de gros camions rouges, surmontés de canons à eau. Les rideaux de fer étaient baissés chez Kwang's, le cambiste agréé. Les filles du Salon de massage céleste avaient cessé le travail. Les stores des fenêtres du Dr Gigi et du cabinet dentaire Fong & Goh étaient baissés. Les seules personnes restées dehors étaient les touristes en grands shorts, avec des bananes.

Les flics manipulant le canon à eau testèrent sa portée en visant le First Cup qui était protégé par le bouclier déflecteur formé par le toit recourbé de l'abri de taxis d'en face, ce qui est très utile quand les flics vous aspergent de puissants jets d'eau.

Derrière nous, sur la Plaza, les commerçants, redoutant de voir leurs clients soudain transformés en pillards, bloquèrent les sorties avec leurs grilles de fer, et tant pis pour ceux qui se retrouvaient bloqués dedans. Quelques minutes plus tôt, les jeunes friqués avaient été des clients du grand magasin Sweet Polly ; maintenant ils étaient des prisonniers. Ils glissaient leurs mains entre les barreaux, faisant des signes et émettant de sourds beuglements, comme des veaux de lait qu'on arrache à la mamelle. Ceux qui avaient réussi à sortir du centre commercial avant la fermeture des grilles s'emparèrent des dernières tables, posèrent leurs sacs Gucci, et regardèrent l'émeute en buvant un café.

Les moyens utilisés par la police pour agresser les citoyens sont partie intégrante de chaque culture. Les émeutes ont leur géographie et leur physique propres, et le nombre de modes d'attaque auxquels vous pouvez être confronté sont variés et imparables. Dans le pays d'où je venais, nous étions poursuivis par des hommes avec des fouets de cuir, des sjamboks en peau de rhinocéros, si on était rigoriste en matière de tradition, mais de la peau de vache faisait l'affaire. Quelquefois les flics tiraient de la grenaille. C'était douloureux mais généralement pas fatal, et ça valait mieux que des balles en caoutchouc, ou des balles de plastique, ou le gaz lacrymogène – nous appelions ça la fumée lacrymogène.

Les flics de Kuala Lumpur étaient noirs et portaient de longues cannes, et, quand ils attaquaient, ils me faisaient penser aux Frères chrétiens irlandais qui m'avaient éduqué. Lever et abattre un bâton sur le dos ou les jambes de quelqu'un est un geste violent : il déforme le corps, commençant par la flexion du mollet sur le pivot de la cheville, comme si on jouait au golf, puis une épaule se soulève, et le bras s'abaisse en un mouvement accéléré quand le bambou frappe la chair de la victime. On lit dans le corps en torsion de l'attaquant l'expression du bonheur. Battre une autre personne – atteindre sa cible par des coups répétés, assénés par le poing, le pied, le bâton jusqu'à ce qu'elle fuie ou s'écroule – paraît si naturel qu'on peut imaginer que ce fut l'un des premiers plaisirs des hominidés.

Les émeutiers, jeunes et rapides, esquivaient les flics en se ruant dans les embrasures de portes. Les flics n'avaient pas souvent l'occasion de se livrer à ce genre d'activité, et ils n'allaient pas se faire avoir. Ils regardèrent autour d'eux et repérèrent les touristes. Il y en avait énormément. En cette saison de crise et d'incertitude en Asie, les agents de voyages avaient vendu la Malaisie à tour de bras. Il y faisait chaud, c'était bon marché, sans danger, et assez familier pour séduire les touristes britanniques et australiens d'un certain âge : la Malaisie offrait de la sauce épicée au soja et au vinaigre et de la Guinness, et pour appeler la police on composait le 999.

Eh bien, quelqu'un avait composé le 999, mais quand les flics étaient arrivés, ce n'étaient pas des gentils policiers anglais du tout, ils ne souriaient pas et ne vous appelaient pas madame. Ils étaient rapides et méchants et portaient un gilet pare-balles brillant qui leur donnait l'air de coléoptères menaçants. Les touristes étaient du gibier facile. À l'instant même où on les frappait, alors même qu'ils tressaillaient sous le choc des matraques, je sentais leur indignation, leur honte. Ça leur arrivait à eux ! Cette notion devançait la douleur. Ils s'étaient levés ce matin et avaient pris le petit déjeuner buffet ; et ils s'étaient attendus à ce que la journée se déroule selon le programme prévu. C'était leur droit en tant que solides et sobres citoyens de certaines des sociétés privilégiées du monde, que les fonctionnaires d'État avaient emmaillotés, remisés au placard, conseillés, leur seul devoir étant de s'assurer qu'ils étaient en sécurité, heureux, pourvus de retraites, en bonne santé. Maintenant, sans avertissement, ils étaient gras et maladroits, des cibles à la peau pâle, ridicules avec leurs bermudas et leurs bananes, pourchassés par des derviches alertes avec des bâtons et des tuyaux d'arrosage qui voulaient leur faire du mal…

Au cœur de la mêlée, le mobile de Jimmy se mit à couiner. Il écouta un moment, puis me dit : « C'est pour toi. »

Je le regardai fixement.

« Qui sait où je suis ?

– Ils savent où je suis – tout Kuala Lumpur sait que tu es avec Jimmy Li. Prends le téléphone, Alexander. »

La voix de ma mère retentit sur la ligne, comme elle l'avait fait tout au long des années de ma vie. Dans ses mains, le téléphone était un instrument parfaitement approprié pour exprimer une vive émotion sans rien trahir, paré de toutes les couleurs verbales qui composaient son camouflage acoustique caractéristique : le dédain.

« C'est quoi tout ce bruit ? Où es-tu, bon Dieu ?

– Je suis en Malaisie, maman.

– En Ma-lééé-siiie ! »

Quel accent de consternation elle avait mis dans ce mot ! Si j'avais dit que je passais le week-end à Sodome et Gomorrhe, elle n'aurait pas paru plus offensée.

« J'ai fait le numéro que tu m'as donné, j'ai eu un hôtel au bout du fil et on m'a dit d'appeler ici. Tu es occupé en ce moment ? Qu'est-ce qui se passe ?

– Comment vas-tu, maman ?

– Très bien – mais j'ai été virée du Refuge.

– Pourquoi on t'a virée ?

– J'embrassais les gamins.

– Ils t'ont virée parce que tu embrassais les gamins ?

– Je ne pouvais pas m'en empêcher, Alexander. Il fallait simplement que je les prenne dans mes bras ; je les aimais. Et ils adoraient ça. Mais la direction n'était pas très contente et on m'a dit qu'embrasser les gamins n'était pas une bonne politique. On ne pouvait pas me garder. Alors mon amie Cindy a déclaré : “Eh bien, Kathleen, si c'est ce qu'ils pensent, je pars avec toi.” Et elle l'a fait ! Elle a démissionné sur-le-champ, sans l'ombre d'une hésitation. Imagine ça, mon garçon. Et Cindy a beaucoup plus à perdre que moi, avec son propre fils au Refuge.

– Maman, qu'est-ce que tu as fait de Raoul ?

– Je l'ai caché.

– Où ça ?

– Là où ils n'auront pas l'idée de le chercher. Je te raconterai quand on se verra.

– Maman, Jake Schevitz m'a envoyé un fax. Il dit que tu es allée le voir. »

Je l'entendis ricaner.

« Ça m'a rendu grand service. Cet homme est devenu totalement pathétique. J'avais un plan génial, mais tout ce que j'ai obtenu de Jake c'était toutes les raisons possibles et imaginables pour m'expliquer que ça ne pouvait pas marcher. Suppose que je sois allée le voir dans le temps avec Nelson Mandela pour le cacher ; Jake m'aurait dit alors que ça ne marchait pas ? Enfin, Alexander, c'est quoi ce boucan ? »

Je ne voulais pas le lui dire. Je pensais qu'elle n'avait aucune envie de le savoir. Si elle téléphonait à l'autre bout du globe pour s'apercevoir que je m'étais fait prendre dans une émeute, elle serait furieuse. Elle dirait : « Ça alors ! si tu dois faire ce genre de choses, nous avons des émeutes tout à fait dignes de ce nom en Afrique. Tu n'as pas besoin d'aller jusqu'en Malaisie pour ça. »

Un garçon avec du sang dans les cheveux décrivait des cercles. Une touriste plantureuse que le canon à eau avait renversée était assise sur la chaussée et s'essuyait le visage avec sa jupe.

« Alors qu'est-ce qui se passe, maman ? »

Elle soupira. « Il est parti, il est en sécurité, mais il me manque. Il était drôle. Ah ! justement, je dois faire des examens ; le docteur dit que c'est important. »

Brusquement, je l'écoutai avec une grande attention, ainsi qu'elle l'avait prévu.

« Quel genre d'examens, maman ? »

Elle baissa la voix. « Je saigne… je ne dirai pas où… pas au téléphone. En tout cas, j'ai appelé le médecin quand j'ai découvert le tu-sais-quoi. J'ai pris un bain, je me suis coiffée, je suis montée dans ma vieille Landy et je suis allée le consulter. Il m'a dit que je devais aller à l'hôpital, et c'est ce que je fais.

– Quand, maman ?

– Tout de suite. Dès que j'aurai raccroché. J'entre à Fourways Clinic, un hôpital privé près de la route William-Nicol au fin fond de la banlieue nord. Tu ne le connais sûrement pas, chéri, c'était après ton époque. Le père Phil de ma paroisse y est aumônier. N'est-ce pas une chance ? Je ne pense pas que tu le connaisses, c'était après ton époque. »

Les flics entraînaient les touristes vers le canon à eau. Un homme âgé en sandales et socquettes grises essayait de se protéger la tête avec l'étui de son appareil photo, et les flics lui frappaient les fesses. Je vis trois femmes en train de courir avec leurs sacs à main qui se balançaient, l'eau les frappa entre les seins et les fit tomber.

« Je rentre à la maison, maman.

– Certainement pas ! Jamais de la vie ! Je serai sortie de l'hôpital et en pleine forme en un rien de temps ! Tu as dit que tu étais où ? »

Je le lui répétai, et elle s'écria : « Eh bien, jamais ! Au revoir, chéri, il faut que j'y aille maintenant. »

Ma mère détestait se servir du téléphone pour dire quoi que ce fût d'important, et elle appelait uniquement pour communiquer la rage ou la panique. Pour elle, le fait d'avoir retrouvé ma trace était sa manière d'être aussi alarmante que possible. C'était un événement rare, un appel longue distance, il avait dû lui coûter cher, et cela signifiait que ce séjour à l'hôpital était une affaire sérieuse. Me trouver en Malaisie avait dû renforcer son opinion quant au manque de fiabilité choquant et véritablement scandaleux du téléphone : ça coûtait une fortune et vous conduisait dans des lieux très étranges où vous n'aviez aucune envie d'aller.

Jimmy referma son portable d'un coup sec et le glissa dans sa poche supérieure avec sa paisible élégance.

« Tu devrais t'en procurer un. Les gens pourraient te joindre.

– Je ne veux pas qu'on me joigne.

– Mauvaises nouvelles ?

– Ma mère : elle ne va pas bien ; elle va être hospitalisée. Je dois rentrer. »

Nous regardâmes un petit policier frapper un solide étudiant qui était tombé par terre et essayait de se protéger le visage, mais le flic écarta violemment ses mains, particulièrement désireux de lui donner un coup de pied dans les gencives.

« Je suis choqué, Alexander, dit Jimmy. Cela n'arrive pas à Kuala Lumpur. »

Ce qui le choquait, ce n'étaient pas les coups de botte – avec un bruit qui évoquait une toux sèche – dans la bouche brisée de l'homme sur le sol, mais l'émeute elle-même. Le canon à eau balaya une petite grappe de touristes qui s'effondrèrent, comme si c'était un sport de champ de foire et qu'ils s'amusaient, et ils glissèrent sur les fesses en hurlant.

Jimmy bougonnait tout seul : « Grand Dieu. Il vaut mieux éviter l'eau. Il y a un produit chimique dedans. Ça te colle à la peau, une horreur. Tu reçois une giclée de cette flotte et tu te grattes pendant des jours. »

Ce soir-là nous dînâmes au Coliseum, un restaurant miteux rassurant dans le vieux Kuala Lumpur, un endroit que s'étaient autrefois approprié les planteurs britanniques de caoutchouc et qui portait leur griffe, un exotisme de viande de bœuf et de rognons trop cuits. Jimmy présidait au bar, sur le tabouret qu'ils lui réservaient, réclamant une autre tournée de gin. Le bar était sombre, chaleureux et confortable, rempli d'une poussière composée, me sembla-t-il, des particules de ceux qui jadis, l'avaient fréquenté et aimé.

Ça le stimula de s'appuyer au bar, de m'offrir un gin-tonic, et de prétendre un moment que, comme je parlais anglais, il pouvait traiter de haut un Britannique nomade car autrefois les Anglais avaient dénigré le « Chinetoque florissant » qu'il était. Le mince visage de Jimmy se figeait quand il songeait de nouveau à cette époque.

Si ça pouvait le consoler, je n'y voyais pas d'inconvénient. Mais les Britanniques n'étaient plus l'ennemi, et cela depuis des décennies. Leur influence subsistait en Malaisie, si peu que ce fût, sous la forme d'un d'anglicanisme de jungle survolté, légèrement faisandé, étrangement pervers. C'étaient maintenant les Bumiputra qui étaient les maîtres, les Malais normaux, déclarés purs, les fils de la terre, et ils avaient depuis longtemps retiré l'aiguillon de Jimmy, lui coupant les couilles et lui disant : « Si tu veux remplir ton porte-monnaie, parfait. Mais ferme ta gueule et n'oublie jamais que tu n'es personne. »

Jimmy en fit plus que ce qu'on lui demandait, il « aimait » le Premier ministre. Dieu lui vienne en aide, cet homme intelligent et sardonique avait accepté le marché qui avait transformé son cerveau en bouillie ; il s'était redressé et avait supplié, et en échange on l'avait autorisé à errer dans le pays comme le fantôme inoffensif de la maison, qui concluait des marchés et tenait une place de premier plan dans la communauté chinoise ; et il était peut-être riche, mais quel bien pouvait faire l'or à un fantôme ? L'or achetait l'influence, les chevaux de course, les putes et la sécurité. Mais pas l'appartenance. Jimmy n'était pas un membre de la tribu, il ne faisait pas partie des fils de la terre, il avait de l'influence mais pas de pouvoir, de l'argent liquide mais pas de substance.

« Puisse le Premier ministre vivre cent ans ! s'exclama Jimmy Li Fu en levant son verre.

– Pourquoi, Jimmy, pourquoi ?

– Si le gouvernement tombe, que crois-tu qu'il arrive à des Chinois comme moi ? »

« Des Chinois comme moi » : le cri de toutes les petites communautés qui existaient, à l'instar des Chinois de Malaisie dont Jimmy était issu, par tolérance, dépendants de la permission et du bon vouloir de leurs hôtes plus importants et peu amicaux.

Une expression parfaite pour illustrer les droits d'un parasite. Si vous imaginiez la tribu comme un nid de guêpes, alors Jimmy était un faux bourdon authentique. On lui accordait une seule chose : être riche, exercer son influence dans son monde limité mais n'avoir jamais son mot à dire sur la manière dont son monde était contrôlé. Tant qu'il obéissait à la règle, il pouvait accumuler autant de trésors que sa petite trompe pointue pouvait en transporter sans éclater. Mais s'il envisageait seulement de sortir de son personnage, ils lui infligeraient un châtiment si cruel qu'il frissonnait rien que d'y penser : *ils le renverraient chez lui*. Dans un autre pays où il était plus étranger encore qu'il ne l'était en Malaisie. Jimmy était un Chinois originaire de Malaisie, ce qui voulait dire que des générations le séparaient de sa mère patrie de l'autre côté de l'eau.

Une file de visiteurs s'arrêta à notre table – des Chinois qui lui devaient des faveurs, puis un flic malais et sa petite amie. Ils présentèrent leurs respects, et en retour Jimmy leur adressa son sourire de bénédiction, révélant ses dents jaunes et crochues. Ils ne s'attardèrent pas ; ils lui rendaient visite comme on vient dans un lieu de pèlerinage, lui adressaient leurs compliments et engrangeaient la chance, espéraient-ils. L'autorité un peu sinistre de Jimmy ne faisait aucun doute, et j'imagine qu'il l'exerçait et en profitait de la même manière qu'il avait joui du pouvoir conféré par la triade qu'il avait dirigée dans sa jeunesse : de la même façon qu'il saluait le Premier ministre. Politiquement, il achetait la protection de quiconque contrôlait l'endroit pour assurer la sécurité de ses trafics. Comme nous l'avions toujours fait.

Quand j'étais petit, dans le Transvaal, j'avais visité une usine d'uranium et on m'avait donné une minuscule boulette de boue jaune : je l'avais gardée dans une boîte d'allumettes bleue comme une souris domestique, et de temps en temps je la sortais et je la contemplais. J'aimais la pureté du jaune, et quand j'y repense aujourd'hui je me demande si c'était vraiment de l'uranium, et donc radioactif, et dangereux. C'est ce que me rappelait Jimmy Li Fu, et quand je m'arrêtais pour le voir à Kuala Lumpur je ne restais jamais longtemps ; je ne voulais pas vraiment m'exposer aux rayons qu'il émettait.

« Alors, Alex, tu pars quand ?

– Demain, si je trouve une place dans un avion.

– Tu iras où ?

– À Johannesburg, c'est chez moi.

– Jo-han-nes-burg ? Je suis content d'apprendre que tu viens de quelque part. »

C'était une vieille plaisanterie entre nous. Il était malais, j'étais africain, mais c'était seulement une façon de parler. Ces alibis pouvaient être démontés à tout moment, Jimmy redeviendrait un Chinetoque florissant et je serais privé de mon nom africain pour me transformer en un intrus venu de cette putain d'Europe.

« Nous deux, on est de nulle part, aimait dire Jimmy. Et ce sera retenu contre nous. Contre des Chinois comme nous. »

Il me regarda et dit lentement, prudemment, comme s'il s'essayait à le prononcer :

« Nel-son Man-dela… »

Ça partait d'un bon sentiment, je le sais. Mais c'était hors sujet. À travers un seul individu, vous pouvez quelquefois connaître de façon exhaustive un pays dont vous ne savez rien par ailleurs. Taille unique. Vous prononciez le mot et vous étiez tiré d'affaire. C'était comme de dire « Mère Teresa » – et, bingo ! on en avait fini avec Calcutta. Je ne trouvais pas cela déconcertant. Au contraire, cela me plaisait parce que cela me soulageait du fardeau stupide de la culpabilité et du savoir et de la notion sud-africaine autrefois répandue, plus ridicule encore, selon laquelle tout le monde savait tout sur ce pays : dans le passé, parce que les gens y étaient si horribles ; et aujourd'hui, parce qu'ils étaient si charmants.

« Nel-son Man-dela », répéta Jimmy.

Il le faisait pour montrer qu'il savait d'où je venais, et s'en préoccupait. En fait, comme beaucoup de gens en Asie du Sud-Est, il savait très peu de chose sur l'Afrique du Sud, et s'en moquait éperdument. Les pays africains, tous les pays africains, étaient peuplés de créatures sauvages, et la seule chose qui rachetait l'Afrique du Sud, c'était d'avoir acquis une solide image de marque reconnaissable à travers le superman qui avait émergé du chaos par magie et était devenu un porte-bonheur, un mantra, et dont le nom psalmodié avait ramené le calme, l'ordre et la dignité dans un lieu obscur.

C'était un geste généreux, offert dans l'espoir que j'en apprécierais l'écho. Cela faisait de nous le genre d'amis que seuls les gens comme nous pouvaient être. Ce que nous étions, quand on y réfléchissait bien, c'était plus qu'une famille. Nous formions une tribu, Jimmy et moi ; nous étions unis comme des putains de frères siamois, et ce qui reliait « les Chinois comme nous » était la chose suivante : nous savions que « la maison » n'était jamais l'endroit que nous avions laissé derrière nous ; mais un lieu toujours plus lointain, vers lequel nous allions.

16

Mon jet Lufthansa pénétra dans l'espace aérien africain au-dessus du Maroc, puis survola Le Caire, suivant le trajet du Nil vers le sud, au-dessus de l'Égypte et du Soudan. Le 747 décrivait presque exactement la route prise par les anciens hydravions, les Flying Boats de l'Empire, dans les années trente, partant de Londres pour survoler l'Europe, puis l'Afrique, jusqu'à Durban. Les grands Sunderland d'Imperial Airways ne pouvaient voler que de jour, et ils volaient, comme de gros canards, à une altitude stable de quatre mille cinq cents mètres, regardant tout en bas l'Afrique qui levait les yeux. Merveilleuse distraction pour les rares êtres magnifiques, les personnes dotées de la plus exceptionnelle des libertés : le droit d'aller où elles voulaient. Ceux qui se rendaient en Afrique pour cultiver la terre, pêcher ou diriger des pays faisant six fois la superficie de l'Angleterre quittaient Douvres et survolaient la France et la Suisse, mais c'était quand ils quittaient le continent européen et s'élançaient au-dessus de l'Afrique que la réalité leur échappait.

Quand Joe Healey souhaitait emmener sa petite fille faire un tour, qui aurait protesté ? Les mines d'or étaient d'une richesse indescriptible. Un Irlandais charpenté en complet bleu avec un panama, ses bâtons de dynamite dans un attaché-case qu'il « glissait sous notre siège », disait ma mère.

« Il gardait les détonateurs dans un sac de jute. Très souvent nous avons joué au vingt-et-un en nous servant de l'attaché-case comme table quand nous prenions le Boat.

« Son poste de directeur des explosifs l'a conduit en Rhodésie-du-Nord, ou en Angola, ou au Congo, et même en Égypte. Je me souviens que nous nous sommes posés une fois à Wadi Halfa. Dans les années trente et quarante, on pouvait aller dans des endroits qui sont interdits depuis maintenant plus d'un demi-siècle.

« À partir de l'Égypte, le Boat survolait la Méditerranée, en direction de la Crète, touchait l'Europe au-dessus de l'Italie, puis c'étaient les Alpes suisses, la France, la Manche, et enfin l'Angleterre.

« Mais nous volions à l'intérieur de l'Afrique, toujours. Jamais au-delà. C'était… divin. Les appareils étaient rebondis, ils flottaient dans l'air ; c'étaient vraiment des créatures de l'eau. Des baleines avec des ailes ! Le capitaine était un marin qualifié ! C'étaient aussi des bateaux à part entière. Des paquebots dans le ciel. On pouvait faire une partie de palet – en plein vol ! – pendant que toute l'Afrique se déroulait à nos pieds. Ils s'adressaient à ceux qui avaient des goûts de luxe, mon petit. »

Elle se souvenait très précisément de ses sujets d'excitation d'alors : l'homme au turban qui agitait sa sonnette pour annoncer le départ de Wadi Halfa ; les rideaux en tartan dans le salon d'observation ; les voix veloutées des stewards de la compagnie Cunard ; les sièges de cuir vert foncé ; le parfum Blue Grass, « qui coulait à flots, gratuitement dans les toilettes pour dames. Je n'avais qu'à me servir… »

Un Flying Boat de l'Empire ne suivait pas la colonne vertébrale de l'Afrique. Au lieu de cela, il se dirigeait vers l'est afin de commencer à rebondir d'un lac à l'autre le long de la côte est, tel un énorme ricochet. À partir du Caire la trajectoire conduisait à Khartoum, et l'avion se posait à Gordon's Knee.

Puis il gagnait le brumeux Malakal, et longeait le haut Nil jusqu'à Jubba, au Soudan et, si le temps ne lui manquait pas, faisait un bref détour au-dessus des chutes Murchison avant de se poser à Port Bell, le gros appareil creusant deux sillons chuintants dans les eaux sombres du lac Victoria, avant l'étape d'une nuit à Kampala. Le lendemain, c'était Mombasa, puis Dar es-Salaam, et l'escale nocturne à Beira, un front de mer écumeux, de couleur fauve, des crevettes à la sauce periperi et au chianti, une spécialité de l'hôtel d'Imperial Airways.

Les appareils volaient assez bas pour que les passagers comptent les crocodiles sur les rives du Zambèze, assez bas pour repérer les pique-bœufs entre les cornes d'un buffle. Pressant le nez contre la vitrine de l'Afrique, laissant errer leurs yeux à leur guise. Et pourquoi pas ? Tout était à eux et tout était gratuit.

Puis le gros appareil s'inclinait et descendait en piqué pour toucher l'eau, la cellule criant et frissonnant dans l'écume sifflante tandis qu'il s'immobilisait lentement dans le tic-tac du silence brûlant, gigantesque. Une vedette docile venait à leur rencontre. Sur le Zambèze, il fallait envoyer un canot à moteur pour chasser les hippopotames. Puis le gentil batelier aux bras puissants l'aidait à descendre, et elle pataugeait dans l'eau jusqu'au pavillon où ils passaient la nuit. Ce pouvait être le lac Nyassa, ou Livingstone en Rhodésie-du-Nord, là où les chutes Victoria projetaient dans le ciel de puissantes poignées de gouttelettes. Ou l'hôtel Kisumu sur le lac Victoria, pour prendre un bain chaud et dîner : des serviettes amidonnées si rigides qu'elle les dépliait comme des plaques de carton, des serveurs en tunique blanche et large ceinture rouge vif, l'argenterie, les chandelles, et le murmure de l'Afrique derrière les fenêtres, tout près, le rugissement d'un lion, aussi bruyant que la sirène d'un raid aérien, tandis qu'elle dégustait son rosbif et sa pâte à crêpe cuite.

Le lendemain matin, aux aurores, ils repartaient pour Lourenço Marques, puis pénétraient dans l'espace aérien sud-africain, survolant la côte vert foncé torride du Natal du Nord en direction de Durban, puis le Bluff, virant sur l'aile au-dessus des grands hôtels de South Beach pour amerrir sur l'océan Indien, s'immobilisant bruyamment dans le mouillage d'Imperial Airways à Congella.

« Tu sens cette liberté ? »

Ces vols à travers l'Afrique étaient des jeux de société célestes pratiqués par des gens qui s'appelaient Rodney, Felicity, Millicent et Roy, qui rangeaient le tableau la nuit, le repliaient et l'oubliaient, car bien que ce fût follement amusant de s'y adonner en flottant comme des dieux au-dessus d'un zoo exotique, ce n'était pas réel. Ou plutôt, ça ne valait la peine que du moment où on touchait le sol, et la réalité ne commençait et ne finissait que pendant que vous étiez là, faisant exister l'endroit par votre présence.

Bien sûr, c'était dans la nature des colons d'être isolés et de devenir des mutants. Mais ces arrivistes semblaient destinés à être ce mélange hybride à l'origine mystérieuse, tels de pâles champignons hallucinogènes qui poussent dans le noir, prospèrent pour des raisons obscures en des lieux improbables, puis disparaissent.

Mon ami Koosie a dit une fois que l'odeur de la défaite planait sur nous. Et j'ai demandé qui était ce nous – les Blancs, les Anglais ? – et il a ouvert très grands ses yeux marron, il a caressé sa minuscule barbiche pointue, il a pincé le bord de son chapeau mou, il a fait voler d'une pichenette une poussière accrochée au large revers bleu de son élégant complet rayé, et il a répondu : « Regarde-moi bien. Respire profondément, prépare-toi à un gros choc. J'ai l'air blanc ? Je m'exprime comme un Anglais ? Écoute, petit, j'ai dit “nous”. Je parlais de toute cette horrible engeance. Des pauvres provinciaux les plus isolés, les plus coincés, les plus bornés de la planète. Toi, moi et tous les autres, voilà de qui je parle. Hommes, femmes, enfants. Sud-Africains. C'est ça, *nous*. Excuse-moi si je crache. J'ai rien vu, j'ai été nulle part et hiiii ! j'en suis tellement fier ! »

Ce fut le plus beau compliment que Koosie me fit jamais. Le plus touchant, c'était ce « *nous* ».

J'avais un Allemand à côté de moi, un grand type au teint très haut en couleur qui lisait Rilke et buvait du brandy-Coca. Il me dit qu'il venait de Namibie ; il s'appelait Dieter et possédait près de Lüderitz un grand ranch que le gouvernement envisageait de confisquer.

« Ils disent que je suis un propriétaire absentéiste. Peut-être qu'ils vont me le prendre. Peut-être qu'ils bluffent. La Namibie n'est pas un pays où il est facile de pratiquer l'agriculture. *Ja*, je possède beaucoup de terres, mais on a besoin de plus en plus de terre pour une ferme qui doit rapporter de l'argent. C'est la base de tout. S'ils veulent, ils peuvent donner ma terre aux pauvres Noirs. Mais ils resteront pauvres. Et c'est du vol. Quel intérêt ? »

Moi, je le voyais : quand des étrangers, des gens d'ailleurs, des nouveaux venus vous ont tout pris pendant des siècles, vous voulez récupérer une partie de vos biens. Ce n'est pas agréable, mais récupérer ses biens ne l'a jamais été.

« Vous savez quelque chose sur la Namibie ? demanda Dieter.

– Rien sur la Namibie, répondis-je ; mais autrefois j'ai bien connu le Sud-Ouest africain allemand... »

Il parut un peu embarrassé. « Le Sud-Ouest africain allemand ? Ça fait très, très longtemps que je n'ai pas entendu quelqu'un l'appeler comme ça.

– Vous habitez où, Dieter ?

– À Hambourg.

– Vous êtes né où ?

– À Windhoek.

– Qu'est-ce que ça fait de vous, alors ? »

Il était surpris. « Je suis namibien. » Il prit son passeport. « Regardez. »

Devoir montrer son passeport pour prouver d'où on venait avait quelque chose de déprimant.

« Je ne pense pas que vous puissiez être namibien », dis-je.

Il prit ça comme une agression verbale. « Et pourquoi donc ?

– Parce que vous n'êtes pas africain ; seuls les Africains peuvent être namibiens.

– Nous avons une bonne Constitution, rétorqua-t-il. Elle dit que tout le monde peut être namibien.

– Namibien honoraire, peut-être, répliquai-je. Vous ne pouvez guère obtenir mieux. La fête est finie, et nous aussi. »

Il était blessé, et entama un discours qui commençait par « Mais c'est chez moi… » et se prolongea indéfiniment.

Ces hommes blancs imposants qui vous disent avec des larmes dans les yeux combien ils aiment l'Afrique ; c'est écœurant, c'est de la connerie, et, pire encore, ils y croient. Il y a aussi d'ordinaire de la colère dans cette affirmation, peut-être parce que ces amoureux savent que la bien-aimée s'en contrefiche, qu'elle ne pense jamais à eux, et sans doute ne supporte pas de les voir ni de sentir leur odeur.

« D'un autre côté, poursuivit Dieter, on ne peut pas leur reprocher de nous haïr. Nous autres Allemands de Namibie, nous n'avons pas un passé si reluisant. Ils sont susceptibles. Très susceptibles. Je ne les en blâme pas, pas du tout ; nous avons été très, très méchants. Dans l'ancien Sud-Ouest africain, c'était un charnier. Regardez ce que nous avons fait aux Hereros en 1904. Sous le général Lothar von Trotha, nos soldats en ont abattu des dizaines de milliers. Là, dans le Waterberg. Alors, que pouvait-on espérer ? Nous avons tué ; ils sont morts. Maintenant ce sont eux les maîtres et nous devons payer. »

C'était vrai. Mais ça n'en était pas moins atroce, et les vagissements de Dieter n'en étaient pas moins répugnants. Il n'avait pas besoin d'expliquer qui étaient « eux » et « nous ». Aucun doute ne persistait à propos de l'horrible passage des Blancs à travers l'Afrique. Peu importait qu'ils fussent britanniques, belges, français ou allemands, le schéma était le même : le mépris suivi d'un massacre. Nous étions passés de l'ère où les Européens étrangers abattaient les gens du pays à leur guise à l'époque où les Africains blancs s'excusaient sans arrêt. De l'homicide aux homélies, de la corde au repentir.

Mais cela venait trop tard. Pire, cela venait des mauvaises personnes. Ceux qui avaient causé les dégâts n'avaient jamais senti la haine des serfs récemment libérés, ils n'avaient jamais seulement imaginé qu'ils n'étaient pas eux-mêmes des êtres supérieurs, généreux et doués d'une merveilleuse intelligence, désignés pour diriger des enfants sauvages, les réprimander à leur guise, et les abattre s'il le fallait. Ne manquant jamais d'affirmer, tandis qu'ils caressaient leurs fouets ou graissaient leurs fusils, à quel point ils adoraient l'Afrique… alors que l'Afrique continuait de les détester, et puisque cette haine avait besoin d'une cible, nous étions cette cible. Les Blancs qui restaient payaient les pots cassés. Comme les Anglo-Irlandais, nous étions allés dans d'autres pays pour nous y installer, croyant presque être chez nous ; et comme eux, nous avions tort : nous n'étions pas les bonnes personnes, ce n'était ni la bonne époque ni le bon endroit.

Parmi les photographies de la corbeille à tricot de ma mère, il y en avait une de son vieux père. Après la guerre des Boers, et longtemps avant de devenir le directeur des explosifs pour la société d'investissement de Corner House, mon grand-père, ne sachant pas quoi faire, était entré dans la police britannique d'Afrique du Sud. Un genre de police montée africaine. On le voit avec un casque colonial et des bandes molletières, portant un Lee-Enfield, posant sur le rempart d'un grand tas de pierres du nom de Namutoni, un château simili-médiéval, avec des tourelles et des tours en pierre, érigé dans le bush par des Allemands en proie à des délires seigneuriaux, rêvant de la Bavière et du roi Ludwig, le roi fou. Les Sud-Africains s'emparèrent du château en 1915 lors de l'invasion du Sud-Ouest africain allemand, et mon grand-père se trouve sur son cheval, vêtu d'un long manteau, avec une cartouchière et son casque colonial bombé qui le fait ressembler à un volant de badminton souriant. Il était là parce qu'il était question d'une insurrection parmi les fermiers vaincus aux côtés desquels il avait combattu durant toute la guerre anglo-boer. Mais bien sûr (et en cela vous retrouvez la folle saga tout entière du voyage de l'homme blanc dans l'Afrique tropicale) sous ce drôle de couvre-chef il y avait un tueur redoutable qui avait appris son métier dans la première guerre moderne qui eût donné le ton du conflit à notre époque – quand les fermiers s'étaient confrontés à la plus grande armée sur terre.

Et une histoire.

Je crois – vous n'auriez pas pu avoir une mère comme la mienne sans le croire – que rien ne convenait mieux aux Boers que la façon dont ils se sont battus pour réparer ce mal. Et avant comme après cet événement, il n'était jamais apparu, même en filigrane, qu'ils pouvaient être capables d'un tel héroïsme. Jusqu'au jour où ils avaient choisi de s'en prendre à l'Empire britannique, ils avaient été des voyous ordinaires, regorgeant de stupidité ordinaire.

« Donnez-nous des emplois, pas du travail, tel était leur leitmotiv. Des emplois convenables, qui nous permettent de rester là à ne rien faire, avec le sentiment d'être supérieurs. »

Mais ils réussirent : ils partirent en guerre et ils faillirent vraiment réussir leur coup. Seule la mort lente de leurs épouses et de leurs enfants dans les camps de concentration britanniques leurs firent comprendre enfin que leur ennemi était prêt à anéantir la tribu entière s'il le fallait, et ils ordonnèrent une pénible reddition. La « nouvelle » Afrique du Sud fit alors son apparition. Cette fois, elle était gouvernée par Jan Smuts et les « nouveaux » dirigeants boers qui nous conduiraient à un avenir plus juste, sous la menace d'un fusil si nécessaire. Ce qui fut le cas. Les Boers jusqu'au-boutistes qui n'avaient jamais accepté la nouvelle Afrique du Sud crurent à leur chance quand commença la Grande Guerre, et ils rêvèrent de se révolter. La fois précédente ils avaient perdu d'un cheveu. À présent, ils chasseraient l'ennemi haï de leur pays bien-aimé. Et tout redeviendrait pareil une fois de plus, en mieux !

Les Boers jusqu'au-boutistes avaient un prophète, Niklaas van Rensburg, qui, jetant un coup d'œil à l'avenir, prédit la fin de l'Empire britannique dans l'affrontement imminent avec l'Allemagne.

« Combattez les maudits kaki, tuez-les, et la liberté nous appartiendra », dit le prophète aux rebelles. « Les impérialistes détestés se réduiront en poussière et la glorieuse destinée des Boers s'épanouira une fois de plus. »

Les Allemands furent d'accord avec lui, mais ils haussèrent le ton. Ils déclarèrent aux rebelles boers que le *Zeitgeist* était avec eux ; à travers eux, l'histoire œuvrait pour détruire l'oppresseur.

C'était leur plan, désespéré à en pleurer : pendant que les maudits Anglais seraient occupés à combattre les Allemands, les rebelles boers se soulèveraient et reprendraient leurs républiques perdues et les libertés qu'on leur avait volées. Le Transvaal et le Free State leur appartiendraient une fois encore.

Y a-t-il jamais eu un peuple possédant ce don pour une connerie autodestructrice aussi monumentale ? Ça paraissait génial, jusqu'à ce qu'on y réfléchisse un quart de seconde. La glorieuse destinée des Boers, en général, consistait à rester assis sur leur derrière, dans leurs fermes lointaines, à boire du café, et à s'activer en de rares occasions, juste assez pour lancer des coups de pied à leurs serfs noirs. Mais ils se soulevèrent, et le Sud-Ouest africain devint l'arène de la guerre. Les Britanniques détruisirent leurs républiques libres, leur volèrent l'or et les diamants. Et ils allaient se venger. La joie les envahit un moment : une fois de plus, ils avaient des armes dans les mains.

Et tout conspira à assurer leur défaite.

Cette fois les fermiers ne se trouvaient pas face aux Britanniques : ils partaient en guerre contre des soldats de la même tribu, ils combattaient des frères, des Boers modernes reconvertis, qui dirigeaient le gouvernement, l'armée et le pays. Ils se battaient contre la « nouvelle » Afrique du Sud.

La folie de notre peuple était telle que parmi ces métayers, ces soldats débraillés, il y avait des hommes assez cinglés pour croire qu'ils pouvaient gagner la guerre des Boers douze ans après qu'elle eût été perdue.

Bien que ceux qui gouvernaient la « nouvelle » Afrique du Sud ne fussent pas britanniques, ils étaient désormais fermement du côté de l'Empire, de la tolérance, de la démocratie et des valeurs progressistes. Ils avaient peut-être été autrefois de grands leaders boers, mais à présent ils étaient déterminés à devenir des hommes d'État ; et ils n'avaient absolument aucun sentiment pour les rebelles. Les anciens compagnons d'armes de mon grand-père, Jan Smuts et Louis Botha, n'allaient pas badiner avec une bande de rustres barbus qui ne comprenaient pas que les temps avaient changé. Comme tous les fervents convertis à une religion qu'ils ont autrefois détestée, ces Hommes Nouveaux étaient plus impitoyables que le vieil ennemi quand ils étaient défiés par des traîtres. Un rebelle était un rebelle, et une rébellion devait être réprimée.

Joe Healey partit donc à l'assaut des mêmes hommes dont il avait autrefois défendu la cause en faisant sauter des caniveaux dans le veld. Il avait peut-être bien dynamité tous les ponts ferroviaires du Free State pour la cause boer, mais il n'avait aucune illusion au sujet des laissés-pour-compte du *trek*, ces beaux-enfants austères, désapprobateurs, sournois, cruels.

Ah ! l'Afrique du Sud… quelle sublime idiotie…

Ma mère conservait aussi dans sa corbeille à tricot, au milieu des aiguilles et des pelotes de laine, une photo de son père en compagnie du prophète van Rensburg. La barbe du prophète est longue et blanche ; il a un regard aveugle et un visage couturé au teint cireux. Mon grand-père est fringant ; sa moustache est impeccable. Les deux hommes tiennent devant leur poitrine de courtes tiges de bois, munies d'une traverse, comme une poignée d'épée. Les deux hommes jouent à un sport boer du nom de *kennetjie*, se servant, en guise de batte, d'un manche à balai sur lequel est posé en équilibre un petit bout de bois qui sert de « ballon ». Dans ce jeu, on soulève le bout de bois dans les airs pour voir jusqu'où on peut le projeter avec son club.

C'est plus ou moins ce qui est arrivé aux Boers renégats du Sud-Ouest. Nous étions en Afrique du Sud, l'histoire ne se montrait pas sans une escorte policière, et vous auriez préféré ne jamais rencontrer dans une allée obscure le genre de *Geist* qui habitait notre *Zeit*. Les vies comptaient aussi peu que des éclats de bois, et le traitement réservé par l'histoire aux rebelles consistait à les lancer dans les airs, à soulever sa matraque, et à les chasser carrément de la cour.

Au début des années cinquante, nous allions toutes les semaines dans le Sud-Ouest africain. Je devais avoir sept ou huit ans, et nous descendions chez l'oncle Hansie. Il avait construit un *Schloss* dans le désert, une mini-version de Namutoni, et il était le représentant de Porsche à Windhoek. Bien qu'il n'eût qu'une trentaine d'années, ses cheveux avaient blanchi prématurément, mais avec élégance. Il avait une barbe argentée, des cheveux argentés, un costume argenté, une voiture argentée. L'oncle Hansie s'accompagnait au piano quand il chantait *Die Schöne Müllerin*, et ma mère était très émue, et lui tapait dans le dos quand il avait fini, si fort que son monocle tombait de son œil comme une grosse larme surprise.

Pour moi, l'oncle Hansie était ce que j'avais connu de plus proche de l'Europe, avec ses buffets en chêne sombre remplis de livres au dos bleu incrusté de lettres dorées – Goethe, Schiller et Thomas Mann. L'oncle Hansie était le seul homme de ma connaissance qui exhibât fièrement sur les murs de sa chambre à coucher une rangée d'environ une douzaine de photographies de jeunes femmes sans le moindre vêtement, qui paraissait n'en éprouver nulle honte, et qui était marié à une princesse herero.

Encore un oncle ; un autre terrain d'aviation ; un autre fil dans la tapisserie familiale ; un autre épisode ridicule dans la vie des Blancs qui étaient venus en Afrique et qui n'avaient absolument rien compris.

Si je connaissais la Namibie ? Ça par exemple !

Qu'est-ce qu'on peut répondre à ceux qui ne sont jamais allés beaucoup plus loin que Hambourg ou Windhoek ?

Ils baissaient les stores pour le film. C'était l'ancienne route des hydravions, plus ou moins, mais nous volions à dix mille mètres d'altitude, dans une cabine pressurisée et soporifique, et à l'extérieur des hublots les ténèbres glacées fondaient sur nous, comme l'avenir. Et Dieter, le Namibien, dormait, son livre posé sur ses genoux.

Sur les écrans de cinéma de la cabine tremblotaient les sourires et les cris d'une jolie comédienne prétendant être une pauvre chocolatière célibataire, avec une jolie enfant à sa charge ; la jolie fille tombe amoureuse d'un joli jeune homme qui prétend être un gitan, dans un joli décor de film qui prétend être la France. Tout cela était non seulement empreint d'un lustre artificiel – ce qui eût été simplement lassant – mais du mensonge insolent de Hollywood auquel tout le monde sera forcé de croire tôt ou tard, et les images inculquaient ce fascisme borgne dans le cerveau des centaines de passagers assoupis, attachés à leurs sièges, les yeux et la bouche ouverts, comme des maquereaux morts dans la pénombre bleutée de l'appareil en vol.

Derrière ma fenêtre il n'y avait rien à voir, que l'obscurité. Nous n'avions pas besoin de voir où nous allions. Quelle importance ? Nous connaissions notre destination ; c'était indiqué sur nos billets – Johannesburg – et nous nous en approchions à la vitesse d'une balle de pistolet.

17

Quand vous arriviez à Johannesburg par la voie des airs, vous étiez d'abord frappé par les piscines : des milliers d'yeux bleus clignant étrangement dans le veld brunâtre, desséché. Puis une gerbe de gratte-ciel encerclée par les dépotoirs de mines, des collines jaunes de roche pulvérisée qui avaient autrefois contenu l'or que Johannesburg serrait contre son cœur de pierre. Sur les bords extérieurs de cette étendue apparaissaient des taches éloquentes, si bien dissimulées sous la fumée d'un millier de feux de cuisson que seul un expert médico-légal raciste – ce que nous avions tous été dressés à devenir – aurait pu identifier comme les empreintes du pied, du doigt et du cœur de ceux qui avaient bâti et faisaient vivre cette ville : rangée après rangée de minuscules boîtes en brique qui composaient les townships, les camps de squatters et les bidonvilles où étaient cachés la plupart des habitants de Johannesburg.

Nous virâmes au-dessus de Soweto, demeure des héros qui avaient combattu pour la liberté mais d'où – m'avait dit Koosie – tous ceux qui étaient capables de courir partaient aussi vite que le leur permettaient leurs salaires, pour gagner les ghettos verdoyants et ombragés des banlieues nord dont les noms faisaient écho aux crises d'identité de ceux qui s'étaient persuadés qu'ils étaient de vrais Africains : Killarney et Sandton, Rosebank et Morningside, Houghton, Blairgowrie et Rivonia… Autrefois, les manoirs tape-à-l'œil dans ces enclaves boisées avaient été exclusivement le chez-soi de ceux qui se disaient « Eu-ro-péens » ou « Blaaancs »…

À côté de moi, Dieter bâilla, s'étira, ferma son Rilke et s'écria : « A-fri-ca ! » Puis il alla aux toilettes, et revint habillé d'un short kaki et d'une saharienne.

Pourquoi le fait d'atterrir sur ce continent vous embrouillait-il le cerveau ?

A-fri-ca !

Ce devaient être les trois syllabes les plus creuses qui eussent jamais été inventées. Une prière menaçante qui passait pour du patriotisme depuis Le Cap jusqu'au Caire, et qui s'énonçait en ces termes : si vous aimez le pays, tendez le bras et frappez quelqu'un.

La queue était longue : au guichet là-bas, les policiers chargés du contrôle des passeports étaient lents. Dieter bâilla encore une fois, s'étira, sourit et enroula ses bras autour… de rien du tout. « C'est bon d'être à la maison », déclara-t-il. De nouveau, ce besoin urgent d'exsuder, de se déployer, de s'épancher, d'étreindre le corps chaud de la mère-Afrique. Ce besoin de s'y fondre était puissant – il en avait peut-être été ainsi depuis que le premier homme blanc avait posé le premier pied blanc sur le continent. En vérité, peut-être que la plus grande partie de la vie des Blancs en Afrique était une question de jeu de jambes ; les pieds blancs marchaient d'un bout du continent à l'autre, imprimant de nouveaux noms sur un sol qui en possédait déjà une quantité suffisante, puis les pieds blancs malmenaient les indigènes.

À l'époque des cinglés, l'aéroport de Johannesburg avait été l'un des pires lieux de misère ; prodigieusement, notoirement lugubres ; la salle d'embarquement contrôlée par des fonctionnaires blancs revêches : un endroit d'où un millier d'exilés s'envolaient avec des permis de sortie unique, privés de leurs passeports, sans espoir de retour.

Il y a longtemps, la distraction principale consistait à se rendre à l'aéroport pour regarder les avions décoller. Presque tout le reste était interdit. C'était la façon qu'avait Johannesburg de profaner le repos dominical. Les types restant assis sur le toit de l'aéroport pendant des heures. Regardant les gros appareils rouler sur la piste pour la pure euphorie de savoir qu'ils partaient quelque part alors que tout le reste nous imposait de n'aller nulle part, et quand on avait l'impression que pratiquement tout le reste était proscrit.

Ensuite, une courte période, après que les anciens propriétaires du pays se furent retirés, l'aéroport fut une source de joie. Une nouvelle armée de fonctionnaires noirs s'était levée, et effaça les souvenirs du passé. Contrôle de passeports, douane, police : tous étaient noirs, et ces nouvelles équipes s'affairaient ; c'était absolument charmant.

Mais la tension causée par l'autonomie était trop forte. L'humeur se détériora, l'éclat du neuf s'émoussa, terni par l'indifférence, par une impression de « eh bien, si c'est ça la liberté, qu'est-ce qui se passe ensuite ? » Quand il devint apparent que la réponse était : « rien de plus, à peu près la même chose », l'humeur se gâta encore plus.

Dieter était devant moi. Au guichet, il tendit son passeport et la fonctionnaire de l'immigration montra combien elle l'aimait peu à sa façon de tourner les pages, au froncement de sourcils qui plissait son front lisse, au mouvement délicat de ses mains qui effleuraient les revers de son chemisier blanc impeccable. Elle le méprisait et le laissait paraître, et ça énervait Dieter. Il parlait un très bon anglais mais il ne comprenait pas ce qu'elle disait, ou plutôt pourquoi elle marmonnait dans le vide, à trente centimètres de son oreille droite.

Ce qui se déroulait entre eux n'était pas seulement un dialogue de sourds entre un Allemand en kaki et une femme noire et menue avec des épaulettes dorées, mais une danse d'aveugles. Elle lui parlait sans le voir ; elle voulait savoir combien de temps il resterait en Afrique du Sud, elle voulait voir son billet pour Windhoek, et son billet de retour.

Dieter répétait sans arrêt «*Zorry ? Zorry ?*» et mettait sa main en cornet près de son oreille comme pour capter au moins quelques-uns des mots qu'elle lançait dans sa direction. Parce qu'il était vraiment désolé : désolé de ne pas comprendre son accent en anglais ; désolé qu'elle le malmenât ainsi ; désolé qu'un homme au cœur plein d'amour, avec l'A-fri-ca ! à la bouche, une ferme en Namibie et un passeport parfaitement valable, fût traité de la sorte.

Dieter se voyait comme un type normal qui payait ses impôts et gardait un appartement à Hambourg. Mais pour la fonctionnaire des passeports il avait tant de torts qu'elle savait à peine par où commencer. Sa présence renvoyait aux mauvais jours d'autrefois. Il était trop sûr de lui. Il avait des biens et de l'argent et avait passé de nombreuses années en Afrique. Elle le voyait pour ce qu'il était, selon les indications de son passeport : un Namibien. D'autres Blancs qui passaient devant son guichet venaient d'Allemagne, d'Espagne et d'Italie : des vrais pays, des pays convenables, des pays où ils rentreraient. Ils ne prétendaient pas être chez eux en Afrique ; ils ne portaient pas des ensembles sahariens et ne présentaient pas des passeports des États voisins ; ils n'appartenaient pas à la catégorie des pâles orphelins vieillissants qui se disaient zimbabwéens, kenyans ou congolais mais étaient très manifestement une forme inférieure de racaille colonisatrice, non seulement redondante mais sans doute fauchée comme les blés, à la dérive sur un continent noir. Franchement, ils étaient une source d'embarras.

Il y avait sans doute d'autres raisons pour son dédain : l'Afrique du Sud était une destination recherchée pour les gens qui fuyaient leur pays de merde, des types qui essayaient perpétuellement de franchir illégalement la frontière ; et ça comprenait les Blancs du Zimbabwe et de Namibie.

Donc elle ne l'aimait pas, pas plus qu'elle n'aimait les visiteurs du Congo, du Tchad ou de Guinée, ni aucun des désespérés au nord du Limpopo. Il était très clair, de l'endroit où je me tenais, qu'elle n'aimait pas non plus son travail.

Dieter disait encore «*Zorry ? Zorry ?*» quand soudain, tel un grand vent qui cesse de souffler, elle cessa brusquement de s'intéresser à lui et lui fit signe de passer avec un long bâillement paresseux.

Il le prit comme une offense personnelle, je le vis à la façon dont il s'éloigna avec un air de reproche en direction des tapis roulants à bagages, lançant de temps à autre un regard courroucé au dos indifférent de la policière, se montrant aux yeux du monde entier sous le jour d'un amant éconduit et furieux.

Mais enfin, à quoi s'attendait-il ? Il venait d'atterrir dans le nouveau Johannesburg ; si celui d'avant vous avait déprimé à mort, le nouveau vous faisait perdre la tête. Si vous arriviez n'importe où en Afrique du Sud après les années de granit de l'obsession raciale, vous aviez de grandes chances de vous retrouver dans un endroit récemment déserté par des fous trop zélés.

Au carrousel, Dieter parlait tout seul. « Putain de salope noire ! » disait-il tout en s'emparant de ses sacs Louis Vuitton sur le tapis roulant pour les entasser sur un chariot.

Je vis qu'il s'était remis dans le coup. Il se souvenait où il était. Je le saluai le cœur plus léger. Quand il arriverait à Windhoek il serait redevenu complètement lui-même.

Je m'avançai sur le parvis, écartant du geste un petit groupe de porteurs, remarquant que l'architecture et la publicité étaient devenues une manière de donner à la vie sud-africaine le lifting que tout le monde souhaite voir, une apparence aimable, du style « nous nous aimons les uns les autres ». Les publicités de l'aéroport international de Johannesburg annoncent à chaque nouvel arrivant qu'il a posé le pied dans cet heureux pays où des gens de tous sexes, de toutes couleurs et nuances de peau, talentueux et handicapés, se rencontrent, se mélangent, font l'amour, boivent de la bière et parlent toute la journée sur leurs portables ; déterminés à devenir des vedettes sportives compétitives, bienveillantes, sûres d'elles.

La fille du bureau Hertz, ronde, pétulante et habillée en jaune éclatant, comme un citron animé, ouvrit la bouche et me parla avec ce qui doit être l'un des accents les plus étranges au monde : du pur johannesburgien. L'intonation venait du petit espace laissé quand la langue se soulevait vers le fond du palais, pressurant les mots et les libérant avec un son qui se réverbérait dans les fosses nasales en un geignement que les étrangers trouvaient insoutenable mais qui, si vous étiez né dans cette ville, était profondément émouvant.

Elle dit simplement : « B'jour, z'allez bien ? Et z'arrivez d'où, hein ?

– De Malaisie.

– Ma-a-léé-sieee ! »

C'était ma mère tout craché, avec sa mélodie incrédule, teintée d'irritation : où-et-surtout-*pourquoi* ? Étrange, comme ces choses vous affectaient : tout d'un coup, j'eus envie de pleurer. Soudain, j'étais chez moi.

La fille leva la main avec les clés, comme une bénédiction, et elle dit de sa voix chantante qui tremblotait : « Bon séjour, bonne journée, au revoir… »

La bénédiction d'une société de location de voitures n'était pas grand-chose, mais j'étais à Johannesburg et dans ces circonstances je prenais tout ce que je pouvais me mettre sous la dent. Dans l'ombre du parking couvert, je restai un moment assis dans ma City Golf rouge louée qui sentait le cuir, la cire, le plastique, et un soupçon du produit à la lavande utilisé pour nettoyer le tableau de bord, et je me dis : Pourquoi démarrer ? Je serais heureux de rester ici, bien à l'abri. C'était la tentation qui accompagne toujours le début d'un voyage, le démon délicieusement subversif qui chuchote : « Eh bien, pourquoi ne pas rebrousser chemin tout de suite et ne pas commencer du tout ? Je descends du véhicule, je retourne dans l'aéroport, je prends le premier avion, et on n'entend plus jamais parler de moi. Je sors, je bats en retraite, mais surtout, je ne continue pas. »

Mais j'étais de retour à présent, et je devais prétendre faire partie de l'endroit. C'est le paradoxe du voyageur. Quand on n'est de nulle part, on passe son temps à planter des racines peu profondes mais précieuses. Personne ne s'installe aussi rapidement que les vrais vagabonds sans abri. Déposez-les n'importe où et il ne leur faut pas deux minutes pour dresser une tente, faire des provisions, se comporter comme s'ils étaient là pour toujours. Ce sont des colons incorrigibles : ils se contentent de n'importe où, ou de n'importe qui, comme ces enfants perdus qui cherchent à se lier avec tout adulte apparemment inoffensif qui passe sur leur chemin.

Je sortis sous le soleil, dans l'air lumineux, traversé par le scintillement haché du highveld. Je roulai en direction de la ligne des toits grotesque composée par Johannesburg, Joeys, Jewburg, Egoli, Josi, J-town, Gauteng… plus des pseudos que des noms. La route à quatre voies tournait vers le centre de Johannesburg. Les gens du coin l'appelaient la route de la mort. Bordée d'usines, de centres commerciaux, de fabriques de caoutchouc et, ici et là, les contreforts velus, desséchés, couleur de biscuit, d'un ancien dépotoir de mine. La route de l'aéroport était parsemée de bunkers en béton, avec des meurtrières et un plafond bas, construits dans les années soixante-dix et quatre-vingt, quand l'ancien régime fasciste et ses laquais dans le monde des affaires aimaient les ensembles de bureaux à l'aspect pénitentiaire.

Notre dieu, pourtant, n'était pas les affaires mais l'or, enfoui au fin fond des ténèbres, toujours là quand on le cherchait. Mon grand-père l'avait extrait de la surface de la roche à coups de dynamite. Maintenant vous descendiez à près de trois mille mètres de profondeur pour trouver la falaise escarpée, et plonger à sa poursuite : deux ascenseurs, trois milles mètres de dénivelé en huit minutes à peine, pour atterrir dans le royaume d'Hadès, vous faufiler dans ses minuscules tunnels, le limon giclant sur vos chevilles, la température atteignant 46 °C et s'élevant encore, rendue à peine tolérable par l'aspiration de kilomètres de neige fondue, et d'énormes unités de climatisation. L'air conditionné est indispensable pour qui cherche de l'or : un fait qui ne m'avait causé aucun tort les années où je vendais des systèmes aux mines. Je recommençais le pèlerinage de mon grand-père, à cela près qu'il avait placé des charges de dynamite et augmenté la chaleur pour forcer le grand dieu à montrer son visage. La mine était une mission séculaire, je me rendais dans le monde souterrain pour refroidir les choses. Vous êtes emprisonné dans un four exigu, rampant à plat ventre, avec trois mille mètres de roche sur votre tête jusqu'au moment où au bout du tunnel, à la lumière de votre torche, une balafre de peinture rouge vous dit oui, alléluia ! Le hurlement des foreuses mordant la roche, le craquement des cuissardes que portent les mineurs. Cette pierre contenait ce que vous cherchiez. Ici, vous déposiez vos charges de dynamite, vous faisiez exploser le tabernacle rocheux qui contenait l'esprit sacré, puis vous hissiez huit tonnes de débris à la surface, vous les écrasiez, vous les nettoyiez avec du cyanure, tout cela pour gagner une once de minerai.

Chaque année coûtait plus de sang pour moins d'or : autrefois cette ville avait extrait deux tiers de tout l'or du monde ; aujourd'hui elle n'en produisait plus qu'un cinquième, et on le trouvait à l'endroit le plus profond, le plus sombre et le plus chaud – à trois mille mètres au-dessous de la surface du sol, selon les experts, si nous parvenions à maintenir la climatisation et à pomper l'eau glacée.

Nous étions d'une loyauté farouche envers cette divinité, et lui donnions nos âmes.

Quand j'étais petit les dépotoirs des mines s'élevaient audessus de la ville, lumineuses collines jaunes dominant les barrages de vase, dépositaires de la boue de cyanure jetée une fois que l'or avait été extrait de la roche aurifère et pulvérisé. Les décharges étaient des points de repère ; nos seules collines. Une herbe rabougrie poussait sur leurs crêtes comme un chaume broussailleux. Pendant des décennies, personne n'y avait plus pensé. Puis un brillant génie estima qu'il devait encore y avoir de l'or dans tout ce sable, de minuscules parcelles de minerai qui n'avaient pas été extraites la fois précédente, et on se mit à le ramasser et à le tamiser de nouveau.

Chaque fois que je revenais, les mines d'or étaient plus rares et les casinos plus nombreux.

Quand je vivais à Johannesburg, il existait des règles pour étouffer tout ce qui bougeait. Des tombolas à la reproduction. Tout était interdit. Sauf le rugby et la phobie des races. Si vous deviez demander quelque chose, la réponse était presque certainement « non ». Nous étions enfermés à l'intérieur de la tente d'un prêcheur fou qui s'appelait l'Afrique du Sud blanche, et ce qui était remarquable – non, horrible ! –, c'était ce qui se passait sous la tente. Il ne se passait rien. *Zilch, nada, niks.* Et personne ne voulait qu'il arrivât quelque chose. Les événements étaient subversifs. Les événements survenaient ailleurs. Les événements étaient la faute des fous, des Noirs, des Juifs, des cocos, des gauchos.

Dans d'autres endroits où il y a trop de règles, il règne quelquefois une désobéissance dynamique. Pas ici. L'Afrique du Sud était un pays rare car elle était à la fois morte dans son cerveau et inerte au-dessous de la ceinture. Les Blancs étaient si timides, si abjects, si écœurés par des années de conneries fascistes, qu'ils demandaient la permission avant de pisser.

Deux BMW décapotables hurlantes me dépassèrent de front, la capote relevée, à 320 km/h, et je jure que l'un des types avait un mobile collé à l'oreille. La boucle d'oreille de Johannesburg. Ils appelaient ça « jouer aux dés », cette course à grande vitesse. Jouer avec la mort. L'ultime jeu de hasard. C'était, je suppose, la nouvelle égalité, cette prise de risque, et que vous le fassiez sur les tables de roulette ou sur les routes, c'était encore très typique de Johannesburg. Dans cette ville, jouer la mort subite n'était pas un jeu, mais une étape importante dans un plan de carrière. C'était comme de jouer en Bourse ; les casinos avaient simplement des courtiers plus séduisants.

Johannesburg était fière de ses nouveaux casinos. Mais les gens qui avaient fait cette ville avaient toujours souffert d'une crise d'identité, ils ne savaient jamais ce qu'ils devaient construire en premier : les palais de plaisir ou les commissariats. Allait-on les baiser ou allait-on les arrêter ? Johannesburg était victime de l'équivalent urbain de la dépression bipolaire, oscillant sans fin entre une soif de distraction et le désir de boucler les gens pour rire un bon coup. Elle ressemblait au roi cupide qu'on punissait pour son amour de l'or en lui versant du métal fondu dans la gorge. La différence était que le roi mourait ; Johannesburg avalait tout l'or qu'on pouvait verser dans son gosier, mais elle en redemandait. Johannesburg n'avait pas de destinée, elle n'avait pas d'identité ; elle endossait des rôles. Quelque temps, elle songea à devenir un centre financier. Elle serait Londres en Afrique ; puis, après l'arrivée de la démocratie, et l'invasion des colporteurs dans les rues, elle rêva de devenir une ville africaine ; mais les Johannesburgiens qui n'étaient jamais allés nulle part en Afrique eurent l'occasion de jeter un coup d'œil à des endroits comme Lagos ou Harare et l'idée échoua : pourquoi passer d'un bordel doré à une épave couverte de chiures de mouches ? Mais enfin, avec l'ouverture des casinos, elle crut avoir découvert sa vraie vocation : Las Vegas dans le veld.

J'empruntai la bretelle d'accès pour Motortown, je dépassai l'ancien Carlton Centre. Pour construire l'endroit, à la fin des années soixante, ils avaient dû creuser un trou de six hectares. Les jeunes hommes tapageurs à la tête des maisons minières fournirent l'argent et donnèrent au lieu son aura semi-religieuse. Les journaux publièrent les gros titres foutraques habituels : « L'Afrique du Sud leader mondial des gros trous »... « D'abord Kimberley, ensuite Johannesburg ! » Les Johannesburgiens se dirent qu'ils creusaient des trous plus vite et plus profond que n'importe qui sur la planète. Le trou Carlton était assez large pour engloutir l'Empire State Building (s'il fondait). La tour qui en jaillit avait cinquante étages, c'était le bâtiment de béton le plus haut dans le monde. Elle contenait des magasins, des restaurants, des cafés avec terrasse, des cinémas, une patinoire et un hôtel si luxueux que seuls les très fortunés pouvaient s'offrir ses couverts en argent et ses serviettes en lin.

Je dépassai l'épave du Carlton, le *Titanic* personnel de Johannesburg, échoué depuis des années à présent et incapable de déguiser plus longtemps sa laideur pataude inhérente. Toute cette énergie, cette richesse, cette *chutzpa** réduites à un îlot abandonné ; l'hôtel avait fermé ses volets ; la patinoire avait fondu ; les couverts en argent avaient été vendus ; et on avait depuis longtemps licencié les gardes munis de pistolets, chargés d'accompagner les rares courageux qui se lançaient encore dans d'audacieuses expéditions

* *Chutzpa* : culot, en yiddish. (N.d.T.)

au centre-ville pour faire des courses au Carlton. Étrange épave que cet endroit : mendiants, colporteurs et sans-abri grouillaient dans la tour désertée. Maintenant, ce n'était plus qu'un de ces gratte-ciel abandonnés à l'époque où les riches étaient partis s'installer dans les banlieues protégées du nord de la ville, laissant derrière eux une ville abasourdie, dont tous les jalons étaient encore en place : le bâtiment de la Standard Bank, l'hôtel de ville, Park Station, la gare de chemin de fer. Le centre-ville suivait les mêmes rythmes, actif la journée, étrangement désert après les heures de bureau.

Sur les tableaux d'affichage du pont Queen Elizabeth, et à l'entrée de Braamfontein, les gros titres qui claquaient dans le vent chantaient de vieilles chansons inscrites dans la mémoire.

Des enfants paraplégiques agressés
Un cadavre réclame une pension
Le chiot Milo rend son dernier soupir

Le mélange particulier de l'horrible et du banal, un fatalisme dans le style du blues, typique de Johannesburg. Les mots changeaient, pas les airs.

J'étais chez moi.

18

La Fourways Clinic était spacieuse, fraîche et feutrée, avec des fenêtres bleutées, des palmiers et, garés dans le parking, des coupés rutilants. À la réception on me demanda d'attendre parce que ma mère était avec son prêtre.

Quelques minutes plus tard, je me retrouvai dans un large couloir qui sentait la cire d'abeille. Un imposant curé portant une courte soutane sur son pantalon de flanelle gris venait vers moi avec l'infirmière en chef. Il était blanc, habillé en noir, elle était noire, habillée en bleu, et tous les deux étaient corpulents et forts, comme des rochers. Ils s'avancèrent en parlant dans le couloir, en direction des ascenseurs devant lesquels je me tenais, le dos appuyé contre le distributeur de Coca. Il me fit penser à un lutteur. C'était sa coupe de cheveux, les gros muscles de son cou. Une étole rouge bordée d'or était jetée sur ses épaules, et il avait une petite boîte en argent à la main. Je supposai qu'elle avait contenu l'hostie, ce qui voulait dire qu'il avait administré les derniers sacrements à ma mère. Il était d'une jeunesse choquante. Pendant la guerre, elle n'avait pas pu résister aux pilotes de l'armée de l'air, et, l'âge venant, elle s'était prise d'affection pour les prêtres – peut-être parce qu'ils associaient l'autorité spirituelle à l'uniforme.

Il jeta l'étole sur son épaule comme une écharpe et me serra la main.

« Je sais tout sur vous. Je suis un vieil ami, le père Phil. Je reviendrai voir votre mère dans un petit moment. Dieu vous bénisse ! »

L'infirmière en chef me dit : « Vous pouvez y aller maintenant. »

Elle partageait une chambre avec deux autres femmes, et était calée contre deux oreillers rigides, un moniteur au-dessus de la tête. Ses cheveux blancs étalés sur le tissu immaculé faisaient ressortir son visage comme s'il avait été taillé dans la pierre, le menton carré et solide, les yeux bleus brillants. Le bleu et le blanc lui donnaient un air vaguement nautique, la faisant ressembler à un vieux voilier en cale sèche. Elle paraissait en bonne forme – et même forte – et en réalité seules ses mains recroquevillées le long de son corps, immobiles, et un peu plus petites que dans mon souvenir, indiquaient un affaiblissement physique et, peut-être, la souffrance.

Au pied du lit, un tableau signalait : « À jeun ».

Elle cligna énergiquement des yeux et me regarda comme elle le faisait quand je surgissais, contente de me voir mais certaine que je devais avoir un problème car sinon je ne me serais pas trouvé là. Si je n'étais pas en difficulté, eh bien, je ne tarderais pas à avoir des ennuis.

« Bon sang ! Qu'est-ce qui t'arrive ? »

Elle haussa les sourcils à l'intention des deux femmes qui l'encadraient comme pour dire que, euh, on avait des fils, ils disparaissaient dans des endroits étranges et revenaient sans prévenir et que pouvait-on y faire ?

« Salut, maman », dis-je, et je me penchai pour l'embrasser.

Nous restâmes là un moment, nous tenant les mains, puis elle lança un regard foudroyant aux deux femmes silencieuses. « Je vous rappelle, les avertissait ce regard, que ce garçon est capable de n'importe quoi, mais ne m'en blâmez pas, et ne dites pas que je ne vous ai pas prévenues. »

Elle protesta faiblement, d'un ton accusateur : « Je croyais que tu étais loin, quelque part très loin.

– J'étais en Malaisie. »

Elle regarda ses deux amies, haussa les sourcils et toussa, embarrassée par cet aveu. Elle n'articula pas la question suivante, elle la communiqua avec un effet d'annonce.

« Eh bien, si tu étais en Malaisie, qu'est-ce que tu fabriques ici ?

– J'allais dans cette direction, alors je suis passé pour te voir.

– Voici Mrs. Blum et Mrs. van Niekerk, dit-elle ; elles ont été très gentilles avec moi. Je vous présente mon garçon. Il s'en va pour un oui pour un non. »

La peau poudrée de Mrs. Blum était crémeuse et ses cheveux d'un blond lumineux. Mrs. van Niekerk était aussi lisse que le caramel et sa chevelure était cachée sous un pansement. Mrs. Blum avait le teint mat et Mrs. van Niekerk le teint pâle ; elles portaient toutes les deux des chemises de nuit roses et avaient de l'allure – quelque chose de sépulcral. Ou bien disons juste qu'elles savaient pourquoi elles étaient là. J'étais parti – quittant ma mère et mon pays – et, comme ma mère n'avait personne pour s'occuper d'elle, elles s'étaient chargées de cette tâche et étaient un peu contrariées que ce nouveau venu fût tombé du ciel pour la réclamer comme ça. Elles connaissaient la chanson. Elles savaient tout des enfants vagabonds. Qui l'ignorait ? Il y avait dans tout le pays des parents vieillissants dont les enfants étaient partis au loin.

Bien sûr, ce n'était pas nouveau, il y avait toujours eu des exilés. Mais leur nombre avait augmenté régulièrement pendant les années où j'avais voyagé, et la diaspora pouvait se diviser en différentes strates.

Il y avait d'abord ce qu'on pourrait appeler les *ur*-exilés – pour la plupart des Blancs qui avaient fichu le camp dans les années vingt et trente parce que le pays était étriqué, ennuyeux et éloigné, et qui s'étaient barrés en Europe ; ils avaient perdu leur accent monotone, étaient devenus des poètes anglais raffinés, des fascistes, des scientifiques ou des danseuses de ballet.

Puis il y avait les exilés-de-la-honte qui étaient partis dans les années cinquante et soixante, et s'étaient si bien camouflés que tout vestige d'un lien avec le pays qu'ils avaient quitté avait été enfoui. Je me trouvais à Bolton ou à Slough et – bordel de merde – il y avait un avocat de Bloemfontein, ou un poète du Cap, si bien intégrés parmi les gens du pays que personne ne devinait d'où ils venaient. Et ils ne le disaient pas non plus : la peur d'être découverts comme l'un des nouveaux nazis demeurait.

Ensuite venaient les exilés en colère des années soixante-dix, des types qui se morfondaient sous la grisaille des cieux européens : panafricains, marxistes et nationalistes, attendant l'arrivée de la révolution, qui auraient pu renoncer si, au milieu des années soixante-dix, leur espoir et leur énergie n'avaient été réactivés par les jeunes en furie qui étaient descendus dans la rue après le soulèvement de Soweto, des jeunes qui haïssaient la vieille garde révolutionnaire décadente et les avaient poussés à bouger leur cul.

La plupart étaient rentrés chez eux en 1994 ; pour occuper des postes ministériels, habiter un château et conduire une Mercedes.

Mais, assez curieusement, avec l'effondrement de l'ancien régime commença une vague de nouvelle immigration. Des hommes jeunes. Si vous étiez pâle et de sexe masculin dans l'Afrique du Sud nouvelle, vous aviez tiré le numéro perdant. On ne voulait pas de vous pour le voyage. Mais à l'étranger, c'était génial : plus de fric, des bagnoles plus grosses, plus de distractions, zéro culpabilité et personne ne s'en prenait à vous à cause de votre couleur de peau.

La plupart de ceux qui partaient avaient des situations : médecins, avocats, ingénieurs infirmières et professeurs. Au Canada, des villes enneigées tout entières utilisaient les services de toubibs afrikaners en cavale, qui faisaient leurs dévotions dans leur église réformée hollandaise, disaient « *Jislaik !* » quand ils étaient surpris et mangeaient du *melktert* après le *braaivleis* – même si le mercure était descendu à moins trente. D'autres s'installèrent dans des colonies en Australie, autour de villes comme Perth, soupirant parfois après une bière Perth fraîche et rêvant du Mrs. Ball's Chutney. Ils étaient légion dans Londres et les comtés environnants ; ils colonisaient des quartiers entiers, imposaient dans l'Angleterre profonde les *boerewors*, les saucisses sud-africaines, et le vin de Tassenburg ; des morceaux de biltong noirs se balançaient comme des papiers tue-mouches dans la vitrine des bouchers à Chiswick et à Ealing.

Ces nouveaux expatriés étaient intensément patriotes et ne rentreraient sans doute jamais. Le vert lumineux du nouveau drapeau national flottait sur leurs pare-chocs de voiture, et des médaillons avec le portrait de Nelson Mandela étaient suspendus à leurs clés de voiture. Ils parlaient fort dans le métro, affolaient les gens du coin en marchant pieds nus dans les lieux publics, et leurs yeux s'embuaient quand ils entendaient le *Nkosi Sikelel'y i Afrika**.

De façon inattendue, un événement les ramenait brièvement de Birmingham, de Boston et de l'Azerbaïdjan, clignant des yeux dans le soleil éblouissant du highveld, un peu honteux, un peu coupables, un peu – admettons-le – étrangers. Ils revenaient quand une mère tombait malade, ou quand un père mourait ; ils revenaient in extremis. Pour une ultime visite.

* Hymne de la république d'Afrique du Sud. (N.d.T.)

Les anges de la mort n'étaient donc pas Mrs. van Niekerk et Mrs. Blum ; mais des gens comme moi.

Mrs. van Niekerk posa la main sur mon bras. « Je veux vous dire que nous sommes très, très fières de votre maman. Il y a une horrible infirmière qui se prend pour le nombril du monde, n'est-ce pas, Kathleen ? Elle a été épouvantable avec nous. Mais votre maman lui a dit ses quatre vérités.

– Et elle a traité votre mère de stupide garce blanche, intervint Mrs. Blum.

– J'ai cru qu'elle allait balancer un coup de poing à Kathleen, tellement elle était en colère ! reprit Mrs. van Niekerk.

– Nous sommes fières de votre maman, déclara Mrs. Blum. Kathleen est une personne que nous avons appris à bien connaître. »

Ma mère avait dans les yeux cette lueur qui me disait qu'elle avait fait des vagues et que ça lui avait fait du bien. Mais je n'eus pas le temps de lui demander des précisions car une infirmière entra, et j'entrevis le chariot devant la porte. Cette fois c'était une infirmière blanche, et dans l'air planait la tension de l'incident qui avait précédé.

« C'est l'heure d'aller en salle d'opération, Mrs. Healey », dit l'infirmière d'une voix douce, d'un ton désolé et plein de gentillesse.

Ma mère acquiesça, puis soupira. Nous attendîmes tous, mal à l'aise. À ces moments-là, l'état d'esprit qui prédomine est un mélange de peur et d'embarras, à cause de tout le non-dit. À l'instant où je me demandais si je lui reparlerais un jour, elle retrouva sa voix.

« Une seconde. » Elle décocha son sourire d'autrefois, animé par une joie diabolique. « Tu te souviens de ma perruque ?

– Oui, maman, je m'en souviens. Celle de Monrovia.

– Exact. Eh bien, un jour je te demanderai peut-être de la donner à Koosie. Tu ferais ça ?

– Bien sûr.

– Il m'a téléphoné : il voulait se racheter, je pense. Ou me sauver de la prison. Je suppose que je lui ai flanqué la frousse.

– Tu as fait pareil avec Jake Schevitz. »

Ma mère renifla lentement. Le degré de mépris exprimé par cette longue inspiration était profond.

« Pauvre vieux Schevitz. Quelle déchéance : un vrai brandon éteint. Une chiffe molle, un *woes*, un *schlemiel**. Je voulais quelque chose de très simple, de très élégant. On aurait cru que j'avais demandé la lune. »

Elle regarda Mrs. van Niekerk et Mrs. Blum bien en face et expliqua en deux mots : « Je voulais me marier avec un jeune médecin. De La Havane. »

Ces deux nouvelles amies entrevirent peut-être alors qu'en fin de compte elles ne connaissaient pas du tout Kathleen.

Elle nous tenait tous à présent, y compris l'infirmière.

« Nous avons acheté une bague, mon Cubain et moi. Nous l'avons prise avec nous quand nous sommes allés voir Schevitz. Mais au lieu de m'aider, il m'a lu la loi contre les attroupements séditieux. Tu imagines ? On peut dire qu'il m'a donné un sacré coup de main. Si j'avais eu besoin d'un sermon, Alexander, je serais allée voir le père Phil. »

Elle se tourna vers l'infirmière. « Maintenant je suis prête, mon petit. » Elle fit sa moue de pantomime. « Cette vieille femme remet son corps ridicule entre tes mains efficaces. »

Je m'assis dans la salle d'attente, un espace ouvert au bout d'un couloir, entre les ascenseurs et le distributeur de Coca, et j'étudiai le panneau d'affichage sur lequel était punaisé un poster touristique qui utilisait un montage de zèbres, de Zoulous et de montagne de la Table pour illustrer le slogan : « L'Afrique du Sud : le monde entier dans un seul pays ».

* *Schlemiel* : minable, en yiddish. (N.d.T.)

À la gauche des portes de l'ascenseur, quelqu'un avait collé un mot écrit à la main, qui finissait par une ligne en majuscules : « Nous avons appris que certains employés ne respectent pas leur tableau de service. Si cela continue, des amendes seront infligées aux retardataires. VOUS PAIEREZ CES AMENDES ! »

Je m'interrogeai sur ces majuscules, sur le ton de l'avertissement. Il faisait penser à une fanfaronnade, embusqué derrière des mots nouveaux qui rendaient tous les gens égaux : ni sexe ni couleur, s'il vous plaît – nous sommes de nouveaux Sud-Africains... Mais je savais qui parlait à qui. L'auteur de cet avis n'était pas du tout sûr qu'« ils » paieraient les amendes. Peut-être lui diraient-« ils » d'aller se faire foutre. Et personne n'interviendrait pour régler ça parce que de nos jours « ils » menaient la danse.

Bien sûr, il y en avait toujours qui vous pompaient l'air en vous parlant de bon sens et de logique. Qui décidaient – Dieu nous garde – d'être intelligents ; qui disaient que les choses resteraient pareilles parce qu'elles le devaient ; qui affirmaient que les faits ne céderaient pas à la manipulation politique ; que deux et deux faisaient toujours quatre, et que les microbes propageaient la maladie. Ces fous méthodiques disaient que si on dirigeait un hôpital on veillait à ce que le personnel arrivât à l'heure, fît les lits et la toilette des patients, et ouvrît la salle d'opération ponctuellement.

Des évidences, une logique inexorable. De telles règles se fondaient sur la raison, et n'avaient absolument rien à voir avec la couleur de peau, et devaient être appliquées. Mais nous étions en Afrique du Sud : rien ne s'appliquait et *tout* avait à voir avec la couleur de peau. Si vous étiez noir ou asiatique ou métissé ou blanc, vous apportiez avec vous votre couleur, votre bagage historique, votre personne.

Je suppose que deux heures s'écoulèrent tandis que j'étais absorbé par ces réflexions, puis la surveillante générale en bleu et blanc amidonné entra et me pria de voir le chirurgien.

Le professionnalisme tranquille inspire le réconfort. Le chirurgien, un petit homme timide, sut dire son regret de devoir constater le mal sans pouvoir faire plus. Il ne perdit pas de temps, n'utilisa pas de faux-fuyants.

« Le cancer est très étendu, très agressif. Nous pouvons seulement veiller au confort de votre mère. Nous l'installons dans une chambre particulière. Vous pourrez la voir quand elle se réveillera. »

Je savais qu'elle était en train de mourir et il me laissa libre de le dire ou de lui en demander la confirmation, ce qu'il aurait fait. Mais je n'avais pas besoin de lui poser la question.

La surveillante me raccompagna jusqu'à la salle d'attente et je l'interrogeai sur l'incident entre ma mère et l'une de ses infirmières.

Elle ne broncha pas. « L'une de nos infirmières était en train de changer les pansements de votre mère qui l'a appelée "ma petite" et lui a recommandé de ne pas être maladroite. L'infirmière a répondu d'une manière non professionnelle.

– Qu'est-ce qu'elle a dit ?

– Elle a répliqué qu'elle n'était pas une domestique. Si votre mère lui parlait sur ce ton, elle n'avait qu'à changer ses pansements elle-même. C'est à peu près l'essentiel de l'échange qu'elles ont eu. »

Pas tout à fait. Je l'entendais d'ici : « Vous ne pouvez pas faire un peu plus attention, espèce de gourde ? »

Et la gourde avait rétorqué : « Vous êtes qui pour me parler sur ce ton ? Stupide garce blanche. »

À ma connaissance, ma mère n'avait jamais accordé la moindre attention à la couleur de peau, mais elle ne se laissait pas faire, et elle n'hésitait jamais à attaquer. Et elle était capable d'avoir répliqué : « Si je ne me sentais pas aussi mal je vous casserais la figure, ma petite. »

Et ça n'aurait pas été du bluff.

La surveillante avança prudemment : « Je désire m'excuser pour le comportement de l'infirmière.

– Je suis moi aussi désolé. Ma mère peut être cassante.

– Votre mère est malade, elle est notre patiente. L'infirmière a été grossière. Votre mère est sous notre responsabilité ; c'est une question de professionnalisme. Nous n'autorisons pas la grossièreté à l'égard de nos patients. »

Nous nous regardâmes. Nous parlions pour le peuple dont nous étions issus. En même temps, nous écartions le fait qu'elle était noire et que j'étais blanc. Nous ne pensions pas que nos excuses changeaient quoi que ce fût, mais nous les présentions néanmoins. La situation exigeait cette politesse de façade. Les infirmières sont des professionnelles en toute circonstance, même en cas de provocation. Écrivez-le en majuscules et collez-le sur le panneau d'affichage près des ascenseurs, et ça sonnera encore faux. Mais le fait de savoir que quelque chose n'était pas vrai signifiait en général qu'il fallait commencer à y croire.

19

Vers le début de la soirée, elle commença à revenir à elle. Elle n'ouvrit pas les yeux mais dit brusquement : « Donne-moi ta paluche. »

Nous restâmes ainsi un long moment, nous tenant la main. Elle essayait de dire quelque chose mais l'anesthésique l'assommait de nouveau. Elle respirait fort, sa main recouvrait largement la mienne, et je vis, dans le V entre le pouce et l'index, une veine qui palpitait violemment. Une poche transparente remplie d'un liquide clair était suspendue au-dessus du lit ; un tuyau fixé à son bras tressautait au rythme de son pouls.

Puis elle parut se réveiller car elle dit soudain, distinctement, avec un beau sourire : « *Hecho muy bien, Kataleen !* » Et je sus qu'elle dansait dans la pièce de derrière au son de la musique de mambo de Raoul...

J'approchai mes lèvres de son oreille. « Qu'est-ce que tu as fait de lui, maman ? »

Elle ouvrit les yeux et me regarda comme si elle n'était pas vraiment sûre de me reconnaître.

« C'est moi, maman, dis-je.

– Oui, répondit-elle, je crois bien. » Mais elle n'en avait pas l'air tout à fait certaine.

« Où est le Cubain, maman ? »

Elle ouvrit grand ses yeux et m'étreignit la main avec force. Puis elle se mit à parler lentement, d'une voix claire, avec un plaisir manifeste, s'interrompant de temps à autre pour secouer la tête, rire ou soupirer. Mais surtout pour rire. Ce n'était pas vraiment à moi qu'elle s'adressait : elle se racontait l'histoire à elle-même pour l'immense plaisir que ça lui procurait.

« Quand Koosie m'a envoyé promener, ça m'a coupé le sifflet. Et puis j'ai eu une idée, une toute petite idée. Je me suis souvenue de quelque chose que Papadop avait dit quand il m'avait amené Raoul. Il avait déclaré qu'il y avait des millions de Zimbabwéens sans papiers à Johannesburg. Et qu'il y en avait encore plus qui étaient en règle. Alors je me suis demandé où, dans cette ville, on pouvait se procurer ce genre de chose, et j'ai conclu que ça ne pouvait être qu'à Hillbrow, parce que tout ce qu'on peut vouloir d'autre, on peut l'obtenir à Hillbrow : des filles, des armes, de l'or. Alors j'ai pris ma voiture, et dans Kotze Street, devant une rôtisserie de poulets, j'ai vu ce type. Il avait à peu près quatre portables accrochés au cou et aussi un tas de chaînes en or, et des tennis rouges, et un survêtement blanc, et il s'appuyait contre le mur. J'ai senti que c'était l'homme qu'il me fallait et je lui ai demandé où je pouvais acheter des papiers d'identité pour un ami. Comme ça, droit au but, sans tourner autour du pot. Je n'ai même pas pris la peine de baisser la voix.

« Un type vraiment charmant, même si ses vêtements étaient un peu bizarres. Il m'a dit qu'il s'appelait Chinaza – ça veut dire “Dieu répond à ma prière” en igbo – tu imagines ! Il venait d'un endroit du nom d'Ogbelle dans le delta du Niger. Quelle surprise ! J'ai survolé ce delta un nombre de fois incalculable. Des escargots gros comme des assiettes à soupe, et un tas de vivaneaux rouges. Les gens du delta sont des gros mangeurs de poisson. Ils appellent ça le bush là-haut, mais en réalité c'est de la forêt pluviale ; des voies navigables, des marécages ; quelquefois les palétuviers surplombent le sol de six mètres : ils se dressent comme des falaises de chaque côté des ailes quand on descend en piqué. C'était délicat de se poser sur l'eau. J'essayais de me caler sur les pêcheurs dans leurs pirogues pour évaluer la profondeur, mais je dérivais souvent à l'amerrissage et je devais pratiquer une inversion de pas pour m'arrêter.

« Chinaza m'a dit qu'aujourd'hui ce n'était pas du poisson que vivaient la plupart des gens du delta. Il n'y avait plus que du pétrole là-haut ; d'énormes flammes orangées brûlant jour et nuit, des hélicoptères et des derricks. Des montagnes d'argent dans le delta, mais pas de travail. Alors il est parti vers le sud, et il est arrivé à Joeys. Il a expliqué qu'en réalité il ne faisait pas de papiers d'identité. Il fabriquait des stimulants et des substances. Toutes les sortes de poudres dont je pouvais avoir envie. Mais si j'avais besoin de papiers, et pas de poudre, il me fallait un spécialiste.

« Il m'a emmenée dans une maison de Yeoville, chez un autre Nigérian, avec de beaux yeux marron. C'était un génie pour les faux papiers. Et si poli. “Vos désirs sont une joie pour moi”, voilà ce qu'il m'a dit. Il avait aidé des centaines de gens. Tout ce que je devais décider, c'était si je voulais l'emprunt ou le mariage ? Ou un “nouveau-né” ? Si j'empruntais, ça signifiait que je pouvais utiliser les données signalétiques d'une personne vivante. Il ferait en sorte de marier Raoul à une Sud-Africaine authentique, sans qu'elle en sache rien, bien sûr. Ou, si je préférais, il pouvait lui donner un nouveau nom, une nouvelle vie, et faire de lui un “nouveau-né”.

« Eh bien, je ne voulais pas emprunter, et je n'aimais pas l'idée du mariage de Raoul, même si sa femme ne devait jamais être au courant. Alors j'ai choisi l'option du “nouveau-né”. Mais je voulais aussi qu'il reste médecin. Ce pays a besoin de médecins. Pas de problème, répond le type des papiers. J'en fais ce que vous voulez : un médecin, un avocat, un professeur d'université, tout ce que souhaite le client. Il avait besoin de quatre photos d'identité, de cinq mille dollars en petites coupures, des billets de cinquante dollars, pas plus, d'un nouveau nom et d'une date de naissance. Et si je lui indiquais la faculté de médecine où je souhaitais que mon ami ait fait ses études, il fournirait un diplôme parfaitement valable, déjà encadré…

« Quel service ! » Elle m'étreignit la main. « N'es-tu pas enchanté par la libre entreprise, par l'énergie des immigrants ? »

Elle photographia Raoul, fourra les billets dans une enveloppe, et retourna à Yeoville. Une semaine plus tard, son Cubain avait ses papiers : permis de conduire, extrait de naissance et passeport. Raoul Mendoza disparut pour apparaître. Elle avait transformé un toubib cubain en un nouveau Sud-Africain au nom très traditionnel, un nom afrikaans. Il devint le docteur Cornelius du Toit.

« Ses amis l'appelleront Connie, tu peux en être sûr. Ça n'a pas été facile de le laisser partir mais c'était mieux pour lui. Il est libre. J'ai ouvert la cage et je l'ai laissé s'envoler. »

Et il s'était envolé vers la liberté, comme des milliers d'autres – Arméniens, Russes, Thaïs, Mozambicains, Zimbabwéens, Congolais, Syriens, Chinois, Arabes – tous occupés activement à acheter, à acquérir, à s'approprier, à voler ou à emprunter. En un mot, à réaliser leur citoyenneté. Ce n'était que justice, si on y réfléchissait bien. C'était vraiment une façon de combler un très grand manque. Après tout, il n'y avait jamais eu de vrais Sud-Africains : dès le coup de sifflet d'envoi, le terme n'avait été guère plus qu'une forme pratique de sténo, quand il n'avait pas condamné à l'exclusion. C'était une nationalité si floue, si amorphe et si factice qu'elle était faite pour aller à tous ceux qui l'essayaient. Pour être volée, ou empruntée.

J'estimai que Raoul s'en était sorti. Comment aurait-il pu échouer ? Ces nouveau-nés, si récemment transformés en Sud-Africains, porteraient sans doute leur nouvelle identité avec plus d'assurance et d'autorité, de facilité et de joie que n'importe lequel des putains d'indigènes – blancs ou noirs – qui n'avaient en réalité pas la moindre idée de ce que ça signifiait d'être quelque chose.

J'étais content, pourtant, qu'elle en eût fait un Afrikaner. Le changer en l'un des anciens dirigeants raciaux était un coup de maître. Si elle devait lui donner un nouveau départ dans la nouvelle Afrique du Sud, la dernière chose dont pouvait avoir besoin un Cubain convenable, c'était d'un paquet d'angoisse existentielle progressiste et de chagrin inefficace. Nous – cette bande de fugitifs de moins en moins nombreuse – étions un vestige de l'idée stupide selon laquelle la présence anglo-saxonne améliorait la vie de certaines régions du monde. Cette attitude avait été non seulement sentimentale mais dénuée de perspicacité. Ce qui comptait, c'était ce qui avait toujours compté pour tous les envahisseurs, colons et colonisateurs, s'ils ne voulaient pas être balayés pour toujours comme une invasion de morpions – à savoir la puissance de feu : cela garantissait leur présence, leur légitimité, et la protection de leur butin.

Mais notre groupe n'était qu'une misérable miette de tous ces envahisseurs. Nous ne voulions pas de cet ordre sans détour : « Voilà, vous allez à X, vous exterminez tous les indigènes, vous héritez de la terre comme les Yankees, ou les Aussies, les Australiens, et vous allez bien vous amuser ! »

Non, pour nous c'était plutôt : « Vous êtes une bande d'incapables, vous ne trouvez pas de travail, vous ne savez pas manger tout seuls, ni traverser la rue sans l'aide de quelqu'un. Voilà un billet gratuit pour l'Afrique – où vous pourrez rouler les mécaniques. »

Nous sommes donc partis, et le reste appartient à l'histoire. Nous sommes devenus des ex-marins abandonnés sur une île déserte ou des fermiers ratés dans un endroit où nous n'étions pas préparés à travailler, ou à tuer, avec une énergie suffisante. Nous n'étions même pas une tribu : nous avons réussi au mieux à créer un genre d'équipe de remplaçants. Ces gens qui préfèrent être assassinés dans leur lit plutôt que de le faire eux-mêmes.

L'histoire de la métamorphose de Raoul en Connie l'avait fatiguée. Ses yeux étaient encore fermés, et elle fredonna un fragment d'air que je reconnus comme *La Faroana*.

« Promets-moi quelque chose, mon petit. » De sa main libre, elle triturait le drap.

« Quoi, maman ?

– J'ai arrangé les choses.

– Quelles choses ?

– Toutes mes affaires. Tout est réglé – mais fais bien attention. D'accord ? » Son étreinte était urgente, presque frénétique.

« Attention à quoi, maman ?

– J'ai besoin que tu les trouves. »

Sa respiration était irrégulière. Je ne savais pas qui « ils » étaient, aussi je dis, espérant l'apaiser : « Je les trouverai. »

Cela parut être la bonne réponse car elle lâcha ma main, essaya – en vain – de claquer les doigts, puis murmura tout bas : « *Mambo, qué rico el mambo !* »

Sa respiration devenait de plus en plus laborieuse. Elle avait l'air d'étouffer. Je voulus le signaler à quelqu'un, aussi je me levai très doucement et j'avais presque atteint la porte quand elle ouvrit brusquement les yeux et me regarda, comme si elle me voyait pour la première fois.

« Je croyais que tu étais en… Malaisie ? »

Je revins vers elle. J'essayai de paraître naturel : « J'y étais, maman, mais je devais passer par ici aussi je me suis arrêté pour te voir. »

Cette fois je sus que c'était moi qu'elle voyait. Mais, à mon avis, sa surprise ne venait pas de ma soudaine apparition – bien sûr, elle était contente de me voir – mais de son propre succès.

Elle avait de la peine à parler, mais je perçus le contentement dans sa réaction.

« Bon sang, bon sang, qu'est-ce que tu voyages ! »

Je trouvai l'infirmière de garde, je lui dis que ma mère s'étouffait, et elle me pria d'attendre dans le couloir. Les faibles veilleuses disposées dans les couloirs ressemblaient à des champignons bleus luisants ; les portes des salles s'ouvraient et se refermaient avec un bruissement. J'étudiai la liste de patients collée aux fenêtres vitrées du bureau de la surveillante de nuit. Les VIP n'étaient identifiés que par des initiales : le prince X du Zoulouland était en salle postopératoire ; Son Excellence le Président de Y, et Son Excellence le Premier ministre de X, devaient rester à jeun ; un diamantaire libanais du nom de Khoury, qu'on présentait comme un Zaïrois, était en observation ; et son garde du corps avait demandé des repas végétariens ; ma mère était inscrite sous le nom de Mrs. Healey Kathleen, PILOTE. Ça me plut.

Quand on me permit de retourner dans sa chambre, elle dormait profondément et on lui avait mis un masque à oxygène. Au-dessus de son lit, la poche commençait à rosir. Quand l'infirmière de nuit glissa la tête par la porte, je la lui indiquai.

« C'est du sang, expliqua-t-elle avec douceur ; ça veut dire que ses reins ne fonctionnent plus. »

L'oxygène facilitait sa respiration. Elle semblait presque en bonne santé. Sa taille, sa solide masse sous les couvertures, son sommeil paisible, tout cela allait à l'encontre de ce que je

238 savais. La poche était un signal d'alerte, et elle ne cessait de foncer. De la route, au-dehors, venait le bruit d'une circulation effrénée, et on entendait des sirènes de police dans le lointain ; la musique nocturne familière de Johannesburg. Elle respirait régulièrement. Je me calai dans le fauteuil et je fermai les paupières pour ce que je crus n'être que quelques minutes, et quand je m'éveillai, elle avait aussi les yeux ouverts. La chambre était très silencieuse et la poche était pleine d'un rouge très sombre.

J'appelai l'infirmière de nuit, qui vint contrôler son pouls, soupira et me dit : « Vous avez été très courageux ; je suis vraiment désolée. »

Je regardai le lit et je vis ma mère, inchangée. Mais ce que je vis aussi, c'était le vide, l'endroit où elle n'était plus, et il était gigantesque. Il n'allait pas seulement d'un bout à l'autre de ma vie, il partait de la pointe de l'Afrique pour rejoindre l'Égypte, en passant par Zanzibar et Mombasa. Il était aussi difficile de l'imaginer morte que d'imaginer des nuages rendant l'âme, ou de l'air mort. C'était comme de voir Gulliver cloué sur terre. Cloué seulement sur les bords, comme un énorme cerf-volant, ou la peau d'un grand animal, fixée aux extrémités du continent où elle touchait le sol ; à ces endroits où ses amis, ses querelles, ses pistes d'atterrissage la ramenaient vers la terre. Mais la plupart du temps elle restait dans les airs, sa vie se déroulait en altitude, ses ailes déployées filant dans le ciel.

L'infirmière de nuit dit : « C'est pénible, mais je vais devoir faire quelque chose à présent. »

Elle souleva les mains de ma mère et fit glisser les bagues de ses doigts. Puis elle ouvrit le tiroir de sa table de chevet, prit ses lunettes, son sac, deux rangs de perles et un livre de prières, et me les donna.

« Nous préférons ne pas laisser cela ici. Je pense que vous devriez emporter ces objets, les mettre en sécurité. »

C'était une phrase que j'avais entendue assez souvent. Une opinion rarement exprimée en public, peut-être seulement dans l'intimité la plus secrète, ou *in extremis*. Une déclaration qui, comprenaient l'orateur et le public, devait être absolument démentie si elle était rapportée ou contestée. L'infirmière de nuit, qui était noire, me parlait en professionnelle, m'apprenant dans le code du lieu que, si les bagues, l'argent, les perles étaient encore là quand le personnel viendrait chercher le corps de ma mère pour l'emporter à la morgue, ces choses pourraient disparaître. C'était une autre vérité qui l'attristait, mais c'était ainsi. Les gens étaient mal payés et il valait mieux ne pas les tenter. Sa déclaration répondait à la question que je n'avais pas posée : cela signifiait-il qu'ils voleraient les morts ? Bien sûr que oui. La haine et la colère, la pauvreté et l'absence de pouvoir, l'arrogance des salauds de riches blancs qui dirigeaient le monde et ruinaient le continent conférait le droit de les dépouiller, vifs ou morts. Il aurait fallu changer deux mots pour que soit tout à fait juste le vieux slogan publicitaire cher au tourisme africain qui vantait l'Afrique du Sud – « Le monde entier dans un seul pays » – : dans un seul pays, la guerre mondiale.

III

LES DERNIERS RITES

« La vie est la vie et le rire est le rire, mais tout est si silencieux quand le poisson rouge meurt. »

Bror Blixen.

20

Je rentrai à la maison alors que l'aube se levait lente et rose sur l'East Rand, un ciel de couleurs du highveld si pimpantes et délicates qu'on les goûte plus qu'on ne les voit, laissant se déposer sur sa langue le souffle gris et frais de la brise matinale et de la terre rouge encore humide. À cette heure paisible, la ville scintillait comme un joyau suspect sur une paume ouverte, ou comme ces fausses montres que les colporteurs brandissaient dans les rues bondées. À l'image de toute la contrebande qui façonnait cette ville.

Je dépassai rapidement Sandton Centre, traversai Illovo, puis Rosebank. Sur les trottoirs, dans des baraques en bois, les sentinelles de nuit quittaient leur poste, piétinant leurs feux pour les éteindre, secouant leurs couvertures au pied des hauts murs qui cachaient les maisons au monde. Aucune ville n'avait construit plus de murs, ni ne les avait mieux bâtis. De hauts et magnifiques murs de brique, de terre cuite, de plâtre, de pierre taillée et d'acier ; surmontés de pointes ou de fils à haute tension, constellés de caméras en circuit fermé, illuminés par la noria des équipes d'intervention rapide, des auxiliaires médicaux volants, du système de surveillance assuré par les habitants du quartier, et des gardes patrouillant avec des chiens…

Les rues étaient désertes, brièvement libérées, à cette heure matinale, de la crainte d'une attaque à main armée.

D'ordinaire, des voyous brandissaient leur pistolet, exigeant les clés de votre véhicule. Ensuite ils vous descendaient, de peur d'être identifiés. C'était non seulement cruel mais inutile car l'incapacité de la police à attraper les pirates de la route était presque aussi légendaire que les vols eux-mêmes. Cela se produisait si souvent que seules les victimes célèbres faisaient les gros titres : un chef cuisinier de renom blessé par balle et paralysé ; un neurochirurgien enlevé et assassiné. Le patron d'une compagnie minière abattu et abandonné dans sa Mercedes – quelqu'un avait signalé l'« accident ».

Les gros titres du matin étaient sur tous les réverbères, chantant les airs qui composaient la musique locale : ce matin c'était pas de la tarte :

« Préau d'école volé ».

Je remontai Jan Smuts Avenue et tournai dans Forest Town. Il me fallut un moment pour repérer les bonnes clés dans le trousseau que j'avais trouvé dans son sac. La maison était silencieuse et sombre. Je rentrai par le porche où ma mère avait eu coutume de prendre le thé avec la reine de la Pluie. Dans le salon, sur le vieux bureau en bois puant, était posée la collection des *Grandes Histoires du monde*, de Cassell, reliée en cuir bleu orné de lettres dorées. Il y avait trois petites photographies de moi : à deux ans environ, assis dans une petite voiture, coiffé avec des accroche-cœurs ; à dix ans, je pointais un fusil miniature vers le ciel. À douze ans, on me voyait avec ma première proie tuée : un oryx gazelle dans le Kalahari. Je pose fièrement le pied sur le crâne de l'animal mort comme un garçon de mon âge le poserait sur un ballon. Il n'y avait pas d'autres photos de moi en chasseur ; après cet épisode j'avais cessé de m'y intéresser. Je préférais les *Grandes Histoires* de Cassell et je grandissais dans d'autres pays, selon d'autres modalités. Ça n'avait jamais beaucoup plu à ma mère ; elle n'avait guère de patience avec les gens studieux.

« L'Afrique, aimait-elle à déclarer, n'a pas besoin de lecteurs. »

Je m'approchai de la carte des voyages de Livingstone, représentée par des vagues de pointillés rouges qui lui rappelaient toujours « une fourmi perdue contournant péniblement plusieurs grosses gouttes d'eau ». Les grosses gouttes d'eau étaient les « grands lacs », une destination favorite à l'époque où elle volait encore : le lac Victoria, le lac Albert, le lac Édouard.

Au-dessous des lacs étaient recopiées à l'encre verte, par l'écriture fleurie de ma mère, ces lignes du journal de Livingstone : « Aucun droit des nations ne s'applique ici. Les plus faibles vont dans le mur. »

Sur le sol, à côté de son bureau, il y avait une boîte en bois, de vingt centimètres de large et trente de profondeur. Quelqu'un avait écrit l'adresse en grosses lettres à l'encre noire :

À : Prof. R. A. Dart
Département d'anatomie
Faculté de médecine
Hospital Hill
Johannesburg.
Contenu : crâne

Les autres parois de la boîte portaient cette recommandation :

Contenu très fragile
Manipuler avec soin
Ranger à l'abri des chaudières

Elle m'avait dit que cette boîte avait autrefois contenu le crâne de Mrs. Ples, « une dame australopithèque qui avait vécu près de Johannesburg environ deux millions et demi d'années auparavant, sans doute une parente proche, beaucoup plus proche de nous que les singes ».

La boîte dont elle se servait pour stocker sa collection de fers de lance congolais.

Sur son bureau se trouvait une lettre de son vieil ami des chasses kenyanes, « Testa » l'Argentin. Testalozzi avait eu énormément de succès avec les femmes à Nairobi, et avait plus chassé en Afrique que n'importe quel homme. Testa avait chassé dans les deux Rhodésies, au Kenya, au Soudan, au Bechuanaland et au Barotseland, où il s'était spécialisé dans les lions à crinière noire. Il avait épousé une *contessa* italienne, pour voir sa belle-mère engloutie par un crocodile dans le Zambèze, et avait finalement décampé quand des rebelles, au Tchad, avaient attaqué ses camps, tué ses traqueurs, ses chiens et sa femme. Il dirigeait à présent un parc africain de safaris dans l'Ouest américain et écrivait de longues lettres charmantes dont celle-ci était la dernière :

« L'Afrique a volé mon cœur et l'a enterré dans le bush africain aussi sûrement que l'a été celui de Livingstone – sauf que Livingstone était mort avant, tandis que le mien battait encore quand c'est arrivé… »

Bamadodi, la reine de la Pluie, fière sur son trône en bois, avec l'une de ses couronnes tricotées aux couleurs extravagantes, des zigzags lumineux de rose et de vert. La photo était dédicacée : « À Kathleen, de la part de son amie Bama ». Hemingway avec un fusil de chasse ; Schweitzer coiffé d'un casque colonial ; différents pilotes moustachus souriants debout à côté de Hurricane, de Spitfire et de Lancaster ; et un assortiment d'oncles : oncle Hansie du Sud-Ouest et oncle Dickie du Kenya, oncle Bertie avec une sagaie, oncle Papadop, oncle Manu du Nyasaland ; et les oncles jumeaux Ronald et Rupert d'Ouganda ; ma mère avec son casque de vol, ses lunettes de protection et son écharpe aux commandes de son Stinson, quelque part au-dessus de l'Afrique.

Et les nombreuses photos d'une vie de chasseuse, prises dans les années quarante et cinquante. Chaque emplacement avait été inscrit et la liste allait du Kalahari jusqu'au Congo. Ma mère à côté d'un buffle, d'un éléphant, d'un bongo, d'un *duiker* ou d'un lion qu'elle venait d'abattre. Le visage grave et reposé, elle était assise à califourchon sur un énorme crocodile, un fleuve derrière elle, un fusil sur les genoux. Ou passant une rivière à gué avec une file de porteurs. Ici elle se dressait à côté d'un minuscule pygmée dans la forêt iruti…

Il y avait quelque chose d'obsédant dans ces photographies des pièces tuées, quelque chose de primitif mais aussi d'absurde : la petite chasseuse vivante, la grosse bête morte ; et à ce moment-là, son attitude, non pas stupide, rapace, assoiffée de sang, mais apaisée simplement, exigeait un degré de naturel que le monde avait perdu depuis longtemps.

Après une mise à mort, ma mère se laisse gagner par un état de repos bienheureux. Elle ne songe plus à la chasse, elle est satisfaite d'avoir accompli ce qu'elle avait prévu, et elle est prête à repartir. Quelque part, en dehors du cadre de la photographie, son avion attend de l'emporter dans les airs, très loin. Elle accorde une attention absolue, passionnée au sport du moment, mais quand la chasse est finie elle n'y pense plus un seul instant.

Les instantanés étaient granuleux, cornés, décolorés, mais je distinguais sans peine le muscle de son avant-bras. Elle était colossale mais féminine à l'excès, une mèche noire s'échappait de son casque, elle ne la glissait pas à l'intérieur mais la chassait de ses yeux de temps à autre en soufflant légèrement dessus, ce qui l'envoyait vers le haut de son front où elle s'attardait un instant avant de retomber une fois de plus.

À partir des emplacements de ces safaris on aurait pu tracer une autre carte, qui en aurait dit aussi long sur l'Afrique de ma mère que sa carte des pérégrinations de fourmi de Livingstone autour des grands lacs. Il avait été poussé à aller plus loin, à s'enfoncer plus avant – mais où ? Pour Livingstone, ont dit ensuite des gens à l'esprit rationnel, étudiant son errance fébrile, les objectifs étaient la conversion au christianisme, l'opportunité commerciale et les colonies potentielles pour l'Angleterre. Mais pour moi ses voyages ressemblaient en réalité aux errances d'un homme perdu, sur la sinistre pente de la folie.

Je pense que, dans le cas de ma mère, c'était plutôt le sentiment de l'immensité de l'espace qui la poussait à aller plus loin. S'y aventurer, la traverser, la contempler d'en haut, repérer le gibier depuis les airs ou simplement trouver une piste d'atterrissage convenable ou une étendue d'eau assez longue pour poser un hydravion. Par-dessus tout, le sentiment que l'espace était vide et qu'il lui appartenait entièrement. Chacun des pays où elle s'était sentie chez elle était devenu autre chose à présent, et tous les personnages des photos étaient morts ou déplacés. Et l'espace n'avait jamais été vide. Il fallait envisager la possibilité que ses voyages avaient été une folie plus grande encore que ceux de Livingstone.

Peut-être les nouveaux venus blancs étaient-ils condamnés à redessiner la carte de l'Afrique à leur image ; la punition pour avoir agi comme bon leur semblait était l'obligation de la réinventer. Dès l'instant de leur arrivée, un démon les avait empêchés de voir l'endroit tel qu'il était dans la réalité et leur avait fait croire à leurs cartes vides. Pour eux, l'Afrique était littéralement l'Afrique *à la carte*. Peut-être était-ce pourquoi, quand on lui demandait si elle se sentait chez elle, ma mère essayait de comprendre la question. Elle savait ce qu'elle était : une Sud-Africaine du Witwatersrand, la fille d'un colon. Elle considérait Johannesburg comme sa ville et comme la plus grande métropole au sud du Caire. Mais toute sa vie il m'avait paru qu'elle résistait au piège étouffant de cette identité. Elle résistait, oui, mais je ne croyais pas qu'elle y échappait, parce que, là d'où nous venions, l'identité était la destinée.

Sur l'une des rares photographies protocolaires au mur, elle était assise devant un groupe de femmes vêtues de robes blanches, avec de larges ceintures vertes. Tout le monde sourit mais pose d'un air guindé, comme pour une photo de classe. C'étaient les Sionistes de Zoo Lake, une chorale locale. Aux jours sombres du passé, la chorale noire n'avait pas été autorisée à chanter dans les environs de Zoo Lake parce qu'ils étaient réservés aux seuls Blancs, et les dames répétaient donc le dimanche après-midi dans notre jardin de derrière et avaient élu ma mère marraine de leur groupe parce qu'elle le leur avait permis – jusqu'au jour où les flics nous obligèrent à arrêter définitivement à la suite d'une plainte anonyme. Anonyme bien que tout le monde sût dans la rue qu'elle était venue de nos voisines, Mrs. Terre'Blanche, Garfinkel, Smuts et Mason, sous la forme d'un mot non signé glissé sous la porte du commissariat de Parkview.

Le mot disait : « Tous les dimanches, Mrs. Healey accueille une bande de Bantous qui hurlent à tue-tête… »

Elle reçut une citation à comparaître, une feuille de papier crème distingué lui ordonnant de se présenter au tribunal « pour avoir troublé la paix du voisinage en autorisant un groupe vocal bantou à se rassembler dans des locaux de banlieue en violation des règles d'hygiène et de sécurité de la ville de Johannesburg ».

Elle la fit encadrer. Ce document était un bel exemple des conneries qui à cette époque étaient lourdes de sens. Si vous traduisiez « rassembler », ça signifiait en johannesburgien « une putain de bande de putains de Noirs s'attroupe dans la putain d'arrière-cour et braille ses putains de chansons ».

Mais le mot « rassembler » apparaissait sur le papier parce que personne n'écrivait comme il parlait, ni ne disait ce qu'il pensait. L'expression « hygiène et sécurité » était encore un numéro tapageur destiné à se faire valoir, mais n'avait rien à voir avec l'hygiène ni la sécurité : elle se référait au droit divin qui non seulement autorisait mais encourageait les Blancs à recourir à n'importe quel moyen – bottes, fusils, chiens, prisons – pour rabaisser les Noirs et les maintenir hors de leur vue. Quant à « la ville de Johannesburg », cette fatuité résonnait étrangement dans une ville minière récemment issue d'un capharnaüm de tentes élimées de mineurs et de taudis fourmillant de vermine habités par des colporteurs, des prostituées et des bandits de grand chemin. Mais les mots qu'utilisaient vraiment les Johannesburgiens, quand ils se servaient de mots, étaient si abrupts, d'une connerie si monstrueuse, et à tel point dominés par le pouvoir et les muscles, que personne n'avait jamais le courage ni le culot de reproduire les quelques douzaines de grognements, grouinements et beuglements qui passaient pour le patois quotidien de cette ville, préférant les mensonges fleuris et le jargon cavalier des juristes de l'assignation sur papier crème de ma mère.

Les signes de son départ quelques jours plus tôt, après qu'elle m'eut téléphoné à Kuala Lumpur, étaient visibles : sa chambre impeccable avec son aquarelle de Stanleyville, les masques de Guinée et la peau de koudou sur le parquet ciré en pin de l'Oregon. Et dans la salle de bains son collant avait été suspendu avec soin pour sécher au-dessus de la baignoire. Tout ce qui faisait partie d'elle était là, sauf elle.

Ma chambre était intacte. Elle avait dû savoir que je viendrais : le lit était fait. Quelqu'un avait nettoyé la maison et le jardin, ça se voyait. La vie est quelquefois si triste qu'on ne peut s'empêcher de sourire. Que faire d'autre ?

Je me fis une tasse de café, retournai dans le séjour et m'assis dans le rocking-chair bleu, face à la télé éteinte. Son fauteuil. La maison vide avait une présence plus forte encore qu'à l'époque où ma mère vivait, quand elle était assise dans son fauteuil en Dralon bleu, son tricot sur les genoux. Sur le mur, la reine de la Pluie me regardait de ses beaux yeux noirs.

Juste à côté de la reine, sur une patère – une cascade d'écume orangée –, elle avait accroché la perruque. On aurait pu dire qu'elle était morte en rêvant aux perruques. Non pas un postiche normal, le genre de chose qu'on voit dans un salon de coiffure ou un théâtre, mais une perruque de clown DayGlo orange vif comme celles dont s'affublent les gamins pour Halloween. Celle-ci avait appartenu à un gamin, armé d'un AK 47 presque aussi grand que lui, qui combattait au Liberia dans l'armée d'enfants d'un homme du nom de Prince Johnson. Son portrait était sur le mur, à côté de la perruque. Il s'appuie sur son fusil, comme sur un bâton. Il a peut-être quatorze ans, ses yeux sont cernés de rouge, et ce n'est pas dû au flash de l'appareil. Plus étrange encore, il porte une robe de mariée.

Je me trouvais à Hanoi au moment où la photo avait été prise. On était en 1991 – au mois de juin – et il faisait très chaud. Je résidais dans un hôtel qui s'appelait le Colonial, non loin du lac Hoan Kiem, et j'avais passé du temps dans le mausolée de Hô Chi Minh où ils songeaient à renouveler la climatisation dans la chambre de la petite momie qui reposait là, sa barbe clairsemée lui donnant l'apparence d'une crevette blanchie.

Un jour où je rentrais du travail, l'employé de la réception me tendit un message, gribouillé sur une feuille de papier à lettres de l'hôtel :

« Je pars dans la forêt pluviale – je reviens bientôt – maman. »

Elle ne disait pas quelle forêt ; je pensai d'abord qu'elle parlait du Congo, car je savais qu'elle était particulièrement inquiète pour ses amis. Au début des années quatre-vingt-dix, la guerre civile avait empiré dans les secteurs est du Zaïre, et certains soldats, convaincus que les pygmées étaient des non-humains magiques, s'étaient mis à les manger.

Les forêts pluviales ne sont pas des endroits faciles et je savais pourtant qu'elle avait dû partir seule. Elle avait au moins soixante-quinze ans à cette époque, et cette nouvelle était alarmante.

C'était ça l'idée.

Est-ce que je fis quelque chose pour l'en empêcher ? Certainement pas : je ne pouvais rien faire quand ma mère partait pour la destination visionnaire qu'elle appelait « l'Afrique ». Ce genre d'événement se produisit de plus en plus souvent à mesure qu'elle prenait de l'âge et que je m'éloignais davantage. Mais ce fut l'un des messages les plus impérieux que je reçus de sa part, tandis que je continuais de parcourir le monde.

Les techniques de poursuite de ma mère s'inspiraient de la chasse au gros gibier. Au fond, c'était une chasseuse d'éléphants, qui sont des bêtes sociables et se déplacent en groupe – d'habitude, un vieux mâle et une quantité de femelles. Les pachydermes africains atteignent une hauteur de quatre mètres environ et peuvent peser jusqu'à six tonnes. Ils ne voient pas très bien mais ont un odorat très développé et une bonne ouïe. Il est donc essentiel de rester sous le vent ; la plus infime déviation signifie qu'ils perçoivent votre odeur, même à huit cents mètres de distance. Ils sont aussi très malins ; peut-être les animaux les plus intelligents que nous chassions, si l'on excepte l'espèce humaine. Les éléphants ont coutume de s'entraider : la plupart des chasseurs tués par l'un d'eux ne le sont pas par l'animal qu'ils poursuivent, mais par un allié qui s'est rué dans la bataille. C'est toujours dangereux. On doit aussi se rapprocher : à quarante mètres, ou moins même.

Une balle tirée dans le cerveau est la mise à mort classique d'un éléphant, et il vaut mieux laisser des professionnels s'en charger. Abattez toujours vos premiers éléphants d'une balle dans le cœur, tel était le conseil de ma mère.

Le cerveau de l'éléphant, bien qu'il fasse environ le double d'un cerveau humain, est profondément enfoui sous une épaisseur d'os et de cartilage protecteur spongieux qui peut aller jusqu'à soixante centimètres, et une balle tirée par un fusil de petit calibre qui manque son but fera simplement fuir l'animal, sans guère de dégâts. En outre, la blessure se cicatrisera assez vite. Si vous utilisez un fusil ultrarapide, disons un .375 ou un .404, il y a aussi le risque que votre balle, au lieu de suivre directement sa trajectoire prévue, heurte un obstacle, change de direction et atteigne quelque chose, ou quelqu'un, de l'autre côté de votre cible.

Ainsi que ma mère aimait à me le rappeler : « J'ai vu des hommes abattus à cinquante mètres de l'éléphant, par une balle qui avait changé d'idée... »

Elle aimait aussi souligner que les pachydermes étaient particulièrement retors. Parce que, même quand ils sont vraiment touchés, ils peuvent rester debout. « Une fois, en Rhodésie-du-Nord, j'ai tiré trois balles nitro .700 sur un gros éléphant, et j'avais rudement bien visé, mais il bougeait toujours pas. »

Certes.

Quand elle était sur mes traces, et à portée de fusil, elle alternait les stratégies de chasse : quelquefois elle essayait de toucher le cerveau, ou bien elle visait le cœur. La cabriole de la forêt pluviale, alors que je me trouvais à Hanoi, avait pour cible la tête. Elle savait que cela éveillerait ma curiosité. Plus encore que mon inquiétude. Elle savait que je voudrais savoir pourquoi elle était dans une forêt pluviale, et où elle se situait.

Elle voulait que je m'en soucie ; elle voulait me faire partager son excitation, son sens de l'aventure, ses talents de chasseuse ; elle voulait que je sois *là*.

Je n'y étais pas. Je résistais, et je rejetais son appel. Je jugeais son amour de l'endroit, de l'Afrique, absolument, inextricablement lié à différentes formes de meurtre, grandes et petites, et je ne voyais pas cela comme une vision sacrée, une cause, ou une victime à sauver. Je ne voyais pas non plus tout cela comme un prolongement naturel de ma propre arrière-cour. Et je considérais ceux qui agissaient de la sorte comme des collaborateurs volontaires du jeu de massacre.

Ce scepticisme causait entre nous des différences qui n'étaient pas résolues. On m'a suggéré que la succession des amants pris par ma mère au cours des années était une tentative pour compenser l'amour qu'elle n'avait jamais eu de ma part. C'est peut-être vrai en partie. Mais on revient toujours à la conclusion suivante : il suffit d'examiner la direction des liens entre ma mère et ses amants pour savoir qu'ils avaient besoin d'elle, et pas l'inverse.

Et c'était le cas avec le garçon qui devait devenir le plus jeune de ses lointains adorateurs. Existait-il quelqu'un qui ne fût pas ébloui ? C'était parce qu'elle avait une telle présence qu'elle donnait l'impression d'être aussi proche. C'était une illusion optique et affective. La distance était essentielle à l'admiration.

En réalité, ce n'étaient ni le Congo ni les pygmées qui avaient été la cause de son voyage. Elle avait en tête la forêt pluviale du Liberia, où elle accéda par la Sierra Leone. En d'autres temps elle eût piloté son propre avion pour s'y rendre, mais cette fois-ci elle prit un vol commercial pour Freetown et loua ensuite un 4 × 4 pour franchir la frontière et s'enfoncer dans la forêt pluviale guinéenne, et elle poursuivit sa route vers le comté de Sinoe dans le sud-est du Liberia.

Mais quand je l'appris, ça ne m'aida guère car je savais qu'elle ne chassait plus. À soixante-quinze ans, elle n'était plus sûre de viser juste.

« Il faut toujours viser un point précis, pas l'animal entier – n'importe quel professionnel te le dira. Et je ne vois plus très bien, et mes mains tremblent. »

Alors, pourquoi partir pour le Sinoe ?

Je suppose que c'était son côté préservationiste. Comme beaucoup de chasseurs, si elle croyait passionnément à la nécessité de tuer les animaux, elle était tout aussi convaincue qu'il fallait veiller à leur développement : c'est une position difficile à garder mais elle s'y tenait avec son habituelle sérénité, comme elle le faisait pour des idées investies, selon elle, de dimensions véritablement africaines.

Autrefois, dans les années cinquante et soixante, elle avait chassé le bongo et l'éléphant au Sinoe, où elle avait connu feu le président Tubman, dont elle conservait d'agréables souvenirs.

« C'était un escroc, mais un gentleman. Quand il est mort, tout s'est écroulé. Le Liberia a été fondé par des esclaves libérés d'Amérique, qui se sont empressés dès leur libération d'asservir tous les Libériens locaux qu'ils ont pu trouver. Naturellement les gens du pays se sont rebellés. »

Sans aucun doute.

Le président Tubman mourut à l'hôpital, et après cela, les choses se dégradèrent rapidement. Son successeur, le président Tolbert, fut assassiné par le sergent-chef Samuel Doe, qui devint président jusqu'au jour où Prince Johnson le tua. Et à partir de là, tout le monde essaya de tuer tout le monde.

C'était dans ce chaos que ma mère avait mis les pieds. Sa préoccupation pour la faune du Sinoe était déplacée. À cette époque, les Libériens étaient si occupés à massacrer les humains que les animaux s'en tiraient sains et saufs. Mais les combats étaient une autre affaire, et elle dut quitter la forêt pluviale, pour s'apercevoir qu'il n'y avait aucun moyen de gagner la Sierra Leone. Aussi poursuivit-elle son périple en direction de la capitale, Monrovia, sur des routes engorgées de réfugiés, de cadavres et de soldats qui avaient perdu la tête et se jetaient sur tout ce qu'ils pouvaient. Elle comptait trouver un bateau.

Ce fut à l'extérieur de Monrovia, dans un endroit du nom de Chocolate City, qu'elle rencontra l'unité des Small Boys dirigée par un gamin qui s'appelait Washington. Roosevelt Washington avait environ quatorze ans, du moins il le croyait. Son *nom de guerre** était Terreur Deux Tonnes, et il était vêtu d'un short, d'un tee-shirt Bob Marley crasseux et coiffé d'une perruque orange vif. Il portait l'habituel AK 47 suspendu à son épaule comme un manche à balai ou une lance.

« Approche-toi toujours latéralement de la crosse d'un AK », disait ma mère, l'un de ces conseils dont j'espérais ne jamais avoir à me servir.

Washington et son « bataillon » de gamins affamés, squelettiques et armés jusqu'aux dents, se pressèrent autour de ma mère quand ils virent qu'elle avait un appareil photo.

« Prends-moi ! prends-moi ! » hurlaient-ils.

Les ongles de Washington étaient longs et enduits d'un vernis ivoire.

« Pourquoi ivoire ? demanda-t-elle.

– Parce que ça va avec ma robe, répliqua-t-il.

– Tu mets une robe ?

– Oui, m'dame, je combats en robe. »

Il disparut et revint habillé en robe de mariée, avec sa perruque orange ; il portait aussi un petit sac à main.

Ce fut dans cette tenue qu'elle le photographia.

* En français dans le texte. (N.d.T.)

« Ils étaient défoncés, se souvint-elle plus tard. Ils avaient bu de la poudre de canne, c'est-à-dire un mélange de jus de sucre de canne fermenté et de poudre à canon. »

Cela expliquait la rougeur de l'œil du garçon sur la photo.

Ils se battaient pour Prince Johnson et ils étaient commandés par un type connu sous le nom de Brigadier Cul-Nu parce qu'il ne portait que des baskets quand il menait les enfants au combat.

« Quand j'ai rencontré le Brigadier il était correctement vêtu, et très ouvert sur ses méthodes. Voici ce qu'il m'a dit : "Avant de conduire mes troupes au combat, nous nous soûlions, nous nous droguions, nous sacrifions un adolescent du coin, nous buvions son sang, puis nous enlevions tous nos habits, sauf les chaussures, et nous allions nous battre coiffés de perruques colorées et munis de jolis sacs à main que nous avions piqués à des civils. Nous massacrions tous les gens que nous voyions, nous coupions les têtes pour en faire des ballons de football. Nous étions nus, intrépides, ivres et assoiffés de sang. Nous avons tué des centaines de gens, tellement que j'ai oublié combien."

« Il fallait s'habituer, mon garçon. J'ai lu quelque part que ce Brigadier Cul-Nu est devenu prêcheur par la suite. »

Lorsque Prince Johnson tua le président Doe il fit faire une cassette vidéo de l'événement. Les garçons en vendaient des copies sur la route de Monrovia, et Washington dit qu'elle était connue localement sous le titre *Avec ou sans sauce au poivre*. Voulait-elle en acheter une ? Le montant intégral des recettes revenait à l'unité des Small Boys.

La cassette arriva donc à la maison, avec la perruque de clown. Un spectacle difficilement supportable.

Doe est nu jusqu'à la taille. Attaché et sauvagement battu, il supplie Prince de desserrer les cordes. Prince Johnson se cale sur son siège tandis qu'une aide lui éponge le visage, et il boit une rasade de bière. Puis une des oreilles de Doe est tranchée net.

Sur la vidéo, on voit Johnson prendre de l'importance. S'échauffer. Qui veut le pouvoir doit remplir l'espace et gagner en prestance, et en bêtise. Il se pare de costumes et de turbans, de tuniques et de sabres, puis il roule sur lui-même et écrase les pauvres cons sous lui...

En Afrique, ce n'était pas que l'empereur fût nu ; bien au contraire : il était le seul à porter des vêtements.

Prince Johnson nia toujours avoir assassiné Doe. Avec la dose de respect et d'horreur qu'exige le pouvoir politique moderne, il dit à un journaliste qui l'approcha par la suite :

« J'ai capturé feu le président Doe et je l'ai retenu prisonnier jusqu'à ce qu'on le déclare mort. J'affirme qu'il s'est suicidé. »

Le respect terrifiant qui émanait de la formule « feu le président Doe » était l'un des traits les plus macabres de l'échec des dirigeants de toute l'Afrique. Dans ce cas, « feu le président », qui avait été fait prisonnier et torturé, restait un homme à respecter, et dont on parlait avec prudence, bien qu'on lui eût coupé et mangé les oreilles. Ou bien Prince Johnson avait-il forcé Doe à manger ses propres oreilles, et ses couilles – comme l'affirmait Washington –, « avec ou sans sauce au poivre » ? Ce fut la question que posèrent les troupes aux yeux rouges des unités de Small Boys de Chocolate City, à laquelle elles n'eurent pas de réponse. Mais bien sûr, chercher des réponses dans l'exécution de feu le président Doe était se méprendre sur son objectif.

Je saisis plus tard combien ce film était en avance sur son temps. Il annonçait l'époque où nous deviendrions des consommateurs de cruauté. Une fois encore, l'Afrique avait montré la voie. Depuis le premier hominidé suçant la moelle du tibia brisé de son voisin jusqu'au dernier reality show. Il ne s'agissait pas de fournir des réponses, mais d'offrir une nouvelle forme de divertissement : d'assassiner un homme réel en temps réel devant une caméra. Tôt ou tard, l'exemple du Liberia serait suivi par le monde. Samuel Doe, sans oreilles, et saignant de partout, agonisant sous l'œil de la caméra, nous disait que le fossé entre l'acte et sa représentation, entre le meurtre et la cinématographie, se réduisait rapidement, et que le jour viendrait où l'assassinat et le film ne seraient plus qu'une seule et même chose, avec ou sans sauce au poivre.

Elle avait laissé l'arrière-cour en l'état, envahie de mauvaises herbes et inaccessible, mais là, sous un loquat, dans ce qu'on avait appelé autrefois la chambre du domestique, je tombai sur lui.

« Je m'appelle Noddy, Monsieur, dit-il, et vous êtes monsieur Alex. »

La clarté est utile quand on est en deuil. La mort est une perte, c'est vrai, mais elle est aussi une source de grande confusion : vous êtes séparé de quelqu'un sur qui vous comptiez ; l'ancre a disparu et vous dérivez. C'est vous qui êtes perdu.

En réalité il s'appelait Uthlabati, et ça voulait dire « homme de la terre rouge », mais il préférait son autre nom.

« Je travaille pour les Madames, Monsieur, expliqua-t-il. Je suis Noddy des Cinq Madames. Mesdames Healey, Terr'Blanche, Garfinkel, Smuts et Mason. Je m'occupe de leurs jardins et j'habite chez vous. »

Ça faisait un bon bout de temps que je n'avais pas entendu le terme « Madame ». Cela me ramenait en arrière et c'était aussi une consolation. Il n'avait pu être Noddy des Cinq Madames que lorsque ma mère était en vie.

« Elle n'est plus là. Elle est décédée ce matin.

– Je sais, Monsieur. »

C'était une expression de sympathie ; et aussi, je le sentis, une déclaration d'intention délibérée.

« Madame a dit que vous voudriez que je travaille pour vous. »

Quand j'étais petit, dans l'une des innombrables maisons où nous campions, nous avions trouvé un homme qui vivait dans le garage, et ma mère l'avait gardé.

« Je n'avais pas le choix. Il faisait partie des meubles. »

À présent sa maison m'appartenait. Ainsi que l'homme sous le loquat, et il faisait partie de l'héritage révolutionnaire qui devait changer tant de vies. Elle n'était plus mais j'avais pris sa place. Ça faisait de moi la cinquième Madame.

Étrange, comme les situations s'inversent : quand nous vieillissons nous devenons comme nos parents, mais nous ne devenons vieux qu'après leur mort.

21

L'enterrement était prévu pour trois heures, un mercredi après-midi au ciel bleu, lumineux, et j'étais en avance. L'église catholique Rosebank, à l'angle des avenues Tyrwhitt et Keyes, était un large bâtiment jaune pâle avec une façade qui s'élançait dans les airs, et un poste de police de l'autre côté de la rue. Il y avait un sex-shop à l'angle : Les Amoureux de la Chance : « le bazar du passe-temps préféré des adultes ». On y vendait des Miss South Africa gonflables (« de toutes les couleurs de notre nation arc-en-ciel portée sur la chose ») et d'authentiques fouets en peau de rhinocéros (« goûtez la douleur cuisante de l'Afrique ! »). Un petit buisson d'allongeurs de pénis décorait la vitrine.

Je me garai devant le commissariat. Tout près, j'entendais les filles du couvent de la Miséricorde chanter le *Salve Regina*, comme ma mère avait dû le faire autrefois dans le cloître de Boksburg où son vieux père l'installait, quand ses voyages dans des parties lointaines du continent l'éloignaient des semaines d'affilée, et qu'il ne pouvait la surveiller de près.

Sur le goudron brûlant de la cour du poste de police, un sergent briefait une rangée de bleus sur l'art de tirer pour tuer. Plusieurs dames de la chorale des Sionistes de Zoo Lake, en jupe noire et chemisier blanc, avec leur étoile d'argent, attendaient patiemment, assises au bord du trottoir. J'étreignis Nandi, Rebecca, Makania et Grace. Quelqu'un posa son bras sur mon épaule. C'était Schevitz, portant un costume bleu marine et une cravate rouge.

Un mois à peine s'était écoulé depuis que j'avais reçu son fax à Bagan, et tout avait changé : le Cubain était parti, et ma mère aussi, et je vis à son visage qu'il avait le sentiment d'avoir manqué à ses devoirs quand elle était venue le consulter au sujet de son projet de mariage. Le pli de sa bouche, toujours un peu tombante, évoquait le chagrin, mais exprimait la rage.

« Je suis vraiment désolé, Alex.

– Moi aussi.

– Je voulais te dire : elle est venue me voir la semaine dernière à peine. Elle n'a pas soufflé mot de notre petite brouille, et m'a demandé de m'occuper de son testament. Je n'ai pas eu grand-chose à faire. Tout était sur le papier, à la virgule près. J'ai ajouté les formules juridiques, j'en ai fait certifier l'authenticité et je l'ai fait enregistrer. Comme il s'agit de ta mère, il comporte, disons, certains "aspects". Je t'expliquerai quand je te le remettrai. Je peux passer ?

– Quand tu veux.

– J'aurais dû l'aider pour la crise cubaine, et je ne l'ai pas fait.

– Ne t'inquiète pas. Elle l'a sauvé elle-même à sa manière frappadingue. »

Il ne m'écoutait pas. Ce qui suivit était toujours pareil : des paroles de défi.

« Je n'ai rien compris, ou j'ai pris la mauvaise direction : j'ai pensé à ce qui était conforme à la loi. J'aurais dû me souvenir que dans ce pays ce sont les humains qui comptent, la loi c'est que des conneries, mon vieux ! Elle le savait ; je l'avais oublié. Elle était du côté des êtres humains. Les choses ont changé, mais ce n'est pas pour ça que nous oublions qui nous étions, et ce que nous croyions, et que nous devenons différents. On dit que nous devons être raisonnables, intelligents, et nous adapter ; on dit que nous devons nous plier aux ordres de la dernière bande de cinglés qui ont pris le pouvoir dans ce pays. Ce n'est pas juste honteux – à un point horrible –, c'est tout bonnement faux. "Nous" avons gagné : c'est leur argument. Nous sommes donc censés nous tourner de l'autre côté et mourir. Ils ont gagné, la belle affaire ! C'est pour ça qu'ils ont raison ? C'est pour ça que les bolcheviks avaient raison ? Et les ayatollahs en Iran ? Ça ne leur donne pas tous les droits ! Je suis content que tu sois rentré, Alex, parce que je veux te parler de la politique du pouvoir dans notre pays. »

Je n'avais pas vraiment envie d'aborder ce genre de discussion à l'enterrement de ma mère. Je fus soulagé quand le père Phil s'approcha, un sac Nike en bandoulière.

« Vous allez parler aujourd'hui ?

– Je ne saurais pas quoi dire.

– Si vous n'y voyez pas d'inconvénient, je voudrais prononcer quelques mots. Votre maman était... noble. » Il brandit son sac. « Bon, je ferais mieux de filer à la sacristie pour changer de fringues. »

Une petite dame pâle à l'air distrait vint me serrer la main.

« Je suis Miss Dewar, votre organiste. »

Elle était calme et réconfortante, une professionnelle qui avait accompli ce rituel de nombreuses fois.

« Je suppose que vous voulez un mélange de musiques, c'est ça ?

– Oui, s'il vous plaît.

– Votre mère était prodigieuse. Quel maintien ! Que diriez-vous d'un ou deux cantiques ? Du Bach ? Et un chant africain ? Les dames sionistes vont interpréter *Swing Low, Sweet Chariot* et *By the Rivers of Babylon*.

– Merci.

– Allons, mesdames », roucoula Miss Dewar à l'intention des Sionistes de Zoo Lake, qui se levèrent, époussetèrent leurs jupes et la suivirent dans l'église.

« Maintien », « noble » : des mots généreux, quoique un peu solennels. Ils ne saisissaient pas vraiment son essence. Il y avait quelque chose dans le port de ma mère. Toujours grande, toujours droite. Si je devais ajouter un autre terme, ce serait le mot « impérieux », presque, mais pas tout à fait, à la limite de l'outrecuidance : c'était une question d'allure. Tel un majestueux schooner elle glissait sur la vie, l'amour, la famille, et l'Afrique.

J'ajouterais aussi que je n'avais jamais remarqué chez elle le moindre instinct maternel. Maintenant qu'elle était morte, je me trouvais face à une énigme. J'étais son seul enfant survivant, et je devais m'efforcer de m'en montrer digne. Mais j'avais l'impression d'être un imposteur. Je ne me sentais pas vraiment apparenté à la femme que nous étions venus enterrer : Kathleen Mary Healey. Je portais son nom, elle m'avait élevé, elle avait prétendu être ma mère, et l'avait fait croire au monde. Et pourtant, il manquait quelque chose entre nous. Même en supposant que des tests ADN confirmeraient ce lien, c'était aussi, et malgré tout, une filiation apprise, un rôle que j'avais appris à jouer. Je l'aimais, d'une manière aveugle, désespérée, comme les hommes âgés qui se pressaient maintenant en grand nombre devant l'église, certains coiffés de bérets, d'autres dans des fauteuils roulants, ou au bras d'une infirmière. En vérité, je n'avais pas la moindre idée de qui elle était. Elle avait feint d'être ma mère et j'avais fait semblant d'être son fils. À la fin nous y avions cru tous les deux, plus ou moins.

Avec une infinie douceur, quelqu'un soulevait à présent l'oncle Hansie pour l'aider à sortir de l'arrière d'une Mercedes neuve avec des plaques namibiennes ; la personne qui exécutait cette pénible tâche était une grande femme herero en costume tribal, portant un bracelet en diamants et, apparemment, un sac et des chaussures Gucci. « Je suis Veseveete, me dit-elle. Permettez-moi de vous présenter mes condoléances pour ce grand malheur. »

L'oncle Hansie, les cheveux plus argent que jamais au fil des décennies, sourit quand Veseveete l'attacha sur son fauteuil roulant. « Elle parle anglais, allemand et herero, et nos maîtres politiques sont scandalisés qu'elle vive avec moi. Parce que autrefois nous autres Allemands avons massacré les Hereros, ils pensent que c'est mal pour les Noirs de parler notre langue. Alexander, le monde est rempli d'imbéciles. Veseveete est ma dernière maîtresse. Ma dernière duchesse. Tu sais ce que Veseveete veut dire en herero ? "Qu'ils meurent pour le bien de la libération"... Ça commémore la guérilla, quand les parents donnaient des noms de guerriers à leurs gosses. Les bons révolutionnaires jettent toujours leurs gamins dans le feu de joie de leurs bonnes intentions. Il n'y a pas de parent plus cruel qu'un révolutionnaire aimant. Quand Veseveete avait cinq ans on l'a envoyée dans un camp d'Allemagne de l'Est pour y suivre un entraînement à la guérilla. Le mur de Berlin est tombé, et brusquement plus personne n'aimait les petits Noirs dans l'ancienne Allemagne de l'Est. On a mis les adolescents comme elle dans un avion et on l'a renvoyée à Windhoek. Après dix ans d'absence on n'a pas pu retrouver ses parents, et il y a eu un genre de vente aux enchères pour ces enfants que personne ne réclamait, et j'ai fait une offre pour elle. Elle avait seize ans. Soyons honnête : ses seins me plaisaient, et mon château lui plaisait.

– Où en est le château, oncle Hansie ? »

Il rit. « Le gouvernement m'invite à le lui vendre. Le vendeur et l'acheteur sont de bonne volonté. L'invitation a été apportée par cinq policiers avec des AK 47.

– Allons-y maintenant, Hansie, intervint la splendide Veseveete. Tu sais que ce genre de conversation ne fait que te perturber. » Et elle le poussa dans l'église.

« Au revoir, mon cher garçon, cria l'oncle Hansie. Ta mère était merveilleuse. Dieu la bénisse ! »

Papadop était juste en train de garer sa vieille Datsun. Comme lui, sa voiture avait un air fatigué, démodé et malchanceux. Ce qui me frappait encore et encore chez les Blancs d'Afrique, ceux qui étaient encore là, c'était la façon dont ils avaient vieilli, le peu d'éclat qui leur restait. Autrefois, l'Afrique avait été du gâteau ; maintenant, c'était un piège à cons.

Il pleura un peu en me serrant dans ses bras. « J'arrive du Zimbabwe à l'instant. Elle me manque, petit. C'était l'une des meilleures personnes que j'aie jamais rencontrées. » Se penchant près de mon oreille il chuchota : « Tu sais ce qu'elle a fait de notre Cubain ?

– Oui, Papadop. Elle a trouvé une solution brillante. Je te raconterai après.

– Quel est le plan de table ?

– Tu es sur le banc de devant ; réservé à la famille. »

Je le regardai entrer dans l'église avec un soupir, la démarche traînante. La perte de nos bons amis nous vole notre vie.

Je cherchai la reine de la Pluie ; j'étais sûr que Bamadodi viendrait. Je ne savais pas grand-chose des sentiments de ma mère pour les hommes, mais je savais qu'elle aimait la reine Bama.

Un corbillard tournait à l'angle de Tyrwhitt et de Keyes, passant devant Les Amoureux de la Chance. L'emblème ailé de blanc ressortait sur les portes noires cirées de la limousine ondoyante : « Colombes », disait la légende. C'était l'une des vieilles blagues de ma mère : « Les cigognes vous ont mis au monde ; laissez-vous emporter par les Colombes. » Le cercueil était à peine visible, perdu sous une montagne mousseuse de fleurs qui s'élevait jusqu'au toit du véhicule.

J'avais passé des annonces de décès dans le *Star* et le *Sowetan*, priant les amis de faire un don au Refuge du Rayon de soleil, plutôt que d'envoyer des fleurs. J'avais agi ainsi de façon préméditée : il me semblait qu'en bombardant ces crétins sans imagination de largesses non sollicitées, je les emmerderais autant que ma mère quand elle embrassait les gosses. Mon raisonnement était le suivant : un débordement inattendu de générosité était pour eux un problème ingérable ; parfait, qu'ils s'étouffent avec ce fric dont ils ne voudraient pas. Mais quand je vis la montagne de couronnes à l'intérieur du corbillard, il m'apparut que personne n'avait tenu compte de ma demande.

Deux croque-morts noirs en queue-de-pie et gilet gris descendirent de la limousine.

« Excusez-moi, monsieur. Vous êtes le parent de la défunte ?

– Oui.

– Mrs. Kathleen Healey qui demeurait à Forest Town était votre mère ?

– Oui.

– Merci, monsieur ; nous devions nous en assurer. »

Ils commencèrent à déballer l'énorme colline de fleurs qui recouvrait le cercueil et à les déposer sur le toit.

« Désolés, monsieur. Normalement, ça doit se faire avant le départ. Mais ce n'est pas possible. Le trajet est trop risqué.

– Pourquoi ? »

Il parut surpris par ma question.

« Et quand nous nous arrêtons aux feux ?

– Que se passe-t-il alors ?

– On nous les prend. Les gens sont capables de dépouiller un véhicule en quelques minutes.

– Les gens volent les fleurs d'un corbillard ?

– Monsieur, ils voleraient les poignées en cuivre du cercueil, si on les laissait faire. *Eish !* C'est Johannesburg. »

Le deuxième croque-mort hochait la tête énergiquement. « C'est vrai. À Alex, il arrive qu'ils volent le cercueil dans la tombe. Ils les déterrent, et les revendent d'occasion. » Il souleva jusqu'à son menton une énorme gerbe de muguet : son visage se dressait au-dessus de la masse de blancheur cireuse comme un diablotin ecclésiastique en col de pasteur. « Vous n'avez pas entendu parler de l'arnaque au squelette ?

– Non. »

Dans l'école à côté de l'église, la chorale du couvent se mit à chanter le *Salve Regina* avec des sopranos aigus qui me donnèrent froid dans le dos. De l'autre côté de la rue, dans la cour du poste de police, l'instructeur qui apprenait aux bleus à tirer pour tuer hurlait à ses hommes : « Numéro un ! Ne pénétrez jamais sur les lieux d'un crime sans renforts ! Numéro deux ! Rappelez-vous : visez le corps, pas la tête, cool, Raoul ! »

Ainsi allait le monde : pendant que le sergent de police parlait de coups de feu et que les filles de la chorale chantaient les louanges de la reine des cieux, les employés de Colombes me parlaient de l'arnaque au squelette, et ils n'étaient ni moqueurs ni cyniques mais s'appliquaient à tout m'expliquer ; ils me prenaient pour un étranger et ils avaient envie de parler de leur ville, de ses habitudes et de ses coutumes.

« Voilà comment ça se passe, monsieur : vous trouvez quelqu'un de squelettique, d'accord ? » Le croque-mort numéro un referma les mains sur une taille imaginaire si fine que les paumes se touchaient presque. « Une fille mince, mince, mince. Comme ça, mais à qui il reste encore une marge, hein ? Si elles sont trop maigres, ça sert à rien.

– À moins de leur mettre un costume rembourré, renchérit le croque-mort numéro deux. Et ce n'est pas tout le monde qui en a un ; les costumes rembourrés ne poussent pas sur les arbres.

– Voilà comment ils font », continua le croque-mort numéro un, une fois que l'idée du costume rembourré eut produit son effet. « Vous conduisez la fille squelettique chez le coiffeur et vous lui achetez des vêtements neufs, et vous lui donnez une allure à peu près correcte. Ensuite vous l'envoyez faire du shopping pour acheter tout, tout, tout ce que vous lui demandez. À crédit. Des meubles, une télé, tout ce qui est possible et imaginable. Et quand tout est livré, vous chargez la marchandise dans un camion, vous lui filez un bon petit paquet de fric pour qu'elle s'achète de la bouffe, de la bière et qu'elle prenne du bon temps – peu importe –, vous fichez le camp et vous fourguez le matos fissa. Quand les magasins envoient les huissiers pour reprendre possession du mobilier, tout est parti, un vrai jeu d'enfant : le frigo, les tapis, l'aspi…, tout s'est envolé.

– Et la fille au squelette aussi, conclut le croque-mort numéro deux. *Eish !* » Il eut un rire approbateur, admiratif, incrédule. « Personne à arrêter, personne à accuser. C'est l'arnaque au squelette. »

Dans leur voix perçait l'accent de fierté stupéfaite et horrifiée que cette ville inspirait à ses citoyens.

Les employés des pompes funèbres assemblèrent un petit chariot. « On emmène maman à l'intérieur maintenant, monsieur. Pouvez-vous rester là pour surveiller les fleurs, s'il vous plaît ? »

Je gardais un œil sur les couronnes quand s'approcha une femme en jupe très serrée, du pas chancelant mais contrôlé des dames qui portent des talons aiguilles. Elle devait avoir un peu moins de trente ans, supposai-je, les cheveux noirs et un teint de miel. Ses yeux étaient verts et elle ne portait pas de bagues. Elle était habillée pour un mariage plus que pour un enterrement. Un chemisier rose échancré, un chapeau garni de fanfreluches. Sa main était posée sur la tête d'un garçon de sept ans environ. Il avait les cheveux blonds, le nez et le visage aplatis, et je sus avant de voir ses yeux bridés que c'était un enfant trisomique. Il tenait une raquette de tennis qu'il agitait, la faisant siffler dans l'air, et elle devait prendre garde à ce qu'il ne donnât pas de coups aux nombreux arrivants.

« Je m'appelle Cindy, dit-elle. Je travaillais avec votre maman au Refuge du Rayon de soleil. Voici Benny. »

Le garçon me fit le plus beau sourire que j'eusse jamais vu et il retint mes doigts une fois la poignée de main terminée. « Tu joues au tennis ? demanda-t-il.

– Oui.

– Alors viens ! » Benny me tira le bras.

« Pas maintenant, chéri, dit sa mère. Nous allons d'abord dire au revoir à Kathleen.

– Elle est partie où ? voulut savoir Benny.

– Au ciel, répondit sa mère d'un ton ferme. Accompagnée par des nuages d'anges.

– Des foules d'anges, plutôt, vous ne croyez pas ? demanda le deuxième croque-mort qui entassait les couronnes sur le chariot.

– Non, je parle de nuages », répliqua Cindy avec l'air de quelqu'un qui sait ce qu'elle dit. « Kathleen détestait les foules. Regardez toutes ces jolies fleurs !

– J'ai demandé aux gens de ne pas en envoyer. Je leur ai demandé de faire des dons au Refuge. On dirait que personne n'en a tenu compte. »

Elle me regarda gentiment. « Je suis sûre que si. Peut-être qu'ils voulaient aussi offrir des fleurs.

– J'ai pensé que les dons c'était mieux, bien qu'ils l'aient virée.

– Je sais. Moi aussi je travaillais là-bas.

– Oui. Et quand on l'a virée, elle m'a raconté que vous êtes partie vous aussi.

– Il le fallait. C'était mon amie et ce qu'ils ont fait était mal.

– Pourquoi l'ont-ils renvoyée ? »

Cindy plissa le nez et secoua la tête. Elle avait un port de tête admirable, un cou sculptural. Une fille vraiment superbe.

« Je pense à cause de l'effet qu'elle produisait sur les gamins. Je crois que la direction ne savait pas comment réagir. Les aides bénévoles avaient des tâches particulières – comme le bain des enfants, le dessin, le chant, la peinture –, mais votre maman ne faisait rien de tout ça. Elle commençait normalement mais au bout de deux minutes elle se laissait aller à cette débauche d'affection. Ils s'asseyaient sur ses genoux, ils pleuraient, ils riaient ou ils restaient tranquilles, et elle leur racontait des histoires. Les employés permanents ne supportaient pas ça.

– Pourquoi ? Ça les dérangeait au point qu'ils ont eu besoin de se débarrasser d'elle ? Je ne saisis vraiment pas. En fait, toute cette histoire me sidère. En tout cas, je ne sais pas pourquoi elle s'est occupée de ça. Ma mère n'était pas le genre de personne à serrer les gens dans ses bras.

– Peut-être qu'elle s'y sentait obligée. Je ne sais pas comment le courant passait, mais on la retrouvait avec un enfant accroché à son cou, et ils s'embrassaient comme si leur vie en dépendait. Ça arrivait tout le temps. On avait l'impression qu'elle n'avait jamais eu de bébés à elle et que ces gosses n'avaient jamais eu de mère. »

Elle me considéra d'un air pensif, comme si, à un moment donné, je n'avais pas su offrir à ma mère le paradis de tendresse qu'elle avait trouvé au Refuge du Rayon de soleil.

Une BMW conduite par un chauffeur se garait et mon vieil ami Koosie en sortit. Il était élégant, quoique très mince. Sa cravate était bleu nuit, son costume noir, et son chauffeur blanc.

« Triste jour, Alex. »

Je dis à Cindy : « Voici mon ami Koosie, devenu aujourd'hui le docteur Nkosi. Je n'arrive pas à m'y habituer. »

Koosie secoua la tête et continua, s'adressant autant à elle qu'à moi : « Il y a beaucoup de choses auxquelles il ne parvient pas à s'habituer. Peut-être que c'est de famille.

– J'ai un problème philosophique, repris-je, avec le changement forcé.

– Il veut dire un problème politique, expliqua Koosie à Cindy. À propos de la liberté. »

Nous en restâmes là ; ce n'était pas le moment d'ergoter. Koosie et moi étions fâchés parce qu'il avait une vision du monde que je rejetais. Il était maintenant au pouvoir, ou proche du pouvoir, et ça gâchait tout. Le pire, c'était l'effet que ça produisait sur les mots. Les grands discours qui avaient suivi la libération avaient bouleversé le vocabulaire d'avant. Les gens parlaient de liberté alors que c'était au pouvoir qu'ils pensaient. Le pouvoir était ce qui comptait. Et la parlote.

« Je me suis tourné vers la politique, dit Koosie ; et Alex, vers la climatisation. »

Heureusement, les croque-morts revinrent alors avec le chariot vide.

« On prend les fleurs maintenant. Merci, monsieur. »

« Je suis sûr que ta mère t'a parlé de notre rencontre, reprit Koosie.

– Oui.

– Qu'est-ce qu'elle a fait du Cubain ?

– Il va bien.

– Je ne vais pas demander ce que ça signifie. Tu me le raconteras une autre fois ?

– Bien sûr.

– Viens me voir.

– Je ne me sens pas à l'aise dans les bureaux du gouvernement.

– Je ne travaille pas en ce moment. Viens me voir chez moi. À Soweto.

– Je ne suis jamais allée à Soweto », dit Cindy.

Koosie haussa les épaules. « Ça ne fait rien. C'est normal. Environ quatre-vingt-dix pour cent des gens n'ont jamais mis les pieds dans une township. Mais Alex que voici porte le nom de l'une d'elles. Demandez-lui de vous en parler. Non, mieux, dites-lui de vous emmener quand vous viendrez me rendre visite.

– S'il te plaît, on peut aller voir Kathleen maintenant ? » demanda Benny.

Cindy, Benny et moi descendîmes l'allée en direction du cercueil, qui était posé sur la troisième marche de l'autel sous un monceau de fleurs, et sous l'œil vigilant du père Phil qui faisait les cent pas dans ses fringues vert émeraude, ressemblant à une sorte de demi de mêlée sacré.

L'organiste jouait *Panis angelica*, « Le pain des anges », un cantique curieusement approprié. La façade extérieure de l'église Rosebank était couleur de biscuit doré mais à l'intérieur les murs évoquaient une meringue vert-jaune ; la clarté qui filtrait à travers les vitraux était tamisée par des flocons de poussière qui semblaient osciller au rythme de l'orgue. Les Sionistes de Zoo Lake prirent le relais de l'organiste et nous chantèrent *Swing Low, Sweet Chariot*.

« Où est Kathleen ? » demanda Benny.

Cindy ne répondit pas.

« Elle est dans la boîte ?

– Oui, Benny », dit sa mère. Il n'eut pas l'air de la croire et il n'avait pas tort.

Benny avait raison d'être sceptique. Ma mère avait été une virtuose de l'évasion. Le cercueil sur l'autel, sous la masse de cellophane, de nœuds de crêpe, de mots, de rubans, de lis et d'orchidées, évoquait l'oreiller glissé sous les couvertures par le prisonnier échappé de sa cellule : un leurre destiné à gagner du temps.

Une fois, mon grand-père avait dit à son sujet :

« Kathleen est comme le vent. Attachez-la avec du fil de fer et elle glissera entre les nœuds comme un lapin beurré.

– Beurré, dis-je, signifie soûl.

– Oui, répliqua-t-il, quand ça s'adresse à moi. Dans ce cas ça veut dire soûl, bourré, cassé. Quand ça s'adresse à ta mère, ça signifie glisser, disparaître en un clin d'œil, en quatrième vitesse. »

Du début à la fin, ma mère lui donna raison ; et maintenant, une fois de plus, elle avait glissé entre les nœuds. Elle était partie et elle ne savait pas où elle allait. Ni moi non plus : elle n'avait pas déposé de plan de vol.

« Pourquoi elle est dans la boîte ? demanda Benny.

– Ne montre pas du doigt, dit sa mère.

– Pourquoi ?

– C'est malpoli. Regarde ces jolies fleurs. Tu veux qu'on aille les voir ? » proposa Cindy.

Il y avait des couronnes de l'ANC* : « Avec notre profonde gratitude… à Kathleen – qui a conduit de nombreux camarades en lieu sûr ». Il y avait des fleurs envoyées par Interflora, de la part d'oncles du Kenya, d'Umhlanga Rocks, d'Amérique et d'Écosse. Il y avait des couronnes signées Siegfried, Llewellyn et Boetie, par des hommes qui rédigeaient leurs messages d'une main tremblante : « Disparue mais jamais oubliée » et « Elle vole haut dans mon cœur » et « *Rus in Vrede Ouus* » et « *Hamba gahle* ». Il y avait aussi des hommages signés avec le genre de noms qu'utilisaient les gens quand ils écrivaient des lettres aux journaux, dénonçant le viol de bébés et/ou la prononciation déplorable des animateurs de radio : des

* African National Congress. (N.d.T.)

pseudonymes comme « Guerrier zoulou », « Garçon amoureux » et « Oscar Romeo ».

Je dis à part moi : « Pourquoi ne signent-ils pas de leur vrai nom ? »

Cindy haussa un sourcil. « Des admirateurs secrets ? Possible, hein ?

– Mais des pseudonymes sur des couronnes funéraires ?

– *Ja*, enfin, non. Mais ce n'est pas le genre d'endroit où quelqu'un dira ouvertement ce qu'il pense. Pendant une éternité personne n'a signé de son vrai nom s'il pouvait l'éviter. Si on posait une question au président lors d'une réunion électorale, il envoyait la police secrète à vos trousses. Même aujourd'hui, quand le président apprend que des rivaux veulent sa place, il appelle les services secrets pour les espionner. Il n'y a pas longtemps, même lire quelque chose pouvait être délicat. Ça fait si longtemps que tout le monde se cache que c'est devenu une habitude.

– Ça me paraît tout de même assez curieux. Un adulte signe “Amoureux triste et délaissé de Cyrildene” sur une gerbe de muguet qu'il envoie à une femme morte, et tout le monde hoche la tête et dit : “Oh *ja*, c'est comme ça.” »

Cindy haussa les épaules. « C'est comme ça. »

Quand je vis le cercle de roses blanches avec le simple message « *Hey Mambo !* », je sus que le Cubain avait lu l'avis de décès.

Même en son absence, ma mère représentait plus que ce dont rêvaient la plupart des gens : elle était imposante, elle ouvrait des espaces, et la simple diversité des personnes présentes ce jour-là dans l'église Rosebank témoignait d'une largeur d'esprit très peu sud-africaine. Je m'assis sur le banc de devant, réservé à la famille, avec Koosie, Jake Schevitz, l'oncle Hansie et sa maîtresse, Cindy et Benny, Papadop, dont les larmes coulaient silencieusement, et Noddy, le jardinier, qui était arrivé le dernier de tous et portait un chapeau tyrolien avec une plume arc-en-ciel.

Et ce mélange était une assez pâle sélection de l'extravagante richesse qu'elle avait savourée toute sa vie : un politicien de Soweto, un avocat juif, un aristocrate allemand, sa maîtresse herero, ainsi qu'un ex-Grec, une jolie nana de Johannesburg, avec un délicieux petit garçon à l'air perturbé qui ne cessait de montrer du doigt la poussière volant dans la lumière rose bonbon des vitraux et de dire : « Regarde, les nuages d'anges ! »

Derrière nous étaient assis des Mozambicains, des Zimbabwéens, des Kenyans et des Malawites ; des types qui autrefois avaient eu des fermes en Afrique, puis avaient sauté le pas et étaient descendus « vers le sud », laissant derrière eux les ranches et les établissements piscicoles, les safaris, les écoles de mission, les forêts et les propriétés qu'ils avaient considérés comme leur appartenant, et qu'ils aimaient à la folie.

Tant de ses amis étaient venus ce jour-là ! Il y avait même quelques-uns des derniers vieux chasseurs blancs vivant encore en Afrique, ceux qui n'étaient pas partis aux États-Unis pour ouvrir des parcs à safaris, où les buffles et les rhinocéros africains erraient sous le soleil américain. Il y avait « Pute » Atkinson, qui avait autrefois tué un léopard avec un couteau et dont la moitié du visage avait été arrachée par l'ergot de l'animal, de telle sorte qu'il portait aujourd'hui un genre de masque de bandit de grand chemin sur la bouche, ne le soulevant que pour manger et boire ; et le vieux « Garce » Dewey, le chasseur gitan qui lorsqu'il était adolescent, dans les années trente, avait chassé avec le prince de Galles ; et « Piqûre de tique » Tallinger, qui, disait-on, avait eu une liaison avec Grace Kelly quand elle était venue tourner avec Clark Gable ; et Big Bill Bruma, qui avait abattu son frère par erreur quand la balle avait traversé le lion et était ressortie de l'autre côté.

De vieux amis de Stanleyville, Salisbury et Lourenço Marques ; ombres et spectres des imposantes personnes qu'ils avaient été autrefois, venus de villes et de pays qui étaient, comme eux, de tristes fantômes. Autrefois si sûrs d'eux, si solides, si naturellement supérieurs, si riches, si florissants, si impassibles qu'il semblait que rien ne les ébranlerait jamais.

Quand j'étais petit ma mère avait l'habitude de m'emmener au club Muthaiga à Nairobi. Je m'installais devant le feu, je mangeais de la soupe à la queue de bœuf et j'écoutais la conversation des chasseurs. Les mots « *Na Kupa Hati M'Zuri* » étaient gravés au-dessus de la cheminée.

PUISSE LA CHANCE VOUS SOURIRE TOUJOURS...

Les voix anglaises zézéyantes, aiguës, stridentes, réclamant plus de champagne, parlant d'armes.

« J'étais près de la gare de Makindu, avec Frenchy Du Preez. J'avais mon .375 et j'ai visé le cerveau. J'ai touché le buffle, mais un peu trop haut parce qu'il a foncé sur nous comme une putain de locomotive. Et puis : boum ! Le gros .500 de Frenchy pète tout contre mon oreille, et le buffle s'écroule comme un chêne, à moins d'un mètre de moi.

« "Imprudent, Alfie, très imprudent...", c'est tout ce que cette putain de Grenouille a dit. Parlons-en du putain de *sang-froid* ! »

Ma mère m'a un jour fait remarquer qu'avant l'indépendance les Blancs avaient beaucoup chassé dans toute l'Afrique ; après l'indépendance, on les avait souvent traqués, et fréquemment abattus. Étrange, le nombre d'entre eux qui avaient subi une mort violente.

Et elle les énumérait : John Alexander, Diane Fossey, George et Joy Adamson...

Et elle disait : « Du moins ils sont morts, et ne continuent pas à vivre, comme Beryl. »

Elle parlait de Beryl Markham qu'elle avait connue quand elle était petite et avec qui elle avait gardé une relation pendant toutes ces années, après que Karen et Bror Blixen et ce monde-là eurent disparu. Elle avait l'habitude de passer voir Beryl à Nairobi, où la vieille dame habitait une petite maison en béton, buvant des gin-orange à une cadence incroyable, et essayant de se souvenir des endroits où elle s'était autrefois rendue aux commandes de son avion ; prenant une boîte en métal rouillé avec ses plans de vol et les pistes d'atterrissage du bush, pour retracer le grand vol en solo qu'elle avait fait autrefois au-dessus de l'Atlantique.

« Beryl se fait cambrioler sans arrêt. La dernière fois, elle a atterri à l'hôpital avec une fracture du crâne. Seule, tu vois, et vieille. Mais tout ce qu'elle voulait savoir, c'était si je m'étais rendue récemment à Mara-Mara ou à Oloitokitok. »

Parmi les personnes présentes ce jour-là, il y en avait aussi quelques-unes qui vivaient encore là où elles avaient toujours vécu, et qui avaient pris l'avion pour Johannesburg afin d'assister aux funérailles : les amoureux de l'Afrique, les beaux parleurs – « Je suis dévoué à ce continent et je vais t'exploser la tête si tu ne l'aimes pas toi aussi. » Il y avait Rex Thistledown des hauts plateaux kenyans, l'un des rares propriétaires de ranches blancs qui allaient encore dans le Kikouyouland, qui était le fils du vieux Nicky Thistledown qui avait chassé avec ma mère, bu en compagnie de Hemingway et couru les putes avec Bror Blixen. Rex, le pauvre bougre, était réduit au même sort que tant de colons blancs autrefois extravagants et inconvenants : aux bonnes causes, et au silence. Rex se consacrait désormais à l'écologie, sauvant des éléphants sur ses vingt-cinq mille hectares de hauts plateaux, et protégeant sa propriété des membres des tribus kikouyous qui persistaient à croire que sa terre leur appartenait, et avaient commencé à l'envahir, brandissant des portraits de Robert Gabriel Mugabe, un héros continental depuis qu'il s'était mis à chasser les colons blancs du Zimbabwe. Dans les années cinquante, le père de Rex, sir Nicky, connu comme « le nabab de Nairobi », avait une fois pénétré dans le club à cheval avec une blonde nue sur sa selle, et avait bu le coup de l'étrier sous les applaudissements des dîneurs réunis. Par contraste, Rex conduisait une vieille Range Rover, ne buvait pas et, comme beaucoup de Kenyans, possédait une ferme en Afrique du Sud, une sorte de garantie pour le jour où les Kikouyous finiraient par gagner et le chasseraient du pays.

Derrière nous, il y avait une rangée de vieux types en blazer bleu, clignant leurs yeux chassieux pour retenir leurs larmes, tous des amants de ma mère, tous perdus dans une Afrique à laquelle ils ne s'étaient pas attendus, une Afrique jeune, hostile, en colère, et rétrécie. Mais il manquait une personne ce jour-là – et j'en fus surpris : c'était la reine Bama.

Le père Phil était en chaire.

« Nous sommes venus dire au revoir à Kathleen, une femme hors du commun qui a changé des vies, piloté des avions, pêché et chassé ; qui ne voulait pas seulement toucher les étoiles, mais qui en était une. Défenseuse de l'environnement, africaniste, c'était une femme qui avait la grâce d'un mannequin. Une femme dont la chaleur innée était comme un grand feu de bois ; une femme de cette ville qui était faite du trésor de cette ville, un cœur d'or… une mère à qui les enfants tendaient les bras ; et à qui les chasseurs portaient des toasts autour du feu de camp. Je suis triste qu'elle ne soit plus là ; elle me manque énormément. Elle brillait d'un tel éclat que la pleurer trop fort, la regretter trop intensément, est assez naturel, mais quant à moi je préfère célébrer sa vie incroyable. »

C'était loufoque. Très. Nous avions devant nous un homme habillé comme un arbre de Noël qui, de l'aveu de tous, parlait assez bien. Cindy pleurait. C'était exactement ce que nous faisons toujours à ces moments-là, nous allions l'aspect fantaisiste à la réalité des choses. Debout en chaire, dans ses fringues vert irlandais, l'un des derniers amants de ma mère racontait des absurdités sur son compte. Le rôle du prêtre en Afrique était à peu près aussi étrange que celui du voyou, de l'entrepreneur et de l'explorateur. Le même goût du déguisement, la charité bien-pensante ; le désir que l'Afrique inflige à des gens intelligents par ailleurs de passer leur temps à secourir les faibles, sauver les malades, et tour à tour, à séduire et à attaquer sauvagement ces mêmes personnes. Tout cela au nom de « l'amour ».

À côté de moi, Papadop s'agitait et pleurait. Papadop, qui m'avait raconté l'histoire du père Silveria, le pauvre petit Porto qui, quatre siècles plus tôt, s'était réfugié au bord du fleuve Musengezi, exactement comme Papadop, le Cubain, ou moi. Silveria était le premier homme blanc de Mount Darwin, de la même façon que Papadop, un ex-Grec ex-Sud-Africain, ex-Zimbabwéen ex-tout, aujourd'hui baisé sur toute la longueur, en était aujourd'hui le dernier.

C'était incroyable de voir à quel point ces événements étaient liés. Tout se rejoignait et convergeait : le père Phil, la triste forme de Papadop tassée sur le banc, la couronne du Cubain. Le Cubain que Papadop avait caché dans sa cabane au bord du Musengezi, le fleuve où avait été jeté le premier homme blanc pour apaiser les dieux crocodiles.

Ma mère n'avait jamais reconnu cette Afrique. Elle l'avait survolée, simplement, et avait ainsi réussi à s'échapper. Persuadée qu'on pouvait être qui on était, dédaignant même de prêter attention à la couleur ; elle prenait l'Afrique sans la race. Mais ceux qu'elle laissait derrière elle jugeaient que cette option n'était plus à l'ordre du jour, malgré les mensonges, les basses flatteries, les grands espoirs : nous nous retrouvions avec notre peau sur les bras.

Incroyable et terrible de s'y trouver confrontés, après un demi-siècle où nous n'avions pensé qu'à la couleur, à la tribu, au sang et à la race ; et juré que, quoi qu'il arrivât à l'avenir, nous ne recommencerions jamais. Non seulement nous recommencions, mais il ne se passait rien d'autre en ville.

Quand je quittai l'église, je trouvai le chanteur de louanges de la reine Bamadodi qui m'attendait de l'autre côté de la rue, devant le sex-shop. Il était revêtu de ses plus beaux atours et dansait d'une jambe sur l'autre. Peut-être s'imaginait-il que la boutique lui procurait un arrière-plan neutre. Manifestement, il ne se sentait pas très à l'aise d'apparaître à un enterrement chrétien avec des queues de singe et des sonnailles aux genoux.

Il n'était pas venu avec la limousine royale, mais en taxi, un minibus bondé qui l'attendait en face. Il portait une Swatch et pour quelque raison cela me perturba. Une montre à la mode au poignet d'un serviteur royal obligé de prendre un taxi… les choses devaient mal aller pour la reine Bama.

Seules ses salutations avaient le riche écho d'autrefois.

« Je vous apporte la bénédiction du grand nuage de plénitude, elle qui fait couler les rivières et qui arrose le monde. Elle sans qui tout serait désert et poussière. La grande mamelle du ciel embrasse le fils de Kathleen et le prie de lui rendre visite dans le Grand Palais. »

Il me fit pitié. Il devait prendre un taxi pour rentrer chez lui, dans le Magaliesberg, et il savait qu'il avait intérêt à rentrer avec des nouvelles que la reine de la Pluie voulait entendre. Je comprenais et appréciais l'honneur qu'on m'accordait, mais je ne souhaitais pas répondre à cette invitation. Ça n'avait aucun sens. La reine de la Pluie ne recevait pas d'hommes, elle n'avait pas de fils, elle ne voulait pas de mari, et quel que soit l'angle sous lequel on considérait la chose, j'étais un homme, et un Blanc par-dessus le marché.

Mais elle faisait partie de ma famille.

Le chanteur de louanges était pressé de repartir ; son taxi klaxonnait.

Je dis que je viendrais.

Il fut soulagé : « Il y aura des festins et des réjouissances dans le Grand Palais de la reine. » Puis il réfléchit et dit prudemment : « Il y aura des réjouissances. Regardez, j'ai indiqué l'itinéraire. » Et il me donna une carte touristique, avec l'inscription : « Bienvenue dans le Magaliesberg magique, dans la province de Platinum. Le paradis des ornithologues. »

Puis il consulta sa Swatch et fila.

IV

GOLDEN CITY BLUES

« Je ne suis pas sans défense ; j'ai un Lüger dans mon casier. »

West with the Night, Beryl Markham.

Pendant plusieurs semaines après l'enterrement, je ne vis personne, excepté le jardinier. Durant la période où je vécus dans la maison de ma mère à Forest Town, je n'eus de meilleur ami ou compagnon que l'Homme de la Terre Rouge. Rien de ce que je lui dis ne le persuada que Noddy était un substitut médiocre de son vrai nom. Il était Noddy – Noddy des Cinq Madames – et ça ne le dérangeait pas le moins du monde.

L'après-midi, je me rendais à pied au zoo. Quand j'étais petit, ma mère m'emmenait faire de l'éléphant, et, perché sur le siège en bois, j'oscillais en cadence. Elle tenait fermement la barre en cuivre. Elle disait que le monde était plus beau vu du haut d'un éléphant. Après, nous allions voir les lions, elle me les montrait et disait : « Bon sang, *regarde*-moi ces crocs ! » Puis nous allions jusqu'aux cages des singes et nous observions les visiteurs qui donnaient des cacahuètes aux chimpanzés. Les gens criaient, jetaient de la nourriture, pointaient le doigt et sautaient en l'air ; parfois ils lançaient des pelures d'orange, que les singes attrapaient et ne pouvaient pas manger.

« Franchement, comment peut-on être aussi cruel ? disait ma mère. Je me demande vraiment de quel côté des barreaux sont les singes, tu ne crois pas ? »

 On a besoin de temps et d'un peu d'espace pour faire son deuil.

Il y avait eu des changements au zoo. Les gamins se promenaient toujours à dos d'éléphant et les lions étaient plus jaunes que jamais. Mais les cages avaient disparu. Les animaux vivaient dans des enclos parsemés d'arbres, d'herbe du veld et de mares. Une profonde tranchée maintenait les gens à distance des chimpanzés, aussi ils ne pouvaient plus leur lancer de cacahuètes. Un peu plus loin sur la route, de l'autre côté d'un fossé rempli d'une eau verte limpide, vivait un gorille.

Les choses ont de curieux effets sur vous quand vous êtes en deuil. Je pris l'habitude de m'attarder devant le gorille. Je ressentais ce qu'éprouvent les gamins négligés : ils s'accrochent au premier inconnu amical. Ce n'est pas du véritable amour. C'est de la thérapie de remplacement. Ils ne veulent pas vraiment de vous ; c'est leur mère qu'ils veulent. Vous n'êtes pas elle et ils le savent, mais votre compagnie fera l'affaire jusqu'au moment où reviendra celle qu'ils ont perdue.

Autrefois il n'y avait pas de gorille, mais il aurait plu à ma mère. Elle avait un sens inné de l'émerveillement, et un sens aiguisé de la peur. Les deux allaient ensemble, ce qui explique pourquoi la vue des crocs du lion la transportait. Le gorille disposait d'un vaste terrain de jeu ; il avait des arbres avec de vieux pneus de voiture qui se balançaient à leurs branches, et une colline en faux rochers avec une petite grotte à mi-hauteur où il avait la possibilité de s'abriter du soleil. À l'arrière, une passerelle permettait d'accéder à cette grotte. C'était l'entrée du gardien. Le nom de l'animal était inscrit sur une grande pancarte au-dessus de son enclos : « Gorille rwandais ; origine : Kigali ». Rien d'autre : des mots plats, désolés, du genre à-prendre-ou-à-laisser.

Un jour, Noddy demanda s'il pouvait m'accompagner au zoo et cela devint une sortie régulière, notre promenade à tous les deux. Il me montra des photos de sa femme. Elle avait l'air jeune, vingt-cinq ans peut-être, avec le teint doré lumineux des filles matabele.

« Elle s'appelle Beauty, monsieur Alex, et j'ai deux enfants avec elle. Mes fils sont Joshua et Sipho et ils vont à l'école et il faut payer les frais de scolarité tous les mois. »

Il me montra des photos de Joshua et de Sipho. Des visages éveillés et rayonnants, des chemises blanches amidonnées et la cravate de l'école. Ses fils étaient heureux dans cet établissement. Il était dirigé par un bon directeur, « l'un de nos meilleurs hommes ». Noddy prononça ces mots avec une force inhabituelle, comme si je m'apprêtais à le contredire.

« Ma femme, elle travaille dans l'école. Quelques jours par semaine, dans le bureau du directeur en personne. C'est un type formidable. »

Comme beaucoup de travailleurs immigrés, Noddy n'avait pas de papiers. S'il se faisait prendre on le jetterait en prison et on l'expulserait. Je ne voyais pas comment ça aurait pu arriver parce que je n'imaginais pas Noddy en prison ; il était difficile de se dire qu'il pourrait commettre un acte justifiant une chose pareille. C'était tout simplement un homme trop convenable, trop responsable, trop attaché à son épouse Beauty et à ses deux garçons. Il était si solide qu'à côté de lui je me sentais comme un vagabond, un bohémien.

« Les gens de Johannesburg n'aiment pas les immigrants, ils ne m'aiment pas. Je ne suis pas d'ici, monsieur. Je suis un étranger du Matabeleland, j'y retourne deux fois par an. Et vous, vous êtes étranger d'où ?

– Je suis étranger d'Afrique du Sud.

– Mais où c'est, chez vous ? »

Je tapotai le sol de l'orteil. « Chez moi, c'est ici. »

Il y réfléchit, et je vis qu'il saisissait ce que je voulais dire. Se sentir chez soi à la maison n'est pas donné à tout le monde.

« C'est dur d'être un voyageur.

– Pourquoi donc, Noddy ?

– Un voyageur perd tout ce qu'il laisse derrière lui. »

Il avait le mal du pays, comme nous tous. Il avait quitté son village et était parti en direction de Johannesburg pour la même raison que n'importe qui d'autre : pour le fric. Six jours par semaine, il travaillait à la tâche dans cinq jardins ; ça lui procurait un bon salaire en liquide et il en envoyait la plus grande partie à sa famille, au Matabeleland.

Si j'aimais quelque chose en particulier chez Noddy, c'était son envergure. Il était beaucoup de choses à la fois. Le voyage, la distance, d'autres endroits, d'autres mondes et d'autres mœurs : pour les Johannesburgiens, il est très difficile de vivre avec ces choses. Ils s'en offensent. Ils croient que leur ville est le centre, le nombril du monde. Ils pensent que c'est comme New York ou Chicago. C'est faux, bien sûr. Si elle évoque une ville américaine, par son déploiement, son smog, son argent, ses coups de feu tirés des voitures en marche, alors elle a une lointaine ressemblance avec Los Angeles. Mais si vous le dites aux gens, ils penseront que vous les dénigrez. Très peu d'entre eux sont même allés dans ces villes américaines, mais ça n'a jamais empêché un Johannesburgien de tout savoir. Et de vous le dire.

Noddy n'aimait pas le gouvernement du Zimbabwe. Il parlait politique avec moi, il s'exprimait avec aisance, dénué du souci crispé de dire ce qu'il faut qui inquiète tant les gens dans le Sud.

« Ils ont envoyé les tueurs coréens, la cinquième brigade, ils ont assassiné les gens de chez nous et ils ont jeté les cadavres dans d'anciens puits de mines. »

Noddy avait remarqué que dans ces puits les vêtements des personnes massacrées étaient mélangés à des bouts d'os.

« C'est un miracle, monsieur Alex. Nos habits durent plus longtemps que nos corps. Ah ! ça me rend triste. »

Quand j'y repense aujourd'hui je sais que nous avons été utiles l'un à l'autre. Sans lui, je me serais senti encore plus seul. J'étais de retour dans une ville qui avait été la mienne et je m'apercevais que je n'étais plus vraiment là. J'avais l'impression d'être l'une de ces ombres des enfers, anxieuses, plaintives, demandant sans cesse des nouvelles du monde réel. Le type en chair et en os que je trouvai dans la chambre de l'arrière-cour était un don. Nous avions plus de choses en commun l'un avec l'autre qu'avec ceux dont nous aurions dû être le plus proches. J'avais sa compagnie, et en échange il obtenait une chambre gratuite ; cette chambre comptait beaucoup pour lui. Sans elle, il aurait été forcé de louer quelque chose dans la township d'Alexandra, un minuscule abri ménagé dans le garage de quelqu'un. Et de payer les yeux de la tête pour ce privilège. Il plissait le front ; Alex était trop difficile, trop dangereuse, trop d'alcool, trop de fusils. À Alex, il se perdrait.

Je vois maintenant que Noddy était très gentil avec moi. Il savait que j'étais à la dérive, il savait que j'étais perdu. Il savait que trop d'années passées à voyager avaient embrouillé mon cerveau ; et surtout, il savait que je souffrais. Nous étions des indigènes étrangers dans une ville étrange, et les indigènes étrangers devaient se tenir les coudes. Il avait voyagé, il savait qu'un homme peut vivre dans plus d'un endroit, et que s'il le fait il sera plus d'une personne. Et c'est très bien comme ça.

Chez lui, dans le Matabeleland, Noddy était propriétaire terrien : il possédait sa propre ferme, il élevait des vaches et des chèvres, il avait des vergers de pêchers et d'abricotiers. Il était dans tous les sens du terme un homme de biens, un fait très difficile à assimiler au jardinier à la tâche en pantalon gris et tee-shirt. Il émanait de lui une densité, une gravité qui ne correspondaient pas à sa taille, à ses petites mains et à ses pieds menus. Un homme solide, fiable, c'était ce qui vous frappait chez Noddy, même s'il mesurait à peine un mètre cinquante et était si fragile qu'un coup de vent, semblait-il, aurait suffi à le renverser. Il avait des critères, des idéaux ; c'était un homme de qualité, il accomplissait toutes les choses qu'on est censé accomplir pour avancer. Dans un autre monde, un monde meilleur, il eût aidé à diriger son pays.

Nous étions deux indigènes étrangers qui parlions de la Chine, de l'Islande et du Monténégro, et il aimait cela parce que ça le faisait paraître moins éloigné de tout ce qu'il connaissait et aimait, de sa ferme avec ses arbres fruitiers, de sa femme Beauty, de ses garçons.

Pour le travail au jour le jour dans le jardin, Noddy portait un pantalon gris en flanelle et un tee-shirt blanc orné d'un sommet alpin et du drapeau suisse, où on lisait : « Gstaad, mon amour ». Le dimanche il se rendait à l'église méthodiste dans Parktown North ; il mettait un complet bleu marine rayé et des chaussures noires, et son chapeau, une harmonieuse confection marron foncé avec un bord généreux et un ruban noir que chevauchait une plume de faisan brillante – telle une gracieuse cocarde. Ce que nous avions en commun, c'était d'avoir abandonné notre maison. Ce qu'il m'apportait, c'était le sentiment réconfortant que les choses n'avaient pas besoin d'être les mêmes toujours et partout – c'est là-dessus que la mort insiste. Il m'offrit d'autres façons d'exister, il résistait à la mort, il me soutenait dans le deuil. La mort est monotone, inaltérable, elle ne laisse de nous que des os et des bouts de vêtements. C'est l'ultime application de la force. Vue sous cet angle, la mort est radicale, elle menace votre vie, et vous cherchez une consolation. Noddy me rassurait parce qu'il existait en de multiples versions. Il n'était jamais monotone, il avait de nombreuses facettes. Il était versatile. Noddy la semaine, Noddy le dimanche, et le plus grandiose de tous, Noddy le châtelain.

Seule la plume de son chapeau indiquait une autre existence, tapageuse, bruyante, rapide et débridée. Il n'est pas exagéré de dire que lorsqu'il portait ce chapeau ses deux vies étaient exposées : l'une réaliste, fiable ; l'autre inconstante, effrontée.

Il aimait les belles plumes. Et il aimait le musée du costume de l'autre côté de la rue, qui avait été créé par les sœurs Bernberg. Je me souvenais encore, quand j'étais petit, d'avoir vu les sœurs sortir l'après-midi pour se rendre en bus à leurs cours de danse. Elles portaient des bas blancs et des chaussons de danse et devaient avoir plus de soixante-dix ans. Ma mère les observait avec mépris. « Elles savent de quoi elles ont l'air ? disait-elle. Elles se prennent pour qui ? »

Les minuscules sœurs Bernberg s'habillaient toujours avec une sublime extravagance. Parfois elles étaient des garçonnes des années vingt ; parfois des vamps, en jupe courte noire, bas blancs, chaussures à talons plats, bérets ou chapeaux cloches. Quand elles se tenaient la main à l'arrêt du bus, qui se trouvait juste devant notre maison, elles ressemblaient à de très vieilles petites filles déguisées pour une fête. Elles apportaient une tache de couleur dans une rue terne par ailleurs, c'étaient des oiseaux dansants du paradis à Forest Town.

Quand elles moururent, elles léguèrent leur maison et leur collection de mode à la ville de Johannesburg. Les pièces étaient remplies de costumes du XVIIIe, du XIXe et du XXe siècle. Les mannequins étaient placés dans des vitrines, portant des châles Voortrekker, ou des robes de cocktail moulantes des années trente. Il y avait des costumes nationaux d'une douzaine de pays. Il y avait même des modèles de grands couturiers parisiens comme Coco Chanel. Les Bernberg avaient aimé ce qui, à Johannesburg, n'avait aucune valeur : la beauté, l'élégance et ce qui venait de l'étranger.

Je ne savais rien des jardins, et cela plut à Noddy, qui décida de m'inculquer quelques notions. « Si vous enlevez les bourgeons de vos dahlias, vous aurez de plus belles fleurs, monsieur Alex. » Il plaça les dents pointues de deux fourches de jardinage à la base d'un plant de dahlia, de telle sorte qu'elles enserraient sa tige comme des doigts.

« Les tubercules de dahlia doivent être rehaussés au-dessus du sol – de cette façon. Ça vous évite de casser les tiges. »

Je ne me souciais guère de dahlias, mais c'était comme ça. Je n'avais pas l'intention d'apprendre à cultiver des tubercules de dahlias sans casser leurs tiges.

De temps à autre, avec une telle force que j'en étais ébranlé, je sentais que Noddy était la clé de quelque chose de vital, si seulement j'étais capable de le découvrir. Il ne pouvait pas me le dire ; il ne pouvait qu'espérer que je le verrais. Ce ne fut pas le cas. Je sombrai dans la pire sorte de provincialisme ; il était le pays dont je ne parviendrais jamais à saisir tout à fait la réalité, et je doutais de cette réalité. J'essayais de le comprendre en me référant uniquement à moi-même.

Noddy mettait son argent de côté à la Natal Building Society et son livret était épais, reluisant et soigné, maintenu par deux élastiques formant une croix de caoutchouc rouge. Il me le montra, posé au creux de ses doigts entrelacés d'une manière qui rappelait les pointes des fourches entrecroisées dont il se servait pour rehausser les tubercules des dahlias. Ici étaient inscrits ses gages ; là, la somme mensuelle qu'il envoyait à sa femme.

Nous parlions du climat, des coutumes et de la politique. Faisait-il très froid en Angleterre, la vie était-elle très dangereuse en Amérique ? Dans les autres pays, détestaient-ils aussi les étrangers ?

Noddy tombait en arrêt devant l'enclos du grand singe et lisait la description : « Gorille rwandais ; origine : Kigali ». Il y avait quelque chose de triste chez ce gorille. C'était ce que nous ressentions. Il était venu des montagnes et de la forêt, à des kilomètres plus au nord, pour se retrouver à côté du musée de la Guerre, dans la prison qu'est le zoo de Johannesburg.

« Lui aussi c'est un indigène étranger, monsieur Alex. »

Quelquefois il soupirait, et je savais qu'il pensait à ses fils qui allaient en classe à St. Aloysius, où sa femme Beauty travaillait dans le bureau du directeur qui était un type formidable.

Jake Schevitz se laissa glisser dans le fauteuil en Dralon bleu, et il m'adressa le sourire en coin que je connaissais si bien. Derrière sa tête, je voyais l'aquarelle des chutes Victoria peinte par Livingstone ; le sentier qui serpentait vers les chutes était tracé à l'encre bleu roi, et, de là où j'étais assis, il semblait jaillir de l'oreille gauche de Schevitz.

« Ça doit être étrange, d'être ici sans elle.

– C'est le vide. J'ai l'impression d'avoir vécu toute ma vie à côté d'un énorme moteur. D'une turbine. Ou d'une cascade. Un genre de chutes Victoria si bruyantes, si monstrueuses, que je ne m'entendais pas penser. Et brusquement on a coupé le contact ; et le silence est plus dur à supporter. »

Schevitz se leva et posa le bras sur mes épaules.

« Tu vas rester ?

– Oui. Au moins jusqu'à ce que je me sois assuré que chacun ait reçu ce qu'elle lui avait laissé. Je le lui ai promis.

– Eh bien, il faut qu'on se voie. Passe-moi un coup de fil, on fera quelques pubs. »

Je dis que je n'y manquerais pas mais je vis qu'il ne me croyait pas vraiment, et je m'aperçus aussi qu'il était soulagé. Jake Schevitz était un vieil ami, mais j'avais été longtemps absent, et il ne savait plus quoi me dire. Je n'étais plus celui que j'avais été. Ma vie au loin m'avait vidé de la substance dont étaient faits les Sud-Africains reconnaissables : les bagarres, le sang, la bière, les BMW, la balistique, les couilles, ainsi qu'une quantité de conneries passionnées. Cela avait gâché la compagnie que je pouvais offrir. Je vivais dans la maison de ma mère mais, aux yeux de Schevitz, j'étais plus aérien qu'elle. Elle était bien morte, mais c'était moi le vrai fantôme.

Jake me tendit une épaisse enveloppe en papier bulle. On y lisait en majuscules tapées à la machine : « DERNIÈRES VOLONTÉS ET TESTAMENT DE KATHLEEN MARY HEALEY ».

« Baisse la tête, Alexsy. C'est de la dynamite. Des grenades lancées depuis le ciel. Elle avait un sacré sens de l'humour, ta mère. Elle a réparti ses biens de telle manière que tu hérites soit de ce qui t'aurait fait le plus plaisir, soit de la dernière chose dont tu aurais envie. Par exemple, je reçois son dictionnaire et ses livres de grammaire espagnols, et son *Espagnol pour débutants*. De crainte que je n'oublie que je me suis dressé entre elle et son heureux mariage avec un gigolo déserteur plus jeune qu'elle d'un demi-siècle. »

Je commençais à saisir ce qu'elle avait voulu dire lors des derniers instants, quand elle m'avait arraché la promesse de m'occuper de toutes ses « affaires ». Ses legs avaient été choisis avec un certain piquant olympien. Le duo du legs et de son bénéficiaire calculé pour la faire sourire dans l'au-delà. Schevitz avait les dictionnaires espagnols ; j'avais Noddy, la maison, et le jardin.

Et ce n'était que le début.

Cindy September héritait de sa veste de vol, de ses bottes, de son casque en cuir et de ses lunettes de protection. Je lui téléphonai et elle expliqua où elle habitait, comme si j'avais été un visiteur d'une autre planète.

« Tu connais Sheerhaven ? »

Non, je ne connaissais pas.

« Bon, tu connais sûrement Lonehill ? »

L'histoire sonique de Cindy vibrait à travers la ligne de téléphone. Ses *a* prolongés virant au grave ; ses *a* brefs se fondant dans des *e* neutres. Son emploi constant de *ut* pour exprimer la surprise ou la solidarité : « Uzzzut, hein ? » Chaque note étant une balise, un drapeau, une identité. Les endroits qui nous avaient façonnés s'étaient gravés dans notre manière de parler, selon un processus assez semblable au frottement des chaînes qui écorchaient les poignets entravés des prisonniers. Nous étions ce que notre voix laissait paraître, jusqu'au jour où l'écho de cette voix changeait.

Elle parut incrédule quand je répondis non une deuxième fois, mais elle ne se découragea pas.

« Tu connais Halfway House ?

– Oui.

– OK. *Ja.* Voyons voir. C'est facile à trouver… si tu sais comment arriver au William Nicol Highway. C'est là où ta maman était hospitalisée. OK ? Prends le William Nicol, et continue tout droit. Ne bifurque pas à droite pour Halfway House quand tu arrives à Buffalo Belle's.

– C'est quoi ? »

Elle eut un rire bref et, pensai-je, un peu amer. « Tu ne connais pas ça non plus ? Tout le monde connaît Buffalo Belle's. Tu peux pas le manquer. En tout cas, tu ne dois pas t'y arrêter, ça c'est sûr. Va vers Monte Casino.

– Monte Casino ?

– Un endroit énorme, comme une ville italienne. Trois bornes plus loin, prends à gauche et c'est là. Des grands portails ; des tas de gardes. Tu verras immédiatement un Woolworth en face du portail. Si tu vois un Checkers, c'est que tu t'es trompé. Woollie's, c'est le bout chic du village. Quand tu arrives devant le portail, tu me demandes. À plus. »

Quand j'avais rencontré Cindy à l'enterrement de ma mère, je m'étais dit qu'elle venait probablement de quelque part du côté du Cap. Race mêlée, « métissée ». Mais en l'écoutant au téléphone, je me dis que c'était plutôt une Johannesburgienne blanche, de la banlieue nord, peut-être juive.

Je me trompais doublement.

Je roulais en direction du veld plat des régions du Nord, où les noms des banlieues gardées, protégées par des murs et des portails – Fourways, Lonehill, Halfway House –, disaient clairement ce qu'elles étaient : des avant-postes frontaliers jalonnant la longue marche de Johannesburg vers le nord, sa hâte de laisser derrière elle son moi d'avant, parmi les gratte-ciel abandonnés et les dépotoirs de mine aplatis. Johannesburg était en marche et elle entraînait la ville avec elle. Des centres commerciaux flamboyants côtoyaient des vitrines d'autos rutilantes garnies de nouveaux modèles alléchants, miroitant et clignant de l'œil aux chauffeurs coincés dans les embouteillages sans fin, d'une manière qui rappelait fortement les putains battant le pavé au coin des rues : remontant leur jupe pour montrer leur slip aux michetons qui passaient.

Vanter sa marchandise ; vanter son cul. C'est la même différence, comme on dit par ici.

En roulant j'entendais toujours la voix de Cindy. « Woollie's, c'est le bout chic du village… »

Toute la putain d'histoire de ce pays était contenue dans cette phrase.

J'avais grandi dans ce que je croyais être le « vrai » Johannesburg des années passées, quand il n'y avait rien sur la carte au nord de Sandton et de Fourways, ça n'existait pas, tout simplement : une bande de rien entre Krugersdorp et Pretoria. Eh bien, ce n'était pas rien à présent.

Les étendues plates de Johannesburg pullulaient d'une intense activité de termites. J'étais dans une file compacte de véhicules qui avançaient très lentement ; des véhicules coûteux : des 4 × 4, des Mercedes et des BMW, coincés dans un bouchon qui remontait jusqu'à la lisière de l'ancien Johannesburg. Il régnait une ferveur de nouveau monde, il y avait des grues géantes et de minuscules ouvriers qui grouillaient sur les murs en construction et les toits de ce qui devenait des lotissements, des banlieues fortifiées. Fixés aux parois de ces refuges dorés, des panneaux « À vendre » montraient des photographies granuleuses d'agents immobiliers, gravées sur le métal : Evaleigh, Trompie et Charlotta étaient heureux de vous fourguer la cellule capitonnée de vos rêves de bonheur dans les townships solitaires, où tout le monde menait une existence sûre, préservée.

Les visages mélancoliques me rappelaient quelque chose que je ne parvenais pas à identifier pour le moment.

Partout, des bulldozers s'avançaient sur leurs gros genoux de caoutchouc, préparant le terrain pour d'autres temples auréolés par les noms de la mémoire européenne, ténue mais toujours empreinte de magie : Mon Plaisir et Ma Provence, La

Capri, Tuscan Heights, Tuscany Towers, Casa Tuscana, Linga Longa, Le Mistral, Verona Heights et Aquitainia…

Puis je la vis, jaillissant du veld plat : une forteresse couleur feuille morte avec des tourelles et des remparts. Monte Casino. Je me souvenais que les troupes sud-africaines avaient mené une célèbre bataille contre les Allemands dans un lieu qui portait ce nom, mais je ne pouvais imaginer une seule seconde que le bâtisseur de ce tripot géant qui se faisait passer pour un château italien avait eu en tête une lointaine bataille oubliée de tous. Non, ce spécimen de kitsch montagnard parlait de la nouvelle Afrique du Sud, qui ressemblait aussi de plus en plus à un casino géant et à une boîte de nuit aux prix exorbitants dont les actifs se comptaient en jetons de poker.

Ensuite j'aperçus une maison style ranch, une arche de chapeaux de cow-boys et de lassos enchevêtrés, surmontée par une paire de grosses cornes en néon, et de la légende : « Buffalo Belle's – l'amour est notre style de vie ! » Cindy avait raison. On ne pouvait pas le manquer.

Quelques minutes plus tard, j'arrivai devant des portes en acier, un corps de garde, et je vis le Woolworth de l'autre côté de la route. J'avais atteint Sheerhaven ; le bout chic du village. La double muraille qui entourait la propriété me rappela l'ancien mur entre Berlin-Ouest et Berlin-Est, haut de quatre mètres cinquante et surmonté d'une clôture électrifiée.

Sur le portail d'entrée, un avis discret indiquait : « Attention. Le courant qui alimente cette clôture est assez puissant pour causer une blessure mortelle. »

Les caméras en circuit fermé m'examinèrent de pied en cap ; les gardes me demandèrent mon nom et ma profession puis me firent signer le registre, et ils téléphonèrent à Cindy qui s'écria : « Oh ! salut, Alex. Contente que tu aies trouvé. Dis juste au garde que tu cherches l'allée Beauchamp. »

L'allée Beauchamp se trouvait de l'autre côté des étangs de Hampstead et au-dessous des prairies de Berkshire. La maison de Cindy était une villa à deux étages, tout en colonnes et colonnades, avec au-dessus du large portique des fenêtres qui me firent penser à la Maison Blanche. Deux grues en cuivre grandeur nature se dressaient sur la pelouse ; une Porsche rose était garée devant ; des zigzags ndebele verts et noirs étaient peints sur les murs du jardin.

Cindy portait un jean blanc et un haut en soie dorée, et ses cheveux noirs étaient relevés. C'était bon de la voir.

Sheerhaven était construite autour du terrain de golf, et c'était, me dit Cindy d'un ton neutre, la propriété la plus chère en ville au mètre carré, et la plus étroitement gardée. Il y avait des patrouilles armées et une clôture mortelle ; des détecteurs à infrarouge étaient enfouis sous le mur pour empêcher quiconque de songer à creuser des tunnels, et les caméras de surveillance fonctionnaient en permanence. À Sheerhaven il n'y avait ni crimes, ni cambriolages, ni viols, ni émeutes. Il n'y avait pas non plus de magasins, ni de banque, ni de restaurants, et en fait aucun tourbillon d'activité. J'eus le sentiment que rien ne bougeait, sauf autorisation.

« Absolument vrai, dit Cindy. Il n'y a personne ici qui ne devrait pas s'y trouver.

– Et si vous avez besoin de quelque chose ?

– Nous avons Woollie's. Tout le reste est livré. Ne souris pas, je parle sérieusement.

– C'est irréel.

– Peut-être. Mais ici, nous n'avons pas besoin de réalité ; nous payons un max pour être sûrs qu'elle ne s'approche pas de nous. »

C'était ma première expérience du paradoxe chez Cindy : elle était vive, rapide, astucieuse, ne faisait pas de sentiment et n'était pas impressionnée par une bonne partie du clinquant qui excite tant les Johannesburgiens. Et pourtant, elle appréciait sa vulgarité jusque dans les moindres détails.

Elle me prit la main. « Tu veux faire le tour d'une maison de conte de fées qui va avec une vie de conte de fées ? Viens. »

Elle était ouverte, affectueuse, et je la trouvai profondément émouvante. En une demi-heure j'avais testé la température de l'eau dans sa piscine rose corail, j'avais vu sa chambre à coucher, avec sa petite allée en galets de résine avec des roses incrustées à l'intérieur ; j'avais passé en revue les guirlandes électriques roses qui scintillaient sur le rameau de plastique incliné au-dessus de son lit en forme de cœur. J'avais admiré son miroir vénitien rose et vert qui nous donnait l'air de lutins malicieux dans sa grotte en barbe à papa. J'avais approuvé les lampes en bracelets africains bringuebalants, et les hauts pots africains, et les deux girafes en bois jaune d'un mètre de haut, supportant sur leurs têtes la charge d'une étagère de gros livres sur les Masai, Jackie Kennedy et les lodges branchés au Kenya.

« OK. Maintenant on peut faire un petit tour dans Sheerhaven. Ça pourrait être intéressant pour quelqu'un dans ton genre… » – elle m'adressa un sourire en coin qui, je ne tarderais pas à le savoir, signalait qu'elle adoptait le mode sarcastique – « … qui n'a jamais vu notre banlieue de première classe. »

Nous nous mîmes en route, et Cindy me rappela combien la marche à pied était rare. Le soleil brillait sur les villas de Waverley et de Tunbridge, sur Wessex Weald et les Devonshire Downs. Une longue canalisation argentée, assez gracieuse, soutenue par de grands étais métalliques, et que je pris pour une sorte de viaduc, passait très haut au-dessus de nos têtes, du fairway, du fleuve et des toits. Les villas de Sheerhaven couvraient tout l'éventail architectural, du zen africain aux haciendas espagnoles, des maisons traditionnelles des provinces françaises à la Nouvelle-Angleterre, chacune occupant une énorme place sur des lopins de terre étonnamment petits. Les propriétaires construisaient jusqu'à la limite de l'espace qui leur était imparti, créant un sentiment de tension et presque de suffocation qui contrastait avec les larges rues vides et les espaces publics aménagés. La circulation que je vis passer se composait de petites camionnettes peintes avec raffinement qui filaient ici et là : « La Fée de la fleur », « Notre intérieur chéri », « Les Antiquités d'Hephzibah »... Pour le reste, les rues étaient étrangement vides à l'exception parfois d'une bonne noire poussant un landau et de jeunes enfants pilotant des voiturettes de golf électriques. Sur une colline basse dominant le terrain de golf s'étendait un vaste bidonville croulant de cabanes en tôle ondulée et de taudis en bois. Cindy suivit mon regard et en fut amusée.

« C'est notre jumelle, notre reflet dans la glace, Donkergat, le "Trou noir", le camp de squatters, ou "colonie illégale", comme on l'appelle. Tout à côté, hein ? On l'a en pleine tronche. Ça nous rappelle qu'on est liés. » Elle était sincèrement enchantée. « Typique de Johannesburg. De peur qu'on oublie.

– Liés peut-être, mais derrière un mur.

– Bien sûr. Liés, mais pas terrorisés. C'est à ça que ça sert, tout ça. Nous vivons à Sheerhaven comme les gens vivaient autrefois : la porte ouverte, les enfants en sécurité, et le soleil sur le visage. Mais on n'a que le paradis qu'on peut se payer. »

De nos jours, c'était la couleur de votre argent qui comptait ; et la qualité de votre sécurité. Johannesburg était revenu à des valeurs essentielles. Quiconque pouvait casquer était le bienvenu dans les banlieues protégées, comblées, où des bras robotisés repoussaient les intrus et où les « Kreepy-Krawlies », les tuyaux qui aspiraient les algues, haletaient au fond de la piscine : où le courant haute tension bourdonnant dans les barbelés qui surmontaient les beaux murs fredonnait l'air de la sécurité. Un monde de Lamborghini, de coups de feu et de sirènes, où le bouton d'alerte faisait surgir des patrouilles armées de réponse d'alarme et où la ligne directe vous mettait en contact avec l'hélicoptère du service d'aide médicale d'urgence 24 h/24 h. Et où, même si Dieu n'était pas dans son paradis, du moins la sentinelle veillait au portail. Où – au moins sur le papier – la vie était parfaite. Sur le papier. Mais dans cette ville, la perfection était toujours fondée sur le papier, et mince comme du papier, et tapissée d'actions bidon, de faux titres de propriété, de reconnaissances de dettes et de cartes au trésor douteuses.

Cindy avait choisi de s'enfermer à double tour dans une forteresse au milieu du veld. On verrouillait les portes, on payait les gardes, on lâchait ses chiens et on appelait ça le paradis. Le bien-être entre des murs : divin, même si c'était de la frime. Cindy savait qu'il n'avait existé aucune lointaine époque bénie où les gens vivaient en sécurité, le visage au soleil et leurs enfants libres d'aller et venir. Le temps, de notre point de vue, étant mesuré à partir du moment où van Riebeeck avait posé sa botte sur la baie du Cap et commencé à abattre les Hottentots. Depuis, la guerre n'avait jamais cessé, avec des pourparlers de paix qui duraient juste assez longtemps pour que les belligérants rechargent leurs armes. Et alors ? On procédait à coups de proclamations ; vous disiez que les choses étaient foutrement merveilleuses même quand elles vous terrifiaient, parce que votre terreur était bien plus merveilleuse que la banalité des autres ; et vous vous enfermiez, ou bien vous cassiez la gueule à tous ceux qui n'étaient pas d'accord. Vous investissiez du temps et de l'énergie pour fabriquer un passé qui conduisait sans la moindre faille à la construction de votre moi actuel. Vous déclariez que c'était votre véritable identité ; puis vous recommenciez de zéro. Tout le monde le faisait mais personne n'y réussissait mieux que les Johannesburgiens. On aurait pu croire, si on ne comprenait pas les énormes bénéfices de l'auto-création, que sur le coin de veld qui nous appartenait le meurtre était aussi répandu que la poussière ; le viol y était monnaie courante, les pauvres y mouraient de faim et les femmes étaient attaquées, souvent mortellement, par leurs partenaires, plus souvent que n'importe où ailleurs sur la planète. Cindy le savait mais n'en tenait pas compte. Une touche de déni opiniâtre et le tour était joué. Il suffisait de construire un haut mur, de poser une clôture électrifiée, d'engager une patrouille armée, et – bingo ! – bienvenue à Sheerhaven, le style de vie première classe vous ouvre les bras !

J'insistai un peu sur le sujet. « À l'époque que tu appelles “autrefois”, les gens construisaient aussi un mur de Berlin autour de la chambre à coucher. Tout le monde vivait dans la crainte quotidienne que le personnel pique l'alcool, que des bandes de cambrioleurs soient planquées dans les ruelles sanitaires qui séparaient les maisons, ou complotent dans les chambres des domestiques, attendant de pénétrer chez vous et de vous débarrasser de votre savon et de votre argenterie. Tout le monde comparait les modèles de barreaux de fenêtres. Est-ce que vous utilisiez des grilles, des lamelles ou du treillis ? Et dans votre choix d'armures domestiques, préfériez-vous les cercles, les rectangles ou les gracieuses fioritures de l'art nouveau ? Vous les riviez, vous les soudiez ou vous les boulonniez ? Est-ce qu'elles s'étalaient comme un grillage pour couvrir l'espace ou est-ce qu'elles s'écartaient du mur en lignes ondulées ? Existaient-elles en tons pastel de bon goût pour s'assortir à la façade en brique ? Même alors, c'étaient des questions brûlantes, et le pistolet était rangé dans le tiroir à chaussettes, exactement comme aujourd'hui, sauf que maintenant monsieur et madame ont chacun le leur. Quelle est la différence, au fond ? »

Elle rit. « Quelque chose de vraiment crucial. Nous acceptons absolument n'importe qui à l'intérieur des clôtures. Autrefois ils mettaient une barrière entre les gens. Nous, non.

– Vous construisez des murs.

– Chéri, c'est Johannesburg : nous construisons tous des murs entre nous et l'extérieur. Mais à l'intérieur de Sheerhaven, nous sommes totalement ouverts à tout le monde. Noirs, Blancs, Roses : tous ceux qui peuvent allonger plusieurs millions de dollars. En réalité, les nouveaux milliardaires noirs sont des Johannesburgiens et rien d'autre : ils n'ont pas envie d'être des révolutionnaires ; ils veulent être des seigneurs du Rand, des Rand-lords... être pleins aux as et ne courir aucun risque. C'était comme ça avant, et ça n'a pas changé. On va boire un verre à la maison ? »

Elle apporta un plateau dans le jardin de derrière qui descendait vers un ruisseau, avec à notre droite la vue sur le terrain de golf principal. La grande canalisation argent rugissait sur nos têtes, accrochant le soleil assez joliment, et nous nous installâmes pour boire des gin-tonic.

« À quoi ça sert ? À amener l'eau ?

– Ça, déclara Cindy presque fièrement, c'est un tuyau d'égout. Bizarre, non ? » Elle s'amusa visiblement de ma surprise. « Ça évacue nos eaux usées, et celles de Donkergat, à côté. C'est notre lien avec le monde extérieur : notre unique lien. »

C'était une trouvaille, la fusion des matières englouties dans les coûteuses toilettes en faïence italienne de Sheerhaven avec les eaux d'égout des cabinets raccordés de Donkergat (qui se débrouillait essentiellement avec le vieux système des seaux), plus précieux encore – à cause de leur rareté. Un jumelage merveilleux et caractéristique, évoqué par un élégant viaduc qui scintillait dans le firmament au-dessus de Highgate Ponds et de Hampstead Heath, de Cheltenham Close et de Cheam Crescent, surplombant le terrain de golf verdoyant et le club de bowling : un tuyau si luxueux et élégant dans le ciel, et assez joli en vérité, et plein de merde.

« J'ai quelque chose que ma mère t'a donné. »

J'allai chercher les affaires dans ma voiture. Quand je les lui tendis je me sentis horriblement mal à l'aise, à l'idée que les vieux vêtements des autres pouvaient être une bien triste chose.

« Son équipement de pilote. »

J'avais enveloppé les bottes, le casque et les lunettes de protection dans la veste en peau de mouton. « Ça ne paie pas de mine, mais c'était à elle, et elle te l'a légué dans son testament. »

Cindy déploya la veste ; elle était beaucoup trop grande pour elle. Puis elle ramassa les bottes de vol qui se creusèrent, et s'affaissèrent, comme toutes les bottes en cuir souple.

Elle m'étreignit, puis m'étreignit encore, et s'écria : « Merci, merci ! Cette chère, si chère Kathleen. J'adorais ta mère. »

Par sa tendresse et son respect, Cindy me rendit triste, heureux, et un peu nostalgique. Elle en savait plus que moi sur ma mère ; mais n'était-ce pas le cas de tout le monde ?

« J'ai réfléchi à ta question, reprit Cindy : pourquoi Kathleen embrassait-elle les gamins ? Je dirais que c'était de l'amour inconditionnel.

– Je regrette, mais je ne le crois pas. L'amour est quelque chose dont elle ne savait rien, en tout cas l'amour pour les gens. Elle était autoritaire, entêtée, arrogante, victorieuse, passionnée, et à cause de ça, ou malgré ça peut-être, il y avait des gens qui l'aimaient. Parfait. Je ne suis pas sûr qu'elle ait jamais aimé aucun d'entre eux. »

Elle posa sur moi le regard inquisiteur qu'elle m'avait lancé à l'enterrement.

« C'est peut-être une évidence, mais je pense que ce qu'est l'amour dépend de ce qu'on veut, ou de ce dont on a besoin. Elle recevait quelque chose quand elle travaillait avec les gamins. Si on obtient de quelqu'un ce dont on a besoin, c'est une sorte d'amour. Même s'ils ne savent pas qu'ils te le donnent.

– C'est du blabla. »

Elle secoua la tête. « Pas du tout. Tu peux éprouver de l'amour même si la personne que tu cibles ne te le donne pas consciemment.

– Mais d'où cela vient-il ?

– D'ici. » Elle toucha sa poitrine. « Tu le reçois précisément parce que c'est toi qui le donnes. Il n'y a pas d'amour parfait. Quelque chose est de l'amour si, pour toi, c'est de l'amour.

– Et pour toi, c'est quoi ?

– Ce qui me tire du trou. Deux personnes m'y ont aidée : ma mère, et mon mari. Ex-mari, j'entends. Drôlement utile, je peux te l'assurer, si tu viens de là d'où je viens. Personne – je le répète, personne – ne voudrait se retrouver coincé là où j'étais. Alors je me demande, de quel trou ça a sorti ta mère, de serrer les gosses dans ses bras ? Et si tu inverses la question et que tu demandes, qu'est-ce que les gamins obtenaient de ta mère ? Je peux te le dire en partie : de la chaleur. Tu aurais dû la voir avec les enfants : ils l'adoraient. Mon Benny la trouvait absolument géniale. Il grimpait sur ses genoux, elle le prenait dans ses bras et le berçait, et ils restaient là tous les deux… rien de plus.

– Où est Benny en ce moment ?

– Au Refuge. Quand je suis partie, je n'ai pas pu l'emmener avec moi. Il aime trop ça. Il y passe la journée et je vais le récupérer vers cinq heures. Tu veux m'accompagner plus tard quand j'irai le chercher ? »

24

Cindy conduisait une Porsche rose pâle avec des sièges en cuir noir, évoquant une sorte de lingerie, une voiture puissante, stupide et sexy qui semblait absolument appropriée. Elle s'accordait avec le territoire, le monde extraordinaire de Cindy September.

« Je vends des propriétés là-bas. » Cindy agita la main en direction des groupes d'habitations fortifiées, identiques, qui émaillaient le veld à l'infini. « Ce sont des Sheerhaven *wannabe*. Mais ils ne coûtent pas les yeux de la tête. Et en plus, leur paradis n'est pas aussi réussi. Je vais te montrer. »

Elle entra dans Tuscany Towers, présentant rapidement son laissez-passer au garde du portail. C'était une agglomération compacte de petites maisons de ville ocre, chacune avec un carré de pelouse et un coin *braai**. « C'est ici que commencent les jeunes. Vachement petit. Aucune intimité. On entend une mouche se poser sur le toit ; mais ça a beaucoup, beaucoup de succès chez ceux qui cherchent un premier logement. Pas *trop* cher, mais tu as quand même ton portail, tes murs, tes gardes, ton service de réponse d'alarme immédiate, ta tranquillité d'esprit. Ce n'est pas à cause de son nom italien que tu es

* Coin barbecue. (N.d.T).

 limité. Les styles sont ce que nous appelons africain-éclectique, c'est-à-dire en gros province française traditionnelle, fusion africaine et zen africain, aussi bien que style ethnique du bush – bush signifie chaume. Mais le style toscan, c'est le top. Le style toscan couvre tout le reste, comme une éruption. Je fourgue des bicoques minuscules comme du "toscan-africain authentique" – la Toscane n'est pas un pays, c'est un mode de vie. Les jeunes aiment ça pendant quelques années et puis ils partent.

– Ils partent où ? »

Elle cligna les yeux de surprise. « Dans des agglomérations plus importantes. Je te l'ai dit, nous ne vendons pas des maisons mais un style de vie. C'est sûr, c'est confortable. Ça fait fureur. Par opposition… » – elle pouffa – « … au style de mort. Ils ont le club-house, le coin braai, la piscine, le court de tennis éclairé aux projecteurs, le terrain de jeu pour les enfants et une télé géante, alors tout le monde peut se réunir le week-end et regarder le rugby.

– Ils sortent quelquefois ?

– Pour aller travailler, tu veux dire ?

– Non, juste pour le plaisir.

– Pas s'ils peuvent faire autrement. Dehors, c'est là qu'ils travaillent ; dehors, il y a le monde. Dehors, c'est ce qu'on a envie d'oublier à la fin de la journée et pendant le week-end. Dehors, c'est dangereux. Ils ne veulent pas sortir ; ils veulent rentrer. Peut-être qu'ils prendront la voiture pour aller faire une séance d'entraînement en salle de gym, ou se rendre au centre commercial. Mais dans l'ensemble ils ont tout sur place : certains des pâtés de maisons ont des restaurants, des laveries automatiques. Et à l'extérieur des murs il y a beaucoup de pizzerias qui vous livrent à domicile.

– Les gens marchent ?

– Mon Dieu ! » Comme pour se rassurer, Cindy ouvrit sa boîte à gants, et tendit la main pour toucher la crosse de nacre de son pistolet. « À Johannesburg, une personne qui a toute sa raison ne se déplace jamais, jamais à pied. »

Nous laissâmes derrière nous les milliers de petits clapiers, l'immense vide grouillant de Fourways et de Lonehill, et nous retournâmes vers la ville, vers la ligne des toits où les mondes se rencontraient et se heurtaient, et où les taxis minibus fonçaient, s'arrêtaient, vous coupaient la route, calaient et ne cessaient jamais de klaxonner.

« Mieux vaut klaxonner que tirer, dit Cindy. Nous avons des guerres de taxis ici. Sur cette route, il m'est arrivé plus d'une fois de me mettre à l'abri pour éviter les coups de feu. »

Elle avait une manière charmante d'exagérer le désastre, s'adossant au siège, les doigts posés sous le menton, ce qui avait pour effet de retrousser son nez presque parfait. Je me demandai brièvement si elle avait subi une intervention de chirurgie esthétique. Les angles effilés de ses cheveux noirs dansaient au point de frôler l'arrondi des lobes de ses oreilles. Ses yeux verts s'illuminaient quand elle disait des choses horribles. Dans son rire perçait un mélange de fierté et de joie désespérée face aux extraordinaires terreurs de sa ville natale.

« Autrefois, quand les femmes se réunissaient, elles avaient l'habitude de demander : "Qui est ton gynéco ?" »

Elle me regarda pour voir si j'étais impressionné, amusé, choqué. Je n'étais rien de tout cela – mais j'aimais ce vieil air familier ; cette musique sombre dans le style du blues, typique de Johannesburg, j'entendais les intonations qui montaient, la voix qui s'élevait de plus en plus haut jusqu'au long *o* de « gynécooo », et dans le brusque silence qui suivit je vis ces derniers *oo* suspendus en l'air. L'accent traînant de Johannesburg ne connaît aucune modulation ; il prend son élan et continue de grimper jusqu'au moment où il atteint le sommet, où il reste accroché comme une trapéziste nue – *oo-oo-oo*…

« Et maintenant ?

– Maintenant elles disent : “Tu as quel calibre sur toi, chérie ?” C’est devenu pire depuis la liberté. On a l’impression que c’était un autre monde quand, autrefois, les gens dormaient avec les fenêtres ouvertes parce qu’ils aimaient sentir le vent sur leur visage. La liberté démocratique a apporté la terreur personnelle. Une personne, une prison. »

L’idée de se mettre en sûreté était aussi vieille que la ville, mais en écoutant Cindy j’eus l’impression que c’était devenu une carrière tout entière. Ça la consumait, l’exaspérait et l’épuisait ; des stratégies de survie occupaient ses heures de veille. On m’avait déjà fait remarquer que je n’étais nullement qualifié pour dire quoi que ce fût sur Johannesburg. Je vivais ailleurs, peu importait où. Elle m’interrogea en passant sur Hanoi, le Laos, la Thaïlande, la Sibérie, l’Amérique, mais toujours avec un léger scepticisme, comme si elle avait des difficultés à croire qu’ils existaient vraiment, ou parce qu’elle ne comprenait pas vraiment pourquoi quiconque prenait la peine d’y séjourner. Ce scepticisme rappelait celui de ma mère : il ne mettait pas en doute l’existence de ces pays étrangers jamais vus, mais il s’interrogeait sur ce qui les rendait intéressants quand, *bordel* – comme le disait Cindy –, la vraie vie était ici. Ce camp minier ravalé, étrange, ce trésor, ce lieu de tuerie… cette ville éventrée d’escrocs déments.

« Écoute, dit Cindy. La criminalité est si terrible que même les réfugiés rwandais s’en vont… »

Comme beaucoup de Johannesburgiens, elle pensait que, si l’on quittait la ville assez longtemps, on perdait tout souvenir des textures uniques qui rendaient l’endroit spécial d’une façon aussi terrifiante. Selon mon expérience, c’était tout le contraire qui se produisait : c’était chez ceux qui avaient vécu à Johannesburg et n’étaient jamais partis que le voyageur trouvait, à son retour, une réelle amnésie. Les Johannesburgiens n’avaient aucune notion du passé, peut-être parce que s’ils continuaient à se souvenir il deviendraient fous, peut-être

parce que le présent, par sa folie, les absorbait entièrement.
Ou, quand ils se rappellent des choses, c'est souvent parce qu'ils veulent souligner, avec un plaisir pervers, la dégradation de la situation. Hors de propos, le monde extérieur et ses crises ne sont que guerres et querelles insignifiantes. Malgré tous les discours sur l'amour et l'unité, les seules questions qui comptent suivent les anciennes lignes noires et blanches parallèles. La majorité affamée demande : « Comment je vais manger ? » Et la minorité chanceuse : « Comment ne pas me faire tirer dessus ? »

OK. Mais ce que je ne comprenais pas, c'était, si les choses s'étaient toujours plus ou moins passées ainsi, en quoi étaient-elles si différentes aujourd'hui ?

Cindy se mordilla l'ongle. « Le crime je suppose. Il y en a plus. Les gens s'y emploient à grande échelle. N'importe qui, n'importe quand. Nous tous, n'importe lequel d'entre nous. C'est pourquoi je suis vraiment heureuse d'habiter à Sheerhaven. Et toi aussi tu le serais, comme n'importe qui, si tu venais de là d'où je viens. »

Pendant que nous roulions, elle me raconta une histoire déprimante, tout à fait ordinaire, courante d'est en ouest. Elle était née dans un endroit du nom de Blaukrans, une colonie miséreuse au milieu des barrages de vase, à l'ombre des dépotoirs de mines ; un ghetto pour les gens méprisés, différents, ni blancs ni noirs, qui n'étaient nulle part chez eux et que personne n'aimait. Tous les autres – Blancs, Noirs, Asiatiques – savaient du moins, ainsi que le précisa Cindy, « qui ils étaient vraiment, même s'ils n'avaient pas la moindre idée de l'endroit d'où ils venaient. Mais nous, on n'était personne et on n'était nulle part. »

Les sang-mêlé de Blaukrans, descendants d'esclaves malais ou de mercenaires allemands, de marins hollandais et de renégats anglais, du peuple Khoi ou des Bochiman, étaient dénigrés par leurs voisins indiens, haïs par leur voisins noirs et ignorés par leurs seigneurs blancs.

Jusqu'ici, rien que de très banal. Elle ne venait pas seulement des quartiers pauvres, mais de l'autre côté de l'univers. Elle me parlait d'elle avec le plaisir glacial grâce auquel tant de gens ont appris à déguiser l'immense souffrance d'avoir eu une couleur différente dans un autre monde.

« Nous n'étions personne, à tel point que nous étions invisibles ! On nous appelait les métis, les marrons, les sang-mêlé, les Hottentots, les Kleurling, les gens de couleur, les *klonkies* ou les *goffles**, ou n'importe quoi d'autre. Mais au début, quand nous sommes arrivés au Cap, je pense que nous étions des esclaves. September était un nom d'esclave. J'aurais pu m'appeler Octobre ou Novembre ou Décembre. C'est la même différence, non ? »

J'acquiesçai. « Les types qui gouvernaient Le Cap ne débordaient pas vraiment d'imagination. Ils donnaient à leurs esclaves les noms qui leur venaient à l'esprit. Les mois étaient une solution passe-partout. Les jours de la semaine. Du lundi au vendredi. »

Elle rit. « Cindy... Vendredi : ça me plaît ! »

Quitter Le Cap pour le Reef et gagner Johannesburg avait été l'unique chance que sa mère avait jamais eue. Là, elle rencontra l'homme qui avait conçu Cindy, et après ça les choses n'avaient fait qu'empirer. Les September habitaient au 24 Paradise Street. Son père avait vendu des légumes et s'était mis à picoler, ainsi que sa femme et ses enfants. Cindy avait deux frères : l'un était tombé dans le fourneau de la cuisine et avait brûlé vif. L'autre avait vendu de la dagga, et les flics l'avaient descendu.

* Métis. Les termes *klonkie* et *goffle* ont la même tonalité que le mot « beur » en français. (N.d.T.)

Sa mère avait été la seule à résister : sa mère se souvenait ; elle rêvait du Cap qui, rétrospectivement, était devenu un endroit formidable. Ce n'était pas surprenant. Dans le cruel Transvaal, où rien ne comptait en dehors du fusil, du fouet et de la botte, Le Cap faisait figure de paradis.

« C'étaient des conneries, quand on y pense, dit Cindy, mais je ne le reproche pas à ma mère. Elle avait la nostalgie du pays. Au Cap, elle avait fait des études, obtenu un diplôme de comptable. Son gros coup de chance a été de décrocher un boulot dans l'église réformée hollandaise de notre township, dont elle devait tenir les comptes. Dans la section des métis, bien sûr, mais qu'importe, c'était un boulot. Ma mère nous a fait vivre. Elle m'a envoyée à l'école, et après l'école elle m'a trouvé un job à Motortown. C'est elle qui m'a faite. On était en 1989, j'avais seize ans. Elle m'a dit : "Prends ton salaire, loue-toi une chambre à Hillbrow." Elle pleurait mais elle m'a fait promettre : "Ne reviens jamais." Et j'ai promis, aussi je n'y suis jamais retournée.

– Jamais ?

– Jamais. Plus tard, j'ai appris qu'elle était morte et je m'en suis voulu, mais je me suis dit qu'elle avait dû partir heureuse. Elle m'a sortie de là. J'avais le job à Motortown, c'était une nouvelle vie, un nouveau moi : j'étais dans le monde. Dans les années quatre-vingt-dix, les anciennes pratiques n'avaient plus cours. Disons qu'on ne te reprochait plus ta couleur. On n'a jamais vraiment remarqué la mienne de toute façon. Tu sais ce qu'on appelait "essayer de passer pour un Blanc" ? Eh bien, je n'ai même pas eu besoin d'essayer. Je l'étais. »

C'était une histoire familière, et stupéfiante. Je songeai à Koosie, à Noddy, à Bama, à moi, à nous tous, marqués par les endroits d'où nous venions. Peut-être leur échappions-nous. Pourtant nous ne reniions jamais ce qui nous avait construits. Cindy avait dû détruire sa maison et elle n'avait pas eu de bulldozers pour la raser comme l'avait été celle de Koosie à

 Sophiatown. Elle avait dû démolir son ancienne vie toute seule et recommencer de zéro.

« Tu ferais quelque chose pour moi ? Tu veux bien me montrer l'endroit où tu as grandi ? »

Elle fut stupéfaite. « J'ai connu des types qui voulaient coucher avec moi. Mais personne ne m'a jamais demandé de lui montrer d'où je venais.

– Ça dépend de ce qui t'excite.

– Tu es bizarre. Mais bien sûr, on peut y aller ; on n'est pas pressés. Benny ne sort pas avant cinq heures. »

La ville s'apaisait et entrait en fureur. Nous étions à Orange Grove. Pas d'oranges, ni de verger. Des petites villas de brique jaune derrière des barreaux ventrus, de vieilles voitures rouillant au milieu des mauvaises herbes de la cour de devant. Les petites mains carrées et sûres de Cindy sur le volant de la Porsche…

La lecture des murs m'apportait plus que ne l'avaient jamais fait les journaux… Paraboles, sermons, poudre aux yeux… « Frères de picole », « Geffin et Garfunkel – avocats », « Mtshali et van der Merwe » ; « Tuxedo Tavern », « Monuments funéraires – garantis à vie », « Armurerie As et Or Acme ». Puis nous passâmes devant la « Boucherie kasher Nussbaum », le « Pub La Maison de Poupée », le « Dispensaire de blanchiment des dents de Zuma », « Chez Harry : salon de coiffure et de relaxation ». Et en face d'une yeshiva, sur le mur chaulé de « Kalachnikov Sécurité », un médecin futé avait gribouillé une prescription pour notre paranoïa : « Un colon, un Prozac ».

« Ça te plaît ? demanda Cindy.

– J'adore. C'est ici que j'ai grandi ; c'est l'une des nombreuses parties de la ville où nous avons habité. Je suis allé à l'école au bout de la rue. »

Elle eut l'air de ne pas me croire. Comme si quelqu'un qui avait passé autant de temps si loin ne pouvait pas vraiment venir d'ici.

Nous prîmes l'autoroute surélevée qui s'enroulait autour de la ville comme un lasso, et nous dirigeâmes vers le sud et la lisière obscure de la ville tentaculaire. Là où personne n'allait s'il pouvait l'éviter.

25

Le numéro 24 de Paradise Street était un immeuble en brique jaune. Abandonnés sur la pelouse défraîchie où ils absorbaient l'humidité, de vieux matelas moisis germaient comme d'énormes choux. On aurait pu penser qu'il n'y avait pas grand-chose à voler, et pourtant le soleil illuminait les barreaux derrière les carreaux cassés des fenêtres. Cindy était horrifiée. Trois types noirs coiffés de bonnets de laine rasta étaient assis sur le mur bas : des couleurs superbes, un ravissant travail d'aiguille, ma mère et Bama les auraient adorés, mais ils n'avaient pas l'air très amical. L'un d'eux leva lentement le bras, visa et fit mine d'appuyer sur la détente.

« Oh, super ! s'exclama Cindy. C'est ça la liberté !

– Tu as fait beaucoup de chemin. Tu étais employée de bureau quand tu es partie, et tu reviens dans ta Porsche. »

Elle répondit en faisant ronfler le moteur. « Ouais. J'ai réussi. Je suis une cible maintenant, comme tout le monde. C'est ce qui me rend nerveuse. Cette bagnole ne demande qu'à être bousillée. Tu en as assez vu ? »

Je hochai la tête.

« Bon. On y va. »

Nous quittâmes Paradise Street en faisant crisser les pneus et virâmes brutalement dans l'avenue centrale, où un feu rouge nous obligea à nous arrêter. Trois mendiants nous encerclèrent, leurs reflets tournoyant sur la surface étincelante du capot de la Porsche. L'un d'eux était couleur de rouille, portait un vieux chapeau gris sans fond, coincé derrière ses oreilles, et tenait un bout de carton marron sur lequel il avait écrit à la craie verte : « Blanc, pauvre, honnête et affamé. Rien à manger pour la famille. S'il vous plaît aidez-moi. » Il y avait un infirme, qui essaya de nettoyer notre pare-brise d'une main, frottant avec sa manche jusqu'à ce que la vitre fût vraiment sale. De l'autre main il tenait un téléphone portable. Le troisième mendiant était un enfant ; planté devant la fenêtre de Cindy, il la dévisageait. « Putain ! s'exclama-t-elle. Merde ! Pourquoi ils font ça ? Je travaille ! Tu travailles ! Pourquoi faudrait-il que je supporte ça ? Des salauds et des milliardaires, c'est tout ce que nous avons l'air capables de produire… Quel putain de pays ! »

Le feu passa au vert, elle appuya sur l'accélérateur, et l'infirme s'écarta. L'enfant se pencha en avant, et recula quand le rétroviseur latéral frôla son nez à quelques millimètres près, tel un torero qui aurait tenté une passe particulièrement dangereuse, aussi près que possible de la pointe acérée de la corne du taureau.

Une fois sur la grand-route elle soupira. « Je suis désolée, mais ils me font flipper. On a notre dose de stress par ici. Il suffit que je regarde les gens de la rue et je deviens dingo. J'ai envie de descendre de bagnole et de blesser quelqu'un ! C'est horrible, non ? Mais c'est vrai, parce que je me dis, c'est eux ou moi. Tu sais ce que c'est, mon cauchemar ? Écoute bien. Je suis arrêtée à un feu rouge, un type brandit un revolver sous mon nez, me pousse dehors et s'enfuit avec Benny à l'arrière de la voiture. C'est arrivé, tu sais. Une mère se fait braquer, le bébé se met à pleurer et le pirate de la route le jette dehors. Bon, allons chercher Benny, et puis on fera le grand tour et je te parlerai comme une tata hollandaise. Tu veux entendre les règles proposées par Cindy pour rester en vie ? Tu les trouveras sur Internet. » Et comme si cela leur conférait un statut sacré, elle me les récita en forme de poème, ou de prière :

1. Soyez vigilants et protégez-vous du meurtre, du viol, de l'agression, du cambriolage et du détournement de véhicule.

2. Soyez particulièrement prudent la nuit, aux stops, aux feux rouges, dans une circulation dense, aux barrières de péage de toutes les routes nationales.

3. Si la police vous arrête, si c'est possible n'obtempérez pas mais roulez jusqu'à un poste de police ou appelez le 10111.

Les pirates de la route aiment se faire passer pour des flics.

4. Si vous tombez en panne, ne vous arrêtez pas, ne quittez votre véhicule sous aucun prétexte, roulez sur vos jantes jusqu'à un endroit sûr.

5. Si vous voyez une personne en détresse au bord de la route, *ne vous arrêtez pas.*

6. En arrivant chez vous, passez lentement devant votre porte, faites le tour du pâté de maisons à deux reprises, surtout la nuit.

7. Éteignez la radio avant de rentrer votre véhicule chez vous. Écoutez attentivement. Regardez autour de vous avec précaution.

8. Si vous êtes victime d'un détournement ou d'un hold-up, ne faites aucun mouvement brusque.

9. En prévision d'une attaque, défaites votre ceinture avant de pénétrer dans votre allée et relâchez-la en douceur car un mouvement brusque pourrait faire croire à l'agresseur que vous avez une arme.

10. À ces moments-là, n'essayez pas de prendre votre portable.

11. Fixez votre agresseur dans les yeux. Ça le calme. Essayez de vous souvenir à quoi il ressemble.

12. Coopérez, sinon vous êtes mort.

« Voilà. Souviens-t'en : elles peuvent te sauver la vie. Pourquoi tu souris ?

– Je t'imagine dans Paradise Street. C'est quelque chose à propos de la poésie inconsciente des noms.

– De la poésie ? Tu te fous de moi ! »

Elle n'eut pas besoin d'ajouter ce qui, je commençais à le savoir, était son leitmotiv : « C'est Johannesburg. » Je l'entendis dans sa voix. La vie était trop terrible, trop rapide, trop mortelle pour la poésie. En général, devais-je découvrir, Cindy jugeait dérisoire tout ce qui détournait l'attention de la seule question sérieuse : comment rester en vie ? Elle était particulièrement méprisante en ce qui concernait les « trucs de frimeur » qui, selon elle, n'étaient guère plus qu'un malhonnête dérivatif à l'âpreté de la « vraie vie ». Les trucs de frimeur, disaient Cindy, étaient « irréels » et même « dégoûtants ». Je n'avais encore jamais entendu cette manière de présenter les choses ; l'idée répandue était que l'art était réservé aux pédés, aux étrangers ou aux femmes. Cindy semblait croire que c'était aussi mauvais pour la santé.

Je voulus savoir quel mal il y avait à peindre, à écrire de la poésie ou à danser un ballet.

« Il y a juste quelque chose dans l'air qui s'y oppose. Ne me demande pas pourquoi ; c'est comme ça. Quelque chose empêche que ce soit naturel. Je suppose que ça ne pose pas de problèmes dans, disons, d'autres endroits. Mais ici, c'est pas possible. Ce n'est pas la patrie de Mozart ; c'est le pays du crime et du vol. C'est le pays des jeux de ballon, des grandes gueules et des passages à tabac. Les gens qui se donnent le genre artiste disparaissent ; ils forment de petites cliques ; ils passent leur temps à renifler leurs merdes respectives. C'est plutôt sordide.

– Parce que le crime et le vol sont propres et loyaux ? »

Elle haussa les épaules. « Tu viens de l'étranger. Ce n'est pas pareil ici.

– Cindy, je viens d'ici. J'ai vécu dans cette ville plus longtemps que toi.

– Je ne dis pas que j'approuve le crime, je dis seulement que ça paraît naturel : un tas de gens le pratiquent ; c'est dans l'air. Mais oui, tu as raison. Quand je vois Paradise Street, je sais que je viens de loin et, comme je le disais, je le dois avant tout à ma mère, et après ça je suppose que je le dois à Andy. C'est mon ex. Andy Andreotti. J'étais réceptionniste à Motortown, et il est entré pour acheter une nouvelle Alfa Romeo. Il avait l'air vraiment friqué. Il était directeur de la banque de Naples. On n'a pas tardé à sortir ensemble. Il n'a jamais demandé d'où je venais, il n'a jamais demandé à voir Paradise Street, il n'a jamais imaginé une seule seconde que je n'étais pas ce qu'il croyait que j'étais : une gentille fille de la banlieue nord. Et ça m'allait très bien. Il était fou de moi et, mieux encore, il semblait penser que j'étais, disons, parfaitement normale. » Elle eut un rire bref, aigu, incrédule. « Je me souviens d'avoir pensé, j'ai réussi ! Je me suis dit que ma mère aurait été vraiment fière.

« Andy m'a emmenée à Sun City, et c'est là qu'il m'a demandé de l'épouser, et bien sûr, j'ai répondu oui. C'est comme ça que je suis devenue la douce moitié d'un couple chic de Johannesburg. Nous avions une maison à Fourways, un jacuzzi, un système de réponse d'alarme, le pistolet de Madame, le pistolet de Monsieur – tout le toutim. Nous conduisions des Alfa assorties ; nous avons acheté une maison dans le lowveld ; nous avons fait de la voile sur le Vaal. J'ai tout eu : le cercle de lecture, la BMW, les déjeuners au Baldassar's à Rosebank ou au Carlucci's à Hyde Park. Mes amies s'appelaient Melissa et Sharon. Pas mal, hein. C'est stupéfiant, comme on s'habitue vite. Je me suis retrouvée Mrs. Andy Andreotti à Fourways. De l'or à *vingt-quatre* carats, une authentique princesse de Johannesburg. C'est pas foutrement stupéfiant ? »

Ça l'était, et je le dis.

« Il y a plus stupéfiant encore. » Elle rit à nouveau de sa chance, mais aussi d'une véritable découverte qu'elle avait faite. « Quand je pense à Andy aujourd'hui, je me rends compte que les gens comme moi sont plus à la mode que les gens comme lui. C'est vrai, non ? Tu sais ce que je veux dire ?

– Je ne pense pas.

– Eh bien, les types de son genre, et il y en a des tas, sont des abrutis finis. Aujourd'hui, j'entends. Ils ne l'étaient pas alors mais ils le sont maintenant. Ils sont plus dans le coup, quoi. En tout cas, Andy a vraiment merdé ! Sur toute la ligne. Mais je peux dire honnêtement, *sincèèèèrement*, que je lui suis reconnaissante, comme je suis reconnaissante à ma mère ; sauf que ma mère était une sainte et une martyre, alors que Andy a été un trou du cul dès le départ. Depuis le moment où Benny est né. Ça se voyait tout de suite que Benny était différent. Il bougeait lentement, il rampait lentement : ses mouvements ne sont pas coordonnés. Tout ce que Andy trouvait à dire, c'était : "Mais ce sera jamais un sportif..." Ça, c'était Andy. Ça a été ma chance. »

Ce n'était pas vraiment de la chance à mes yeux.

« Mais si, mais si ! S'il n'avait pas été un tel trou du cul, je serais encore mariée avec lui. Et alors, je serais où ? Probablement là où il est.

– Où ça ?

– En taule. Il a pris dix ans.

– Mince alors.

– Oui, c'est bien ce que j'ai dit : c'est un trou du cul. Mais c'est pas la peine de le plaindre. Andy a trouvé que dix ans, c'était pas cher payé.

– Et ça lui a coûté quoi ?

– Tout ce qu'il avait, et plus encore. Ça se passait en 1998, c'était la nouvelle ère, l'ère de la liberté. Nous étions mariés depuis trois ans environ. Buffalo Belle's venait juste d'ouvrir. C'était un bordel, hein ? Sauf qu'ils ne lui donnaient pas ce nom-là. Libido Lounge, qu'ils disaient. Un parking de la taille d'un terrain de rugby, des tables de jeu, six bars en cuivre et en chrome polis comme des miroirs, d'énormes écrans qui passaient des rediffusions de vieux matches de rugby, des *water-features**, des bains de boue, des saunas, des salons de massage. Il y avait des carpes koï japonaises dans l'étang. Il y avait des suites privées qui portaient les noms des cinq grands, le gros gibier qu'on espérait toujours voir à l'état sauvage, ces suites qui s'appelaient “La Baie du buffle”, “La Marche de l'éléphant”, “La Tanière du lion”. Toutes ces conneries de réserve naturelle.

« Mais c'était un bordel, spécialement conçu pour des types qui voulaient s'amuser un peu après une vie passée dans une braguette en béton fournie par le gouvernement. Enfin, les hommes blancs pouvaient baiser pour la liberté. Andy a commencé à fréquenter l'endroit. Les putes attendaient au bar. Les prix allaient jusqu'à mille dollars la passe. Ils faisaient venir les filles. Il y avait des Cambodgiennes, des Roumaines, des Russes et des Thaïlandaises. Il se trouve qu'en ce moment les flics recherchent ces filles. Ce sont des immigrantes clandestines. Les journaux ne parlent que de ça. De la concurrence étrangère. Les travailleuses du sexe locales râlent, l'importation de ces filles au rabais leur fait perdre la clientèle. Une partie de moi pense qu'il faudrait laisser ces petites tranquilles. S'il y a assez de connards pour se faire sauter par des nénettes étrangères, la belle affaire !

* Équipements aquatiques. (N.d.T.)

« En tout cas c'est là qu'Andy a rencontré Mona-Lize. Elle portait un déshabillé blanc sur un string blanc et de longues bottes blanches. Ils ont pris "Le Repaire du léopard" et il a découvert avec stupéfaction que son tarif était tout en bas de l'échelle : cinq cents dollars la passe. Andy n'était pas seulement surpris, il était vraiment en colère : Mona-Lize, avec ses cheveux blonds, ses yeux bleus, son déshabillé blanc, était la plus belle femme qu'il eût jamais vue. Comment pouvait-elle se vendre aussi peu cher ?

« Ça a plu à Mona-Lize. Ça lui a plu qu'Andy le remarque, et le dise. Qu'il soit compréhensif. Elle a dit que c'était la main-d'œuvre bon marché, les immigrants, la globalisation, et toutes ces putes de Taïwan, d'Estonie et de Prague... Mais elle était locale et les locaux, c'était – comme on dit – *lekker*, super.

« Et Andy a gobé ça. C'était pas seulement un abruti, c'était un abruti patriote. En fait, Mona-Lize était plus locale que ce qu'il croyait. Dans la vraie vie, comme si on avait quelque chose à en foutre, elle s'appelait Mary, et venait de Blairgowrie ; elle avait été mariée à un Roumain du nom de Mimicu, dont elle avait deux enfants, et elle s'était dit qu'elle méritait mieux, aussi elle avait décidé d'arrondir sa pension alimentaire en travaillant de nuit à Buffalo Belle's... C'est ainsi que Mary Mimicu de Blairgowrie était devenue Mona-Lize du "Repaire du léopard".

« Il ne se contentait pas de l'aimer. Il voulait lui revaloir la stupidité de tous les hommes sud-africains qui payaient pour baiser des putes de l'étranger. Il voulait qu'elle ait tout ce dont elle avait besoin, et Mona-Lize avait besoin d'énormément de choses. D'abord, Andy lui a acheté un diamant, une BMW, un réservoir entier plein de putains de carpes koï. Mona-Lize était ravie ; elle a dit que Andy était un chasseur-né.

« C'est à ce moment-là qu'il m'a mise au courant. Il m'a juste annoncé un beau jour qu'il y avait quelqu'un d'autre et qu'il voulait divorcer. C'était vraiment horrible ; je devais penser à Benny. En tout cas, on a divorcé, j'ai obtenu un arrangement, j'ai gardé la maison et Andy est retourné chez Mona-Lize.

Le divorce lui a coûté une fortune ; brusquement Andy était fauché et Mona-Lize n'aimait pas les hommes fauchés. Alors, qu'a fait mon ex abruti ? Il a commencé à prélever d'énormes sommes sur les comptes en fidéicommis de la banque de Naples. Ensuite il a entrepris de se faire pardonner pour avoir été fauché. Il lui a acheté un château d'un million à Wendywood, une montre Rolex en or, il a dépensé encore un quart de million en jolis colifichets ; il lui a payé un lifting et des nichons tout neufs. En six mois, il a claqué trois millions de dollars.

« Mais rappelle-toi, Andy était un trou du cul. Pire, il s'est mis à avoir, euh, des remords. Il n'était pas voleur par nature. Ça lui pesait, de prendre l'argent de la banque de Naples, et il a fait quelque chose qui ne se fait pas à Johannesburg : il a commencé à se tracasser. Il a dit à Mona-Lize combien il était malheureux, et il a expliqué pourquoi. Mona-Lize est devenue très malheureuse elle aussi. Elle avait toujours cru que c'était son argent à lui. Et voilà qu'il lui racontait que c'était de l'argent volé. Comment était-elle censée réagir ? Comment avait-il pu lui faire une chose pareille ? Quel droit avait-il de le regretter ? Se souciait-il de ce qu'elle éprouvait ? Très bien, alors, s'il le regrettait autant que ça, il n'avait qu'à rendre l'argent. Andy a répondu que ça lui était impossible : il en avait trop pris. Très bien, a dit Mona-Lize, agis donc comme il se doit, va raconter à la banque de Naples ce que tu as fait.

« Andy a répondu qu'il voulait bien agir comme il se doit, mais qu'il n'avait pas envie d'aller en prison. Alors tu sais quoi ? Mona-Lize l'a fait à sa place. Elle est montée dans sa BMW et elle est allée à la banque de Naples, et leur a raconté ce qu'Andy avait fait. On l'a arrêté ; il a été condamné à dix ans.

– La banque a récupéré son argent ?

– En partie. Ils ont repris la maison de Wendywood. Mais comment se faire rembourser un lifting et des nichons neufs ? On s'est aperçu au tribunal que Mona-Lize avait pigé bien avant Andy qu'il était une valeur en baisse. Elle avait donc entrepris de se diversifier. Les nuits où elle ne le voyait pas, elle passait des annonces personnelles dans le *Star* : "Chaton en chaleur cherche lions et tigres pour galipettes. Discrétion assurée ; toutes cartes de crédit principales acceptées." »

Cindy éclata de rire. « Quelle femme ! Dommage qu'elle ait perdu son temps dans un bordel. Elle aurait dû diriger une mine d'or. Peut-être qu'elle l'a fait, quand on pense à tout le fric qu'Andy lui a fourgué. En tout cas, elle m'a rendu un fier service. Andy est parti en prison. J'étais libre et je me suis lancée dans l'immobilier. Merci Mona-Lize ! »

Quelle ville ! Les gros titres fixés aux réverbères avec des fils de fer chantaient les nouvelles banales, amères et agacées de la journée, si familières, si folles :

La mère du bébé violé arrêtée
Un enfant en bas âge abattu dans son lit
Deux personnes brûlent dans une cabane
Les Boks écrasent les Australiens

« Tu as les yeux vitreux, dit Cindy. Tu te drogues ?

– Ouais. C'est le retour au pays qui me fait planer.

– Eh bien, dessoûle, mon pote, j'ai besoin de toi : je ne t'ai pas amené seulement pour la balade. Récupérer les enfants est devenu plus difficile depuis que des types se sont mis à agresser les mères qui venaient les chercher.

– Tu ne parles pas sérieusement. En plein jour ? »

Je vis de nouveau sur son visage cette expression de fierté horrifiée. « Bien sûr. La lumière du jour n'a jamais arrêté personne. Sympa, non ? Tu es encombrée par un gamin qui ne peut pas marcher, ou un truc dans le genre. Alors ils attendent là. C'est drôlement futé.

– J'y crois pas !

– Bienvenue à Johannesburg. »

Le Refuge du Rayon de soleil avait été autrefois la maison d'un grand et riche Rand-lord – une forteresse au toit de tuiles rouges dans Parktown Bridge, construite en pierre jaune de Johannesburg, taillée à la main, avec de larges pelouses qui descendaient jusqu'à la clôture électrifiée. Je regardai Cindy traverser, vacillant sur ses mules à talons en serpent, et rejoindre le petit groupe de mères, de nounous en tuniques blanches amidonnées, et de gosses en fauteuil roulant, des enfants avec des appareils orthopédiques.

Elle revint avec Benny. Sa figure ronde, la peau lisse, lui donnaient l'air plus jeune que ses huit ans.

« Tu te souviens d'Alex, lui dit Cindy. C'est le fils de Kathleen. »

Benny me regarda comme si j'étais beaucoup trop vieux pour être le fils de qui que ce fût.

« Où est Kathleen ?

– Kathleen est au ciel, Benny chéri. Rappelle-toi, nous avons dit au revoir à Kathleen à Rosebank, lui répondit Cindy.

– Elle revient quand ? »

Elle me regarda. « Je lui dis quoi ?

– Elle ne reviendra pas, Benny, dis-je.

– Pourquoi ?

– Parce que là où elle est, ça lui plaît. »

Benny parut un peu déconfit mais il prit assez bien la chose. « Tu veux rester pour jouer au tennis avec moi ? » proposa-t-il.

Cindy me regarda : « Tu es d'accord ?

– Bien sûr. »

Elle se tourna vers l'enfant. « OK. Mais juste un peu et ensuite ce sera l'heure de ton bain, mon ami. »

Jouer au tennis avec Benny se résumait à lui renvoyer la balle, mais il n'utilisait que son revers. Il s'attachait d'une manière obsessionnelle à certains mouvements, à certaines postures. Pendant tout ce temps, il chanta sans arrêt : « Un homme est allé tondre, est allé tondre une prairie. »

C'était très relaxant. Cindy sortit pour regarder. « Essaie ton coup droit, dit-elle.

– Non, je veux pas, répondit-il.

– Il a, euh, des fixations, dit-elle en guise d'excuse.

– Ne t'inquiète pas, moi aussi. »

Je la regardai lui donner son bain. Il prenait un plaisir particulier à lancer des coups de pied dans l'eau, de longues poussées sinueuses de ses jambes, comme s'il chaussait des éperons ou enfilait un pyjama de soie, ou des bottes de cheval en cuir souple. C'était magnifique. Benny, si gauche à l'air libre, était là dans son élément. Je pense qu'il aimait la soudaine légèreté de son corps encombrant qui était trop solide dans l'air ; il aimait pouvoir donner des coups de pied à quelque chose, il aimait cette impression d'aller quelque part car pour lui c'était vraiment difficile d'aller où que ce fût. Dans l'eau, c'était différent : il pouvait s'y déplacer comme un poisson. Il était fait pour la vie sous l'eau, c'était un triton, condamné à vivre sous une autre forme.

En rentrant chez moi ce soir-là je revis les pâles visages sur les panneaux publicitaires des agents immobiliers, devant les townships fortifiées, et je sus ce qu'ils me rappelaient. En Serbie, pendant les guerres tribales qui avaient suivi la fin du règne de Tito, j'avais passé du temps dans une ville du nom de Peb, pour installer l'air conditionné dans les bureaux locaux de l'Organisation pour la sécurité et la coopération en Europe. C'était un signe plein d'espoir aussi, dans une ville au bord de la guerre, remplie de Serbes et de personnes d'ethnie albanaise qui se haïssaient. Mais la pose d'un système de climatisation est toujours une activité empreinte de sérénité : cela suppose le calme ; cela sous-entend que la vie va rester stable quelque temps ; c'est la promesse qu'il existe un monde dans lequel des choses simples comme le confort l'emportent sur les massacres. Mais ça n'arriva pas à Peb. Les gens ne voulaient pas se rafraîchir. Ils voulaient tuer.

En Serbie, les morts étaient commémorés par des photographies fixées aux réverbères ou punaisées aux arbres. Fragiles monuments aux disparus. Les visages des agents immobiliers des panneaux « À vendre » devant Sheerhaven et ses jumelles fortifiées me rappelaient ces guides du pays des défunts.

Je savais que ces refuges étaient l'avenir, qu'ils représentaient ce que tout le monde voulait. C'était une manière très sud-africaine de tromper ceux qui souhaitaient mettre fin à votre vie. Vous emménagiez dans l'un de ces mausolées électrifiés et vous feigniez d'être morts.

Qu'avait dit Cindy ? « Une personne, une prison… »

Autrefois, c'était l'État qui nous avait enfermés dans les cellules étroites de la couleur de peau. Maintenant, nous étions libres et nous n'avions besoin de personne pour nous enfermer. Donnez-nous les barreaux et nous nous en chargerons nous-mêmes.

Tard ce soir-là, Noddy frappa à ma porte. Il avait pleuré. Je crus que les flics l'avaient ramassé. Quand j'y réfléchis à présent, j'aurais dû savoir qu'un événement de cette sorte n'aurait jamais ébranlé Noddy. Une arrestation, si pénible fût-elle, était un phénomène social, elle allait de pair avec les bénéfices d'une société civile, avec les lois, les avocats, les cautions et les tribunaux, des choses que Noddy – le fermier, le propriétaire terrien, l'homme de biens – approuvait et soutenait. Une arrestation n'aurait pas eu un tel effet sur lui. L'homme sur mon seuil était effondré.

Nous traversâmes la salle à manger et nous assîmes à la table. J'attendis qu'il m'apprît ce dont il voulait me parler, mais il apparut bientôt qu'il ne le ferait pas ; il tendit la main vers le pot de gueules-de-loup sur le rebord de la fenêtre et se mit à arracher les têtes fanées des fleurs.

« La plante se dessèche, monsieur Alex. Il n'y a pas de remède. »

Puis il tira une lettre de sa poche de derrière, la déplia et me la donna. Elle était écrite au crayon sur une feuille de papier ligné, elle était très courte, et comportait toutes les fioritures tarabiscotées d'une lettre rédigée par un scribe.

« Salutations, mon frère, commençait-elle, je dois t'informer que nous avons découvert que Beauty, ta femme et la mère de tes fils, portait l'enfant d'un autre – à savoir le directeur de l'école St. Aloysius, et je t'écris pour te demander, mon frère, de prendre les dispositions nécessaires dans les plus brefs délais. Bien à toi, ton frère, Johnson. »

Noddy me regarda : « Une femme qui fait une telle chose, qui porte l'enfant d'un autre homme – alors qu'elle est mariée –, ne doit plus rester sous le toit conjugal.

– Où va-t-elle ?

– Elle doit être renvoyée chez son père. C'est notre coutume. Mon frère dit qu'elle ne peut plus être ma femme. Je ne sais pas ce qui vaut mieux. J'ai demandé aux autres, "Dites-moi ce que je dois faire." Elles m'ont donné leur avis. »

Il avait sondé ses Madames. En présentant sa lettre, en les observant pendant qu'elles la lisaient. De la même façon qu'il me regardait. Je songeai que c'était insensé et déplacé d'aller de maison en maison pour demander à d'autres gens de décider du sort de sa femme et de sa famille. Je lui rendis sa lettre.

« Noddy, où ira Beauty ?

– Mes Madames disent toutes la même chose : "Reprends-la", "Pardonne-lui", "Quel dommage, la pauvre femme",

“Noddy, pense à tes fils”. » Il soupira et remit la lettre dans sa poche. « J’entends ce que répètent mes Madames. Toutes les femmes pensent la même chose. Mais mon frère conseille : renvoie-la. C’est notre coutume. Et vous, vous dites quoi ?

– Et tes garçons ? Comment vont se débrouiller Joshua et Sipho si leur mère s’en va ? »

Il ne voulait pas de questions, il voulait des réponses. Il dit encore, avec désespoir : « C’est notre coutume. Je dois y aller. Je prendrai le train.

– J’irai chercher ton billet. »

Il inclina la tête. Comme un homme qui se résigne à une peine de prison.

Je n’ai jamais organisé de voyage avec moins de joie. Nous ne pouvions pas parler de l’endroit où il allait parce que ce n’était pas un voyage dans le sens où nous l’entendions ; le devoir et la tristesse le ramenaient au Matabeleland. Il remplit sa valise marron aux boucles de cuivre, mit son costume du dimanche et son chapeau. Notre tenue est la même, que nous nous préparions à une tragédie ou à des festivités. Je le conduisis à Park Station et il me salua de la main de la fenêtre du train, comme s’il partait en vacances.

26

Ses fusils revenaient à Oomie : le .505 Gibb, son fusil favori pour les éléphants ; le .416 Rigby ; le .375 Magnum Holland & Holland ; et un Mannlicher .256 qu'elle préférait pour le gibier plus léger.

Mais Oomie avait disparu sans laisser de traces. Quand les coups du pistolet de David Pratt avaient retenti quarante ans plus tôt, il s'était « enfoui sous terre » (l'aimable formule de ma mère), et aujourd'hui il semblait avoir reproduit le même scénario. Je devais envisager qu'il était peut-être mort, mais pour quelque raison j'estimai que ma mère devait avoir suspecté qu'il était encore de ce monde quand elle lui avait légué ses fusils.

J'essayai le commissariat central de Johannesburg où autrefois, quand il s'appelait John Vorster Square, Oomie et ses sbires avaient contraint leurs prisonniers à demander grâce, ou concocté d'ingénieux accidents au moyen desquels ils mouraient après avoir glissé sur un morceau de savon dans les douches, ou être tombés d'une haute fenêtre. Mais c'était l'Afrique du Sud nouvelle et les flics se contentèrent de me regarder assez bizarrement ; ils n'avaient conservé aucune note sur l'incident, ni aucun souvenir de l'ancien membre de la police secrète autrefois affecté à la protection du Premier ministre, qui des années plus tôt, au Rand Easter Show, s'était jeté à terre avec un tel empressement.

Ils ne couvraient pas le type. Je ne pense pas que leurs souvenirs remontaient jusqu'aux années soixante. Si quelqu'un était responsable d'avoir effacé toute trace de l'ancien inspecteur, affecté secrètement à la garde du Premier ministre, c'étaient les collègues d'Oomie qui n'avaient tout bonnement pas su comment régler l'étrange affaire du garde du corps couché sur le sol. (Avec quelle rapidité il s'était précipité à terre ce jour-là !) C'était si embarrassant, si ridicule… Confrontés à une réalité déplaisante, ils avaient agi comme ils l'avaient toujours fait quand ils se trouvaient face à des gens déplaisants : ils les avaient fait disparaître.

Je passai des annonces dans le *Star*, le *Cape Times*, le *Natal Mercury*…

> *Si Mr. Louis « Lappies » Labuschagne, ancien membre des services secrets sud-africains, et ami de feu Mrs. Kathleen Healey de Forest Town, à Johannesburg, veut bien contacter son fils à l'adresse ou au numéro de téléphone indiqué ci-dessous, il apprendra une nouvelle qui l'avantage.*

Quelques jours plus tard, je reçus une lettre exprès du Village de retraités Nelson-Mandela, Umbilo, Durban.

> *Cher Mr. Alex Healey,*
>
> *Je suis l'homme que vous cherchez. Je suis le vieil ami de votre maman. Je me trouve dans une maison à Durban. Si vous voulez bien me téléphoner un jour, nous pourrions organiser un rendez-vous.*
>
> *Sincèrement vôtre,*
> *Louis Labuschagne*
> *(Inspecteur de la police secrète sud-africaine, retraité).*

Le Village de retraités Nelson-Mandela et centre de soins pour personnes âgées – « Célébrons notre diversité » – était un complexe de solides *rondavels* couverts de chaume, avec un tout petit peu moins de clôtures de sécurité qu'à Sheerhaven. J'avais pris la précaution de garer la Land Rover à l'angle de la rue. Je ne voulais pas devoir expliquer aux gardes armés au portail pourquoi je transportais assez de puissance de feu pour déclencher une petite guerre.

Une fois à l'intérieur du parc je me rendis compte que la différence entre la citadelle dorée de Cindy, ou la caserne néo-toscane où les « jeunes » passaient leur vie, et cette modeste maison de retraite était minime. Tous ces endroits représentaient l'ultime destination pour ceux qui avaient autrefois régné en maîtres absolus en Afrique du Sud ; une suprématie désignée à juste titre comme la plus stupide de l'histoire, mais qu'importe. Tous s'orientaient vers ce qui ressemblait à une retraite précoce, et en donnait l'impression.

L'homme qui vint me retrouver à la réception portait un short blanc et une tunique à ceinture assortie, boutonnée jusqu'à la taille, et descendant au-dessous des hanches. C'était ce vieux classique, l'ensemble saharien. Où étaient passés tous les ensembles sahariens ? Autrefois, des phalanges entières de domestiques avaient repassé tard dans la nuit pour vêtir des régiments d'hommes d'un uniforme au pli impeccable, un uniforme qu'ils portaient avec une agressivité vigoureuse, comme un insigne honorifique. L'ensemble saharien existait en blanc, en gris ardoise, en bleu électrique et en kaki, la teinte favorite. La tunique se portait ouverte à l'encolure, en un V profond révélant une poitrine poilue. Les genoux étaient dénudés avec, au-dessous, de longs bas de laine épais et des *brothel creepers**

* Chaussures en daim à la semelle souple, à la mode dans les années cinquante. (N.d.T.)

 si vous étiez anglais, ou des *veldskoen* si vous étiez afrikaner. L'ensemble saharien tenait toujours plus de la pharmacie que du veld. Il avait quelque chose d'étrangement antiseptique, c'était le costume idéal pour les fascistes à crâne rasé.

Oomie me tapota le dos. « Alex, mon vieux, c'est bon de te voir ! »

Il semblait n'y avoir aucune comparaison entre l'homme sombre, taciturne, tourmenté qui rendait visite à ma mère et ce vieux gnome plutôt gentil. Petit, les traits fins, avec un doux sourire un peu endormi. Les cheveux blancs, la barbe blanche, les sourcils blancs, le teint lisse, laiteux. Même la tenue d'Oomie était crème et pour quelque raison je trouvai cela émouvant. Étrange, comme ces détails vous touchent.

« Allons nous asseoir dans le salon, proposa Oomie. Prenons un café. »

Le salon était une grande pièce avec un parquet et une quantité de fauteuils en cuir vert, et au mur, un portrait de Mandela qui nous souriait. À deux tables, des gens jouaient aux cartes. D'autres étaient assis, regardant droit devant eux. De temps à autre, une infirmière entrait et les changeait un peu de place, ou les persuadait de prendre une tasse de thé. Un couple de vieilles dames était aligné devant une énorme télé, qui passait un film de gangsters américain très violent. Un type n'arrêtait pas de fracasser son revolver dans la figure d'un autre. Les deux spectatrices ne bougeaient pas. Dans mon enfance la télé était interdite, comme toutes les autres choses qui auraient pu effrayer les électeurs. Puis, en 1976, quand la télé était enfin arrivée, quelqu'un avait acheté un énorme stock de films de série B, et depuis, le même extrait semblait repasser encore et encore. Dans les bars, les hôtels, les stations-service et les magasins du coin. C'était un truc normal. Les coups ont toujours été notre manière de rester en contact.

Oomie m'installa dans l'un des grands fauteuils de cuir verts et m'offrit un café et du cake. Je refusai ; manger aurait été en quelque sorte participer à la mélancolie subaquatique du lieu. Donne-lui le matos, pensai-je, et fiche le camp.

Mais Oomie n'était pas disposé à se laisser bousculer. Il semblait étrangement à l'aise, comme s'il se sentait bien dans sa peau, comme s'il avait fait la paix avec qui de droit.

« Désolé pour ta mère. C'était une femme merveilleuse, merveilleuse.

– Écoute, Oomie, dis-je, elle voulait te donner quelque chose. C'est pourquoi je t'ai retrouvé. Ce n'est pas de l'argent, ni rien de ce genre, c'est... » Je m'interrompis. Comment décrire une collection d'armes privée ? « ... C'est plus... personnel.

– *Ag*, non, dit-il. Je suis très, très touché que Kathleen se soit souvenue de moi.

– Elle s'est souvenue de tous. Je ne suis pas tout à fait sûr qu'elle se les soit rappelés de la manière dont ils l'auraient souhaité.

– Ta mère avait un sacré sens de l'humour.

– Vraiment ? Quelquefois je voudrais l'avoir connue telle que d'autres l'ont connue.

– *Ja*, elle me disait toujours, "Oomie, nous devons rire de nos petites peccadilles, plus tard on aura tout le temps d'être des saints." Il n'y avait que ta mère pour appeler ça des peccadilles. »

Elle avait été très indulgente pour la petite défaillance d'Oomie, pour son mauvais timing. En fait, cela le lui avait rendu beaucoup plus cher que s'il avait tiré sur Pratt dès l'instant où l'imbécile s'était jeté sur Verwoerd. Mais en même temps je ne pouvais m'empêcher de sentir que, venant d'une personne qui, à ma connaissance, n'avait jamais manqué de tirer quand le moment l'exigeait, ou que la cible se présentait, ce legs à Oomie avait quelque chose de particulièrement pervers, de vaguement menaçant. Un homme qui était incapable de manier une arme héritait de tout son arsenal.

Oomie dit encore : « Une femme merveilleuse. Tu dois être très fier, Alex. »

Il avait les yeux humides. Je ne savais jamais comment me comporter devant ce qui me paraissait être une émotion excessive. Ce flux de larmes m'effrayait. Et ce n'était pas approprié. Ma mère était morte comme elle avait vécu, faisant exactement ce qu'elle voulait. Il n'y avait rien de triste chez elle ; mais beaucoup de choses qui me semblaient choquantes, scandaleuses et même cruelles.

« Alors, qu'est-ce que tu es devenu, Oomie ? demandai-je.

– C'est une longue histoire, Alex. Après la police secrète, je ne trouvais plus de boulot, *ja*. Mais ensuite, j'ai eu un coup de chance : j'ai entendu dire qu'on avait besoin de gardes chargés de la sécurité à Sheba Sands. Alors je suis allé voir ce type, Barrie Gluhnik. Tu en as entendu parler ? »

Qui ne le connaissait pas ? Gluhnik était un Sud-Africain blanc typique ; c'est-à-dire que sa famille venait d'ailleurs, de Pologne, de Russie, d'Argentine ou d'Angleterre, personne ne le savait vraiment, et peu importait. La famille Gluhnik était arrivée dans ce pays, comme tant d'autres avant elle, espérant devenir très riche, botter le cul de beaucoup de Noirs et ne plus jamais travailler.

Mais ça n'avait pas marché. Gluhnik avait grandi dans la banlieue sud de Johannesburg, et était resté pauvre ; il avait été tour à tour lutteur, videur, sourcier ; il était baraqué, vif d'esprit et pratiquement illettré. Comme pour beaucoup de Blancs, si des hommes tels que Gluhnik trouvaient quelque chose à redire à l'apartheid, c'était qu'il n'y en avait foutrement pas assez… Mais les entrepreneurs qui réussissaient ne tardèrent pas à apprendre que soutenir le statu quo ne vous avait jamais empêché de gagner du fric en contournant le système. Et Gluhnik avait découvert comment s'y prendre.

Il vit que le prix que les Blancs devaient payer pour avoir la garantie d'une supériorité à vie et, en plus, des domestiques, c'était un ennui colossal. Ils avaient vendu le droit de s'exciter (sauf sur le terrain de rugby ou le stand de tir) à une clique d'intégristes fanatiques pour qui toute forme d'expression sexuelle était théologiquement douteuse parce qu'elle offensait Dieu, ou politiquement subversive parce qu'elle les offensait eux. Bref, Gluhnik s'aperçut que la plupart des Blancs souscrivaient à la maxime : « Un Sud-Africain normal est un Sud-Africain castré. »

La première découverte de Gluhnik fut que, même s'ils y souscrivaient, ils n'en étaient pas précisément satisfaits. Ayant juré de renoncer au jeu, aux rapports sexuels illicites et au mélange interracial, l'envie les démangeait fortement de s'adonner au jeu, au sexe illicite et aux unions mixtes. Il résuma d'une phrase ce moment d'illumination : « Si vous voulez jouir, partez à l'étranger. » Dans les années soixante, Gluhnik créa donc une compagnie qu'il baptisa Pussycat Tours. Chaque semaine, une cargaison de michetons s'envolait de Johannesburg pour Amsterdam et son quartier chaud, pour Las Vegas et ses tables de jeu, pour Hambourg et les filles du Reeperbahn.

Pussycat Tours fit un malheur. Mais une cargaison de types en ensemble saharien ne constitue pas un très gros marché. Si seulement l'Allemagne, les Pays-Bas et Las Vegas n'avaient pas été aussi loin, si seulement l'étranger avait été plus près…

Je me souvenais d'avoir lu une interview de Gluhnik qui évoquait le moment où la réponse avait surgi. « J'ai eu comme une illumination, une vision, expliquait-il au journaliste. Comme la pépée de Lourdes. Ou saint Paul, quand il avançait sur le chemin de Damas avec son chameau, et boum ! Vous voyez ce que je veux dire ? »

Son idée était simple. Pourquoi obliger les clients à faire la moitié du tour de la terre alors qu'on pouvait leur offrir ce qu'ils recherchaient dans leur propre arrière-cour ? En fait, l'Afrique du Sud était truffée de pays étrangers. Nous en avions pléthore, à ne plus savoir qu'en faire. Dans tout le putain de pays le régime avait créé des homelands noirs, avec leurs propres drapeaux et leurs propres présidents.

« OK, dit Gluhnik, si ce sont des pays souverains, pourquoi n'auraient-ils pas des casinos souverains, des bordels souverains et du strip-tease souverain ? »

Ce fut alors que lui vint l'idée de génie. Il créerait dans le veld dénudé des palais de plaisir où les Sud-Africains au sang chaud pourraient faire tout ce qu'ils faisaient à l'étranger – sans quitter leur pays. Dans la campagne, au bout de la route, ou à côté. Ou derrière la colline. Sheba's Secret fut le premier des grands édifices de plaisir ; le Solomon's Sands, puis le Monomotapa Majestic s'élevèrent ensuite tels des mirages dans le veld desséché des réserves noires miséreuses. Ils proposaient du golf, des filles, des machines à sous et des chanteuses de music-hall, importés par avion de Londres et de Las Vegas. Il y avait du strip-tease, du catch dans la boue et des livres, des films et comédies musicales interdits en Afrique du Sud. Le sexe sans discrimination raciale était aussi accessible que le room-service. Et tout cela à deux heures de route à peine du sinistre État-cachot de l'Afrique du Sud blanche.

« Bien sûr que je sais qui c'est, dis-je.

– Eh bien, reprit Lappies, Barrie Gluhnik a jeté un coup d'œil à mon CV et il m'a dit : “OK, inspecteur, voilà. Je vois sur ton CV que tu étais garde du corps du Dr Verwoerd, et je me souviens d'avoir lu dans les journaux qu'il y avait eu, disons, une petite embrouille quand ce cinglé de Pratt a voulu descendre le Premier ministre. Je sais aussi que certains affirment que tu t'es jeté au sol. Mais je pense, moi, que tu as eu raison : tu t'es mis à l'abri, pour mieux réfléchir à ce que tu allais faire ensuite. Un type qui réfléchit, ça me plaît, Lappies, parce que le monde se tourne de plus en plus vers des types qui ne savent pas se servir de leur tête. L'époque des hommes de main est révolue. Il reste toujours de la place pour les fusillades, je n'ai rien contre, Lappies. Il y aura toujours des fusillades. Mais les années soixante sont derrière nous, on est dans les années soixante-dix à présent. Le pays change. À présent, on a un Premier ministre qui réfléchit. On va avoir besoin de sécurité *pensée*. J'ai eu le privilège de rencontrer M. John Vorster, et je dois te dire que c'est un vrai gentleman. Entre nous, je n'ai jamais aimé Verwoerd. Trop rigide. Et un putain d'immigrant par-dessus le marché. Mais Vorster est différent. Il va continuer à tout faire pour maintenir ces homelands, où les Noirs peuvent rester noirs, mais il veut qu'ils soient des Noirs heureux. Il veut qu'ils aiment leurs homelands, et moi, Barry Gluhnik, je les aide à y parvenir : ils travaillent dans mes palais comme gardes, domestiques, caddies, guides et femmes de ménage. Des gens qui n'ont jamais eu de boulot avant. Le Premier ministre apprécie beaucoup cela. Je vais te dire, je crois qu'un jour John Vorster jouera au golf avec Gary Player sur l'un de mes terrains de championnat. Au Solomon's Sands, ou au Sheba. Qu'est-ce que tu en dis ?"

« Il a dû remarquer mon expression, parce qu'il a continué : "Je sais, je sais, tu es en train de penser : ce type est maboul ! Le Premier ministre ne viendra jamais au Solomon's Sands puisque c'est juste un grand casino et un bordel, où tout le monde regarde des spectacles cochons et couche avec des filles noires, ce qu'ils ne peuvent pas faire chez eux. Eh bien, je vais te dire, Lappies, j'ai eu un rêve, exactement comme ce putain de Martin Luther je ne sais quoi, là-bas aux États-Unis. Mes palais ne sont que le début. Un jour, au lieu que les gens soient obligés de quitter la maison pour faire ce dont ils ont envie, ils pourront le faire chez eux ! Et quand ça arrivera, tout le monde verra que Barrie Gluhnik ne s'occupait pas seulement de jeux d'argent, de spectacles de cul et de golf. Barrie

340 Gluhnik travaillait pour la liberté ! Il avait vu que, quand tous les gens seraient libres de jouer toute la journée, de baiser qui ils veulent et de faire une partie de golf le soir, alors nous aurions une Afrique du Sud nouvelle. Ce jour-là ils m'érigeront des statues, comme à Winston Churchill, ou Simon Bolivar. On écrira : 'Barrie Gluhnik, libérateur !' Qu'est-ce que t'en penses, Lappies ?"

« Alors j'ai répondu : "Désolé, monsieur Gluhnik, mais puisque vous me posez la question, je pense que vous êtes foutrement dingo. Ça n'arrivera jamais."

« Et il a répliqué : "Occupe-toi de la sécurité, Lappies, et laisse-moi la partie visionnaire."

« C'est ce que j'ai fait. J'ai travaillé pour Mr. Gluhnik jusqu'à la retraite. »

De nouveau, ce larmoiement. « Et tu sais, il avait raison. Aujourd'hui, ça se passe comme ça. On n'a plus besoin d'aller au Solomon's Sands ; on n'a pas besoin de partir dans la campagne voisine pour être libre ; on peut être libre chez soi, et y faire exactement ce qu'on veut. » Lappies leva les yeux vers le portrait de Mandela. « Mr. Gluhnik l'avait prédit. L'Afrique du Sud nouvelle. Bon Dieu, je l'accrocherais juste là, à côté de Madiba. »

Ces types méritaient le respect. Un flic de la police secrète prêt à tuer qui se transforme en un partisan pleurnicheur de Mandela. Au pied levé. Il le pensait sérieusement, je n'en doutais pas une seconde. Il aurait accroché Gluhnik à côté de Mandela, de la même façon qu'il y aurait mis Verwoerd autrefois. Bordel, il aurait accroché Attila le Hun là-haut, si ça avait pu faire plaisir aux dieux.

De l'autre côté de la pièce, une infirmière nourrissait une vieille femme toute fine, dont la peau lisse et brillante ressemblait à de la soie tendue. Elle avait des difficultés à mastiquer, et l'infirmière manipulait ses mâchoires de haut en bas. Mais elle pouvait à peine avaler, et la fille, qui était grande, noire et jeune, lui massait le cou après l'avoir aidée à mâcher, lui frictionnant la nuque de la même façon qu'un fermier frotte le cou d'une oie quand il verse du grain dans son gosier pour faire grossir son foie, avec lequel il confectionnera un jour du bon *foie gras*. Nourrir la patiente de cette façon était le devoir professionnel de l'infirmière ; mais c'était aussi une lutte entre deux volontés contraires. La vieille dame ne voulait pas manger. Je la voyais essayer de se dégager des doigts qui enserraient sa mâchoire, mais l'infirmière ne lâcherait pas prise avant que la patiente eût ouvert la bouche et absorbé une autre cuillerée. Elle le fit. Puis le massage du cou reprit et la vieille dame avala péniblement, la fille hocha la tête et sourit gaiement d'un air encourageant, implacable.

« Vous allez manger votre biscuit ; vous allez avaler votre nourriture... »

Je me souvins de ma mère à l'hôpital. Je me rappelai l'avertissement aux employés indisciplinés qui avaient enfreint les règles :

« Vous paierez ces amendes... »

Ma mère était morte en résistant à l'infirmière, qui lui avait rendu les coups. Malgré toutes les belles paroles à propos de l'amitié entre les races, une guerre couvait, et elle s'était renforcée depuis que la fin des hostilités avait été proclamée. En vérité, il n'y avait pas de paix, ni même de cessez-le-feu. Il y avait plus de colère, plus de meurtres et plus de haine. Nous faisions semblant plus désespérément. Nous nous mentions plus farouchement. Comme Oomie, nous mutions.

Il paraissait si paisible, si soulagé, parce qu'il avait fait un acte de foi et cessé de penser. Son cerveau s'était transformé en bouillie. Verwoerd, Vorster, Gluhnik, Mandela...

L'endroit me donnait la chair de poule. Tous les résidents âgés étaient blancs ; tous les employés étaient noirs, et jeunes. Et il me semblait que c'était le chemin pris par la plupart des Blancs, droit vers la maison de retraite pour personnes âgées dépendantes, où des dirigeants souriants, quels qu'ils fussent, veillaient avec bienveillance sur leurs derniers jours. De Charybde en Scylla ; et bon débarras, dirait la majorité du pays, de ce jeune pays.

Oomie me vit regarder Mandela et dit : « Un grand homme.

– Ouais. C'est pourquoi il a fallu le garder en prison tout ce temps.

– Nous ne savions pas.

– Vous ne saviez pas quoi, Oomie ?

– Ce qui se passait.

– Foutaises. Tout le monde savait ce qui se passait. On ne pouvait pas ne pas savoir. Tout le monde était au courant. Les gens qui agonisaient, qui étaient abattus, qui disparaissaient, qu'on battait à mort, qu'on jetait en prison, qu'on assassinait, qu'on prenait en filature, qu'on espionnait et qu'on faisait sauter avec des colis piégés. C'était dans l'air, on en parlait dans les journaux, jour après jour.

– Dans la presse anglaise, répondit Oomie, mais pour nous c'était seulement de la propagande.

– Allons, Oomie, sois sérieux. Tu faisais partie des types qui ont veillé à ce que les exactions se poursuivent.

– Pas moi, s'écria-t-il avec une totale conviction.

– Mais tu étais au cœur de l'appareil qui en était responsable.

– Comment ça ?

– *Parce que tu étais là.*

– Je n'ai jamais tué personne. Je n'ai jamais battu les gens à mort, je ne les ai jamais torturés, ni abattus, ni brûlés et enterrés dans le veld. »

Je perdais mon temps. On pouvait traverser tout le pays sans jamais rencontrer personne qui eût aimé et soutenu l'ancien régime, sa bande, ses méthodes. C'était un putain de miracle. Tout le monde s'était transformé en Oomie. Ou peut-être que Oomie était devenu tout le monde.

L'idée que ce pouvait être la marche à suivre était tout aussi déplaisante. Ce n'était pas simplement de l'opportunisme, c'était du bon sens, c'était raisonnable, nécessaire, et même – Dieu nous aide – généreux.

« On va chercher les affaires ? »

Dans la rue, il parut nerveux. « Tu t'es garé à l'extérieur ? Tu as une sacrée veine de ne pas t'être fait voler. »

J'ouvris le coffre et nous considérâmes les fusils. « Voilà pourquoi j'ai laissé la voiture ici. Je ne savais pas ce que diraient les gardes de tout ça.

– Nom de Dieu ! » s'exclama Oomie, l'air sifflant entre ses dents. « Il y en a un sacré paquet, hein ?

– C'était une chasseuse professionnelle ; elle avait besoin d'un tas de fusils. Gros calibre, calibre moyen et calibre léger.

– Enfin, mon vieux, elle s'est dit que j'allais faire quoi avec tout ça ? »

Tirer dans le tas ?

Je ne le dis pas. Pourquoi blesser Oomie là où il avait peut-être déjà mal ? Certes son arsenal était impressionnant. Mais quand on y réfléchissait bien, ma mère avait fait largement usage des armes à feu, elle avait abattu beaucoup d'animaux. En fait elle était, à sa manière, une tueuse au grand cœur. C'était, foncièrement, son *objectif*.

« Écoute, si ça te pose un problème, dis-le-moi, je referme le coffre et je remporte les fusils.

– Non, je vais les garder. Ils viennent de Kathleen. Elle voulait que je les aie. C'est juste que je ne sais pas comment nous allons les transporter à l'intérieur, jusqu'à ma chambre. Nous ne pouvons pas passer comme ça devant la réception avec un chargement de fusils de chasse. Je peux te demander un service ? Tu vas te garer au coin de la rue, là où on ne peut pas te voir de la réception, tu prends les fusils et tu me les passes par-dessus le mur. Je me tiendrai de l'autre côté et je les planquerai derrière les fleurs. Ensuite tu reviendras à l'intérieur et tu m'aideras pour le transport. Qu'en penses-tu ? »

C'est ce que nous fîmes. Je tendis les armes par-dessus le mur. Oomie les dissimula derrière les dahlias, et ensuite nous les ramassâmes et les emportâmes dans sa chambre. C'était une pièce modeste avec un placard, une table, un lit à une place avec un couvre-lit en chenille bleu. Sur la table, il y avait une photo d'Oomie et de Barrie Gluhnik. Les fusils ne tenaient pas dans la penderie, aussi nous les rangeâmes sous le lit.

Oomie alla chercher une bouteille de cognac Klipdrift dans la salle de bains.

« Je peux t'en offrir un pour la route ?

– Bien sûr. »

Il remplit deux verres et leva le sien. « À ta maman, que son âme repose en paix. »

Ses yeux se remplirent à nouveau de larmes. Pourquoi Durban inspirait-il de tels débordements ? Je supposais que Alan Paton avait ouvert la voie avec *Pleure, ô pays bien-aimé*. Depuis ce moment-là les gens s'étaient mis à pleurer chaque fois que quelqu'un se rappelait combien nous avions été horribles. Ça n'a jamais servi à rien. Oomie pleurait ma mère, mais il pleurait aussi sur lui-même. Une puissante magie, et je souhaitais sincèrement qu'elle opérât sur moi, mais ça ne marchait jamais. Au fond de mon cœur, je n'éprouvais aucune pitié pour ma mère. J'étais triste qu'elle fût morte. Je me sentais déstabilisé, abandonné. Sa disparition s'était déroulée, comme tous ses départs, selon ses conditions, à son rythme, et à sa manière.

Non, si j'avais de la sympathie pour quelqu'un, c'était pour Oomie. Il avait eu l'air perdu quand il avait regardé les armes. Il s'était senti mal à l'aise face à ce cadeau – assez de puissance de feu pour flinguer une douzaine de Premiers ministres…

« Tu vas faire quoi de ces fusils ? »

Il vida le fond de son verre. « Hé, j'en sais foutre rien. Mais je vais trouver quelque chose. Je peux toujours me tirer une balle dans la cervelle, je suppose. Pourquoi pas, hein ? »

Pourtant, il avait peut-être eu raison à propos de Gluhnik. À cause de tous ceux qui avaient été sûrs de savoir comment les choses tourneraient dans l'Afrique du Sud nouvelle, une fois que la paix serait là, et l'avenir possible, si on pariait sur Alan Paton, Gandhi, Jan Smuts, Hendrik Verwoerd ou Nelson Mandela, Barrie Gluhnik gagnerait haut la main, ça ne faisait aucun doute.

Noddy rentra un soir à Forest Town, habillé de la même façon que lorsque je l'avais accompagné à la gare : le costume du dimanche, la plume hardie. Je posai le bras sur ses épaules, je pris sa valise et lui dis combien j'étais heureux de le voir.

Il était incapable de parler. Il alla dans sa chambre, suspendit son complet et rangea son chapeau. Le lendemain matin il était de retour dans le jardin, vêtu de son vieux pantalon et de son tee-shirt, et le jour d'après il retourna chez ses autres Madames. Je ne pouvais pas prendre le *Times Atlas* ; lui demander de me montrer exactement où il était allé, et l'aider à mieux supporter les longues périodes passées loin de chez lui, de la même façon qu'il m'avait permis de m'accommoder de ma condition de bohémien.

Il paraissait marcher dans son sommeil. Il était rentré chez lui et son foyer s'était réduit en poussière. Il était dépossédé. Mais il ne m'était pas possible de le soutenir dans son désespoir comme il l'avait fait pour moi. Je savais qu'il avait écouté son frère, qu'il avait demandé à Beauty de partir. Joshua et Sipho ne pouvaient pas rester à St. Aloysius, avec le directeur qui avait mis leur mère enceinte. C'était hors de question. Et ils ne pouvaient pas vivre à la maison sans mère pendant qu'il travaillait dans le Sud. Alors il les avait mis en pension chez son frère. Ils allaient maintenant dans une école agricole trois jours par semaine. Une mauvaise école.

J'aurais peut-être dû dire quelque chose le soir où il avait sollicité mon avis à propos de Beauty. Mais comment pouvais-je conseiller à un homme de chasser ou non sa femme ? Et quelle différence cela aurait-il fait ? Quelle voie aurais-je choisi ? J'avais ajouté ma voix à celles de ses autres Madames et je lui avais dit d'être généreux, de pardonner. Mais je supposais qu'à sa place j'aurais vraisemblablement fait la même chose que lui.

En tout cas, ça le rongeait.

Il acheta une salopette bleue avec, cousus en lettres rouges dans le dos, les mots « Adjoint en chef horticole ». À la place de son costume bleu sobre pour aller à l'église, il s'acheta le modèle le plus tape-à-l'œil que j'eusse jamais vu. En soie crème. Avec des boutons dorés ; il avait une certaine élégance ; les fentes de la veste étaient ravissantes à regarder ; les revers tombaient magnifiquement sur ses chaussures de golf marron et blanc flambant neuves.

Il avait toujours été un homme minuscule et délicat, mais à présent il semblait rétrécir, se dessécher de l'intérieur. C'était comme s'il avait décidé d'être tout ce qu'il avait détesté avant, comme si sa gravité, la responsabilité pour laquelle il avait travaillé si dur, lui faisait maintenant horreur, au point qu'il avait décidé de la dilapider, de la ruiner, et de se ruiner lui-même. Avant, il ne buvait jamais, à présent, il ne dessoûlait plus ; avant, il était sérieux, à présent il était frivole. Avant, il était Noddy, le fermier du Matabeleland ; maintenant il était anéanti. Mais voyant.

Il n'avait rien gardé de son moi d'avant. Certainement rien de notre amitié. Envolée, son existence stable, posée, dans sa chambre de l'arrière-cour. Nous ne parlions ni ne nous promenions plus. Il ne m'accompagnait plus au zoo, ni au musée du costume. Il ne cherchait plus à remédier à mes lacunes dans le domaine du jardinage. Envolée, la tenue sobre du dimanche ; abandonné, le trajet hebdomadaire pour mettre ses gages à la banque, tenant à la main le livret de la société de crédit immobilier, si épais et réconfortant avec ses élastiques rouges. À présent il payait tout en liquide.

Il avait un nouvel ami, l'un des types qui travaillaient au bout de la rue. Il s'appelait Jake et habitait à Alexandra, et je ne l'aimais pas beaucoup. Le vendredi soir, Jake emmenait Noddy dans les débits de boissons clandestins d'Alex, et tous les deux portaient leur costume le plus chic. Noddy rentrait beaucoup plus tard, complètement bourré. Le samedi ils allaient jusqu'au magasin de vins et spiritueux et revenaient avec des sacs remplis de bouteilles, s'installaient dans la chambre de Noddy et descendaient leur réserve comme si c'était la dernière fois.

Tout le monde changeait mais Noddy n'était pas de taille. De toute façon, il m'avait paru plus intéressant à l'époque où il avait encore sa forme originale. Et le moins passionnant, c'était sa transformation en un *boykie* de Johannesburg qui, habillé d'un costume crème, fréquentait les débits de boissons clandestins avec Jake ; tout était destiné à refléter l'éclat, la démarche pleine de superbe, le chatoiement de la plume sur son chapeau.

Noddy subissait une sorte d'effondrement intérieur : l'homme du Matabeleland qui avait eu du poids, de la consistance, du réalisme, rabaissé au rang du petit malin de Johannesburg, ce personnage fragile et factice.

Ça se rapprochait de l'automutilation. Ce n'était pas un changement organique naturel, mais une métamorphose obligatoire, une sorte de chirurgie plastique de l'âme. La seule question était : on se l'imposait à soi-même ou bien c'était inéluctable ? Disons que c'était un traumatisme identitaire à une époque de changement.

Où se trouve le cœur de la baleine ?

 C'est la question que ma mère m'a posée une fois.

J'avais environ treize ans et nous marchions le long de la plage à Durban, où nous passions une semaine de vacances, et nous découvrîmes deux baleines australes échouées sur le sable. Apparemment, plusieurs tentatives avaient été faites pour les remettre à la mer. Des harnais avaient été placés sur leurs énormes corps et ici et là les cordes avaient entamé profondément la peau et la chair.

Près d'elles, sur un transat, était posté un Blanc maigrichon à la peau cuivrée par le soleil, une minuscule visière de tennis sur son crâne nu marbré, avec un gros paquet de Westminster 50 dans sa poche de poitrine. Il était là pour chasser les Noirs, les Indiens et les gens de couleur qui auraient pu avoir l'audace de tenter de s'asseoir sur le sable réservé aux autres. Il était en colère, comme seul pouvait l'être un fonctionnaire blanc brusquement contraint de gérer l'imprévu et d'improviser.

« Putain, dit l'homme au transat.

– Putain de quoi ? » demanda ma mère obligeamment.

Il n'était pas content, le type au transat. Pour toute réponse il tourna sèchement sa visière de tennis en direction des baleines.

Je vis des gamins qui jouaient sur les cétacés, escaladant une épaule noire et luisante, gambadant autour des anatifes incrustés, puis se laissant glisser de nouveau, comme si les baleines étaient des jouets de plage géants, d'énormes chambres à air gonflées.

« Putains de gens, voilà quoi. »

Les foules de curieux étaient si considérables qu'il avait beau les chasser, comme on l'aurait fait de nuages ou de mouches, la minute d'après elles étaient de retour.

Pire, elles étaient « mélangées ». Ce qui contribuait à l'anarchie, c'était le fait que, même si les gens savaient qu'il leur était interdit d'accéder aux plages codifiées par la couleur de leur groupe racial, rien ne disait dans la loi que vous n'aviez pas le droit d'aller au bord de la mer pour regarder deux baleines échouées. Les baleines en imposaient plus que le règlement des plages. D'ailleurs, les badauds n'étaient pas en train de nager, de prendre le soleil, ni de manger des glaces – toutes choses expressément prohibées –, mais ils contemplaient bouche bée deux poissons géants.

« J'ai eu des coolies, des Cafres et des klonkies… j'ai eu des putains de bonbons au réglisse assortis… Bon, j'en ai rien à cirer de ces foutues baleines, mais c'est pas bien, non ? De s'en servir comme d'un terrain de jeu ? De s'y promener ? Il y a des gens qui viennent avec des couteaux et qui découpent des morceaux entiers !

– C'est horrible. Il faudrait mettre fin à leurs souffrances, dit ma mère.

– Vous avez raison, madame. Mais qu'est-ce que vous voulez que je fasse ? Que je les assomme ? Je passe toute ma putain de journée à chasser les gens de ces foutues baleines. J'ai pas demandé à le faire. Je suis payé pour surveiller les chaises, et rien d'autre. Et pour chasser les gens qui n'ont pas le droit de venir sur la plage. Pas ceux qui montent sur les baleines.

– Pourquoi est-ce que je n'ai pas apporté mes fusils ? dit ma mère comme nous nous éloignions.

– Tu saurais abattre une baleine ?

– Je trouverais la solution.

– Tu viserais quoi ?

– La tête. C'est ce que je vise chez un éléphant. Je ne sais pas comment atteindre le cœur. Où se trouve le cœur d'une baleine ? »

Je réfléchis à la question. La baleine avait une très grosse tête et donc, supposais-je, un très gros cerveau. Mais je ne savais pas où se nichait le cœur des baleines. Combien de coups de feu faudrait-il ?

« Maman, je ne pense pas que tu puisses juste te promener sur la plage et descendre ces baleines. Normalement, on les harponne, non ?

– Quelle importance, comment on s'y prend ? C'est criminel de les laisser là. »

Le lendemain, le bruit courut que les autorités avaient trouvé une solution pleine d'humanité pour l'enlèvement des baleines. Nous descendîmes sur la plage, où des centaines de gens attendaient déjà. L'homme au transat semblait avoir renoncé et être rentré chez lui. Côté mer, le sable formait déjà un rempart, et l'odeur était puissante. Ils avaient des camions, une grue et un homme en blouse blanche, et un tas d'employés municipaux. Il y avait des flics avec des porte-voix et on nous fit reculer à plus d'une cinquantaine de mètres des baleines.

Supervisés par le type en blouse, les ouvriers entamèrent la tête des baleines avec des couteaux à découper. Puis on plaça des petites charges de dynamite dans les espaces crâniens, et leurs cerveaux explosèrent avec un bruit sourd. Ma mère ne put s'empêcher de me pousser du coude : « Tu vois ? On vise la tête. » Les grues hissèrent les imposants restes pour les déposer sur les plateaux des camions et les corps sans têtes furent emportés afin d'être transformés, dit-on, en nourriture pour animaux.

« La prochaine fois, sauvez les baleines, marmonna ma mère – et faites sauter les badauds. »

En regardant alors en arrière, à travers l'objectif profond de la mémoire, je la vis assise avec la reine Bama dans le petit salon, sirotant du thé et frissonnant face au monde. L'image était lointaine et s'estompait rapidement. Et je songeai à ces baleines. Rejetées sur le rivage, attendant qu'on vienne les faire sauter à la dynamite pour les expédier dans l'autre monde.

Je ne savais pas où Noddy allait, mais il était parti quelque part, c'était sûr, et il me manquait déjà. C'était l'un des rares amis que je m'étais faits depuis mon retour.

À l'exception peut-être de Cindy, aussi je l'appelai et lui demandai de venir. J'avais un problème, lui expliquai-je, un problème avec mon personnel.

27

Noddy était en train de retourner le carré de pois de senteur, vêtu de sa salopette bleue « Adjoint en chef horticole », quand je vins la lui présenter.

« Noddy, voici Cindy ; c'est une amie à moi. »

Il cessa de bêcher et lui adressa son timide sourire. « Bonjour, madame. » Puis, crachant dans ses mains, il reprit la grosse fourche de jardin et se remit au travail.

Nous pénétrâmes dans la maison. À travers les fenêtres, nous le voyions travailler avec une concentration furieuse qui m'attristait.

« Noddy, demanda Cindy, c'est vraiment son nom ?

– Noddy des Cinq Madames. Il y tient. Mais son vrai nom est Uthlabati, ce qui signifie “Homme de la Terre Rouge”.

– Tu l'as trouvé où ?

– Il était là quand je suis arrivé. Il a la chambre de l'arrière-cour. »

Cindy l'observa. « Il a pas l'air content.

– Non.

– Le personnel à demeure est toujours une source d'ennuis. De gros ennuis. Aujourd'hui la plupart des gens ont recours aux agences. On n'a pas besoin de domestiques à la maison. On fait venir l'équipe nécessaire, et à la fin de la journée on la renvoie. De cette manière il n'y a pas de drame.

– Mais des tas de gens ont encore du personnel à demeure, non ?

– Ouais, mais surtout des gens de la vieille école. Ou bien ils se sentent seuls, c'est tout. Les enfants sont partis vivre à Detroit, ou à Calgary, ou ailleurs. La maison est trop grande, trop vide. Alors ils s'accrochent à leurs domestiques. Ils les corrompent, ils les chouchoutent, ils les caressent dans le sens du poil, ils leur achètent des voitures, les envoient en vacances, et, même, adoptent leurs gamins – tout pour les amadouer. Ça peut être utile. Tu fais passer ça comme la preuve que tu es un formidable représentant de la nation arc-en-ciel, mais ça cache la vérité : tu crèves de trouille d'être abandonné, alors payer le gosse de la bonne pour qu'il étudie la médecine ou la technologie des fusées, ça fait bon effet. Et peut-être que ça te protégera des cambrioleurs, des violeurs et des types qui ont envie de t'assommer par une nuit bien noire.

– Ça marche ?

– Quelquefois. Mais quelquefois, ce sont tes domestiques qui t'assomment. Tu aimes bien ce type, hein ?

– Il vient d'ailleurs. C'est un voyageur, comme moi.

– Oui. Mais il doit y avoir autre chose.

– Je l'aime bien, et je l'ai laissé tomber. Il est venu me demander de l'aide quand sa femme est partie avec un autre type, et je n'ai rien fait. Il est vraiment brisé par cette histoire. »

Son joli visage s'adoucit un moment. « Je peux comprendre ça. Ça m'est arrivé avec Andy. Ça t'est arrivé avec ta mère.

– Je t'en prie, ne me sors pas le blabla sur Œdipe.

– Ta mère a toujours senti que tu t'étais enfui ; elle passait sa vie à essayer de te faire revenir. Elle me l'a dit.

– Écoute, elle est partie avec un régiment entier de types. Elle est partie avec un putain de continent. Elle est allée de son côté et moi du mien.

– Elle mourait d'envie que tu reviennes, Alex. Elle pleurait à cause de toi.

– Est-ce que nous parlons de la même personne ? » Je ne reconnaissais pas ma mère dans la femme dont elle me parlait.

« Oui, elle disait qu'on ne comprenait les choses qu'après coup. »

Peut-être que c'était vrai. Peut-être que c'était ce qui me manquait. Je ne voyais pas comment m'y prendre pour devenir le genre de personne qui serait reconnue ici, en Afrique, ou qui pourrait voir ce qu'étaient réellement les gens. Mais il n'y avait pas de « réellement », de même qu'il n'y avait rien de « correct ». Seulement un remodelage constant, une façon d'appliquer la méthode de Stanislavski pour rentrer dans votre nouveau rôle, jusqu'au moment où vous deveniez le personnage que vous interprétiez.

Tandis que j'emportais une à une les choses que ma mère avait souhaité léguer à ses héritiers, et que je voyais la maison se vider, j'avais espéré me rapprocher de la solution raisonnable : vendre et repartir. Dès que j'aurais retrouvé le dernier des bénéficiaires, je m'en irais. C'était ce que je me disais. Mais j'avais la désagréable impression de me mentir à moi-même, et que ce qui me retenait à Forest Town n'était pas seulement cette tâche inachevée : c'était quelque chose au fond de moi. Je n'en avais pas terminé.

Pour des raisons que je ne pouvais pas expliquer, Noddy était important, même quand il tournait en eau de boudin. Il y avait dans sa transformation quelque chose que je ne parvenais pas à comprendre et que je regrettais amèrement. Uthlabati, l'Homme de la Terre Rouge, l'homme de qualité, était en voie de devenir une parodie des types tapageurs qu'on voyait en ville. Et précisément à cause de ce changement désastreux, cela signifiait sans doute qu'il se rapprochait plus que je ne l'avais jamais fait de la vraie manière d'être. Je continuais d'avoir l'impression qu'il essayait de me transmettre quelque chose, un message que ma mère avait eu en tête quand elle me l'avait légué avec la maison.

« Alors, j'en fais quoi ? »

Elle eut un léger haussement d'épaules. « Tu n'as qu'à le virer.

– C'est trop tard : il m'a viré, c'est ça mon problème. »

Elle posa la main sur mon bras, puis son bras sur mes épaules, et nous nous dirigeâmes ainsi vers sa voiture. Je sentais derrière nous le regard de Noddy qui fourchait le sol, enfonçant les pointes brillantes dans la terre rouge sombre.

« Écoute, dit Cindy. Samedi soir, il y a une grosse fête au Prester John's Palace, à Sandton. Le Rotary de Fourways donne un dîner au profit du Refuge du Rayon de soleil. Ce n'est pas mon truc habituel, mais là, c'est une obligation. Tu veux venir ?

– Venir ?

– Avec moi. Pour être mon cavalier, en quelque sorte.

– Ça fait longtemps que personne ne m'a invité à une réception. »

Elle me regarda sans détourner les yeux : « Ça veut dire oui ?

– Merci. Absolument. »

Elle me lança son éblouissant sourire. « Ne me remercie pas, tu vas peut-être détester. Ça risque d'être très, très ordinaire. Je viens te chercher vers sept heures. »

Elle était pile à l'heure, vêtue d'une robe noire sans bretelles avec un décolleté dont la descente plongeante entre ses seins me fit penser à une piste de ski abrupte. Ses mains maniaient habilement le volant et elle parla et rit, ponctuant sa conversation de ses riffs johannesburgiens tandis que nous roulions, fendant l'air de son index, un ongle rose parfait s'abaissant comme pour déchirer l'atmosphère et la faire saigner. Toujours cette emphase colossale. Noddy avait employé la même force pour planter la fourche dans le carré de pois de senteur. Je vivais dans un monde de turbulences. Interrogation pleine de fureur, déclaration, décret, menace : c'était ainsi que le pays se parlait à lui-même. Quelle occasion idéale pour le missionnaire qui souhaitait lui apprendre à respirer plus calmement.

Mais il eût été stupide d'essayer. Ils s'y refusaient ; ils ne discutaient pas, ils déclamaient : on criait, ou on tirait sur quelque chose…

Les gros titres du soir étaient dans la rue ; des caractères d'imprimerie noirs sur des affiches d'un blanc brillant, fixées aux lampadaires :

> Une querelle raciste frappe le rugby
> Une grand-mère centenaire mange un bébé
> Un automobiliste et un pirate de la route meurent dans une fusillade
> Des riverains lapident un violeur
> Le rand chute

Cindy parlait de hold-up avec la même passion joyeuse qu'elle avait manifestée pour m'enseigner les règles de survie.

« Attaques à main armée, transports de fonds : ils sont si bien organisés, si fréquents, qu'on se demande pourquoi ces bandes ne dirigent pas le pays.

– Peut-être que c'est le cas.

– Ouais, et sinon peut-être qu'elles devraient… hein ? Si on doit être gouverné par des gangsters, autant que ce soient des pros. C'est mieux pour tout le monde. »

L'une des grandes joies de ma mère avait été de survoler le Serengeti, si près du sol qu'elle pouvait entendre le tambourinement des sabots des zèbres qui prenaient la fuite. Cindy éprouvait un plaisir intense à énumérer les avantages d'un parking sécurisé. Elle s'extasia sur les services offerts par Prester John's Palace & Casino.

« Je veux dire, c'est capital. Nooon ?

– Vraiment ?

– Bien sûr. Autrement, qui sortirait ? C'est comme le sexe, non ? Si tu n'es pas détendu, tu perds tes moyens. Si tu ne te sens pas en sécurité, tu ne peux pas te dépenser. Si tu n'es pas heureux, tu ne jouis pas. Si on fait l'effort de se trimballer jusqu'ici, mon Dieu, la dernière chose que voudrait un hôtel ou un centre commercial, ce serait que tu te fasses descendre dans le parking. Ça paie de garder le client en vie. Tu saisis ? »

Je savais ce qu'elle voulait dire mais je m'en émerveillais tout autant.

« Tu vas voir à quel point c'est génial là où on va ce soir. Tu sors de ta voiture et tu pénètres dans l'entrée sans regarder par-dessus ton épaule. Remarque, ils l'ont appris à leurs dépens. Au début, Prester John avait l'idée de transparence, tu vois ? Quand ils ont construit l'établissement, tout était transparent. Le cristal, le verre, le Plexiglas, la réception, les murs, les vitrines des boutiques, tout le tremblement. Ils ont cru que de cette façon personne ne pourrait leur tomber dessus à l'improviste. Depuis l'entrée on avait vue sur le centre commercial de l'autre côté. Mais le lendemain de l'ouverture, un véhicule blindé enfonce les portes vitrées et arrive dans l'entrée. Quatre types armés de mitraillettes sautent de là, ils abattent l'employé de la réception et dévalisent toutes les boutiques en une demi-heure. Personne n'a rien pu faire, à part regarder. On a appelé ça "le hold-up transparent". L'endroit était ouvert depuis moins de vingt-quatre heures et on l'a pris pour cible. On peut dire que c'était un record.

« Enfin, avons-nous du talent, oui ou non ? Ces bandes ont une structure. Elles envoient des "observateurs" sur le terrain, pour surveiller la maison avant le casse. Ensuite il y a les voleurs, chargés de détourner les véhicules qui leur serviront à s'enfuir après le hold-up. Puis les conducteurs. Et ensuite les tireurs, qui font le coup. Ils emploient la grosse artillerie, souvent des AK 47, et portent des gilets pare-balles. Ils mitraillent à jet continu et flanquent une trouille bleue à tout le monde. Même si on a un super système de sécurité, même si les flics arrivent en quelques minutes, qu'est-ce qu'ils peuvent faire ? Répondre aux tirs et tuer des passants ? De toute façon, la plupart du temps la police manque de puissance de feu. Nous arrivons en tête des attaques à main armée réussies dans le monde. Une personne, une voix, un AK 47. Quelle ville ! »

Elle eut ce rire aigu, mélodieux, où se mêlaient la souffrance et la fierté ; un amusement sincère avec une pointe d'hystérie. Pouvait-on être fier d'avoir peur ? Oui, si on était Cindy.

C'était l'une des meilleures choses que la ville procurât à ceux qui y vivaient. Quand ils avaient fait le tour de la frime et des conneries, les gens puisaient un plaisir noir à être des pécheurs, des escrocs, des séducteurs ; à être tombés si bas qu'ils n'avaient d'autre choix que de remonter. Et comment arnaquer tout le monde si on n'était pas capable de réussir soi-même ? Mais après vous être dit que la vie n'avait jamais été meilleure, plus riche, plus sûre, plus juste, plus grandiose surgissait l'éclair d'honnêteté qui fouinait dans la poussière et l'obscurité, comme les taupes, et dénichait ce que vous disiez être de l'or. Mais les taupes étaient aveugles, non ?

Situé au milieu d'un entrecroisement de rues aux noms de femmes comme Alice ou Maud, le Prester John's Palace était une paroi en pierre terne où scintillaient vitres et garnitures de marbre. À l'intérieur de ses cellules illuminées, des gens faisaient inlassablement les magasins. La tour contenait le Prester John. Nous pénétrâmes dans le parking et nous enfonçâmes dans le sous-sol, les pneus crissant doucement à mesure que nous descendions.

Quatre niveaux plus bas, un laquais en perruque poudrée et bas de soie blancs s'avança, comme s'il nous attendait. Cindy lui tendit ses clés, et il effleura sa main de ses lèvres. Nous sortîmes du garage et arrivâmes dans l'entrée de l'hôtel garnie de fontaines, avec des finitions en marbre rose et noir. Tout l'endroit était bardé de bannières et d'affiches en forme de cœurs transpercés par une flèche garnie d'épines, où était incrustée la photographie d'un enfant.

« Prester John aime les Rayons de soleil », disaient les bandeaux flottant dans le hall spacieux.

« Nos petits anges », lisait-on sur les affiches.

Le personnel portait des auréoles « Rayon de soleil » aux bords dentelés.

« Alors, qu'en penses-tu ? demanda Cindy. C'est plutôt exagéré, ou non ?

– Je suis impressionné.

– C'est l'esprit, dit-elle. Ça peut être amusant. »

Nous pénétrâmes dans l'ascenseur en verre qui nous emporta vers le ciel. La cage d'ascenseur avait été tapissée d'une épaisse peluche rose. On avait l'impression de monter à l'intérieur d'une gorge très profonde, charnue et brillante. Nous dépassâmes des salons successifs où des hommes au cou robuste, vêtus de costumes coûteux et soyeux, prenaient un verre dans des espaces si vastes qu'ils s'y perdaient comme des lilliputiens. Les fontaines jaillissaient jusqu'au plafond, tels des palmiers aquatiques.

La salle Renaissance africaine était un penthouse à coupole construit pour évoquer une ruche géante, ou une hutte tribale traditionnelle, d'inspiration vaguement zouloue. L'immense surface au sol était interrompue ici et là par des rectangles de galets ratissés avec soin et par des paravents en papier japonais. C'était, me dit Cindy, un style connu dans les ensembles de villas sous le nom de « néo-fusion » ou d'« afro-zen ». Les grandes baies donnaient sur la route, tout en bas, où de longues files d'amateurs de sensations fortes du samedi soir, chaque voiture enchaînée à la suivante par les faisceaux lumineux de ses phares, se dirigeaient vers les machines à sous et les tables de jeu dans des clubs baptisés The Erogenous Zone et Flagrante Delicto, pour une soirée de strip-tease et de karaoké. Au milieu de la piste de danse, un carré de toile surélevé aux bords délimités par des cordes était assez intrigant.

Cindy y jeta un coup d'œil. « T'en penses quoi ?

– De la piste de danse ? J'ai déjà vu ça. »

Oh oui ! j'avais déjà vu ça. J'éprouvais le choc qu'on ressent face à quelque chose de très familier. Devant moi, dans la salle Renaissance du Prester John's Palace, se déroulait un événement que je connaissais intimement. C'était, avec de petites variantes, ce que j'avais connu trente ans plus tôt. Peut-être servait-on du *foie gras* et non une corbeille royale au poulet, peut-être du Chivas Regal de vingt ans d'âge et non du brandy-Coca, du Martini et non du porto-citron, peut-être smoking et cinq cents dollars le couvert, et ça se passait dans les combles du Prester John's Palace, au coin des rues Alice et Maud, à Sandton et non dans la salle paroissiale – mais c'était le putain de même spectacle revenu me hanter. J'avais un pied posé à Las Vegas et l'autre enfoui dans l'arrière-cour. Trente ans après mon départ de Johannesburg, je me retrouvais à un putain de dîner dansant.

Aller de l'avant.

Les gens de cette ville s'imaginaient continuellement avoir progressé. En réalité, nous, notre tribu, les derniers anglophones blancs d'Afrique, ne progressions... *jamais*. Au contraire, nous prenions notre retraite, nous plongions dans l'obscurité. Les jeunes en Nouvelle-Zélande, les vieux cramponnés à leur déambulateur ou se réfugiant dans des propriétés résidentielles équipées d'un golf, surveillant le cours des actions, partant en croisière aux Maldives, ou organisant des réunions nostalgiques d'anciens élèves où les hommes demandaient à Harry des nouvelles de Merle, aperçue pour la dernière fois en 1954 en Rhodésie, et avant cela responsable de la classe de terminale à Parktown High…

Loin de progresser, nous nous noyions.

Nous habitions un univers dont l'essence pouvait se résumer en un seul mot, « plus ». Nous allions nous coucher en rêvant à plus de Mercedes, nous nous réveillions en rêvant à plus de châteaux sur la côte. Nos anciens serfs semblaient avoir trouvé un moyen de détruire leurs anciens persécuteurs en leur donnant ce qu'ils voulaient – *plus* –, ouvrant leur bouche pour la remplir, s'assurant qu'ils avalaient tout, comme le faisait l'infirmière, ses doigts massant la gorge de la vieille femme dans la maison de retraite d'Oomie. Plus ! Engouffrant dans notre gosier le trésor qui nous étoufferait.

« Non, je ne parle pas de la piste de danse, dit Cindy. Mais du ring.

– Je ne sais pas. Ça, je dois dire, c'est nouveau. Du kickboxing ? Du catch dans la boue ? »

Elle poussa son rire gai, désespéré, impuissant ! « Oh ! mon Dieu ! Allons nous installer. Peu importe ce que c'est, je préfère être assise quand je le découvrirai. »

Les larges tables rondes couvertes de lin crémeux regorgeaient de cristal et d'argenterie. La nôtre se trouvait à côté de la piste de danse. Il y avait des fleurs et des cartons roses devant chaque couvert, et une foule de gens qui buvaient du whisky. Nos compagnons étaient raisonnablement ivres, et parlaient d'eux-mêmes avec la franchise des Johannesburgiens qui se rencontrent pour la première fois. En quelques minutes, vous saviez où ils travaillaient, ce qu'ils croyaient et où ils jouaient au golf.

À ma droite étaient assis Sharalee et Duane, qui travaillaient dans la publicité et le marketing. À la gauche de Cindy, il y avait Lindiwe et Tembi, en tuniques noir et or assorties. Lindiwe avait un poste au ministère de la Santé ; Tembi dirigeait une boîte d'empowerment noire qui s'appelait Afri-One.

En face d'eux était assis un banquier d'affaires, Jacobus ; il vendait ce qu'il appelait des « instruments financiers ». Sa femme, Monique, aidait de petites entreprises à franchir le fossé entre la vieille et froide Afrique du Sud et le fief neuf et chaleureux de l'avenir.

À côté d'eux avaient pris place Rupert et Petronella, un couple bronzé d'un autre temps. Rupert avait autrefois dirigé la Farmers Bank. Petronella, solide comme un roc sous sa robe de soie verte, le visage dominant fièrement son énorme poitrine, faisait depuis toujours partie du conseil d'administration du Refuge du Rayon de soleil. Les plis brunis de leurs figures décrivaient des coutures lisses assez semblables à des sacs à main en crocodile. Ils incarnaient un type de gens : les hommes à la face rougeaude ; les femmes à la voix râpeuse qui autrefois avaient eu tout ce qu'elles désiraient – du soleil, du tabac, du whisky. Leur coterie avait dirigé des banques d'État et nationalisé des industries. Ils étaient partis quand l'ancien régime s'était effondré, leur fortune intacte, et maintenant ils ne s'occupaient plus de grand-chose : un peu de bonnes œuvres, beaucoup de golf. Ils avaient échoué dans une retraite confortable, anéantis mais riches.

Il y avait aussi Willem – blond comme les blés, et des manières exubérantes. Et de l'autre côté de Cindy, un type du nom de Dikene. Leurs épouses, Nicoleen, blanche et svelte, et Tanzi vêtue de noir, l'ébène et l'ivoire, comme deux touches de piano. Elles parlaient bébés. Willem et Dikene parlaient fric. Willem était dans le bâtiment. Dikene avait été animateur de groupes de jeunes dans une « structure locale du parti », jusqu'au jour, expliqua Willem, où, « en tant que directeur général, j'ai décidé de le prendre dans mon équipe ». Ainsi, il avait fait de Dikene un milliardaire. En échange, Dikene avait adouci l'image de Willem parmi les nouveaux maîtres de l'univers en modifiant son pseudo, transformant ce que Willem décrivit gaiement comme « un salaud de Boer, d'exploiteur et de raciste » en « un élément tourné vers l'avenir au sein des nouvelles structures démocratiques ».

Il était difficile d'imaginer Willem, si exubérant qu'il eût été – une brute bruyante avec un gros compte en banque –, comme un « élément » dans les « structures » de quoi que ce fût, à l'exception de son monde régi par le sport. Mais les mots étaient la peinture nécessaire pour retaper les anciens modèles, les mots ne coûtaient rien et présentaient un avantage pour les deux parties. Le troc commode mis au point par Willem et Dikene ne comportait rien de nouveau. Au cours des décennies, le schéma avait été parfaitement affiné par les Hollandais, puis par les Britanniques, par les Boers, et ensuite par les nationalistes afrikaners, partis très récemment. À cette époque-là, des hommes massifs comme Willem (sauf qu'il eût alors fait partie des classes implorantes, et eût parlé anglais), avec des intérêts dans le ciment, l'acier ou l'or, se seraient liés avec des types du genre de Dikene (qui aurait été une éminence grise afrikaner) et auraient conclu un marché.

Cela s'appelait alors la « coopération mutuelle » ; aujourd'hui, on parlait de « transformation » ; mais quel que fût le nom qu'on lui donnait, tout le monde s'accordait pour déclarer que cette fois c'était réellement nouveau. Il n'y avait jamais rien eu de tel auparavant. Exact ? Oubliez le passé, oubliez ce qu'était le monde, ou ce que vous étiez. Embrassez l'oubli, dissipez vos doutes, et si quelqu'un dit que les choses n'étaient pas mille fois mieux, ne l'écoutez pas. L'oubli n'était pas seulement utile, il était patriotique. Le déni n'était pas une faute, mais une étape dans un plan de carrière.

Car c'était notre destinée à nous, les hommes pâles, les hommes ridicules, qui ne possédions ni le fiel de nos anciens maîtres, convaincus que le meurtre valait mieux que les faux-fuyants et que le pouvoir était plus parfait que n'importe quel principe, ni l'authenticité de nos nouveaux dirigeants, car ils pouvaient dire ce que nous n'avions jamais pu dire, sauf en mentant comme des arracheurs de dents. Ils pouvaient dire qu'ils savaient qui ils étaient. Nous en étions à cent lieues.

Ceux qui étaient assis à notre table, blottis tout près de ce qu'ils espéraient être les nouvelles formes renouvelables du pouvoir, glissaient sur une surface scintillante, un anneau en or à une oreille, leur portable collé à l'autre, se répétant : « Nous avons changé, nous avons changé, nous avons changé, nous allons de l'avant, nous sommes neufs, nous sommes libres, une tribu libérée, tolérante, avec des DVD dans notre BMW, des dispositifs anti-détournement par satellite dans nos 4 × 4, une tribu gagnante dans les courses arc-en-ciel raciales. »

La soirée s'annonçait corsée.

On apporta le dîner. Il y avait du saumon fumé et de la venaison. Les vins étaient bons. Les serveuses, en courte jupe noire, tablier blanc et charlotte, évoluaient entre les tables, mais j'eus l'impression que certaines se déplaçaient très lentement, avec hésitation, et d'autres se tenaient la main. Et leurs yeux étaient étrangement fixes.

Cindy chuchota : « Tu crois que ces filles sont ce que je pense ? Celles qui se cognent un peu aux tables ? »

Je répondis – sans y croire tout à fait moi-même – que je le croyais effectivement.

Cindy prit une profonde inspiration et leva les yeux au ciel. « Mon Dieu. »

Petronella, en face de nous, surprit son regard. « Vous avez remarqué, hein ? »

Cindy acquiesça joliment. « Vous employez des aveugles comme serveuses ?

– Pas toutes. Certaines voient un peu. Chaque fille non voyante a une aide – ce sont ses yeux en quelque sorte. Au début nous nous sommes dit qu'elles pouvaient utiliser leurs chiens, mais la direction de Prester John a interdit la présence de chiens dans la salle de restaurant. Alors nous avons engagé aussi des filles qui voient. Il y a dix-huit serveuses en tout. Neuf de l'école St. Thomas pour les aveugles, et neuf de l'orphelinat d'Orange Grove, déclara Petronella d'un ton vif. Le Rotary de Fourways est un solide partisan de l'aide aux handicapés.

– *Ag*, comme c'est triste ! s'exclama Nicoleen. Des filles malvoyantes, et des filles qui n'ont ni père ni mère. Et qui travaillent pour les enfants du Refuge du Rayon de soleil. C'est si mignon. »

Elles étaient craquantes, à leur façon. La plupart encore adolescentes, fraîches comme des roses dans leurs tenues de serveuses, rougissantes et nerveuses tandis qu'elles se penchaient pour débarrasser les assiettes et les verres et présenter le plat suivant.

Lindiwe, du ministère de la Santé, parlait de rampes. « Le gouvernement veut améliorer l'accès pour tout le monde : les handicapés, et aussi les femmes et les enfants. Le gouvernement dit que l'objectif est la participation à tous les niveaux. » Elle avala une grosse bouchée de gibier. « Ça veut dire, plus de rampes !

– Des rampes ? demanda Jacobus.

– Beaucoup plus de rampes, reprit Lindiwe. Le gouvernement a un plan national pour installer des rampes à l'extérieur de tous les bâtiments administratifs et veut mettre sur pied un projet pour employer des quotas de gens handicapés dans tous les secteurs de l'administration. Mais le gouvernement ne peut pas tout faire. Il se tourne vers les entreprises privées. Il espère que toutes les parties prenantes se joindront à lui.

– Je trouve ça merveilleux, cette idée de participation », dit Monique, qui aidait les gens à surmonter la transition entre l'ancienne et la nouvelle Afrique du Sud. « Je trouve ça fabuleux. Il est seulement dommage que ceux qui permettent l'arrivée du changement dans ce pays n'obtiennent pas la reconnaissance qu'ils méritent. »

Vers dix heures, alors qu'on servait le café et les liqueurs, les lumières baissèrent dans la salle Renaissance, et des spots brillants éclairèrent le ring de boxe, dont les cordes étaient garnies de petits cœurs au néon qui tremblotaient. Une fille en cape dorée plongea sous les cordes et se plaça dans un angle du ring. Un homme en cape argentée se posta dans l'angle opposé. Une autre femme en tenue argent et un autre homme en tenue or pénétrèrent à leur tour sur le ring : quatre silhouettes vêtues de capes aux quatre coins du ring, tandis que clignotaient les cœurs au néon roses. Le *Boléro* de Ravel retentit et tous ensemble, d'un mouvement rappelant le geste des serveurs qui soulèvent les couvercles des plateaux d'argent, les quatre personnages retirèrent leur cape et apparurent, uniquement vêtus d'une couche d'huile, d'un string succinct et de chaussons de danse.

Un homme et une femme s'avancèrent au centre de l'estrade, s'empoignèrent, et commencèrent à mimer, dans les moindres détails, les positions du *Kama-sutra*, tandis que l'autre couple attendait à sa place, dans les cordes. C'était quelque chose d'intermédiaire entre le catch à quatre et le sex-show *live*.

Ça dépassait tout ce que j'aurais pu imaginer. À en juger par la façon dont Cindy chercha ma main et l'étreignit, je pense qu'elle aussi était très secouée. Après tout, ainsi que je m'efforçais de me le rappeler, c'était un dîner organisé par de bons citoyens au bénéfice d'une école réservée à des enfants ayant des besoins particuliers. Mais, ainsi que Cindy ne se lassait jamais de me le dire, c'était aussi Johannesburg.

La salle Renaissance était très silencieuse. Je supposai que même les anciens étaient assez horrifiés par ce qui se passait sur le ring. Les seuls bruits étaient le tintement occasionnel des verres quand l'une des serveuses voyantes se cognait dans quelque chose. Pour les jeunes filles aveugles l'obscurité n'était pas un problème, mais pour leurs aides orphelines, c'était un handicap.

Sur le ring illuminé, les danseurs se succédèrent jusqu'au moment où, au son d'une finale retentissante, les acteurs s'engagèrent dans une partie à quatre palpitante, une orgie chorégraphiée où se mêlaient huile corporelle, dos et fesses, et tout le monde applaudit et siffla.

Pour le dessert, il y avait de la glace à la pistache avec une sauce au lychee. J'étais sur un petit nuage. Je venais de voir un numéro de simulation sexuelle sur un ring de boxe, devant une salle remplie de rotariens.

Je pouvais l'admettre à présent, Cindy me tenait. Je croyais connaître Johannesburg. Je me trompais. Je compris alors sa terreur impuissante quand elle se trouvait confrontée à l'esprit inventif et au grotesque de la vie locale. Des superdingues ; des fous furieux. C'était impossible de raconter à quiconque ce que je venais de voir : on ne m'aurait pas cru. Je m'efforçais d'y croire moi-même.

Une serveuse se fraya un chemin derrière le dossier de la chaise de Rupert, il se tourna d'un air appréciateur et prononça d'une voix distincte : « Elles ont des jolis petits culs, hein ? »

Petronella lui parla de haut, comme si elle avait été un paquebot hélant un bateau de plaisance égaré : « Rupert, mon cher, on ne dit pas n'importe quoi, hein !

– *Ag*, je regarde seulement.

– On n'en reste jamais là », répliqua sa femme.

Et on n'en resta pas là, avec la glace à la pistache et les gens qui retournaient sur la piste de danse, car entre le vin et l'attraction qui avait électrisé la salle bondée, le public s'était échauffé, et les serveuses furent les premières à en ressentir les effets. Une main se posa légèrement sur une hanche qui passait ; à la table suivante, un gros type barbu attira une fille sur ses genoux. Quelqu'un pleurait. À notre table, Duane planta un baiser sur la nuque d'une serveuse qui s'était penchée pour débarrasser son assiette, et une petite blonde qui avait commis l'erreur de tendre le bras devant le vieux crocodile parcheminé se redressa brusquement avec un petit cri et s'enfuit, trébuchant et lâchant son plateau qui s'écrasa sur le sol. Et tout autour de moi les femmes s'exclamaient tout haut, d'un ton accusateur : « *Ag !* quelle honte, vraiment ! »

Quelqu'un prit alors le micro et déclara qu'il avait « une annonce très importante à faire », mais des applaudissements déchaînés noyèrent sa voix. « S'il vous plaît, mes amis, s'il vous plaît, mes amis », répétait-il, et enfin ils le laissèrent parler. « On nous rapporte que certaines personnes empêchent les filles de s'approcher des tables. » (Applaudissements.) « Eh bien, nous avons passé une soirée formidable, les gars. » (Hurlements : « Oui ! Oui ! ») « Ne la gâchons pas. Jouons le ballon, pas le joueur. » (Rires.) « Nos serveuses ont fait un travail remarquable ce soir et elles veulent rentrer chez elles. » (Rires/applaudissements.) « Alors, mes amis, je vous demande d'offrir une dernière danse à votre partenaire… »

Ils dansèrent tous, puis ils chantèrent l'hymne national en chœur. C'était assez beau, et les voix couvraient le bruit des sanglots feutrés qui résonnaient toujours quelque part au fond de la salle.

Dans la voiture, Cindy demanda : « Alors ?
– Un triomphe. »

Elle me lança un coup d'œil et dit, à sa manière directe : « Tu veux que je te ramène ? »

Je pensai à la maison vide, à Noddy qui broyait du noir dans la chambre de l'arrière-cour.

« Il n'y a pas grand-chose qui m'attend là-bas.

– C'est ce que je pensais », dit-elle, et elle vira en direction de Midrand et de Sheerhaven. Il était plus de minuit, la circulation avait diminué, et les trottoirs étaient déserts. Seuls les gens perdus, dangereux et sans abri se déplaçaient à pied après la tombée de la nuit.

Nous nous arrêtâmes au feu, à l'endroit où Sandton Drive croisait William Nicol ; les gros titres annonçaient : « Dix personnes assassinées dans leur lit ».

Une énorme enseigne triangulaire au néon plantée sur un terre-plein central projetait son message dans la nuit : « Si vous tenez à la vie, sortez couvert. »

Plus tard, elle resta allongée sur le dos, les yeux fermés, ses cheveux noirs épars sur l'oreiller neigeux, le bout de son nez pointé sur l'ange soufflant dans une trompette qu'elle avait peint sur le plafond, un ange blond à la chair dorée, emprunté à Rubens, avec un joli visage, emprunté à son fils Benny.

Sa symétrie, alors qu'elle reposait nue, était un spectacle enchanteur, comme son corps absolument horizontal : le nez pointé vers l'ange, ses mamelons vers le plafonnier, un nuage floconneux de satin rose ; ses orteils aux ongles lissés par un vernis soyeux tendus vers le miroir dentelé en glace biseautée, au cadre en or, où elle m'avait chevauché pendant l'heure précédente. Faire l'amour, pour elle, ressemblait à un départ pour un très grand voyage. Elle progressait doucement, lentement, avec de petits mouvements circulaires du pubis, les yeux clos, une mèche de cheveux en travers du front et, sur le visage, une expression de concentration intense et sereine. Le miroir renvoyait son image effrontée, ses seins fermes et bruns s'élevant et s'abaissant au-dessus de mon corps plus mou, plus âgé, tandis qu'elle œuvrait, et œuvrait encore, jusqu'à l'ultime jouissance.

Puis il y eut une nouvelle Cindy, quand je la chevauchai : étendue, la tête renversée sur le bord du lit, le brun foncé de sa peau contre ma pâleur de papillon de nuit. Ses cheveux noirs répandus, ses yeux ouverts, pleins d'attente, comme si je devais l'emmener quelque part ; comme si, à force d'observation et d'espoir, elle allait réussir, par miracle, à ne pas finir là où elle avait commencé.

V
TENSIONS MUTANTES

« *Wapiganapo tembo nyasi huumia.* »
« Quand les éléphants se battent, l'herbe souffre. »
Proverbe swahili.

28

Cindy et moi avions une histoire, mais nous ne savions ni l'un ni l'autre ce que c'était précisément, et cela ne nous préoccupait guère. Juste une fois, je lui demandai ce qu'elle voyait en moi.

« En toi, je vois ta mère. » S'amusant de mon affolement, elle ajouta : « Et Benny aussi, à propos. »

Elle l'exprimait avec une telle clarté que je pus seulement articuler :

« Vraiment ?

– Bien sûr. C'est ce qu'il aime chez toi. »

Cindy me prit comme on prend un aller simple, un coup de whisky sec, une dose d'hallucinogène : pour le répit, le soulagement que cela procure, pour l'évasion, la récréation ; oui, afin de penser à autre chose pendant quelque temps, d'être quelqu'un d'autre.

Ses cheveux, coupés en pointe sur les pommettes, me rappelaient les extrémités des frondes noires de palmier. Son corps râblé, de petite taille, son chemisier court, parfait, ses mules à hauts talons, ses mollets légèrement trapus, son grand sac en cuir, son équilibre sur ces talons, son air de femme toujours habillée pour la circonstance alors même qu'elle semblait toujours avoir enfilé ses vêtements au dernier moment, toujours pressée, toujours en retard. Pourtant elle arrivait toujours l'air parfaitement composé.

Cindy était l'actrice et la maquilleuse la plus accomplie. C'était sa capacité à devenir la femme dont elle jouait le rôle qui me fascinait. J'avais été terrorisé par Maxine et sa passion, mais, selon nos critères, c'était une personnalité très familière. Cindy transportait avec elle toutes sortes de signes reconnaissables qui la rattachaient à ce lieu, à l'Afrique, et pourtant tant de choses en elle étaient étranges et nouvelles. Je n'avais jamais rencontré quelqu'un d'aussi farouchement original. Je pense que je suis tombé amoureux d'elle à peu près de la même façon que d'innombrables oncles s'étaient épris de ma mère, et pour des raisons très similaires. L'intensité de sa vision d'elle-même, de sa ville et de sa vie. Ma mère s'évadait dans le ciel, traversant le continent du Cap au Caire, mais cela s'était passé à une autre époque, lorsque les dirigeants de tous les pays avaient des droits de survol automatiques. On aurait pu dire que ma mère ne posait jamais le pied à terre (elle eût été la première à l'admettre). L'Afrique lui donnait l'impression d'avoir des bottes de sept lieues. Une version, en vérité, des bottes qu'elle avait léguées à Cindy. Elles étaient beaucoup trop grandes, cela avait été clair dès le départ, et le contraste entre les façons dont les deux femmes voyaient leur monde était immense aussi. La perspective de Kathleen Healey était aérienne. Du haut des nuages, son Afrique paraissait légère, libre et infinie.

Cindy voyait les choses de l'intérieur. Son pays était un domaine solidement gardé, une villa toscane transposée dans un clos anglais ; cigognes en cuivre sur la pelouse, golfeurs gros et gras traînant les pieds sur le fairway, clôtures électrifiées et détecteurs à infrarouge enfouis dans la terre pour arrêter les perceurs de tunnels ; c'était une Porsche rose, et une mort soudaine aux feux rouges. Et en même temps, ça ressemblait au pays tel qu'il était ; et c'était aussi loin de «l'Afrique» qu'elle pouvait aller. C'était être ailleurs.

Cindy, comme ma première femme, Benita, n'avait jamais, de toute sa vie, rencontré ni fréquenté d'Africains. Cindy vivait parmi des millions de gens à la peau sombre, mais ça ne signifiait pas qu'elle les voyait, les connaissait, ou leur attribuait une quelconque existence, hors une vague présence : bienveillante quand elle faisait la vaisselle, menaçante quand elle tournait à la fureur et assommait quelqu'un.

Dans une certaine mesure, elles partageaient une vision d'une Afrique insulaire, à mi-chemin entre la platitude et le chaos. De même que les Hollandais ont gagné une terre précieuse sur la mer, les Sud-Africains privilégiés ont repoussé les marées d'Afrique en construisant des digues, des murs splendides, des clôtures, des barricades, se servant non seulement de briques et de barbelés, mais aussi d'une ignorance stratégique.

Les différences entre Cindy et Benita se clarifiaient terriblement quand on savait d'où elles venaient. Benita avait autrefois été vaguement «britannique». Cindy aurait été classée comme «personne de couleur», ou «race mêlée», «Afrikaner à la peau brune», «mulâtre», ou désignée sous une autre vilaine appellation. Dans la récente, et encore plus délirante, terminologie de notre nouvelle ère, certains insistaient pour la qualifier de «noire». Mais en vérité, et dans la vie, elle était aussi loin d'être noire, africaine ou indigène que Benita l'avait été de ses origines anglaises. Benita croyait ou imaginait posséder une réelle provenance : elle venait de quelque part, et, beaucoup plus important, elle était issue de *quelqu'un* ; elle appartenait à une longue et honorable lignée d'aventuriers anglo-saxons qui étaient partis pour des contrées étrangères qu'ils appelaient leur pays. Du moins, c'est ce qu'elle racontait. Mais les gens comme Benita étaient des fantômes. Elle se disait «africaine» mais ça n'avait jamais convaincu personne ;

376 pas même elle, à mon avis. Les gens comme Benita avaient besoin de prétendre qu'ils venaient de quelque part, qu'ils étaient normaux, qu'ils étaient vivants.

Cindy ignorait qui avaient été ses ancêtres, et pendant longtemps, même si elle l'avait su, elle n'en eût pas soufflé mot. Selon la croyance populaire, les gens comme elle n'avaient pas existé avant que les colons hollandais n'eussent couché avec les esclaves, ou les Hottentots, ou toute autre personne commodément enchaînée, et nié ensuite toute ressemblance, épouvantés par l'image que leur renvoyait le miroir. Les gens comme Cindy étaient des rappels vivants de ce qui arrivait quand on outrepassait les frontières raciales tracées par nos dirigeants dès le premier instant où un Blanc qui rencontrait un Noir en Afrique du Sud débouclait sa ceinture ou empoignait son fusil.

Mais alors que toutes les revendications identitaires avaient été une fanfaronnade, ou un mensonge, c'était les « gens de couleur » qui avaient été contraints de vivre les fictions les plus cruelles.

Cindy était un fantôme feignant d'être une princesse de Johannesburg. L'ancienne fille « de couleur » d'une township poussiéreuse était désormais la maîtresse de Sheerhaven, avec sa Porsche, son sac Gucci et son imitation étourdissante d'une jolie nana de Johannesburg, aussi svelte qu'elles le sont de ce côté de Sandton, vivant dans une sécurité sphinctérienne à l'intérieur de sa villa de Beauchamp Drive, dans ce qu'elle appelait « un luxe foutrement absolu ».

On aurait juré qu'elle venait tout droit de Parkview, Saxonwold et Sandton, de Sandhurst et Rivonia. Une bonne école, suivie de deux années aux Beaux-Arts. Elle était l'exemple même de la *kugel* de Johannesburg, ces matrones guerrières, ou demoiselles Armani, portant le nom d'une sucrerie ronde et pâteuse, si délicieuse et si dangereuse, garnie de raisins secs ou de lames de rasoir.

Chaque trait de ce portrait était inventé au fur et à mesure. Et Cindy ne prétendait pas qu'il s'agissait d'autre chose, elle était fière d'être ce qu'elle avait réussi à devenir. C'était l'avantage d'être forcé de mener un grand nombre de vies : quelquefois on en trouvait une à sa convenance, qu'on pouvait faire passer pour la sienne. Cindy était une délicieuse création dont elle était l'unique auteur : une vraie reine dans un camp rempli d'escrocs.

Je ne me rendis pas compte – pas avant quelque temps – qu'elle pouvait décider de tout recommencer de zéro.

La seule fois où Cindy manifesta un peu de sympathie pour son ex-mari, ce fut quand elle m'apprit que Benny n'était pas seulement trisomique mais aussi légèrement autiste.

« Ça a vraiment achevé Andy. Il disait qu'il pouvait gérer le reste parce que nous savions à quoi nous attendre. Je veux dire le physique de Benny, le visage plus rond, sa petite bouche, sa langue qui sortait – ça n'a pas changé – et le fait qu'il était lent, qu'il ne grandissait pas aussi vite que les autres gosses. Peut-être qu'il aurait pu supporter ça. Mais il y avait aussi les fixations de Benny. Il s'assied seulement sur une chaise spéciale à un endroit précis, à un moment précis. Dans une pièce, il allume et éteint la lumière exactement six fois. Il transporte partout la raquette de tennis. C'est un jouet, une amie et un doudou. Il va au lit avec. Quand j'ai changé de voiture et remplacé la Porsche par une Mercedes, il a piqué une crise. J'ai dû reprendre l'ancienne voiture. »

Benny était sa joie et sa terreur. Il était non seulement son enfant, mais aussi, je suppose, l'enfant qui subsistait en elle. À cause de ses manières lentes et rêveuses, à cause de ses fixations – sur les petits objets ronds, les balles de golf, les olivettes, les billes, qu'il faisait tourner entre le pouce et l'index pendant des heures d'affilée – et de sa façon distante mais affectueuse de serrer dans ses bras sa mère, moi, les coussins du canapé, ou le pied de la table, avec la même passion, il se renfermait dans un mystérieux isolement, où il était tout simplement impossible de l'atteindre. Parfois, il venait vers vous, d'un geste abrupt et tendre, mais vous ne pouviez pas l'approcher.

Observer Benny, c'était comme observer une créature qui se serait perpétuellement préparée à exister, à sortir dans le monde. Et bien qu'il semblât toujours sur le point d'y parvenir, il n'émergeait jamais : il évoluait ailleurs, dans son propre espace, où l'amour pouvait glisser un coup d'œil, mais non pénétrer. Cindy en souffrait terriblement ; elle essayait, mais ne pouvait pas l'atteindre. Il lui arrivait d'être plein de tendresse, mais à ses propres conditions. Il la serrait dans ses bras, l'embrassait, répétant ces mêmes gestes avec moi, avec tout ce qui attirait son regard intérieur, et non son cœur – il essayait d'étreindre la Porsche –, car son amour s'orientait indifféremment dans toutes les directions.

« Oh ! salut Alex », se contenta-t-il de dire un matin quand il me trouva au lit avec sa mère. « Tu as vu ma balle de golf ?

– Tu l'as laissée dans le frigo, avec les tomates, répondit Cindy.

– Bien, commenta Benny en hochant la tête, comme ça elle restera bien fraîche, n'est-ce pas ? » Et il grimpa dans le lit avec nous.

Il demanda à sa mère : « Pourquoi tu n'as pas de pyjama ?

– Parce que je suis aussi chaude qu'un toast. »

Benny tira les draps en arrière et regarda attentivement son corps nu. « Pour moi, tu ne ressembles pas à un toast. Tu ressembles à… une orange.

– Pourquoi une orange ?

– Parce que tu as toutes ces petites stries sur la peau, comme une orange.

– C'est la chair de poule, répliqua sa mère, qui trouvait le regard rêveur de Benny, si profond et pourtant si aveugle, très déconcertant.

– Pourquoi tu as ça ?
– Parce que j'ai froid.
– Tu viens de dire que tu étais chaude comme un toast. »
Elle s'enroula fermement dans les draps. « Je l'étais, jusqu'à ce que tu enlèves les couvertures.
– Une orange, répéta Benny, une orange sanguine. » Il se tourna vers moi. « Et toi, tu ressembles à une pince à linge.
– Maintenant nous savons de quoi nous avons l'air, dit Cindy : la sanguine et la pince à linge, une petite formation musicale. »

Ça aurait pu être pire. Nous étions un couple bizarre. Peut-être le terme « alliance » nous décrivait-il mieux. Non : tout compte fait, « duo » est le mot qui convient. Un superbe duo. Elle jouait à la princesse de Johannesburg ; j'étais le culterreux étranger de passage. Notre bizarrerie ne venait pas seulement de notre différence d'âge, mais des innombrables océans d'altérité qui s'interposaient entre son passé et le mien. Ça n'avait pas d'importance, puisque nous faisions semblant. Avant de décrocher les rôles que nous interprétions à présent, nous avions été tant d'autres personnages dans tant d'autres endroits.

À ses amis, elle me présentait ainsi : « Voici Alex ; il vit à l'étranger. »

C'était le meilleur déguisement possible. Dean et Sharon, Lindalee et Tristram, Lionel et Hephzibah, Izzie et Bopi poursuivaient leur discussion par-dessus ma tête, derrière mon dos, devant moi. Quelquefois ils me demandaient ce que je faisais et je répondais que je voyageais et que je vendais de l'air conditionné, ce qui produisait l'effet habituel : le sujet disparaissait aussitôt de la conversation. Combien de fois j'ai été reconnaissant des qualités évanescentes de ma profession !

Le voyage, ça les intéressait plus.

« Où ça ? demandaient-ils.

– Au Cambodge, en Birmanie. En Malaisie… »

Ils hochaient vaguement la tête, l'air soulagé ; des pays sans importance.

« C'est si difficile de se faire une idée de ce que ça représente, d'être dans ces endroits », expliquait Cindy.

Ça m'allait très bien. Cela m'évoquait ces expériences proches de la mort où le patient, apparemment inconscient, entend et voit ce qui se passe autour de lui, pendant que les médecins et les infirmières parlent de lui comme s'il n'était pas là. J'avais l'impression d'être Lazare ; sauf que les gens l'avaient vraiment vu quand il était sorti de sa tombe, ressuscité. Je ressemblais plutôt à l'un des fantômes de l'Hadès de Virgile, pâle, exsangue, éthéré, et ignorant de tout. Je dis une fois quelque chose à ce propos, et Sharon voulut savoir où se trouvait Hadès.

« Il est là où vont les âmes après notre mort. C'est ce que les Grecs et les Romains appelaient les Enfers.

– Je savais que ça ne se trouvait pas dans la banlieue nord, sinon j'en aurais entendu parler », répliqua-t-elle.

29

Koosie héritait des anciens plans de vol de ma mère, des routes d'évasion, et de la perruque de clown de Washington. Ses itinéraires de vol étaient détaillés de sa grosse écriture ronde sur des pages jaunies de papier ministre ligné, et conservés dans des enveloppes en plastique. Un journal aérien d'évasions désespérées, souvent dangereuses ; de faux plans de vol qu'elle avait déposés auprès des autorités, ainsi que les itinéraires qu'elles avait réellement suivis ; des dizaines de voyages risqués jusqu'à des pistes de bush reculées et des aéroports secrets en Zambie, au Lesotho et en Tanzanie. Des notes concernant des problèmes mécaniques : « Baisse du taux de compression/cylindre/50 plus de 80 kg/cm^3... » Un épais dossier de cartes, de schémas, d'estimations de consommation de carburant, de bulletins météo, d'heures d'arrivée, de charge.

Quand je dis à Cindy que j'allais voir Koosie à Soweto, elle se souvint aussitôt de lui.

« Le type mince dans la limousine à l'enterrement de Kathleen ? Je peux venir ? Il a dit que oui. Seulement... qu'est-ce que je vais mettre ?

– Une tenue où tu te sens à l'aise.

– Une chose est sûre : je ne me sentirai pas à l'aise dans une tenue où je suis à l'aise. »

Un jeudi matin au ciel bleu lumineux, je vins la prendre avec la Land Rover de ma mère. Non que sa Porsche rose me parût déplacée à Soweto, mais simplement ce n'était pas le genre de voiture où je me serais senti à l'aise.

Elle portait un tee-shirt blanc, un jean si moulant qu'il semblait peint sur elle, une large ceinture de fausse peau de serpent avec une boucle d'argent de la taille d'une assiette à soupe. Entre ses seins, rappelant les têtes de présidents sculptées sur le mont Rushmore, souriait la face barbue légèrement joufflue de Nelson Mandela jeune, une acquisition faite, sans doute, dans la boutique très recherchée de Rosebank où Steve Biko, Bram Fischer et Hector Pieterson étaient passés du statut de martyrs à celui d'idoles à la mode, des cellules de torture aux tee-shirts, pour une génération qui n'était pas née au jour de leur mort.

« T'en penses quoi ? me demanda-t-elle. Me voici, armée jusqu'aux dents. J'ai ce qu'il faut ?

– Tu es magnifique.

– Mais est-ce que j'ai l'air convenable ?

– Qui sait ce qui convient à Soweto ; je dirais que tu es parée. Que tu as vu tout à fait juste, que c'est remarquable, pour quelqu'un qui n'y est jamais allé. Ça doit être l'osmose.

– L'os-*quoi* ?

– Peu importe. Tu es super. »

Cindy s'était aussi habillée avec un certain souci et je sympathisais. Comment s'habille-t-on quand on quitte sa planète pour se lancer dans l'espace intergalactique ; comment les extraterrestres vont-ils vous accueillir ? Mais son instinct était sûr, comme toujours, parce que Soweto était, autant qu'elle, une invention. Pour commencer, le trajet que nous fîmes ce matin-là, de Sheerhaven à Soweto, était si banal et si extravagant à la fois que seul un paranoïaque n'en eût pas été démonté. En quarante minutes, nous passâmes des ghettos dorés du nord à la cité-dortoir enfumée, au sud-ouest de la ville. Nous avions traversé des galaxies.

Soweto était un puzzle. Ce qu'il était dépendait de qui posait la question. C'était la jumelle de Johannesburg, ou encore un bastion révolutionnaire. Son vrai nom, South Western Townships, évoquait un anonymat ordinaire tapi sous l'acronyme sexy. La township avait été conçue pour servir de dépotoir aux gens dont on ne voulait pas dans des endroits normaux, et rien d'autre. C'était, et ce n'était pas, une ville. C'était le secret coupable de Johannesburg, où les autorités emmuraient leurs ouvriers et leur disaient qu'ils vivaient dans un paradis. À perte de vue, des kilomètres de pavillons de brique dans le veld, sous les tours de refroidissement de la centrale qui, d'après la légende, ne fournissait l'électricité qu'à Johannesburg. De la même façon que Soweto n'existait que pour procurer des ouvriers à la cité de l'or. Même le nombre de ceux qui vivaient à Soweto était sujet au doute et à la manipulation ; étaient-ils un, deux ou trois millions ? La réponse variait, selon la personne à qui vous la posiez. Mais depuis les émeutes de 1976, suivies des fusillades, des émeutes et des sièges des années quatre-vingt, et l'élection de 1994 qui avait conduit Mandela au pouvoir, tout avait changé. Les gens le disaient de la voix étranglée qui vous intimait de ne pas chercher à en savoir plus, si vous ne vouliez pas recevoir un mauvais coup.

Depuis 1994, de plus en plus, ceux qui le pouvaient fichaient le camp, partaient dans d'autres quartiers, dans les « vraies banlieues » du « vrai » Johannesburg. Des endroits tels que Houghton et Morningside pour ceux qui avaient de l'argent ; des bidonvilles comme Hillbrow et Yeoville pour les gens à la traîne.

Je n'étais pas revenu depuis des années. La dernière fois que j'avais vu Soweto, ma mère transportait des types hors du pays dans son avion ; il y avait des véhicules blindés sur les routes de terre et du sang sur le sol. Soweto, quand je l'avais connu, était un dortoir poussiéreux de modestes maisons de brique au toit de tôle ondulée qui s'étendait sur des kilomètres, avec des zones de richesse flagrante. D'après ce que je constatais, ça n'avait pas changé. Les flics et les véhicules blindés avaient disparu, mais il semblait que Soweto dormait depuis des décennies. Je savais qu'il n'en était rien : le pays avait été mis sens dessus dessous. Mais tout ce que je voyais, entendais et sentais était si semblable au Soweto d'autrefois qu'il était difficile de ne pas être choqué par la brume familière, inchangée, qui l'enveloppait.

Koosie habitait encore dans la petite maison de Diepkloof où il avait toujours vécu, le seul signe de son standing étant la Mercedes noire sous l'auvent bleu rayé.

Il ouvrit la porte lui-même. « Hé, Alex, je suis content de te revoir ici après toutes ces années. » Il me donna l'accolade. « Hé, c'est super. Ça fait trop longtemps. » Il semblait mince, presque frêle, ses os ténus sous le lainage bleu de qualité.

« Tu te souviens de Cindy ?

– Bien sûr ! À l'enterrement de Kathleen. Ne soyez pas timide, Cindy. Entrez, entrez ! Bienvenue à Soweto. J'aime beaucoup votre tee-shirt, et cette ceinture. »

Elle fondit de plaisir ; ça se voyait à l'œil nu. Il n'était pas étonnant qu'ils se plaisent. C'étaient eux les relookés, les enfants ensorcelés : le docteur Sithembile Nkosi et Mrs. Cindy September, dans leur premier rôle. J'étais une mouche sur le mur et probablement, un empêcheur de tourner en rond, l'homme de nulle part. Cindy s'était habillée pour Koosie et la township, et de son côté il s'était vêtu pour l'accueillir, le costume bleu somptueux, les manchettes soignées ; une tenue digne de son statut d'homme arrivé, mais aussi, j'en eus l'étrange impression, une façon de se déguiser, de se donner une contenance avant de nous recevoir.

« Prenons un café, ou un verre, quelque chose, et ensuite je vous montrerai le Soweto “face à face” du docteur Nkosi. Je vous conduirai dans ses moindres recoins. Vous aimerez Soweto ; et Soweto vous aimera.

– Ça serait fabuleux…, dit Cindy. Si ça ne vous prend pas trop de temps.

– J'ai du temps, répondit prudemment Koosie. Je ne suis pas allé au bureau depuis des mois. En fait, en fait, depuis que ta mère est venue me voir. Je suis en congé maladie.

– Rien de sérieux ? demandai-je.

– Des choses et d'autres. Je vais beaucoup mieux. J'ai un nouveau médecin qui n'essaie pas de me tuer. »

Il rit, et nous l'imitâmes, comme s'il était naturel que votre médecin essayât de vous tuer. Comme si les médecins étaient là pour ça.

Je lui donnai les plans de vol et les cartes dans la grosse enveloppe en plastique.

« Kathleen te les a légués dans son testament. »

Koosie prit l'enveloppe. « Routes d'évasion. C'est ce que ça dit ici, non ? Ta mère a toujours eu un sens de l'humour aigu, hein ? » Il se tourna vers Cindy. « Kathleen faisait sortir des gens du pays dans son avion. Elle était merveilleuse. C'était une vraie amie. »

Il posa l'enveloppe comme s'il ne savait pas très bien quoi en faire, puis il eut son sourire fin, intelligent.

« La perruque, c'est quoi ?

– Une perruque de clown. Elle appartenait à un enfant-soldat qui s'appelait Washington, au Liberia. C'est le souvenir d'une amitié. »

Koosie secoua la tête. « Un enfant-soldat ! Ta mère n'en ratait pas une, hein ? Ce type, elle l'a caché où, finalement ?

– Quel type ? demanda Cindy.

– Elle cachait un médecin cubain qui s'était échappé du Zimbabwe, expliqua Koosie.

– Vraiment ? » Cindy secoua la tête avec une admiration affectueuse pour l'étrangeté de son amie. « C'était vraiment quelque chose, ta mère. Elle faisait quoi avec lui ?

– Elle dansait le mambo, entre autres choses, dis-je. Il lui apprenait.

– Oh ! mon Dieu, le mambo ! » Elle riait sans pouvoir se retenir, secouant la tête et pleurant à moitié tout à la fois. « Où est-il maintenant, ce type qui lui apprenait à danser... le mambo ?

– Tout ce que je peux te dire, c'est qu'elle a trouvé le moyen de lui obtenir une nouvelle identité. Elle la lui a achetée. Apparemment, ce n'est pas difficile à faire, si on connaît les gens qu'il faut. Il y a une armée de Sud-Africains nouveaux et le Cubain de ma mère a rejoint ses rangs. Un secteur en pleine expansion, à ce qu'il semble.

– Elle est venue me voir à propos de son Cubain, expliqua Koosie à Cindy. Elle voulait que je l'aide et j'ai refusé. » Il tapota le paquet enveloppé de plastique. « C'est pourquoi je reçois ça : la preuve de nos anciennes aventures. Ça me rappelle qu'elle en a aidé d'autres. Et qu'elle m'a aidé. Et je l'ai laissée tomber. Et c'est aussi ce que dit la perruque ; autrefois, j'étais un enfant-soldat. Mais je l'avais oublié. C'est ce que signifient tous ces cadeaux. Que j'oublie que j'étais un rebelle. Sauf que ça ne s'est pas passé comme ça.

– Vraiment ? demandai-je.

– J'ai essayé de répondre à ta mère : cette époque est révolue ! Je n'ai pas oublié, j'ai juste grandi. Nous ne pouvons plus faire aujourd'hui ce que nous faisions alors.

– Pour l'amour de Dieu, Koosie. Ce type était un réfugié du Cuba castriste. Castro emprisonne les gens. Castro est une ordure. Mais pour toi il est légal parce que c'est un frère socialiste.

– Alex, ce type était en cavale. Il s'était enfui d'un pays où il s'était engagé à travailler. Il se trouvait illégalement en Afrique du Sud.

– C'est quoi ces conneries sur la loi, Koosie ? En fait, la loi, c'est vous qui en décidez. Ce qui est légal, c'est ce qui vous arrange, quand vous dites que c'est bien. Autrefois, vous vous êtes barrés de l'autre côté de la frontière, et ça, c'était bien et légal. Mais un toubib cubain qui disparaît de la circulation, c'est un criminel et il devrait être jeté en prison. Même s'il a fui le despote qui se trouve à notre porte, Bob Mugabe. Mais Mugabe est légal, hein ? Parce que c'est un frère africain. Alors ton parti le soutient, de la même façon que l'ancien régime soutenait l'ancienne Rhodésie blanche. Pour les mêmes raisons.

– Je trouve très offensant que tu compares notre gouvernement démocratique à l'ancien régime d'apartheid. Sans notre révolution, tu ne serais pas libre.

– Koosie, mettons les choses au point. Il n'y a pas eu de révolution. Comme mouvement de libération, vous n'avez été que des putains de branleurs, du début à la fin. Ce qui s'est passé en réalité, c'est que votre bande a conclu un marché avec ceux d'avant. Les types avec des armes, et ceux qui avaient encore plus d'armes, ils se sont partagé le pouvoir. Et les gens comme moi, comme le Cubain, et tous ceux qui ne faisaient pas partie de votre bande ni de la leur, ils se sont retrouvés absolument nulle part. »

Koosie était en colère. « Si nous ne nous étions pas montrés aussi magnanimes, vous vous seriez retrouvés au banc des accusés pour crimes de guerre. Comme les nazis à Nuremberg.

– Hé, les mecs », s'écria Cindy, nous prenant par le bras et nous entraînant vers la voiture. « Où est cette visite guidée que vous m'avez promise ? »

Nous montâmes dans sa voiture. Cindy s'assit à côté de Koosie qui commença un numéro de connaisseur, drôle, plein de tendresse, parfois décapant, et totalement fascinant, soulignant ses arguments par de larges mouvements du bras, tel un chef d'orchestre encourageant ses musiciens à approfondir et enrichir le son, dépeignant sa ville dans toutes ses humeurs et toute son originalité.

Koosie en guide de son Soweto « face à face » était Koosie sous son meilleur jour. Envolés les discours moralisateurs qui semblaient être devenus sa seconde nature, envolé Koosie le loyaliste du parti. Il était sardonique, cassant, peu sentimental. Et il aimait l'endroit comme on aime un gamin dangereux. Il nous dit que les prix de l'immobilier montaient ; qu'on ne jetait plus des trains les types qui partaient au travail ; que les cinglés n'ouvraient plus le feu des fenêtres des auberges zouloues, enfin, pas depuis quelque temps. Touchons du bois. Que les guerres de taxis s'étaient calmées, et qu'il ne se réveillait plus au son des AK 47… À chaque réplique ravageuse, il jetait un coup d'œil pour voir s'il obtenait la réaction souhaitée ; et ça ne ratait pas. Le visage de Cindy reflétait toute la joie, la terreur et l'effroi délicieux d'une visiteuse pénétrant pour la première fois dans un lieu de peur légendaire. Il redevint un moment le Koosie d'autrefois, celui qui m'emmenait le samedi dans le centre de Johannesburg pour regarder passer les noces. Le garçon avec qui j'avais grandi, mon frère, mon ami.

« Le quartier où j'habite s'appelle Diepkloof. Il existe en deux versions. Comme beaucoup de choses. Le Diepkloof que vous voyez ici est un groupe de petites maisons, chacune avec une cabane ou un garage ou un appentis dans la minuscule arrière-cour, que les gens louent. Les locataires n'ont ni eau ni électricité. Les loyers sont *très* élevés, mais les gens prennent n'importe quoi… Parce qu'ils ne trouvent pas d'endroit où habiter. Il n'y a qu'à Soweto qu'on trouve des classes moyennes très pauvres, qui sont en même temps des marchands de sommeil. »

Les maisons commençaient à s'élargir, devenant des mini-châteaux, des palais de brique massifs avec des jardins devant et des vrais garages, et pas de cabanes dans l'arrière-cour.

« Voici l'autre Diepkloof, où vous trouvez nos classes supérieures. Surtout des directeurs de banques, des dealers, et ainsi de suite. Dans leurs garages, ils ont des BMW, pas des locataires. Vous remarquerez qu'il n'y a pas de barreaux ni de chiens de garde. Ni de murs. C'est un quartier où la criminalité est faible. Personne ne vole. Parce que si on vole, on est mort. »

Nous passâmes devant l'hôpital. « C'est le Chris Hani Baragwanath Hospital. Le plus grand hôpital de l'hémisphère Sud. Hani était un ami à moi. Pauvre Chris, chef de notre armée, combattant et communiste, qui s'est fait descendre dans son allée de banlieue par deux fanatiques blancs, juste avant l'élection de 1994. L'hôpital est quelquefois risqué. Des médecins ont été enlevés, abattus même, alors qu'ils quittaient le travail. On pouvait pas l'accepter. C'est mauvais pour le moral. C'est plus sûr maintenant qu'il y a quelques mois. Ils ont renforcé la sécurité aux portes d'entrée. »

Cindy avala sa salive. Elle était captivée ; le débit de Koosie maintenait un niveau de concentration élevé.

L'étape suivante était le dépôt de voitures trouvées où, tels des animaux égarés, des centaines de véhicules attendaient derrière les grilles que leurs propriétaires viennent les réclamer. Récupérés après des détournements ou des hold-up ; avant d'avoir pu être emmenés hors des frontières, au Mozambique ou au Zimbabwe, ou d'avoir disparu dans un « atelier de cannibalisation », une sorte d'abattoir oxyacétylénique, où un habile découpage au chalumeau réduisait des modèles demandés à quelques pièces lucratives.

« Si tu perds ta voiture, dit Koosie à Cindy, viens la chercher ici… ou juste à côté, au poste de police. Quelquefois les flics les amènent ici.

– Parfait. » C'était le premier mot que prononçait Cindy depuis notre départ.

« Pas vraiment. Tu peux jouer de malchance. » Il sourit. « Nos flics font un gros trafic de pièces détachées. Tu risques de retrouver ta bagnole dépouillée de presque tout. »

Nous dépassâmes l'école, où deux hommes avaient abattu un professeur la semaine précédente ; et continuâmes en direction de l'énorme station de taxis, où attendaient des centaines de monospaces, fumant et ronronnant, prêts à filer n'importe où en Afrique, du centre de Johannesburg à Lusaka, ou au Caire.

« C'est une longue attente, aussi les chauffeurs font une sieste, ou fument un peu de dagga. Pas étonnant que lorsqu'ils prennent la route à trois heures du matin ils ne soient pas toujours de bonne humeur. »

Le vrai plaisir de cette visite guidée résidait dans le numéro de Koosie ; et le visage de Cindy.

« À quel point les pauvres sont-ils pauvres ? » demanda-t-elle.

Koosie lui effleura la manche.

« On va au Mandela Village. »

C'était un quartier misérable de petites cabanes en bois, en plastique et en tôle, avec des chemins de terre creusés d'ornières entre les maisons. Nous rencontrâmes Daisy, qui avait quatre enfants en bas âge et un mari parti en ville à la recherche d'un travail. La hutte était petite, propre et terriblement vide, à l'exception de marmites et de couvertures de bébé. Le sol était en terre battue. Les murs étaient tapissés d'emballages de savon Sunlight, d'une gaieté extravagante. Depuis huit ans, cela tenait lieu de maison à Daisy.

L'ensemble donnait une impression d'ordre et de patience, et Daisy elle-même respirait un désespoir plein de dignité.

« J'espère que les choses vont s'arranger pour vous », dit Cindy.

La femme se contenta de soupirer et de secouer la tête, trop polie pour la contredire.

Une fois dans la rue, Cindy déclara : « Je voudrais y retourner pour lui donner quelque chose. Mais j'ai honte de lui offrir de l'argent.

– Vas-y, répondit Koosie. Elle n'a pas d'électricité, pas d'eau courante à part une ou deux pompes, pas de boulot. Daisy est le genre de personne que nous avons promis d'aider il y a près de dix ans, mais le chèque est encore à la poste. Ensuite on ira au "lieu de pèlerinage". »

C'était un cercle de granit et un vaste parking : le mémorial Hector Pieterson. À l'intérieur du cercle granuleux était reproduite dans toute son horreur l'image du garçon agonisant porté par un camarade, comme un sacrifice, une offrande, face aux fusils des policiers. L'enfant qui accomplit ce geste s'appelait Mbuyisa Makhuu, il disparut après cette marche et on ne le revit jamais. Il mourut presque certainement dans l'un des camps où des flics comme Oomie avaient été basés.

« C'est le lieu de pèlerinage, dit Koosie. Rappelle-toi la date : le 16 juin 1976, le jour où des écoliers sans armes se sont attaqués à l'État. »

Ce qui avait rendu si remarquable le soulèvement du 16 juin, c'était sa simplicité déterminée. On avait ordonné à des enfants encore scolarisés d'apprendre l'afrikaans. Depuis toujours, semblait-il, ils avaient résisté du mieux qu'ils pouvaient au traitement infligé par des persécuteurs meurtriers et stupides qui les avaient dominés, battus, tournés en ridicule, utilisés et détestés. Mais c'était trop : on ne les forcerait pas à parler la langue de l'ennemi. Ils refusèrent, et s'avancèrent face aux fusils.

La révolte des enfants leur appartenait : elle n'avait rien à voir avec les mouvements de libération. Une vraie rébellion, si stupéfiante qu'on n'en avait pas encore saisi pleinement le sens et qu'il était aujourd'hui de plus en plus difficile de rappeler l'amertume et les effusions de sang qui l'avaient marquée. Maintenant elle était commémorée de façon fragmentaire par un jour férié, et était l'occasion, pour des fonctionnaires fatigués, de prononcer des discours triomphalistes et des monologues sans queue ni tête très éloignés de l'esprit de cette révolte spontanée, sans leader.

À mesure que l'esprit s'estompait, le lieu de pèlerinage se détériorait.

Nous eûmes de la difficulté à nous garer ; les gros cars déposaient des touristes français, allemands et britanniques. C'étaient toujours les étrangers qui venaient à Soweto, pour le voir par eux-mêmes, visiter le mémorial de Hector Pieterson et de la révolte des écoliers.

« Nous avons une façon de transformer la tragédie en piège à touristes. »

Koosie agita les mains pour embrasser du geste les vendeurs ambulants qui attendaient autour des parterres : colporteurs de mauvais rap américain et de vieilles éditions de poésie africaine avec, accrochés à leur ceinture, des téléphones portables.

« Ces types aiment se faire passer pour les héritiers de la révolte des enfants aux yeux des visiteurs étrangers. » Koosie secoua la tête. « Ça ne marche pas : les étrangers savent reconnaître le rap américain raciste quand ils en entendent.

– Il suffit de déclarer qu'un lieu est sacré, de l'ériger en un site de pèlerinage et voilà que des vendeurs ambulants et des colporteurs en profitent pour gagner trois sous. Ils vendent les pellicules du saint. La licorne sacrée de la vierge. C'est ce qui se passe sur la tombe de Lénine à Moscou ; dans la grotte de Bernadette à Lourdes. Ça ne reste jamais pur.

– Pourquoi pas ? Pourquoi ces conneries ? Pourquoi pas du… respect ? demanda Koosie.

– Ça ne reste pas pur sans doute parce que ça ne l'était pas au départ. Ça fait près de trente ans que ce gamin a été abattu. C'est un héros ; mais c'est aussi une loterie. Peut-être que c'est un signe de normalité. Une normalité commerciale, dépourvue de sens, désordonnée.

– Alors je n'en veux pas. C'est trop tôt.

– Je sais ce que tu entends par là, intervint Cindy. Tu veux que les choses restes pures, en quelque sorte. Virginales.

– Oui. C'est le mot, “virginal”.

– C'est ainsi qu'elles devraient être, souligna-t-elle.

– C'est justement en donnant aux choses l'apparence qu'elles devraient avoir qu'on a causé tant de dégâts, dis-je. Chez nous. Dans le pays. Ça me fait horreur. Ça ne nous a rapporté que du sang.

– Alex ne comprend pas, observa gentiment Koosie, avec une pointe de raillerie dans son affection.

– C'est ce que je lui répète », répliqua Cindy.

Ils eurent tous les deux le sourire de deux conspirateurs, sûrs de savoir plus intimement que les visiteurs, que les étrangers, de quoi était faite la réalité, car ils vivaient dans un endroit qu'ils n'avaient jamais quitté et qui s'appelait leur « patrie » ; des conspirateurs qui la connaissaient, l'aimaient, la possédaient, se battaient pour elle. Qui transformaient leur géographie personnelle en morale ? Qui croyaient que si les choses n'étaient pas bonnes on devait faire en sorte qu'elles le deviennent ?

« Continue de le lui dire », répliqua Koosie.

Je ne relevai pas : il suffisait qu'ils s'entendent ; que Koosie lui parle avec plus de facilité qu'à moi ; que Cindy soit aux anges. Je sentis ce frisson sur ma nuque, ce creux dans mes entrailles, cette terrible sensation de chute, parce que ceux qui font n'importe quoi pour préserver la « pureté » des choses pensent généralement ce qu'ils disent. Toutes les formes de perfection semblaient coûter beaucoup de vies.

Nous nous garâmes près d'une petite villa très ordinaire et Koosie dit :

« L'ancienne maison de Nelson Mandela. Elle n'a rien de très exceptionnel, n'est-ce pas ? Vous voulez voir l'intérieur ?

– Oui, s'il te plaît, répondit Cindy.

– Je reste ici, dis-je. Va avec Koosie. »

Cindy s'exclama, troublée, un peu choquée : « Tu ne veux pas voir la maison de Mandela ?

– C'est une imitation.

– Je n'y crois pas. Ce n'est pas possiiiible, gémit-elle.

– Bon, ce n'est pas exactement une imitation, concéda délicatement Koosie. Plutôt une reconstruction. La maison d'origine, elle, a été détruite.

– Par qui, la police ? »

Koosie marqua une pause prudente. « Non. C'étaient les voisins.

– Pourquoi ils ont fait ça ? » Elle était horrifiée.

« Quand Mandela était en prison à Robben Island, Winnie habitait ici ; c'est ici qu'elle gardait les gosses qu'elle envoyait pour agresser les gens. Son club de football. C'est ici qu'ils étaient enfermés la nuit, et certains ne sont jamais ressortis. Les histoires qui sortaient d'ici ne sentaient pas bon. Ça perturbait les voisins. Peut-être aussi les cris. Un jour, les gens du quartier ont incendié la maison. »

Cindy se taisait.

Koosie lui prit le bras. « Maintenant, ça s'appelle le musée de la Révolution, et ça nous coûtera deux dollars pour entrer. »

Je les regardai s'éloigner. Il lui tenait le bras et elle levait les yeux vers lui. Le professeur et son élève. Koosie était solide, il était sensé, mais il y avait quelque chose qui n'allait pas chez lui. L'ignorance de Cindy était profonde et sincère. Elle ne connaissait pas l'histoire, ni la sienne, ni l'histoire de son pays, de son passé. Elle ne savait rien, et ne voulait pas savoir. Les gosses qui avaient été enfermés dans la maison Mandela avaient été coupables de ne pas être ce qu'ils auraient dû. De ne pas être purs. La tare fatale. Mais Cindy ne savait absolument rien de ce qui leur était arrivé. La nature de son ignorance était embarrassante, normale, et peut-être même admirable. Après tout, Cindy faisait clairement partie de l'ère nouvelle ; et cela n'impliquait pas qu'elle avait besoin de connaître le passé. Elle savait où faire ses achats, comment se protéger des cambriolages, des détournements, du viol… que lui fallait-il d'autre ? Et si elle voulait savoir, quelqu'un se chargerait de l'informer. Koosie lui montrait Soweto, de la même façon que Andy Andreotti, le pauvre imbécile, lui avait montré Sun City. Et tout compte fait, même s'ils servaient des desseins très différents dans la folle cavalcade de la vie sud-africaine, chacun de ces endroits était aussi épouvantable et irréel que l'autre.

Quand ils ressortirent, Cindy pleurait. Je pensai que ce devait être parce qu'elle était si émue par ce qu'elle avait vu dans la maison, et ce qu'elle avait appris sur la lutte tragique des Sowetans. Pourtant un instant de réflexion m'aurait rappelé que Cindy ne pleurait pas pour la politique. Et la politique n'aurait pas expliqué pourquoi elle n'arrêtait pas de prendre Koosie dans ses bras et de l'étreindre. Il paraissait confus, embarrassé par toute cette attention, comme s'il n'avait pas eu l'intention de provoquer ces effusions.

Nous ne dîmes pas un mot pendant le trajet de retour. Cindy était à l'arrière et étouffait à grand-peine ses sanglots.

Quand nous arrivâmes devant chez lui, Koosie ne nous proposa pas d'entrer. Il me remercia encore pour le cadeau de ma mère. Debout devant sa maison, dans son costume bleu, le soleil scintillant sur ses boutons de manchette dorés, il agita en guise d'adieu la grosse enveloppe de plastique qui contenait les anciens plans de vol et les routes d'évasion dont tant de vies avaient dépendu autrefois.

Nous étions de retour dans le nord de Johannesburg, roulant dans des rues bordées de hauts murs, de barbelés et de guérites, quand elle dit :

« Je suis désolée d'avoir fait toutes ces histoires là-bas. Mais ça m'a vraiment bouleversée.

– Soweto ?

– Non, pas Soweto. J'ai aimé Soweto. »

Je dus paraître ne pas comprendre, parce qu'elle dit : « Je m'en suis doutée dès les premières minutes où je l'ai vu. Ce n'est pas juste sa maigreur, c'est son expression. Il y a une expression particulière, et, une fois qu'on la connaît, on ne s'y trompe pas. Je l'ai déjà vue. Et puis, quand nous sommes allés faire notre petit tour autour de la maison de Mandela, il me l'a dit. Tout de go. Il a présenté ça sur le ton de la plaisanterie ; il a dit qu'il ne pouvait pas t'en parler parce qu'il fallait être sud-africain pour comprendre.

– Comprendre quoi ?

– Il y a six mois les tests ont révélé qu'il était séropositif. »

Je ne sus pas quoi répondre.

« Quand il a été diagnostiqué il consultait un médecin privé qui lui a prescrit des ARV. Des antirétroviraux. Il a eu de la chance. La plupart des gens n'en obtiennent pas. Il a commencé à les prendre, mais ensuite il a arrêté.

– Pourquoi ?

– Il prétend que le sida est un syndrome et qu'un syndrome n'est pas une maladie. Il dit que son problème peut être dû à un ensemble de facteurs. Le régime, la génétique, une défaillance spirituelle. Qu'il existe d'autres traitements, d'autres solutions. Et qu'il les explore : c'est encore son expression.

– Mais il sait qu'il est malade.

– Il dit qu'il ne se sent pas bien. Il ne dit pas qu'il a le sida. Et même s'il le reconnaissait, il adopte la position de beaucoup de gens puissants ici, jusqu'au président, à savoir que les antirétroviraux ne servent à rien pour le sida. C'est, disons, la position du parti. La ligne officielle. Le sida n'est pas le sida, c'est autre chose. C'est la tuberculose, la malnutrition, la malaria, c'est un tas de maladies locales, seules ou associées. Le sida est un syndrome. Les ARV, les médicaments qui le combattent, sont un complot des compagnies pharmaceutiques occidentales pour dévaliser les malades. Et empoisonner les Africains. Les ARV, selon la position officielle, sont plus dangereux que la maladie elle-même, qui de toute manière n'est peut-être pas la maladie qu'ils prétendent. Koosie croit qu'il peut combattre son mal sans médicaments. S'il mange la nourriture appropriée et s'en remet aux gens qu'il faut. Il est incroyablement déterminé à faire ce qu'il faut. »

La loyauté avait toujours été le trait dominant de Koosie. Pour lui, le mouvement n'était pas juste sa famille, c'était son Église, son guide suprême. Cette conversion avait eu lieu peu avant le meurtre de Big Lou. Selon sa conception religieuse des choses, le minuscule tueur qui avait abattu Big Lou était une sorte de messager divin envoyé pour renforcer cette foi. C'était une foi pour laquelle il était capable de mourir, ou de tuer. Sa propre vie ne comptait pas pour grand-chose quand le juge divin exigeait l'obéissance. Oh oui ! Koosie était loyal. Pur. Et j'aurais pu ajouter dangereux, idiot, lamentable, bourré de principes et dérangé ; presque aussi cinglé que les autres mufles qui nous avaient gouvernés. Mais je ne le dis pas.

Nous nous arrêtâmes à un feu rouge. Sur le terre-plein central était garée une petite dépanneuse avec, sur la portière du conducteur, le logo suivant : Harry's Cash and Carry, libre-service de gros.

« Tu vois cette camionnette trapue là-bas, avec un crochet qui se balance, dit Cindy. Ils appellent ça les putes joyeuses.

 Ces pick-up travaillent dans la rue, exactement comme les filles sur le trottoir. Sauf que ces vautours guettent les cadavres des routes. Ils écoutent les fréquences de la radio de la police pour savoir si un accident s'est produit et ils foncent sur les lieux du carnage. Premier arrivé, premier servi. Il y a des bagarres. Ils versent des pots-de-vin aux flics pour être prévenus à l'avance. Mais quelquefois les affaires stagnent, alors il faut être prudent à des carrefours comme celui-ci quand la chaussée est mouillée. Et après la tombée de la nuit. Parce que, quand les affaires stagnent, les putes joyeuses aiment bien mettre la chance de leur côté : elles trafiquent les feux, ou répandent de l'huile sur le sol après la pluie.

– Charmant.

– C'est un boulot.

– Je m'en souviendrai.

– Parfait. Ça peut te sauver la vie.

– Que va-t-il arriver à Koosie ? demandai-je.

– Sans les ARV il va mourir.

– Et ce nouveau médecin dont il nous a parlé ? Celui qui ne le tue pas ?

– Il voit une guérisseuse traditionnelle. Une *sangoma*. Elle lui donne une sorte de *muti* spécial et il jure que ça lui fait du bien. »

Je ne savais pas quelle réponse était exigée, ou appropriée, face à tant de mort. Dans l'immédiat, sauver sa propre vie était assez problématique. La valeur placée en toute existence individuelle semblait nettement diminuée, mais y attacher la moindre importance paraissait relever d'un élitisme intolérable.

Soweto en était marqué ; le pays tout entier en était marqué. Le mémorial Pieterson célébrait une mort héroïque, affrontée librement ; la maison Mandela commémorait la mort des enfants sous la torture ; Koosie, mince, élégant, en colère, souriant, voulait échapper à la mort par... quoi ? Un syndrome ? Mais ce que Koosie redoutait plus que la mort, c'était l'incrédulité. Le salut résidait dans la fidélité à la ligne du parti ; dans un pays où cette ligne avait depuis longtemps été réduite en charpie, et où le parti était une bande hargneuse de gros richards avares se battant pour le prestige et le pouvoir, Koosie restait un vrai croyant. Un genre de saint.

La Land Rover continuait de dériver, traversant Craighall, Sandton, pour se diriger ensuite vers Fourways et Sheerhaven. Je me laissais emporter par le flot, salué par la sérénade du sinistre blues du jour :

La foule lapide le suspect
Un oncle viole un enfant de six ans
D'après un sondage, l'Afrique du Sud
est la première destination touristique
L'or monte
Onze vaches éventrées avec des pangas
L'or baisse

30

Après cela je ne passai plus guère de temps à Forest Town. C'était trop triste ; juste moi, le fantôme de ma mère et un Noddy transformé en zombie, qui continuait d'habiter dans la chambre de l'arrière-cour et de hanter le jardin : lointain, ombrageux, inapprochable.

Quand je revenais, c'était avec Benny, portant sa raquette de tennis. Il aimait regarder les photographies des animaux que ma mère avait abattus, et les têtes de koudous empaillées, les tapis en peau de léopard ; il aimait la photographie de ma mère avec sur son épaule Baldy, le perroquet gris. Il était condamné à toujours chercher des choses qui s'intégraient dans sa propre logique, dans un monde où trouver un sens aux choses était une épreuve. Il était imperméable au changement et farouchement dépendant de la routine. Nous faisions donc les mêmes gestes, dans le même ordre, chaque fois que nous venions chez moi. Après avoir allumé et éteint les lampes selon des règles précises, nous regardions les photographies. Je devais lui raconter en utilisant exactement les mêmes mots comment Baldy avait appris les jurons des Flying Dutchmen qui venaient nettoyer la maison, quand Koosie et moi étions enfants. Il était particulièrement intéressé par les portraits de Bara et de Buti, les pygmées de la forêt pluviale, et adorait entendre de quelle façon ils avaient traqué et mangé le vieux Baldy.

Benny était fasciné de voir que Bara tirait la langue sur la photo. Lui-même avait une bouche ronde plutôt petite, et laissait toujours sortir sa langue, de même qu'il lissait sans arrêt la mèche raide sur le pli de peau de sa nuque, avec ses mains carrées dont les doigts n'avaient qu'une articulation, au lieu des deux normales.

« Quel goût ça a, un perroquet ? » demandait-il, tenant sa raquette contre son visage et en appuyant le tamis sur ses lèvres. Le cordage dessinait des cubes de chair sur la peau souple de son visage, et ça le faisait ressembler à un drôle de petit animal emprisonné dans un clapier.

« Le goût des pétards et des vieilles chaussures, répondais-je.

– Les plumes te collent à la gorge ?

– Au moins pendant une semaine et demie. »

Benny était si figé dans ses routines, me raconta Cindy, que lorsqu'il partait en excursion avec ses camarades du Refuge du Rayon de soleil, une fois arrivé au parc, au cinéma ou au musée, il restait à sa place dans le bus. Il n'acceptait de quitter son siège qu'une fois qu'ils étaient de retour au Refuge, et cela en respectant à la lettre un ordre précis. Il descendait le dernier de tous.

Je pris l'habitude de passer le reste de mon temps à Sheerhaven, comme une sorte de résident honoraire. Les gardes du portail ne me demandaient plus ce que je faisais ; il connaissaient mon véhicule et me laissaient passer d'un signe de tête. Et une fois à l'intérieur des murs, sous le grand égout argenté dans le ciel, j'avais l'impression d'avoir migré dans un pays étrange et silencieux. C'était peut-être vrai, et cela relevait d'une certaine logique : après tout, si les gens menaient des vies parallèles, ils avaient besoin de mondes parallèles où les vivre. Les riches n'avaient plus besoin de déménager dans d'autres pays. Ils pouvaient construire le leur.

Et il y avait Cindy. Je n'avais pas encore pris de décision, et elle ne posait pas de question, ce dont j'étais reconnaissant.

 J'avais des legs à remettre ; je devais encore trouver Papadop et voir la reine Bama, et, en attendant d'avoir accompli ce que j'avais entrepris, j'étais heureux de rester.

Vivre avec Cindy, c'était un peu comme assister à une fête nocturne ininterrompue où on a l'impression, bien qu'on s'y amuse énormément, que pour une raison impossible à définir – peut-être l'âge qu'on a, le décor ou la musique – quelque chose ne colle pas.

D'un autre côté, ça n'avait rien d'étonnant. On était à Johannesburg. Rien ne collait.

Et puis il y avait Koosie.

« Toi et Koosie, vous êtes aussi proches que ça. » Cindy croisa l'index et le majeur. « Et vous êtes à couteaux tirés.

– Peut-être que c'est parce que nous avons été frères autrefois.

– Il a besoin de toi maintenant.

– Non. Mais je pense que c'est de toi qu'il a besoin. Je pense que tu lui rappelles ma mère. »

Elle parut flattée. « Vraiment ? C'est un très gentil compliment. »

Je n'y prêtai guère attention sur le moment. Plus tard, je regrettai de n'avoir pas plus réfléchi à mes paroles, et à la raison qui m'avait poussé à les dire.

« Tu étais son ami avant moi. Tu m'accompagneras ? »

C'était assez juste. Mais ce que je tus, et qu'elle n'aurait pas compris, c'était que l'amitié s'était effondrée depuis longtemps. Après la conversion de Koosie à la Cause, et à la colère dont j'avais pour la première fois été témoin, sans la saisir, lorsque Big Lou avait été abattu.

« Il ne me remerciera pas. »

Elle vint m'embrasser. « Tu es bizarre. Tu sais ça ?

– Oui.

– Alors, tu viendras ? »

Nous adoptâmes une routine. Trois jours par semaine, nous quittions Sheerhaven, déposions Benny au Refuge et poursuivions notre route jusqu'à Soweto, où nous restions une heure environ. Nous écoutions plus que nous ne parlions, parce que Koosie était de plus en plus faible, il souffrait et cela le rendait coléreux et insistant, à propos de tout. Il perdait encore du poids et se plaignait de maux de tête. Il affirmait que sa santé s'améliorait, qu'il réagissait bien aux muti que lui donnait la guérisseuse traditionnelle. Elle le voyait tous les matins et faisait des miracles. Il serait bientôt guéri. Nous ne la croisâmes jamais, mais nous vîmes ses racines et ses poudres à son chevet.

Quelques semaines plus tard, il avait les pieds gonflés, enflammés. De plus en plus souvent, il ne se levait jamais avant midi. Nous venions tard dans la journée, limitant notre visite à une demi-heure. Il se fatiguait si facilement et s'assoupissait au milieu d'une phrase…

Puis brusquement, sans aucune sorte de préambule, il annonça qu'il avait un nouveau traitement. Et un nouveau « conseiller de santé ».

Une curieuse expression.

« Qu'est-il arrivé à la guérisseuse traditionnelle ? » demanda Cindy.

Koosie haussa ses frêles épaules comme s'il ne voulait même pas se donner la peine d'y penser.

« Elle ne vient plus. Elle est partie.

– Et les médicaments qu'elle te donnait, les muti spéciaux ? demanda Cindy.

– J'ai arrêté de les prendre. Ça ne me convenait pas. »

Un matin, nous le trouvâmes assis à la table de sa cuisine, en train de prendre le thé avec une visiteuse, une femme pâle, silencieuse, trapue, du nom de Millie Loubser. Elle venait de Brakpan, à la lisière de la ville, et gérait une entreprise de jardinage avec ses fils, quand elle n'aidait pas les gens souffrant des mêmes symptômes que Koosie. Il était difficile de croire qu'un homme tel que lui accepterait d'avaler de grosses capsules rouges contenues dans un flacon portant l'étiquette « Solution céleste », mais il les absorbait néanmoins. Elles stimulaient son système immunitaire, ainsi que l'avait promis Millie Loubser ; il le sentait.

« C'est une faiseuse de miracles. »

Koosie paraissait effectivement en bonne forme. Il avait l'air plus solide, il était presque redevenu comme avant, et il le devait entièrement à elle et à son traitement.

« Elle est arrivée comme un don de Dieu. J'ai ouvert la porte, et elle était là. Elle a posé sur moi un regard profond, oh ! si profond, comme si elle voyait dans mon âme, et elle a dit : "Vous voulez vivre ?" Et j'ai répondu que oui. »

Millie Loubser avait diagnostiqué chez lui ce qu'elle appelait « un déséquilibre immunitaire », appuyant sur les syllabes comme si c'était le nom d'une chanson populaire ou d'un mouvement de danse. Dé-sé-quilibre-imm-uni-tai-re…

« Il reprend des forces de jour en jour, Dieu merci. J'ai prié pour qu'il soit épargné, pour qu'il vive sa vie dans le Seigneur et pour le Seigneur. J'ai eu des patients dans un état bien pire que ce monsieur, et ils sont aujourd'hui en bonne santé. »

Tandis que nous rentrions à la maison, Cindy s'exclama : « Cette femme n'est qu'un ignoble imposteur ! »

Certes ; mais qu'y pouvions-nous ? Koosie avait foi en ce charmant charlatan, et pour l'instant il n'y avait pas de solution.

« Regardez-moi ! répétait-il chaque jour. N'est-ce pas que je vais mieux ? »

Quelque temps, son état s'améliora. Il prit religieusement les capsules matin, midi et soir, après les repas, jusqu'au jour où il ne parvint plus à garder la nourriture.

Cindy défia Loubser. « Quelles qualifications avez-vous pour traiter quelqu'un comme Koosie ? »

Millie Loubser lui adressa un gentil sourire. « J'avais une sœur préférée et elle est morte du cancer, et j'ai terriblement souffert. Je traite aujourd'hui plus d'une centaine de personnes, elles viennent me voir parce que je les aide.

– À quel tarif ? »

La femme resta imperturbable. « Cent rands pour un stock hebdomadaire de Solution céleste.

– C'est de l'arnaque ; vous escroquez les mourants !

– C'est leur souffrance que je prends dans mon cœur, rien d'autre. Je demande à Dieu de soulager la souffrance de gens comme le docteur Nkosi : je prie pour qu'il soit épargné.

– Vous lui faites payer cent rands pour une boîte de pilules. Vous êtes une putain d'escroc, une sale sorcière, un vampire… »

Millie Loubser regarda Cindy en furie et répondit simplement : « Je vous pardonne, ma petite. Dans votre colère et votre douleur vous ne savez plus ce que vous dites. Je prierai aussi pour vous.

– Essayez, et je vous brise la mâchoire », rétorqua Cindy.

Millie Loubser n'attendit pas qu'elle mît sa promesse à exécution. Koosie cessa brusquement de prendre ses cachets, et, comme la guérisseuse traditionnelle, la femme ne revint plus chez lui.

« Je me sens mieux sans elle », dit-il.

Le trajet jusqu'aux rues désormais familières de Diepkloof, pour y assister au cruel déclin d'un homme vibrant, devint un aveu d'impuissance. Cela empirait les choses de voir la maladie le tuer avec l'impression d'être forcés de participer à une sorte de séance religieuse. Mais la seule autre solution était de cesser nos visites. Aussi avions-nous appris à nous diminuer face à l'amaigrissement dévorant de Koosie. Cindy ne se maquillait pas, et choisissait des vêtements qui cachaient sa chair, masquant sa bonne santé manifeste, et n'apparaîtraient pas comme une insulte envers l'homme squelettique aux yeux brillants.

Nous étions les visiteurs, les sympathisants, les gens qui voulaient aider mais ne le pouvaient pas. Cindy était très affectée par ce sentiment d'impuissance.

Revenant un soir de Soweto, nous passâmes devant Buffalo Belle's, et une certaine agitation semblait y régner. Des femmes en bottes blanches de cow-boy et coiffées de stetsons, vêtues de jupes très courtes et portant des pancartes – « Non aux travailleuses du sexe étrangères » –, faisaient pression sur les automobilistes aux feux rouges. Leurs seins plongeaient à l'intérieur de la fenêtre du conducteur quand elles se penchaient pour vous demander de signer leur pétition pour garder la boîte ouverte.

Ce n'était pas le sexe à vendre qui agitait autant tout le monde. Mais les filles qui vendaient le sexe, les putes sans papiers émigrées de Bulgarie, du Cambodge, de Birmanie et d'Estonie. Les filles dont Mona-Lize s'était tant préoccupée. Qui prenaient des emplois aux prostituées locales parfaitement régulières. Que connaissait de la libido d'un homme du pays une fille venue, par exemple, des tribus de Hmong Hill au Vietnam ? Que savait-elle sur le golf ? Le rugby ?

« Le cul doit rester local », criaient ces filles en colère. « La chatte doit rester patriotique. »

Ça dura quelques semaines. Les journaux commencèrent à rendre compte de ces protestations – quoique assez prudemment – par des gros titres tels que « Le collectif des travailleuses du sexe de Fourways en marche ». Les gros titres étaient toujours plus verbeux quand le politiquement correct entrait en action, et il n'agissait jamais aussi vite que pour les affaires de sexe.

Pourquoi pas « Les putes en furie ! » ?

Trop limite ; trop peu sud-africain.

Nous naviguions entre le mourant et les protestataires.
J'étais de nouveau saisi par la malicieuse, sinon cruelle, juxtaposition du tragique et du comique que la vie de rue sud-africaine réinventait avec tant de naturel. Cindy disait de Millie Loubser que c'était un canular. C'était vrai, si on parvenait à en rire. Et ça ne s'arrêtait pas là. Chaque jour, nous passions du chevet d'un homme agonisant aux bordels des quartiers nord avant de rentrer à Sheerhaven, superbement, étrangement stérile. Tout était parfaitement ordinaire. Tout cela en un trajet d'une journée.

Le mois suivant, Koosie fut hospitalisé à deux reprises ; il eut une méningite, et il fut aussi atteint d'une pneumonie. Mais il ne se laissait pas décourager ; en vérité, il surmonta ces maladies presque joyeusement, avec un sentiment de soulagement. Elles étaient identifiables, confirmées, guérissables ; et il se remit.

C'est-à-dire qu'il ne mourut pas. Il revint de l'hôpital, les os saillant sous la peau. Il nous regarda avec des yeux brûlants. On lui avait posé un cathéter ; il portait des couches et recevait des soins continuels.

Le docteur Toodt était hollandaise. Elle arriva tout simplement, comme les autres avant elle.

Elle déclara : « Je suis docteur en médecine, je suis pharmacienne diplômée, et comme chercheuse, j'ai de nombreuses années d'expérience. Je vais traiter ce patient avec des micronutriments. Je suis ici sur la demande du ministère de la Santé. Ils m'ont envoyée et ils me font confiance ; et ils savent que je peux aider le camarade Nkosi. »

Être « envoyée », « fiable » et « connue » : la trinité sacrée du succès.

Elle avait un visage large et ouvert avec des os puissants, bien définis, et une mâchoire très carrée ; et, encore mieux, elle était qualifiée. Elle semblait se spécialiser dans les cas comme celui de Koosie. Il souffrait de sévères déficiences alimentaires qui avaient miné son système immunitaire.

Angela Toodt avait créé un complément alimentaire qui s'appelait l'antidote africaine ; il se composait de carotte, d'ail, de betterave, de jus de citron, de yaourt, de banane et de *mielie-meal*, de farine de maïs, renforcés par différents antioxydants, et aussi par des pépins de raisin, de la pulpe de lychee, et des extraits de pomme de terre africaine. Elle était sûre de tout. « J'appartiens à l'Afrique », nous déclara-t-elle quand Cindy l'interrogea sur la vie en Hollande, et j'eus l'impression qu'en réalité elle voulait dire que l'Afrique lui appartenait.

Nous devenions comme Koosie, nous raccrochant à n'importe quoi, et quelque temps nous fûmes très heureux de voir le docteur Toodt à son chevet.

Il prenait les médicaments, quand il parvenait à les garder, et quelquefois il semblait s'animer et m'appelait auprès de lui, obsédé par l'idée de retrouver le Cubain disparu. Notre discussion précédente concernant ce qui était « légal » était oubliée. Dans son esprit de plus en plus confus, il donnait l'impression que le retrouver pourrait non seulement réparer les dégâts causés par le refus qu'il avait opposé à ma mère quand elle était venue le voir, mais qu'aussi, en quelque sorte, la régularisation du toubib réfugié lui procurerait un genre de récompense qui jouerait en sa faveur auprès des esprits qui avaient sur lui le pouvoir de vie et de mort.

« C'est l'heure de votre traitement, docteur Nkosi », disait Angela Toodt.

Un matin, Cindy l'affronta.

« Pourquoi ne le mettez-vous pas aux antirétroviraux ? »

Angela Toodt la fixa calmement, comme si elle s'était attendue à cette question et considérait qu'elle méritait tout juste une réponse polie.

« Il n'en a pas besoin, il n'en veut pas, il ne les prendrait pas si je lui en donnais. »

Ça faisait froid dans le dos, de voir cette femme déterminée à s'en tenir à la médecine indigène africaine. La science occidentale et les exigences léninistes faisant contrepoids. Elle ne défendait pas seulement les pouvoirs du pays, mais la santé, le bon sens et la probité politique : une femme pénétrée de la conviction que les micronutriments, la pomme de terre, l'ail et une quantité de vitamines amélioraient beaucoup l'état de Koosie alors qu'il était manifestement en train de mourir.

Nous le savions, et lui aussi.

« Trouve-le, me suppliait-il, et je vais arranger ça. Alors il n'aura plus à vivre sa vie dans la peau de quelqu'un d'autre. Il pourra être lui-même de nouveau.

– Koosie, je vais essayer. Mais, s'il te plaît, ne t'inquiète pas. »

Cindy sentait aussi que je devais retrouver Raoul. Il avait été la dernière personne avec qui ma mère s'était associée. Curieux comme ce Cubain obsédait les gens. Schevitz avait tout autant insisté pour que je lui vienne en aide.

Maintenant Koosie était comateux durant de longues périodes. Cindy restait près de lui, lui tenant la main ; j'arpentais la rue. Le docteur Toodt continuait de lui administrer son régime de micronutriments et de vitamines par voie intraveineuse, et elle voyait une amélioration.

Elle envoyait régulièrement des échantillons sanguins pour les faire analyser et affrontait les résultats avec une lugubre sérénité. Le système immunitaire de Koosie était à présent si faible qu'il était la proie de la moindre infection opportuniste.

Nous observions la mort par rapport à l'idéologie. Koosie était à l'agonie, persistant à dire qu'il n'était pas malade, en accord avec le dogme du parti. Le médecin et le patient étaient mus par les principes, et Cindy et moi étions impuissants à faire autre chose que regarder, exclus de ce que les principaux acteurs considéraient comme « l'antidote africain » miraculeux.

Cindy défia de nouveau Angela Toodt. « Si vous aviez ce qu'il a, vous prendriez des antirétroviraux ?

– Non. Ils sont toxiques et n'ont pas d'effet.

– Le virus est en train de le tuer !

– Il n'y a pas de virus », répondit le docteur Toodt.

Cependant, il y avait des signes de résistance chez le patient lui-même. Non chez Koosie le membre du parti, mais chez Koosie l'être humain. Il avait de plus en plus de difficultés à se maintenir, et cela contrariait quelque peu le docteur Toodt qui, bien qu'elle ne le dît jamais, semblait penser qu'il n'essayait pas assez assidûment ; et ce à quoi il ne mettait pas tous ses efforts avait atteint un plan métaphysique. Ce n'était plus une question de maladie mais une question de foi. Koosie était à peine vivant. Même le docteur Toodt le savait. Ce qui comptait maintenant, c'était de réussir une belle mort.

Nous revenions de Soweto à Sheerhaven dévastés et abattus.

Puis, un soir, les cow-girls protestataires s'étaient envolées, le « ranchero » tentaculaire était morne et sans vie, le lasso en néon sur le toit éteint, un énorme verrou accroché au portail. À la place, nous vîmes des voitures de police et un hélicoptère qui planait au-dessus. Nous étions trop épuisés pour faire autre chose que de le remarquer en passant et de nous demander ce qui était arrivé.

Le journal télévisé du soir nous apporta la réponse. L'unité d'investigation des étrangers avait fait une descente à Belle's. Les caméras montraient un groupe de femmes poussées dans la rue comme des moutons effrayés. Elles se cachaient le visage, accroupies sur la chaussée sous les projecteurs de télé, les jambes nues, tenant leurs sacs à main au-dessus de leurs têtes comme des chapeaux. Je me souvins d'avoir vu, devant Buffalo Belle's, lors de l'une des dernières marches du

Forum des travailleuses du sexe de Fourways, organisée dans le but de dénoncer la concurrence étrangère, comment elles relevaient leurs jupes minuscules pour montrer, scotché à leur culotte aux couleurs du drapeau national, le slogan « Fièrement sud-africaine ! » Les étrangères venaient d'un peu partout : de Bangkok, Bucarest, Moscou. Selon le compte rendu, les filles avaient été inculpées, puis mises en liberté provisoire, sous la surveillance du médecin du travail affecté à l'établissement, qui était, semblait-il, le seul authentique Sud-Africain de l'endroit.

Il y avait un plan sur lui : il souriait un peu timidement à la caméra ; il portait un ensemble saharien gris et de grosses lunettes. Il était très convaincant, et on l'eût pris pour un Sud-Africain typique, si on ne l'avait pas autrefois connu dans une autre incarnation, une autre vie, lorsqu'il habitait dans la chambre de votre arrière-cour, dansait le mambo avec votre mère et s'appelait le docteur Raoul Mendoza.

Je n'ai jamais su si Koosie se serait senti mieux en sachant que nous avions retrouvé le Cubain de ma mère. Probablement pas. Il était désormais trop faible pour pouvoir intervenir d'une quelconque manière, et en tout cas je me demandai ce qu'on aurait pu y changer. La position de Koosie, telle qu'il l'avait expliquée à ma mère, était correcte. Si on acceptait son argument à propos de la légalité, il importait à Koosie que Raoul fût l'homme qu'il était réellement. Mais pourquoi ? Quel individu ayant toute sa raison avait-il envie d'être celui qu'il était ? Le docteur Mendoza était mort ; longue vie au docteur du Toit, médecin d'un groupe de réfugiées étrangères, qui désiraient autant que lui être n'importe qui au monde sauf elles-mêmes.

Notre Cubain avait été transformé en quelque chose de si proche de l'original que personne ne parviendrait jamais à voir la différence. De là où j'étais, il me semblait que Raoul s'en tirait à merveille. Bon Dieu, il était mieux adapté et intégré que moi. Le docteur Cornelius du Toit possédait sans aucun doute tous les attributs qui témoignaient de sa nouvelle condition : la BMW, un coffre à fusil, une piscine et beaucoup de personnel, et derrière un haut mur il parlait de rugby et lançait une côtelette de plus dans le barbecue, du geste assuré d'un homme né avec un *braai* dans son jardin.

Le lendemain, quand nous retournâmes à Diepkloof, la maison était vide. Koosie était parti et le docteur Toodt aussi. Nous nous rendîmes à l'hôpital et, là, on nous apprit que le docteur Nkosi était mort pendant la nuit.

Cindy me dit : « Le docteur Toodt a rédigé le certificat de décès, n'est-ce pas ?

– Oui.

– On parie qu'il s'agit d'une méningite ou d'une pneumonie ? Pauvre Koosie. C'est elle qui dit de quoi il est mort, c'est elle qui fait le ménage. »

Je comprenais ce qu'elle entendait par là. La question n'était pas de savoir comment ni pourquoi il était mort. Ce n'était pas le virus qui l'avait tué. Il avait été terrassé par une maladie légitime, confirmée, observable : la malaria, la tuberculose ou la pneumonie, ou « l'immunodépression acquise ». Il avait eu une belle mort. Le docteur Toodt s'en était assurée. Oui, pauvre Koosie. Tu n'as pas eu seulement des vies fictives, mais des morts imaginaires. Il y a longtemps, très longtemps, quelqu'un a dit une fois que l'histoire était écrite par les vainqueurs. Pas ici, non ; ici, elle était écrite par celui qui rédigeait le certificat de décès.

Le parti organisa les funérailles. Nous nous rendîmes au chapiteau, installé sur un terrain de football. Il y avait des drapeaux, des discours et des chants ; des évocations du passé de Koosie et de ses services à la cause et à la lutte, des paroles louant sa loyauté et son courage. Pas un mot ne fut prononcé sur sa maladie, et il est possible que beaucoup des personnes présentes aient eu l'impression qu'il n'était pas mort du tout, mais s'était retiré en un lieu paisible, au bord de la mer peut-être, ou quelque part dans le pays.

Ensuite nous suivîmes le corbillard jusqu'au cimetière et Koosie fut enseveli, puis six jeunes gens à moto firent une série de roues arrière à côté de la tombe, emballant les énormes machines et dégageant des nuages de poussière rouge qui firent tousser et crachoter certaines personnes de l'assistance, mais elles le prirent en bonne part et se joignirent aux applaudissements saluant les acrobates.

De retour au chapiteau, le repas à table était fourni par La Rochelle Fine French Foods, le DJ funèbre jouait les tubes de Kwaito, et la fête ne tarda pas à battre son plein.

« Ça ressemble plutôt à un mariage, non ? » dit Cindy.

Elle avait raison : ce qui avait commencé comme un enterrement se transformait en un genre de fête. Je songeais sans cesse qu'à l'époque où nous étions tous les deux des enfants, des frères, Koosie m'avait emmené les dimanches après-midi dans le centre vide de la ville déserte pour regarder les magnifiques mariés perchés sur les sièges arrière des Lincoln Continental. Face à une stupidité aveugle, immuable, ils montraient un peu d'éclat, s'amusaient un moment. J'avais le sentiment que ce style d'adieu aurait plu à Koosie.

« Je pense, reprit Cindy, que ça ressemble peut-être à une fête parce que ça arrive si souvent. À cause du nombre de morts causées par le virus, parce qu'il y a simplement trop d'enterrements. Les gens passent presque tous leurs dimanches au cimetière. À regarder leur famille et leurs amis se faire enterrer. On ne peut pas supporter autant de chagrin. Alors on commence à mettre un peu d'animation. On en fait un beau spectacle. On s'en va en fanfare. Parce que c'est le mieux qu'on puisse faire. »

Peut-être bien. Mais c'était étrange. L'enterrement n'était pas juste une fête. Des questions de prestige intervenaient. L'événement était présenté sous une sorte de glacis. On avait presque l'impression – si on oubliait un instant la raison de sa présence ici – qu'il s'agissait d'un rassemblement pour le renouveau de la foi. Koosie n'était pas mort, il était ailleurs ; il n'y avait pas de mort, seulement des danses ; il n'y avait pas de virus, mais seulement une déficience en vitamines. Alors on avalait ses comprimés, on entraînait sa partenaire, on s'armait de courage, et on dansait au bord de la tombe jusqu'à l'effondrement.

Et Cindy et moi nous dansâmes aussi.

« C'est une fête assez bizarre, tout de même.

– Ce n'est que le début ! » répliqua-t-elle.

À la reine Bama : ses patrons, sa collection d'aiguilles à tricoter, en bambou, en métal, en bois de rose ; ses crochets ; son coffret magnétique pour les aiguilles en métal et son grand plumier pour les aiguilles en bois et en plastique ; ses laines, ses restes de filés – mérinos, soie, et plusieurs pelotes de laine dix fils jaune vif et cerise, autrefois destinés à devenir une écharpe immense et sinueuse. Tous les autres menus objets dont une tricoteuse a besoin étaient rangés dans un petit sac en lin fermé par un bouton en os : des choses telles que jauges pour aiguilles à tricoter, fermetures pour châle, ciseaux et dés à coudre. Dans une vieille boîte de conserve qui avait autrefois contenu de la mélasse raffinée, elle gardait bobines, boutons, épingles de mise en forme, arrête-mailles et une boîte de protège-pointes en plastique vert-jaune et rose chair, dont elle garnissait toujours soigneusement ses aiguilles en métal.

Je transportais tout cela dans la voiture quand Noddy vint vers moi. Il me fit face, l'air distant, poli.

« Il y a une femme qui va peut-être s'installer avec moi.

– Bien, répondis-je. Très bien.

– Je vous le dis parce que la chambre vous appartient et que je dois savoir si ça vous convient.

– Tu peux recevoir qui tu veux. »

J'étais vraiment heureux, peut-être qu'une petite amie rendrait les choses plus faciles. L'homme qui se trouvait devant moi, vêtu de sa salopette bleue avec le ridicule intitulé de poste cousu en lettres rouges dans le dos, n'était pas Noddy tel que je l'avais connu. Mon ami me manquait, et je voulais qu'il revienne.

Je trouvai la route pour le pays du Lebalola en me servant de la carte de la brochure sur les plaisirs de la province Platinum que m'avait remise le chanteur de louanges de la reine de la Pluie à l'enterrement de ma mère. Je ne m'étais jamais rendu auparavant chez la reine Bama, et ma seule référence était le récit de la première visite de ma mère, soixante ans plus tôt. À cette occasion, la reine était assise sur son trône en bois jaune, vêtue d'une cape en peau de léopard, devant sa Grande Place, flanquée de courtisans et de conseillers.

Sa Grande Place était située sur une colline connue sous le nom de Pointe du Ciel et n'était pas particulièrement impressionnante. Elle ressemblait à beaucoup de coteaux du Magaliesberg, une solitude lunaire émaillée de blocs roussâtres et de broussailles vertes poussiéreuses. Je me garai et gravis la pente. Je trouvai le village à la dernière lueur du jour. Peut-être une trentaine de huttes autour d'un enclos en terre battue, vide à l'exception de quelques chiens efflanqués et de deux pompes qui gouttaient. Certaines des huttes avaient des antennes de télé sur leurs toits de chaume. Dans le crépuscule enfumé qui enveloppait les cabanes, rien ne m'indiquait où je devais me diriger, et je l'entendis m'appeler.

« Bienvenue, Alexander, fils de Kathleen, sur la terre du Lebalola, dans le pays de la reine Bamadodi. »

J'avais cru me souvenir de la reine de la Pluie jusque dans les moindres détails. Une femme imposante, presque aussi grande que ma mère, à la démarche souple. Le petit gnome qui me saluait, assis sur le perron d'un bungalow en brique orangée avec un toit en tôle ondulée paraissait très éloigné de la femme puissante que je me rappelais ; sauf, peut-être, par la colère mélancolique qui le rongeait. La reine ne portait pas de cape bordée de peau de léopard ; elle était assise sur un fauteuil inclinable en skaï jaune, apparemment très rapiécé. Il n'y avait pas de cour ; pas de chanteur de louanges ; on entendait seulement, quelque part derrière nous, venant de l'une des huttes, une radio qui passait du rap.

La reine Bama dit : « Nous portons le deuil de ceux qui sont partis. Vous pleurez votre mère qui est retournée à Dieu, et je pleure ma fille ; elle est morte il y a quelques jours. »

Je ne sus pas quoi répondre.

« J'avais trois filles ; deux étaient déjà mortes. Et hier, la troisième, celle qui était mon aînée, elle est morte elle aussi. »

Elle attendit un moment, puis elle reprit : « Si la reine n'a plus de filles, comme c'est mon cas aujourd'hui, il faut choisir quelqu'un d'autre. »

Je ne posai pas la question mais elle la perçut dans l'air entre nous.

« Mais que va-t-elle trouver, la nouvelle reine du Lebalola, celle qui me succédera ? Dans quel royaume entrera-t-elle ? »

Autour de nous, toute proche, la nuit veloutée sentait la poussière, le fumier et l'Afrique. Les autres villageois, semblait-il, étaient devant leur poste, et regardaient les habituelles fusillades de Hollywood. Au son des coups de feu répétés, la reine Bama se raidit sur son fauteuil.

« Autrefois, nous prenions l'eau dans la rivière et nous la conservions dans une calebasse. Autrefois, elle était précieuse, elle venait du ciel, et nous savions ce qu'était la soif. Mais ces garçons, ces nouveaux venus du gouvernement, ils sont arrivés ici et ils ont dit : "Nous allons changer les choses, nous allons donner de l'eau à un million de gens, nous enverrons de l'eau dans les robinets et ils pourront boire et se laver."

« Et je les ai chassés avec un sjambok ; je les ai frappés, et frappés encore. Mais maintenant, vous voyez, ils ont fait ce qu'ils ont dit. Nous avons un tuyau et un robinet alors qu'avant nous avions seulement la rivière au bas de la colline. Oh ! ils étaient très joyeux ! Ils ont ri et dit : "Oui, reine Bama, les choses ont changé et c'est grâce à nous."

« J'ai repris mon sjambok et je leur ai couru après, et je les ai frappés et frappés encore jusqu'à ce qu'ils crient et s'enfuient, et ils hurlaient : "Vous pouvez nous battre, reine Bama, mais nous avons raison." »

Elle se pencha et cracha par terre. « Ce sont des chiens. Des imbéciles et des menteurs. Ils ont posé leurs tuyaux et leurs robinets et ils disent que c'est mieux. D'où vient l'eau qui coule dans les robinets ? Du ciel ! Et d'où viendra-t-elle quand le ciel n'en donnera plus ? »

Il n'y eut pas de fête ce soir-là. La reine Bama et moi mangeâmes un peu de poulet et de riz en conserve, et elle me servit un brandy très fort avec un peu d'eau, puis je dormis dans une hutte meublée de deux chaises en plastique et d'un minuscule lit en métal.

Le matin, quand je vins dire au revoir, elle était assise dans son fauteuil, une grosse massue à la main, et sur le perron, devant elle, je vis plusieurs rangées de ce qui ressemblait à des grandes chaussettes de lit, ou à des cônes de roquette en laine, ou à de très grands couvre-théières, dont la pointe était parfois ornée de glands roses ou verts. Elle commença à retourner les objets à ses pieds avec le bâton.

« C'est quoi, reine Bama ? »

Elle se leva de son fauteuil et souleva une tour laineuse, tricotée avec des zigzags rose et vert pâle, et couronnée d'un pompon vert vif.

« Vous n'avez pas entendu, Alexander ? Ça n'existe pas là-bas ? À l'étranger ? La maladie qui fait maigrir, celle que les hommes ont transmise à mon peuple ; car ils transmettent des choses dangereuses. La maladie qui a emporté les filles de Bamadodi ?

« Des médecins sont venus de l'hôpital et ils nous ont montré les petites chaussettes. Et ils ont dit : “Femmes du Lebalola, ces chaussettes protègent de la maladie. Montrez à vos hommes. Quand ils viennent chez vous, expliquez-leur comment on les met.”

« Et nous avons répondu : “Oui, ces chaussettes sont très bien mais regardez comme elles sont petites. Elles tiennent sur un doigt.” Alors ils nous ont dit d'en tricoter des grandes, très grandes en laine et de faire le tour des villages pour les montrer aux gens. »

Elle brandit la massue avec sa capote tricotée multicolore dans la clarté du soleil matinal. Même ici, dans la production à grande échelle de matériau éducatif destiné à combattre le virus du sida, le génie naturel des tricoteuses du Lebalola avait reproduit sur les préservatifs en laine les motifs peints sur les murs de leurs huttes de terre : les zigzags de la foudre, le bleu métallique du ciel du highveld et les lignes sinueuses noir et gris des nuages chargés de pluie.

Je sus alors comment étaient mortes les filles de la reine Bama ; je sus que la maladie sévissait chez les Lebalola.

La reine Bama me regarda : « Qu'allons-nous faire ? »

Elle me posait la question, exactement comme elle l'avait posée à ma mère autrefois, mais je ne pouvais pas répondre, comme elle : « Je n'en ai pas la moindre idée, Bama », et tendre la main vers la théière Royal Doulton vert pâle et le pain aux dattes. Et nous ne pouvions pas nous étreindre et secouer la tête, telles deux femmes unies, épouvantées par la cruauté du monde. Je n'étais pas ma mère, je n'étais que son fils.

Les larmes coulaient sur ses joues et dans la poussière ; et moi aussi je me mis à pleurer.

Elle s'arrêta la première. Elle renifla, redressa les épaules, s'avança en traînant les pieds, balança les hanches, puis elle dansa.

Elle avait été le réconfort de mon enfance. Elle avait défié tous les canons mortels de l'ennui coutumier braqués sur moi. Elle ne faisait rien qui, ailleurs, eût passé pour « normal » – et elle le faisait magnifiquement. Elle avait toujours été – glorieusement, obstinément, follement – elle-même. La Bama que j'avais connue depuis mon enfance, et c'était pourquoi je l'avais toujours aimée. Elle représentait les rivières pleines, l'irrigation, les vaches grasses et les barrages débordant d'eau chocolat. Ce qu'elle savait, c'était que le désert occupait une grande partie de l'Afrique, et qu'il gagnait du terrain. La reine Bama savait que l'eau n'était pas que du H_2O ; elle savait qu'il y avait des cycles, des saisons, des rythmes, et que, si on ne les observait pas avec amour et respect, ils disparaîtraient ; et que ce jour-là mourrait, de négligence, de soif, d'irrespect, une partie plus grande encore de l'Afrique.

Je ne pus m'empêcher de sourire, et le voyant elle redoubla d'énergie, aussi je l'accompagnai jusqu'au bout. J'éclatai même de rire. Elle aussi, bien que ce fût plutôt un grognement. Nous riions, c'était terrible, oui, mais quelles étaient les autres solutions ? Les tours, les châteaux, les capuchons et les capotes en laine, utilisés comme matériel éducatif ? La perte de ceux que nous aimions ; les jeunes gens railleurs ? Le virus implacable ?

Ou bien la reine de la Pluie, un soir d'été bien sec, en train de danser à la gloire d'un monde meilleur ?

Ce ne fut pas une nouvelle démonstration de ses triomphes dans notre jardin : le ciel resta bleu et la note confiante du chant des oiseaux n'annonçait pas la pluie. Mais elle ne dansait pas pour la pluie. Elle dansait pour moi. Pour elle-même. Agitant vers le ciel vide son bâton coiffé d'un capuchon de laine au pompon ridicule.

« Les jeunes chiens, dit la reine Bama. Je les ai mis en fuite. »

J'étais heureux qu'elle eût battu ses persécuteurs. Elle avait alors accompli un acte absolument splendide. Elle avait toujours été splendide dans sa clairvoyance. Si ces jeunes gens l'emportaient, tous les arbres en Afrique, et ensuite tous les arbres du monde, seraient abattus, et ils les remplaceraient par des parasols ; ce seraient nos forêts.

Elle faisait de la pluie. C'était sa raison d'être. Elle vivait pour les orages, elle fabriquait un monde liquide qui ignorait la sécheresse et l'immobilisme, un monde qui n'était ni stupide ni sclérosé.

Je redescendis la colline et repris le volant ; les vieilles roches roussâtres chauffaient sous le soleil du matin, les arbustes rabougris étaient serrés comme des poings. Rien n'avait changé depuis des milliers d'années, mais tout paraissait différent. J'avais vu la reine de la Pluie dans toute sa splendeur. Rien de tout ce que j'avais fait depuis l'instant où j'étais descendu d'avion pour me rendre au chevet de ma mère ne m'avait autant réjoui. Les choses s'amélioraient.

Quand j'arrivai devant le portail de Sheerhaven, au lieu de me faire signe de passer, les gardes me tendirent un mot. Il venait de Cindy et disait simplement :

« Je suis partie à l'hôpital. Demande aux gardes comment y aller. Viens vite ! »

32

Elle était dans la salle d'attente, assise dans l'angle, les bras croisés et le visage très pâle, la tête appuyée contre le mur, respirant à peine. Quand je lui demandai ce qui s'était passé, elle me l'expliqua ; mais elle n'avait pas l'air d'y croire, elle semblait me supplier de lui dire que ce n'était pas vrai, qu'il y avait eu une erreur, qu'elle disait n'importe quoi.

« Benny est en salle d'opération. On l'opère en ce moment.

– On l'opère ?

– Ils essaient d'extraire la balle. »

Puis elle s'allongea, posa la tête sur mes genoux et essaya de ne pas sangloter trop, ni trop fort. C'était affreux. Je ne saisissais pas ce qui avait pu se passer. Benny paraissait trop jeune et trop petit pour avoir quoi que ce fût à voir avec des balles. Mais c'était bien le mot qu'elle avait employé, et comme je ne disposais d'aucun autre élément, je me dis, pour arrêter d'envisager le pire, que si Benny s'était trouvé pris dans une fusillade, du moins il était dans de très bonnes mains. Aucun médecin en dehors des zones de guerre n'avait vu plus de blessures par balle que les toubibs qui résistaient dans cette ville, et se penchaient en ce moment sur la table d'opération.

Nous restâmes dans la salle d'attente pendant ce qui nous parut être des heures, jusqu'à ce que le chirurgien sortît pour dire d'une voix faible, pleine de douceur : « Nous avons retiré la balle, Mrs. September. Maintenant on ne peut que s'en remettre à Dieu. Vous pourrez le voir dans quelques minutes. »

Ils avaient branché Benny à un tas de moniteurs, son visage rond un peu empourpré sur l'oreiller, son flanc gauche emmailloté dans un pansement. Cindy se pencha et l'embrassa et lui caressa les cheveux. Puis ils recommencèrent à s'occuper de lui, et nous dûmes repartir dans la salle d'attente.

Cindy ne pleurait pas mais elle tremblait de temps en temps, et disait souvent, sans conviction : « Il n'y a rien à faire qu'à attendre. »

Même ces mots étaient trop consolants. Nous n'avions pas attendu plus d'une heure quand ils vinrent nous dire qu'ils étaient très désolés.

Nous revînmes dans la salle et il était pareil, sauf qu'il n'était plus branché et que les gens qui l'avaient entouré n'étaient plus là. Il était très petit et très seul.

Je pris les mains de Cindy ; elles étaient glacées.

« Pauvre, pauvre petit garçon », dit-elle.

C'était quelque chose qu'elle connaissait, un événement auquel elle s'était préparée. Elle avait une arme sur elle, elle connaissait les risques, elle faisait sans cesse défiler dans son esprit le scénario exact qui était devenu une atroce réalité. Elle m'avait enseigné ses règles pour rester en vie sur la route, et – c'était dur mais il fallait l'admettre – elle avait puisé un plaisir noir, sardonique, dans la brutalité que cette ville redoutait, aimait en secret, condamnait et portait aux nues ; elle croyait elle aussi que Johannesburg n'était pas seulement pernicieuse, mais magnifiquement mortelle.

Mais rien ne l'avait préparée à ça.

Ils dirent qu'elle pouvait passer la nuit à l'hôpital, mais elle refusa. Elle tremblait ; l'idée de dormir sous le même toit que Benny la remplissait d'horreur. En même temps, elle ne pouvait pas le quitter. Et pourtant elle ne voulait pas retourner à

Sheerhaven, dans sa maison vide. Elle ne pouvait pas rester. Elle ne pouvait pas s'en aller.

Je lui suggérai qu'il serait peut-être préférable pour elle de venir chez moi, et elle accepta. Cela parut la décharger d'un grand poids, comme s'il ne s'agissait pas de l'abandon de son enfant bien-aimé mais d'un horrible compromis dont elle s'accommodait, alors qu'elle se moquait d'être ou non en vie.

« Je pense que je me sentirai mieux ailleurs. »

C'était plus une prière qu'un constat.

Quand nous rentrâmes, je sus qu'elle avait eu raison, ma maison était froide et presque indifférente. C'était une source de soulagement. Étant restée inhabitée pendant quelques mois, elle avait ce léger air de reproche qui émane des demeures négligées quand leurs propriétaires s'absentent. Mais ça ne comptait pas pour Cindy, et elle était déserte, bien qu'une faible lumière brillât derrière la fenêtre de Noddy, dans la chambre de l'arrière-cour. Je me demandai un bref instant si la femme était arrivée.

J'installai Cindy dans la chambre de ma mère, sous le regard du docteur Schweitzer et de Hemingway. Lions, koudous, okapis, *dik-diks*, springboks, bongos – abattus longtemps auparavant et fixés aux murs en bois sombre – la fixaient de leurs yeux limpides. Je l'aidai à se déshabiller et je trouvai l'une des chemises de nuit de ma mère, en coton blanc. Elle était trop grande et la faisait paraître très petite et très vulnérable, et plus pâle encore qu'elle n'était.

Je lui donnai le sédatif prescrit par le médecin, et elle avala les cachets comme une enfant. Elle me demanda alors :

« Qu'est-ce que je vais faire maintenant ? »

Cela paraissait être une question raisonnable, et tout signe de bon sens était désirable dans un monde brisé par la folie. Mais je n'avais pas de réponse à lui fournir. Cela impliquait aussi que des actes pouvaient être accomplis ; cela indiquait qu'un « je » fonctionnait ; cela supposait un minimum de lucidité, et de sécurité ; cela anticipait le moment, le présent, le « maintenant » où on pourrait *vouloir* faire quelque chose ; et je n'étais sûr de rien de tout cela. Un petit garçon avait été tué par balle, et le monde n'avait ni cessé de tourner ni protesté.

Je soulevai les couvertures et l'aidai à s'allonger.

« Je vais avoir besoin de prendre des affaires dans… l'autre endroit. » Elle ne parvint pas à prononcer le nom de Sheerhaven.

« Plus tard. On s'en occupera plus tard.

– Oui, c'est ça. » Elle acquiesça et ferma les yeux. « Il n'y a plus d'urgence, hein ? »

Plus tard, il n'y eut ni amélioration ni apaisement. Plus tard, ce fut quand nous apprîmes ce qui s'était passé. Plus tard, nous refîmes le trajet du bus ce jour-là, nous interrogeant encore et encore face à l'incroyable stupidité du drame. Nous lui donnâmes une forme, un début, un milieu, une fin… bien que l'événement eût été dépourvu de sens ou de forme. Car il avait été animé par une sinistre logique : ce que Cindy connaissait, ce dont elle se protégeait, ce dont elle parlait constamment, ce sur quoi elle fantasmait, ce qu'elle avait eu l'habileté d'éviter, l'avait brusquement traquée, atteinte, et frappée tel un missile en quête de chagrin.

Plus tard nous passâmes les faits en revue, instant après instant, nom après nom. Cindy était incapable de penser à rien d'autre, comme si l'explication du drame avait pu lui apporter une consolation. Parler aidait à ces moments-là, si on en croyait la sagesse populaire. Mais ça ne faisait qu'empirer les choses. Nous en parlions sans cesse et ça n'allait pas mieux.

L'histoire que nous reconstituâmes était brève, ordinaire et impitoyable.

Ce matin-là, les enfants du Refuge étaient montés dans leur bus pour l'une de leurs sorties hebdomadaires, et se rendaient au zoo. C'était un minibus Mercedes blanc sur la portière coulissante duquel était peinte en grandes lettres bleues la formule suivante : « Tous nos vœux de bonheur… à l'Afrique ! » Il avait été spécialement conçu pour accueillir des fauteuils roulants, et avait été offert par un marchand d'épices qui claironnait la qualité de ses produits en langues de feu fourchues sur le côté du bus : « Le poivre fait fièvre à la pauvre pieuvre ! »

Dans les renfoncements spacieux en cuir bleu du bus voyageaient quatre enfants, accompagnés de l'institutrice, Muriel Makanya, assise sur le siège de derrière. Sammie, un garçon de six ans, s'appuyait contre sa large poitrine brune. Il avait eu la polio et portait des appareils orthopédiques aux deux jambes, ainsi qu'une lourde botte. Sur le siège situé devant Sammie et Muriel, il y avait Annie. Elle était née aveugle, et chantait toute seule. Devant elle était assis Benny, à sa place attitrée. Juste derrière Josephus, le chauffeur, près de la portière parce que c'était toujours difficile de l'extraire du véhicule, le fauteuil roulant de Precious, une fille paraplégique, était arrimé dans l'allée.

Le bus filait dans l'avenue Jan Smuts, qui descend à pic quand elle traverse Forest Town, et les automobilistes accéléraient généralement en approchant de la pente, fonçant jusqu'au bas de la colline tels les porcs de Gadarène.

Tout le monde était gai, et chacun était absorbé par ses pensées, son jeu ou sa chanson.

À l'avant, Precious chantait : « Nous allons à la foi-re du Far West, l'éléphant et le kangourou-ou-ou… », assistée par Josephus, le chauffeur, une main sur le volant pendant qu'il dirigeait de l'autre.

Annie écoutait Benny qui annonçait, comme il le faisait toujours lors de ces excursions : « Il y a une voiture et une autre voiture et il y a un bus, il y a un lampadaire. »

Rien de très captivant, mais Annie était captivée.

Muriel chantait à Sammie une berceuse zouloue sur un babouin qui avait volé un bébé et s'était enfui : « *Thula, Mama, Thula*... »

Je connaissais chaque pouce du trajet qu'ils avaient fait par cette lumineuse matinée du highveld. Je m'étais rendu un millier de fois au zoo : avec ma mère, avec Koosie, avec Nzong, le garçon-léopard, et, plus tard, avec Noddy. Les enfants avaient dû passer devant ma porte, à Forest Town, et deux pâtés de maisons plus loin le bus avait tourné à droite et descendu la large Saxonwold Drive, bordée d'arbres, qui contourne la lisière sud du zoo, se dirigeant vers l'entrée la plus proche.

Ce fut alors qu'une petite berline – une Opel Corsa, d'après Josephus – vint se placer au milieu de la voie, juste devant le bus, ralentit brusquement, et s'arrêta. Josephus freina à fond et à ce moment un gros camion serra le minibus à l'arrière et le bloqua. Deux hommes sortirent de l'Opel, revolver au poing, et ordonnèrent au chauffeur d'ouvrir la portière, ce qu'il fit ; puis il montèrent dans le bus.

L'échange typique, et absolument insensé, qui eut lieu ensuite était considéré comme généralement normal dans cette région du monde. Les types armés n'avaient d'autre ambition que de détourner le véhicule. Pour eux, ce n'était pas un bus, mais une proie, un Mercedes, et ils supposaient que ce minibus luxueux et puissant qui coûtait la peau des fesses transportait des gens pleins aux as : golfeurs blancs soignés, joueurs de rugby, représentants de commerce, ou stupides touristes riches venus voir les animaux en Afrique du Sud, qui n'étaient pas seulement un gibier facile, mais des victimes méritant leur sort, des gens qui de toute façon étaient trop riches et dépouillaient ceux qui n'avaient presque rien, et constituaient donc des cibles appropriées pour une petite séance punitive à la Robin des Bois.

Mais au lieu de cela, Muriel Makanya, l'institutrice, serrant contre elle Sammie qui geignait, déclara aux deux pirates d'une voix forte, farouche : « Ce sont des enfants spéciaux, avec des besoins spéciaux, et ils ne peuvent pas juste descendre parce que vous leur dites de descendre ! » Sa voix vibrant de fureur et de peur tandis qu'elle fixait le canon noir et rond des revolvers.

Et comme pour souligner à quel point ces enfants étaient spéciaux, l'un d'eux, une petite fille noire attachée dans son fauteuil roulant, continuait de chanter : « Qu'importe le temps, puisque nous sommes ensemble, nous allons voir le show du Far West », bien que Josephus, le chauffeur, eût cessé de conduire et se tînt tout tremblant sur la chaussée, le canon d'un revolver sur la tempe.

Le bandit du bus se rendit compte alors que ce n'était pas un détournement normal, où les gens faisaient ce que vous leur disiez de faire ou étaient abattus. Cette fois, il fallait travailler pour arriver à ses fins. Il empocha donc son arme, se pencha, souleva le fauteuil roulant où était assise Precious, descendit les marches à reculons avec son lourd fardeau, et posa le fauteuil sur la chaussée tandis que la fillette ne cessait de chanter, à propos de l'éléphant et du « kangourou-ou-ou... »

Maintenant l'allée était dégagée, et l'homme remonta dans le bus, pointa son arme sur Muriel et dit : « Dehors ! »

Muriel transporta lentement Sammie dans l'allée, ses appareils orthopédiques se heurtant aux sièges avec un bruit métallique dans le silence brûlant.

« C'est le zoo, Muriel ? » demanda Sammie, et elle répondit : « Oui, Sammie, c'est le zoo, c'est là qu'on descend. »

En entendant ces mots, l'aveugle, Annie, se leva docilement de son siège et, guidée par le son des appareils orthopédiques de Sammie contre le sol métallique, descendit l'allée jusqu'à la sortie. Josephus, avec des gestes très lents, pour ne pas donner aux pirates l'impression qu'il les menaçait d'une quelconque manière, l'aida à franchir les butoirs pour accéder à la chaussée.

Il ne restait que Benny, assis à sa place tout au fond, observant la scène sans bouger.

Le succès relatif avec lequel avaient été éliminés la plupart de ces problèmes inattendus avait mis le bandit à cran. Il se trouvait maintenant face à un petit garçon au sourire rêveur qui lui rendait son regard, comme s'il venait de reconnaître son meilleur ami.

« Dehors.

– Salut, dit Benny.

– Dehors ! » aboya le bandit, et un accent de panique viscérale perça dans ce mot qu'il hurlait pour la seconde fois. Une panique qui s'accentua quand son partenaire se mit au volant et fit démarrer le moteur.

« On y va », cria-t-il.

« Dehors ! » vociféra encore le bandit. Il était presque en larmes maintenant.

« Salut, Baldy », dit Benny.

L'homme n'était pas chauve. Mais Benny ne pensait pas à lui, il songeait certainement au perroquet gris de ma mère, celui qu'avaient mangé Bara et Buti, l'oiseau qui avait un goût de vieilles chaussures. Non, l'homme n'était pas chauve et il ne ressemblait pas à un oiseau, et qui sait ce qu'avait pu imaginer l'esprit hautement original de Benny. Peut-être trouva-t-il que le bandit avait une voix de perroquet. En tout état de cause, Muriel Makanya, qui avait assisté à toute la scène, affirma sans hésitation qu'à ce moment précis l'homme s'était avancé dans l'allée et avait commencé à tirer Benny hors de son siège.

Ce n'était pas une bonne idée : rien ne pouvait faire bouger Benny de sa place. En une seconde, le garçon souriant se transforma en une boule de fureur qui se défendait avec force griffures et coups de pied. Il combattit l'homme à chaque pas, hurlant et se raccrochant aux rampes et aux poignées, à tout ce qui pouvait empêcher le bandit de le traîner jusqu'à la portière du bus, qui s'écartait déjà du trottoir.

« Laissez l'enfant ! » criait Muriel en tapant sur la fenêtre, terrifiée à l'idée qu'ils emmènent Benny avec eux. Mais un instant plus tard il tomba, ou fut jeté, sur la chaussée, et le Mercedes accéléra et disparut dans le virage de Saxonwold Drive. Ni Muriel ni Josephus ne se souvinrent si le coup de feu avait retenti avant ou après la chute de Benny.

Les flics ramassèrent les assassins de Benny moins d'une heure plus tard, alors qu'ils faisaient du stop au bord de la route. D'une incompétence crasse comme pirates de la route, ils avaient calé, et n'était guère plus doués pour l'autostop. Ils s'appelaient Unathi et Brightman, et avaient tous les deux seize ans. Des gosses de la rue, des prostitués. Unathi, s'avéra-t-il, était séropositif, et Brightman était accro au crack. C'étaient aussi des orphelins, ou en tout cas ils n'avaient pas de parents. Des incapables, des gosses défavorisés qui n'avaient pas volé le bus pour eux, mais parce que les types qui fournissaient des clients au Mozambique avaient passé la commande d'un Mercedes neuf en bon état, ce qui était une façon de procéder courante. Un détournement sur commande, c'était le nom qu'on lui donnait dans la profession. Les pirates prétendirent qu'ils avaient jeté Benny dehors parce qu'il était lent. Pas parce qu'ils voulaient le tuer. Ils avaient jeté leurs armes avant de se faire attraper par les flics. Tous les deux nièrent avoir abattu l'enfant et furent inculpés de meurtre.

33

Cindy ne voulait pas retourner à Sheerhaven, et elle demanda si je voyais un inconvénient à ce qu'elle cherchât dans la garde-robe de ma mère pour voir s'il y avait « autre chose » qu'elle pût porter. Je n'ai jamais oublié cet « autre chose ». Elle fouilla dans la penderie, réussit à trouver des vêtements qui lui allaient à peu près, et ajusta pantalons et chemisiers sur la vieille machine Singer de ma mère.

J'avais sans doute supposé que son séjour chez moi était temporaire, et qu'à la fin elle voudrait rentrer à Sheerhaven. Mais il devint bientôt clair qu'en ce qui la concernait elle n'y habitait plus. Elle se trouvait de l'autre côté d'un fossé qu'elle ignorait avoir franchi, secouée mais vivante, et se haïssant de l'être. Son passé immédiat s'accélérait brusquement, de telle sorte que ce qui avait été très proche d'elle la semaine dernière, hier, ou quelques heures plus tôt, paraissait très ancien et s'estompait sous ses yeux. Ce n'était pas la légèreté de l'être qui lui donnait la nausée, mais le sentiment que son appartenance et sa foi, dans cet endroit et à ce moment précis, avec tous les signes d'un amour réel et durable pour son enfant, étaient fausses. Elle s'était réveillée et avait découvert que ce qui lui avait été le plus proche, le plus précieux, s'éloignait à la vitesse de la lumière. Elle se sentait triste et faible, mais aussi trahie ; et elle éprouvait la sensation horrible d'être aussi le traître, en quelque sorte.

Au début, lorsqu'elle s'installa chez moi, après ce que nous appelions simplement « ça », j'espérai qu'elle parviendrait à récupérer ; comme si elle avait été une patiente se remettant d'une opération très pénible, apprenant à sortir du lit et à marcher un peu. Elle était si nerveuse, si fragile et tremblante. Je me dis ce qu'on pense toujours dans ce genre de circonstance : qu'elle avait été terriblement blessée ; qu'elle n'était pas elle-même ; qu'elle irait mieux. Je guettai un signe m'indiquant qu'un peu de cette souffrance vive s'était apaisé.

Elle me demanda de prendre les dispositions pour l'enterrement.

« À l'église Rosebank. Comme pour ta mère. »

C'est ce que nous fîmes. Le père Phil dirigea l'office. Colombes se chargea de l'organisation. Cindy avait modifié un ancien costume de ma mère et ressemblait elle-même fortement à un croque-mort. Nous étions seuls tous les deux sur le banc de devant parce qu'elle avait refusé d'informer son ex-mari de la mort de Benny. Tous les enfants du Refuge étaient là et c'était bien. Precious, représentant les compagnons de Benny dans le bus, déposa une couronne de muguet sur le minuscule cercueil posé sur les marches de l'autel. Mais nous étions une petite assemblée, facilement surpassée en nombre par les journalistes qui se présentèrent.

Il y avait un jeune homme en complet blanc, avec une masse rigide de cheveux enduits de gel, et plusieurs types en jean, avec des portables, et je savais qu'ils avaient de la difficulté à se donner une contenance et à savoir quoi faire de leurs téléphones. Ils m'inspiraient plutôt de la pitié, clignant des yeux d'un air timide dans les barres de lumière vertes et roses projetées par les fenêtres de l'église Rosebank. Leurs journaux les avaient envoyés pour couvrir les obsèques de la jeune victime dont la mort avait été évoquée par des gros titres comme « Un gamin trop lent flingué » ou « Un gosse malade assassiné » et « Des voyous abattent un petit enfant ». La presse se trouvait face à une tâche impossible. Elle était censée rendre compte de l'événement, condamner et célébrer la violente cavalcade qu'elle faisait défiler sous les yeux horrifiés de ses lecteurs : les viols et les agressions, les détournements et les hold-up de banque. Et satisfaire ce qui était clairement l'autre besoin urgent ancré dans l'âme sud-africaine : le désir de voir exhibés les adversaires en train de se faire défoncer le portrait, de lire des récits de meurtres sanglants, de gros nichons et de bonnes raclées, et pas nécessairement dans cet ordre. Mais elle était censée manifester du moins un intérêt de pure forme pour les habituels sermons moralisateurs sur la paix et l'harmonie et les mines d'or aux deux extrémités de l'arc-en-ciel.

Benny défrayait donc la chronique. Même dans un pays où plus de gens étaient tués par leurs voisins que n'importe où ailleurs dans le monde – sauf peut-être au Guatemala –, où le meurtre était un mode de vie, ironisait-on cyniquement. Où la mort par balle était démocratique et donc également accessible à tous, que vous habitiez une villa emmurée dans une banlieue protégée ou une hutte en bois dans un camp de squatters. Où on consacrait moins de place à la plupart des crimes qu'aux cours de la Bourse, la mort de Benny – le garçon qui se déplaçait trop lentement – propulsa son histoire dans le terrible livre des meurtres mythiques, à côté des comptes rendus sur les hommes qui croyaient que violer les bébés était un remède contre le sida ; ou du fermier qui avait traîné ses ouvriers derrière son camion au point de les écorcher vifs ; ou des six hommes enfermés dans le camion de congélation, dont les ongles ensanglantés entaillant la glace de la porte d'acier avaient tant hanté ma mère et la reine Bama…

Un journal du dimanche alla jusqu'à diviser sa une. Sur la partie gauche on voyait la photo d'écoliers en visite à Johannesburg pour une compétition sportive, des jeunes gamins rieurs au visage peinturluré, sous le gros titre : « Un festin de rugby écolier ».

La moitié de droite montrait le minibus Mercedes abandonné, sous le titre : « Un enfant malade jeté hors du bus ».

Il y eut des éditoriaux indignés sur l'inhumanité des gens qui poussaient un gamin handicapé hors d'un véhicule et qui l'abattaient quand il n'avançait pas assez vite. On fit des sermons sur notre tendance au crime ; on se posa des questions angoissées sur un peuple qui, dès sa première bouffée de liberté après une tyrannie meurtrière, semblait résolu à s'entre-déchirer plus cruellement, plus gratuitement et plus fréquemment que jamais.

Un autre journal du dimanche, dans cette prose particulièrement sirupeuse qui caractérisait les débats publics officiellement approuvés, comparait Benny à Elvis Presley. L'argument était compliqué : de même que Noirs et Blancs appréciaient la musique de Presley – « le nègre blanc », selon la célèbre formule – comme un symbole de leurs émotions partagées, de même la nation réunie pouvait voir dans le meurtre de Benny un crime – choquant, sauvage et répréhensible – et en même temps une leçon, une opportunité. Les Blancs se plaignaient perpétuellement du crime, et pourtant, aux yeux de certains, leurs plaintes étaient en réalité un genre de haine raciale codée, car les Noirs étaient volés, violés et tués beaucoup plus souvent que n'importe qui d'autre. Cependant, Benny était à cheval sur la division raciale. Né d'une union mixte, il n'était ni blanc ni noir mais les deux à la fois, ou, ainsi que l'écrivit un chroniqueur, dans un souci extrême de précision, « noir pâle ». Cela plaçait son destin dans un contexte plus large, plus désirable. Cela montrait que n'importe qui pouvait être victime de l'inexplicable cruauté,

« sans distinction de couleur, de classe, de religion, de sexe ou de handicap »... La leçon de Benny, déclarèrent les éditorialistes, était que nous devions « nous unir, oublier nos différences, égaliser les chances et consulter toutes les structures compétentes, parties prenantes, actionnaires, salariés, clients... » Benny, disait-on, devait apparaître comme un pont.

Je fus alarmé de ce que Cindy parût encouragée par ces conneries égocentriques.

« Peut-être qu'il pourrait être un pont ?

– Pourquoi s'arrêter à Benny le pont, pourquoi pas le livre de Benny ? Pourquoi pas une putain de Bible de Benny tout entière ? »

Elle était blessée. « Mais, Alex, Benny le pont, ce n'est qu'une métaphore ; ça exprime ce que nous ne pouvons pas dire. C'est plutôt touchant. »

Benny – la métaphore.

À la demande de Cindy, les cendres de Benny furent placées près de celles de ma mère, dans le mur du jardin du souvenir de l'église Rosebank. Plus tard, nous rentrâmes à Forest Town – dans ma maison, la maison de ma mère – comme si c'était pour elle la chose la plus naturelle du monde. Comme si elle rentrait chez elle.

34

Bien que Cindy ne ressemblât en rien à ma mère, il y avait des liens, et ils devinrent d'autant plus évidents durant les semaines où nous vécûmes côte à côte dans la maison de Forest Town. Je ne le ressentais pas comme du mimétisme ; c'était plus une forme de militantisme convaincu, teinté de désinvolture.

« Ta mère était géniale. Je l'admirais vraiment. Au plus haut point, au énième degré. »

Cindy essayait l'un des turbans bleus de ma mère.

« Je veux dire, c'est une femme qui savait ce qu'elle voulait ; c'est une femme qui ne laissait personne lui en remontrer, hein ? Qui ne supportait pas qu'on l'emmerde…

– Je pense que tu devrais enrouler le turban dans l'autre sens.

– Montre-moi. »

Elle se tint devant le miroir pendant que j'enroulais le foulard bleu vif autour de son petit front pâle, de plus en plus haut, jusqu'à ce qu'elle ressemblât à Néfertiti.

« Cindy, dis-je, je ne sais pas si c'est bien que tu fouilles dans tout ça.

– Oh ! pourquoi pas, hein ? J'essaie juste quelques trucs.

– Je sais, mais c'est un peu comme d'entrer dans une boutique qui vend des vêtements au profit d'une organisation caritative et d'y essayer les chapeaux.

– Tu veux dire quoi ? » Sa question angoissée prit un ton aigu de mélopée funèbre : *quoi-oi-oi... ?* « Ta mère n'aurait vu aucun inconvénient à ça. C'était une personne très généreuse. »

Cindy s'était mise à porter de plus en plus de vêtements trouvés dans la garde-robe de ma mère : un cardigan jaune, un chemisier blanc, une vieille salopette. Elle avait une allure assez curieuse dans ses vestes de bush kaki passées, ses jodhpurs, ses vieux jeans, ses vestes d'intérieur en velours. Tous ces habits étaient assez masculins et lui donnaient un charme délicat ; une petite fille affublée des vêtements de son papa.

Elle gardait ses chaussures, mais c'était parce que ma mère avait de si grands pieds, de même qu'elle avait de très grandes mains. J'eus l'impression qu'elle n'essayait pas tant de porter ses tenues que de se mettre dans la peau de ma mère, de sentir l'effet que ça faisait. Il y avait, bien sûr, une énorme disparité : ma mère avait presque trente centimètres de plus et était beaucoup plus large. Cindy ne pouvait pas mettre ses bottes de vol, et elle n'aurait pu manier aucun de ses lourds fusils ; elle ne pilotait pas d'avion. Pourtant ce qu'elle pouvait faire, c'était sélectionner des échantillons, de la même façon qu'un prospecteur d'or choisit des échantillons de roche et les analyse, en quête des traces du filon aurifère qui annonce : « La richesse est ici. »

Cindy passait des heures à astiquer avec soin les encadrements des cartes des voyages de Livingstone. Elle s'émerveillait devant les photographies de Schweitzer et de Bror Blixen ; de Hemingway en short et sweat-shirt, ganté, face à ma mère avec son gilet de protection. Elle étudia longuement les lourds albums reliés de cuir de photographies en noir et blanc de ma mère traquant un léopard, roulant lentement sur une très ancienne piste d'atterrissage du bush, dans une colonie africaine au nom inconnu, faisant du rafting dans les rapides, passant des rivières à gué, posant à côté de l'énorme tête aux yeux écarquillés d'un buffle mort, pique-niquant, buvant, campant ; ma mère souriant, auprès d'hommes de tous genres, de toutes tailles, aux moustaches et aux fusils variés.

C'était une sorte de réfugiée, une personne en transit. Non qu'elle reculât ou avançât ; non, je dirais qu'elle tournait en rond, se coulant de plus en plus profondément dans son nouveau rôle. Il y avait des parallèles pour cette sorte de camouflage biologique. Une petite créature telle que la puce du lapin, minuscule et indigente, a appris que le prix à payer pour rester en vie dans un monde mortel était de s'enfouir dans une masse plus chaude et plus grande, et s'est adaptée en conséquence. La puce du lapin a réglé son cycle hormonal sur son hôte. Les hormones du lapin gouvernent la saison où l'envahisseur a ses petits. La petite sangsue ne procrée que lorsque maman lapin est prête.

C'était ce que faisait Cindy, bien qu'elle procédât d'une manière si subtile qu'il me fallut du temps pour saisir ce qui se passait. Elle se mit à couver, à prendre des choses, à les *ingérer* ; et elle mûrissait quelque chose dont je ne m'aperçus que trop tard, lorsque le processus fut si avancé qu'on ne pouvait plus l'arrêter. Je ne me reproche pas de ne pas avoir vu ce qui se préparait. Je ne pense pas que Cindy l'ait perçu non plus.

C'était peut-être aussi une forme de distraction, cette façon de se déguiser dans les vêtements d'une autre personne. En se dépouillant de sa vie précédente et en devenant une femme nouvelle, une partie de l'horreur de la mort de Benny s'atténuait chez Cindy. Elle ne parlait jamais de lui mais cette immersion de plus en plus profonde dans la garde-robe de ma mère, qui avait connu – et embrassé – Benny, de même qu'elle avait connu et embrassé tous les gosses du Refuge, était peut-être un moyen de panser sa blessure avec des tenues d'emprunt. Elle paraissait se déployer dans l'amplitude immense qui représentait ma mère. Les vêtements pris individuellement ne comptaient pas : elle les utilisait en guise d'amulettes, ou de fétiches. Ou de reliques.

Il y avait aussi quelque chose de totalement ridicule dans ce phénomène. Cette minuscule *kugel* de Johannesburg qui valsait avec les cardigans, les turbans, les chapeaux de bush et les foulards de soie que ma mère aimait nouer autour de son cou quand elle s'envolait pour un endroit amusant, comme le Tanganyika. Mais je n'allais pas le remettre en question. Elle avait traversé quelque chose de si terrible qu'il n'y avait rien à dire, et aucun réconfort à apporter. Benny était mort, d'une manière qu'elle avait presque prédite. Sa pire terreur s'était concrétisée. Elle la rendait vulnérable, et par l'endurance que Cindy opposait à son effroyable finalité, elle devenait inaccessible.

Nous n'étions plus amants, nous ne couchions pas ensemble, nous occupions simplement la maison de ma mère ; nous aurions pu être des locataires menant des vies parallèles, ou un couple qui aurait depuis longtemps cessé de copuler. Nous mangions ensemble, nous parlions, et nous coexistions. Je prenais le petit déjeuner et plus tard j'allais marcher. Elle lisait les livres de ma mère ; elle regardait les vieux films des pygmées waturi. Le soir elle voulait entendre des histoires sur ma mère, sa vie et ses amants. Elle se mit à faire le ménage et à épousseter et à mettre de l'ordre dans les souvenirs accumulés d'une vie entière. Comme le musée du costume de l'autre côté de la rue, où avaient vécu les sœurs Bernberg.

Ma mère devint le sujet de nos conversations à l'heure du dîner ; Cindy levait les yeux de son ange de mer ou de ses pâtes et disait :

« Parle-moi de sa période avec Hemingway ; dis-moi ce qu'elle pensait de Schweitzer ; parle-moi des hommes-léopards… »

Elle prit la vieille pipe de ma mère, et la planta entre ses dents.

« Dis-moi quel tabac elle fumait.

– Ça s'appelait du tabac Boxer. Un tabac noir, très fort. Il se vendait dans un sachet en coton blanc, fermé avec un cordonnet.

– Tu m'en achèteras, hein ? »

Je lui trouvai un paquet de Boxer, je lui montrai comment bourrer la pipe, je la lui allumai et la regardai exhaler une fumée crémeuse dans la pièce.

« J'aspire mais je ne peux pas inhaler. Impossible !

– C'est aussi bien, ce truc est mortel. Cindy, pourquoi est-ce que tu te promènes avec les affaires de ma mère ? »

Elle souffla une bouffée en direction des cartes de Livingstone sur le mur. « J'aime bien me sentir proche, c'est ça la raison. Elle n'a pas l'air de te manquer. »

Le commentaire ne me plut pas, ni le ton non plus. Cindy pouvait se déguiser autant qu'elle voulait, mais je ne serais pas son cavalier dans ce bal costumé.

« Bien sûr qu'elle me manque.

– Ah oui, *ja*, à quel point ?

– Je ne sais pas comment répondre à ça.

– Eh bien, est-ce qu'elle te manque plus maintenant qu'elle n'est plus là ?

– Écoute, d'abord, elle me manquait même quand elle était là, quand elle était vivante. »

Elle retira la pipe de sa bouche et la débourra lentement dans un cendrier noir en acajou sculpté qui ressemblait à un éléphant transportant un maharaja sur son dos. Puis elle cracha quelques brins de tabac qui s'étaient introduits dans le tuyau, faisant la grimace à cause de la brûlure âpre au bout de sa langue.

« Il y a quelque chose que je ferais mieux de te dire. Je vais reprendre le travail.

– Tu vas vendre des maisons comme avant ? »

Elle secoua la tête. « Non. Je suis embauchée au Refuge du Rayon de soleil. Ne prends pas cet air stupéfait. Je commence demain matin. » Elle s'amusait de mon étonnement. Me fixant sans détourner le regard, ses yeux verts limpides sous l'énorme couronne du turban, son joli visage pétillant d'intelligence. « Je voulais faire quelque chose pour Benny. J'ai estimé que c'était ce qu'il connaissait, l'école, et les gamins. »

Elle l'énonça avec une extrême simplicité. Pourquoi eus-je alors l'impression que c'était un geste excessif visant à rétablir l'ordre des choses ? À les rendre… « pures ». Bien sûr, il n'y a rien à dire quand quelqu'un vous déclare que l'amour et le dévouement l'ont poussé à se consacrer aux bonnes œuvres.

Elle recommença donc à travailler au Refuge, partant chaque matin au volant de la vieille Land Rover, gravissant la colline jusqu'à la grosse maison. Je me demandai si elle serrait les gosses dans ses bras mais je ne voulus pas le lui demander : j'avais une idée de sa réponse.

Cindy, autrefois si irrespectueuse, si délicieusement ironique, avait suivi la voie du cœur. Une force terrifiante lui avait enlevé Benny. Comment pouvait-elle adoucir son angoisse ? Elle ne se répandrait pas en insultes, elle se soumettrait. Elle tendait la main vers ce qui avait englouti son fils, et elle le gardait au fond d'elle. Elle se repositionnait pour sa vie après Benny, dans la maison de ma mère ; dans le rôle – si j'ose dire – de ma mère, s'apprêtant à embrasser « l'Afrique ».

Quelque chose, incidemment, que ma mère n'avait jamais fait. Certes, elle avait pris l'Afrique à la gorge, mais jamais, au grand jamais, elle n'avait considéré que ce continent avait le pouvoir d'améliorer le comportement des gens. Pour la simple raison qu'elle n'acceptait pas ce type de discours moralisateur et mystique, car pour elle tout allait pour le mieux dans le meilleur des mondes, et dans sa propre vie aussi. Pourtant, quand elle était morte, elle avait laissé un vide dans notre existence, et c'était cette perte que Cindy avait trouvé le moyen de réparer.

C'était de plus en plus étrange. Qui étaient exactement ces gens qui vivaient sous mon toit ? Cindy était une autre, Noddy aussi, sans aucun doute. J'étais le seul à être resté le même et ça ne m'aidait guère. Il était clair qu'il me manquait une qualité cruciale : le don du changement. Les autres muaient et devenaient de nouvelles personnes ; c'était comme de vivre dans un conte de fées où j'étais le seul adulte, le seul noncroyant. Bien sûr, j'aspirais – réellement – à cette magie, mais je ne voyais pas du tout comment la provoquer.

L'amie de Noddy qui était venue vivre dans sa chambre était une jeune femme alanguie du nom de Nonsuma, et il semblait n'avoir pratiquement rien en commun avec elle. Elle restait la plupart du temps assise au soleil devant la chambre, ou bien elle faisait un peu de lessive et l'accrochait très lentement sur la corde à linge. J'eus l'impression que Nonsuma ne signifiait rien en elle-même, qu'elle était juste un jalon de plus sur sa route vers la perdition. Très vite elle commença à prendre du poids, et Noddy en paraissait d'autant plus petit.

Il avait toujours semblé minuscule mais solide ; à présent il était seulement tout petit. Le seul moment où il s'autorisait à montrer de l'assurance, c'était quand il se rendait dans les townships, alerte et plein d'éclat dans son costume doré, avec la plume arc-en-ciel qui ondoyait sur son chapeau.

Puis, du jour au lendemain, Noddy et Nonsuma disparurent.

Il avait laissé tout ce qu'il possédait, sans exception : son vieux pantalon de flanelle gris, son tee-shirt de Gstaad, sa salopette bleue, son ancien costume bleu foncé du dimanche et son costume doré des débits de boissons clandestins. Son livret de la société de crédit immobilier était là avec ses élastiques rouges, et il indiquait le montant des économies de Noddy : il avait un crédit de plusieurs milliers de rands. La lettre que son frère lui avait écrite, lui apprenant la terrible nouvelle concernant Beauty : tout ce qui avait fait de lui l'homme que j'avais connu et aimé, et qui me manquait aujourd'hui, était resté chez moi. Sous ma protection. Tout ce qui était lui, sauf son véritable moi, et son chapeau. Le chapeau avait disparu aussi, avec son propriétaire.

J'emballai toutes ses affaires dans les valises en carton avec un motif écossais et des serrures bon marché qu'il avait utilisées quand il avait voyagé entre ses jardins de Johannesburg et sa ferme et sa famille au Matabeleland. On ne sait jamais, pensai-je, il pourrait revenir. Mais je n'y comptais pas.

Les après-midi, je passais beaucoup de temps à errer dans le zoo. J'aimais bien l'ours polaire. Quand j'étais petit il y en avait toujours eu un, et il avait paru normal, juste une espèce exotique de plus parmi tant d'autres, derrière les barreaux. Bien qu'il se trouvât à des milliers de kilomètres de sa terre natale, il avait sa place ici, puisqu'il faisait partie du zoo. Cette grande créature hirsute assez poussiéreuse vivait dans une cage et me rappelait un fantôme poilu géant. On l'aspergeait d'eau de temps en temps pour adoucir la chaleur du soleil torride du highveld, et sa cage empestait toujours le poisson. Il avait l'air de se sentir seul. Il passait ses pattes à travers les barreaux et s'accrochait à la vie. Du moins c'était l'impression qu'il donnait. Le nouvel ours vivait dans un habitat arctique vitré, à la bonne température, et il se dressait paisiblement, les pattes repliées autour de la taille, comme un homme qui tente de se réchauffer.

Me souvenant de cet ours, je trouvai l'explication de l'extrême attachement de ma mère pour les enfants du Refuge. Il ne s'agissait pas de les serrer dans ses bras. C'était elle-même qu'elle réchauffait. Elle était malade, elle sentait qu'elle risquait de disparaître, et elle avait besoin de se raccrocher à quelqu'un, aussi elle prenait les gosses dans ses bras. Peut-être sa situation était-elle absurde, comme pour l'ours polaire. Après avoir passé sa vie à agir, à voler et à vivre en Afrique, elle en était arrivée, ainsi que son amie la reine Bama, à reconnaître qu'elle s'était trompée sur toute la ligne, et partout autour d'elle elle voyait la dissolution, la terrible précipitation du temps. Un ouragan l'emportait et elle s'agrippait à tout ce qui pouvait la sauver de la tourmente.

Un jour, j'étais dans le jardin, en train de regarder la lavande. Le ciel avait cet éclat doré fugace qu'on voit seulement dans le highveld. Il était environ cinq heures de l'après-midi et le gazon, que j'avais récemment tondu, avait l'odeur des après-midi ombragés de mon enfance, quand le contact de l'herbe sous vos pieds nus était synonyme de liberté et de soulagement.

J'entendis l'avion très bas au-dessus de ma tête. C'était un Cessna et il décrivit deux cercles autour de la maison, puis s'éleva dans le ciel et redescendit, survolant les câbles téléphoniques, et les oiseaux jaillirent des branches avec des cris plaintifs.

Lorsque Cindy rentra ce soir-là, elle se cala dans le vieux fauteuil en cuir de ma mère, leva les pieds, et je vis qu'elle portait une paire neuve de bottes de vol. Celles-ci, du moins, lui appartenaient.

« J'ai voulu te surprendre. Tu savais qui c'était ?

– Je l'ai su immédiatement. Quand as-tu obtenu ton brevet ?

– Ça fait des semaines que j'apprends. Aujourd'hui j'ai fait mon premier vol en solitaire comme pilote qualifié et j'ai décidé de passer par là pour marquer l'événement. Tu as pensé à ta mère ?

– En fait, non. Si ça m'a rappelé quelqu'un, c'était un type qui s'appelait Bob Mistry. Tu n'as jamais entendu parler de lui ? »

Elle secoua la tête. « Raconte.

– Il y a longtemps, Mistry était au Congo, il travaillait comme journaliste pour UPI. Il avait deux choses pour lui : il savait piloter et il savait se servir d'une caméra. C'est ce qui l'avait conduit au Congo, où ma mère l'a rencontré. Mistry était parmi les premiers reporters sur place quand les troubles ont éclaté dans les années cinquante. Il a couvert les viols, les massacres, l'assassinat de Patrice Lumumba. Elle l'a emmené chasser l'okapi avec elle, et l'a présenté à ses amis wambuti. Ce n'était pas un mauvais type, mais ce qui le desservait dans le bush, c'était son extrême méticulosité. C'était un homme fringant, il aimait porter du blanc, et il avait une moustache brune reluisante, des petits pieds mignons, des petites fesses coquines. Il était si soigné et ses cheveux noirs étaient crantés, comme s'il les avait vaporisés avec de la laque. Il me faisait un peu penser à un phoque savant en costume. De toute façon, Mistry était fou de ma mère, et je crois qu'elle l'aimait bien.

– Elle l'aimait ? »

Encore cette question. Une question vraiment curieuse. Posée par une femme vêtue du cardigan jaune de ma mère, fumant la pipe de ma mère, assise dans le fauteuil de ma mère.

« J'ai déjà essayé de l'expliquer. Je ne suis pas sûr qu'elle ait jamais aimé personne. Beaucoup d'hommes l'ont aimée, et elle en a dévoré beaucoup.

– Continue.

– Quand elle a eu terminé de chasser l'okapi, elle était un peu fatiguée du Congo, et elle en avait assez de Bob Mistry. Il n'a pas compris. Il a tout lâché et il est venu à Johannesburg. Mais ma mère, une fois qu'elle était ailleurs, n'avait plus de temps, et fort peu de souvenirs de ce qu'elle avait pu laisser derrière elle. Non seulement elle avait quitté ce type, mais elle ne se rappelait plus qui c'était. Pourtant il revenait sans cesse : à des fêtes, à des pique-niques, dans des aéroports.

Partout où elle se tournait, Mistry était là, avec ses chaussures blanches et sa moustache lustrée, la suppliant de le reprendre, et atterré de constater qu'elle ne semblait pas savoir qui il était, ni s'en soucier. Elle a perdu patience – elle n'en a jamais eu beaucoup – et elle lui a dit que, s'il continuait de la harceler, elle lui balancerait un coup de pied dans les couilles. Mistry a été très affecté, et c'est pourquoi il a fait quelque chose de si totalement bizarre que je n'ai toujours pas compris pourquoi il avait choisi cette solution-là. C'était évident qu'il allait dans le mur. C'était si peu dans le caractère de cet homme si réservé, si efféminé. »

Elle s'écria, triomphante : « Il a voulu se tuer ?

– Pas exactement. En fait, il a tenté de la tuer elle. Tu as l'air surprise. Mais c'était une idée astucieuse de sa part. Tu vois, s'il avait cherché à se suicider, ma mère n'aurait pas été très impressionnée. Mais essayer de lui régler son compte, c'était le genre de chose qui la stimulait. Et il y a eu la manière dont il s'y est pris. Bob a appelé tard un soir et j'ai décroché : elle ne voulait pas lui parler. Je lui ai transmis ce qu'elle lui disait, à savoir qu'il pouvait tomber raide mort. Mistry a paru très satisfait, ce qui m'a intrigué. J'ai compris plus tard qu'il s'agissait d'un faux appel : il s'assurait qu'elle était chez elle. Ensuite, Bob s'est soûlé à mort, il est monté dans son Cessna – qui ressemblait assez à celui que tu pilotais – et il a décollé sans laisser de plan de vol. À cette époque ma mère et moi habitions tout en haut d'un immeuble à deux étages qui s'appelait Fawn Glen, à Parkwood. Mistry a survolé le bâtiment à trois heures du matin, alors que nous dormions profondément ; il a visé notre appartement, et s'est encastré dans l'étage supérieur.

– Tu parles sérieusement ?

– Tout à fait. J'ai souvent pensé à lui depuis que ces avions se sont écrasés sur les tours jumelles à New York. Notre immeuble était beaucoup plus petit et beaucoup plus résistant. Ces immeubles des années trente étaient construits pour durer et de toute manière, bourré comme il était, Mistry s'est trompé de cible. Il a visé l'appartement voisin. Il n'a pas fait écrouler la maison, il ne nous a causé aucun mal, mais il a tué le vieux couple d'à côté, et lui avec.

– Qu'est-ce qu'elle a dit, ta mère ? Elle était impressionnée ?

– Dans une certaine mesure. Ça lui a plu qu'il se soit bougé le cul pour lui régler son compte, mais elle a trouvé que c'était idiot d'avoir manqué sa cible.

– Pourquoi tu me racontes ça, Alex ? Il y a une morale à l'histoire ? C'est parce que j'ai frôlé la maison ? Ou peut-être parce que tu penses que je veux te faire ce que Mistry voulait faire à ta mère ? »

Je secouai la tête à mon tour.

« Ce n'est pas une histoire, c'est un compte rendu factuel d'un événement qui s'est réellement produit. C'est pourquoi ça paraît si bizarre. Il ne s'agit pas vraiment de l'échec de Bob Mistry à tuer ma mère. Mais des gens qu'il a tués. Il s'est trouvé que les gens âgés de l'appartement voisin étaient de vieux amis de Mistry. Le type avait été chef de service à UPI quand il avait commencé : Bob Mistry a tué le type qui avait fait sa carrière.

– Et tu en tires quelle conclusion ?

– Aucune. Je ne m'occupe ni de conclusions ni de leçons de morale. C'est juste un drame qui est arrivé, et je suis épouvanté par l'étrangeté de la vie, et de la mort. » Je la regardai. « Je ne m'occupe pas non plus des mères.

– Alex, réponds-moi sincèrement. Tu aimais Kathleen ?

– Je pense que oui, quand je n'avais pas envie de la pousser dans le vide. Un peu comme Bob Mistry.

– La pousser dans le vide ?

– Au bas d'une falaise. Un truc dans ce genre. Écoute, c'est précisément parce que je l'aimais qu'il y avait des moments où je l'aurais volontiers étranglée. Je l'aimais comme j'aime le vent du sud-est qui t'arrache les oreilles, je l'aimais comme j'aime la foudre qui tue les gens dans le highveld. Je l'aimais comme j'aime plonger dans l'eau limpide et rester au fond jusqu'à ce que mes poumons soient sur le point d'exploser et que je me sente partir, et c'est si vaste et si paisible que je ne veux plus jamais remonter à la surface, mais je sais que si je ne le fais pas je vais mourir. C'est de cette façon que je l'aimais, comme on aime quelque chose de grand, de merveilleux et de terrifiant ; mais souvent, très, très souvent, on voudrait juste que ça s'arrête, bordel !

– À ton avis, pourquoi ta mère serrait-elle les gosses dans ses bras ?

– Je ne sais pas.

– Je vais te dire ce que je crois. Je crois que c'était un débordement d'amour, elle ne pouvait pas s'en empêcher. Tu te méfies tellement de l'amour que tu ne le vois pas.

– Je pense que tu te trompes complètement. Ça supposerait qu'elle éprouvait un sentiment quelconque pour les enfants. Je peux t'affirmer qu'elle était tout à fait dépourvue de sentiments maternels. Si je devais la comparer à un autre animal, à une autre espèce, je choisirais le guépard. La femelle du guépard fait en sorte de veiller juste le temps qu'il faut sur sa progéniture, jusqu'à ce que ses petits soient autonomes, et elle fiche le camp. Un autre partenaire, une autre portée, une autre vie. Jamais elle ne regarde derrière elle. »

35

Sur le bureau de ma mère, entre les portraits de Schweitzer et de Hemingway, apparurent les photos de deux jeunes Noirs qui ne souriaient pas. Je savais qui ils étaient, j'avais assisté au procès, j'avais entendu qu'on les condamnait à vingt ans de prison. Unathi, portant un tee-shirt blanc, et Brightman, dans un col roulé noir.

Neuf aussi, le papier à lettres sur son bureau, un épais papier de luxe avec l'en-tête gravé : « Fondation Benny-September ». Ses directeurs étaient Cindy September et Jacob Schevitz.

C'était une continuation parfaitement logique du nouveau rôle de Cindy – la maison de ma mère, son équipement, et maintenant son avocat. Je pense qu'après cela Cindy et moi ne nous dîmes plus grand-chose, à part bonjour. J'allai voir Schevitz et il m'expliqua de quoi il s'agissait.

« La Fondation Benny-September a pour but d'aider des gosses comme Unathi et Brightman à prendre pleinement conscience de leur potentiel de citoyens de l'Afrique du Sud nouvelle. » Il vit mon expression et soupira. « Hé, Alex, du calme. Ce n'est pas mon idée, cette fondation. Tout ce que je fais, c'est la mettre sur pied pour elle. »

Je pense que Schevitz avait sans doute jugé sa visite plus déroutante encore que la fois où ma mère lui avait balancé son Cubain. Cindy portait une paire de jodhpurs ayant appartenu à ma mère, un chemisier de soie rose, et ses yeux étaient ravissants. Et il sentait qu'il avait manqué à ses devoirs envers ma mère, aussi il ne voulait pas décevoir Cindy.

« Je pense à eux », lui dit-elle.

Il ne lui avait pas rendu la tâche facile. « Pourquoi pensez-vous à eux ?

– Parce qu'ils sont si jeunes !

– Assez vieux pour détourner un bus d'école, assez vieux pour porter des armes, assez vieux pour s'en servir.

– Oui, mais vous connaissez leur histoire. Des orphelins du sida, obligés de se débrouiller tout seuls, puis l'arrivée à Johannesburg, et la lutte pour la survie.

– Oui, ensuite les flingues, et le meurtre…

– Je sais. Mais leurs visages me hantent. Où sont-ils, à votre avis ? Je peux leur rendre visite ? » lui avait demandé Cindy.

Schevitz me le raconta d'une manière très terre à terre : « Avant que tu piques ta crise, je vais te dire que ça m'inquiète aussi énormément. Mais c'est son choix ; elle le veut ainsi. Imagine seulement, commémorer le meurtre brutal de ton fils unique en essayant d'aider ses assassins. Et que tu approuves ou non, c'est, reconnaissons-le, remarquable.

– Ouais. Remarquable. Peut-être qu'on pourrait commencer par reprocher à Benny d'être ce qu'il était, de s'être trouvé dans le mauvais bus au mauvais moment, et d'avoir été tellement lent à se bouger que ces types ont été forcés de l'abattre. Peut-être que c'est l'étape suivante, Schevvy : faire revenir Benny, pour qu'il dise qu'il est vraiment désolé, qu'il s'excuse auprès de ces malheureux assassins de s'être montré aussi peu coopératif. Peut-être que ce serait la chose la plus remarquable de toutes ; puisque Benny ne peut pas le dire lui-même, comme il est mort et tout ça, tu pourrais le dire à sa place, déclarer :

“Unathi et Brightman sont innocents, OK ; et le coupable, c’est Benny.”

– Écoute, reprit Schevitz, l’amour et la tendresse qu’elle manifeste pour ces types, l’altruisme et le reste, c’est un peu beaucoup. Je le lui ai dit. Mais tu dois penser à ce qui pourrait arriver autrement.

– Tu pourrais dire que Benny était un gosse innocent qui a été assassiné – et qu’il méritait mieux que ces conneries. »

Schevitz me renvoya la balle. « Et tu pourrais reconnaître qu’elle fait face à une situation impossible, une situation pleine de douleur et de souffrance, et qu’elle la change.

– Achève ta pensée : elle la transforme.

– Ce n’est pas moi qui l’ai dit.

– Tu as raison. Je regrette de l’avoir dit. C’était un coup bas. »

C’était vrai. Le vieux Schevitz ne s’était jamais passionné pour ce genre de conneries, bien qu’il parût bien près de le faire à présent. La transformation, avait-il une fois expliqué, revenait à renier ses principes, à échanger le sang versé hier contre la Mercedes Benz de demain. Mais c’était avant qu’il fût tombé dans les bras de Cindy, et dans la toile d’araignée gluante et étouffante de la langue de bois culturellement acceptable au sujet de ce que les « gens concernés » et les « parties prenantes » « apportaient au projet »…

« C’est elle qui a perdu son gosse, reprit Schevitz ; franchement, Alex, elle a le droit de faire absolument tout ce qu’elle veut à propos de ça. Ce n’est pas à toi de te montrer moins indulgent qu’elle. Ou plus en colère qu’elle. Et de toute manière, quelle est la solution ? Broyer du noir ou aller de l’avant ?

– Il ne s’agit pas de ça. Ce qu’on pourrait appeler le scénario de Cindy est à sens unique. Il n’implique aucun choix, aucun espoir de liberté. Il n’offre que la version autorisée de quelques faits très horribles. Ces faits vont à présent être retournés dans tous les sens jusqu'à ce qu'ils paraissent différents. Ce qui se déroule sous nos yeux est peut-être la seule histoire de ce pays : des formes de force qui se font passer pour de la liberté. Le genre de liberté qui dit si tu ne me laisses pas faire ce qui est bon pour toi, je te défonce le portrait.

– Alex, je vois pourquoi tu ne restes pas ici. Tu n'as rien de bon à dire sur le pays.

– Va te faire foutre, Schevvy.

– OK, Alex. On en reste là, OK ? »

Schevitz était un brave type, un type honnête, et il n'avait jamais été mêlé à ces énormes conneries. Maintenant il avait honte, mais je vis autre chose et ça me frappa de plein fouet, comme une locomotive. Schevitz était dans le coup. Afin d'apaiser les remords qu'il éprouvait visiblement pour ne pas avoir aidé ma mère quand il en avait eu l'occasion. Mais aussi parce que, après des années d'amertume dans la jungle politique, il était de retour là où il avait autrefois été heureux, menant le combat juste, se rendant utile aux autres. Je ne veux pas dire qu'il prenait fait et cause pour les assassins minables d'un petit garçon qui ne se déplaçait pas assez vite : Schevitz était capable de se ridiculiser par amour, peut-être, mais il ne faisait pas de sentiment. Non, son vieux rêve l'avait repris une fois encore, comme des années plus tôt, lorsqu'il avait mené le bon combat contre les salauds qui dirigeaient notre monde. Après être resté des années sur la touche, en vieux libéral blanc ridicule qu'on avait forcé à se retirer, Schevitz avait brusquement une cause à défendre. La fondation à la mémoire de Benny September… La nouvelle opération de Cindy.

Et qui pouvait la contredire ? Après tout, ainsi que l'avait souligné Schevitz, c'était sa souffrance, son enfant, son idée de rentrer en contact avec les assassins, son choix de pardonner. Son droit de le faire. Peu importait comment je voyais les choses, moi ou n'importe qui d'autre. Ça ne nous regardait pas vraiment. Mieux, son comportement s'accordait avec tout ce qui était moralement inspirant autant que politiquement désirable dans un pays où la haine entre Blancs et Noirs existait toujours et partout. La façon dont elle avait mis de côté sa propre angoisse en apportant l'espoir et la consolation à ceux qui ne les méritaient pas était magnifique.

Pourquoi, dans ce cas, trouvais-je cela si consternant ? Noble, peut-être, mais même ainsi je reculais face à l'altruisme de Cindy. Je voyais aussi que ce qu'elle ressentait n'était pas vraiment pervers. Si la fille misérable de Blaukrans avait pu se transformer en une princesse de la banlieue nord de Johannesburg, elle était capable de recommencer, et de se changer en cette sainte figure du pardon.

Brightman et Unathi étaient détenus dans un centre de détention pour jeunes dans la province de Limpopo, près d'une ville du nom de Polakwane. Il y avait un aéroport et, chaque fois qu'elle en obtenait la permission, Cindy et Schevitz s'envolaient pour aller voir « les garçons ». Elle leur achetait des livres, leur faisait des gâteaux, et leur écrivait de longues lettres de son écriture penchée sur du papier lilas. Elle annonça son plan quinquennal pour les réhabiliter avec le même degré d'enthousiasme et de passion qu'elle avait autrefois déployé pour m'enseigner les règles de la survie sur la route, ou pour me mettre au courant de la vraie réalité de Johannesburg.

Cette Cindy-là n'existait plus ; elle avait été trop inconséquente, trop frivole, trop représentative de la « vieille Afrique du Sud ». La Cindy nouvelle était sérieuse, répétitive, filandreuse, bien intentionnée et profondément, fatalement même, embrouillée. Mais elle avait l'immense don de pouvoir croire à chaque mot qu'elle prononçait, ce qui signifiait qu'elle était parfaitement adaptée à l'époque.

Son plan quinquennal consistait à obtenir la permission de rendre visite aux « garçons » une fois par mois, et de « gagner leur confiance ». Ce désir était écœurant, elle le savait, mais elle ne prenait pas la peine de le cacher, elle se contentait de le réitérer quand je tressaillais. Un pourvoi en appel était aussi en préparation. Ensuite, avec le temps, elle espérait persuader les autorités de laisser Unathi et Brightman sortir en liberté conditionnelle pour rentrer à la maison avec elle.

La maison, c'était ici, elle n'en doutait pas une seconde, et je me trouvais face à de difficiles décisions. Que restait-il du lieu qui m'avait autrefois appartenu, de la mère qui m'avait mis au monde, des histoires qu'elle m'avait racontées, de ce qu'elles disaient sur qui j'étais, sur qui elle était ? Car plus la Cindy « nouvelle » y habitait, plus la vie « ancienne » était enfouie sous les coutumes modifiées et les projets excitants des arrivants. Cindy colonisait l'espace, et le faisait avec les motifs les plus louables.

Je vivais alors, dans la maison de ma mère, avec quelqu'un qui semblait de plus en plus être non son double mais son successeur ; et plus elle s'investissait dans ce rôle, plus il me paraissait inutile de rester. J'éprouvais ce que ma mère avait sans doute ressenti dans un monde en grande transformation.

La question était maintenant : qu'allais-je faire ? Je savais que je pouvais reprendre ce qui était un métier éphémère mais utile : l'apport d'air frais dans des endroits surchauffés. En vérité, plus j'y pensais, plus cette profession semblait utile, dans sa modestie, son aptitude à nettoyer, à laver, à stabiliser l'air que nous respirions.

La Cindy nouvelle avait non seulement la raison de son côté, mais aussi l'avenir. Et j'étais un réactionnaire invétéré. Parce que je préférais la maison telle qu'elle était ; je préférais Noddy et la reine Bama ; je préférais les hommes-léopards et les pygmées wambuti à cette nouvelle version des événements. Et je préférais sans aucun doute ma mère à la version interprétée par Cindy.

Et pourtant les deux me rebutaient : la haute indifférence de ma mère à tout ce qu'elle survolait, et Cindy dans son effondrement émotionnel. Quand je considérais le parcours de Cindy, de la petite maligne qui vendait de l'immobilier, dont la vie tournait autour des gros sous, avec la BMW requise, de l'argent à la banque et un pistolet dans la boîte à gants, à la Mère Teresa des établissements pénitentiaires pour délinquants…

Pire, je devais affronter le fait qu'elle n'avait pas tort : elle s'immergeait dans les choses telles qu'elles étaient, et telles qu'elles devaient être. Et si on ne le faisait pas, on restait en plan.

Ce n'était pas une question d'humilité ni d'acceptation, pas vraiment. C'était toujours la même histoire : il s'agissait de gagner, il s'agissait de pouvoir ; d'élévation morale ; et en Afrique, dès que quelqu'un prétendait être moralement au-dessus de la mêlée – on pouvait parier là-dessus –, cela pesait d'autant plus sûrement et cruellement sur la tête des pauvres. Qu'avait trouvé Cindy dans la penderie de ma mère, sinon un putain de costume bien-pensant, après une légère retouche, des bottes au putain de chapeau, ou devrais-je dire au turban ?

Rien ne semblait me retenir plus longtemps, et j'avais très peu de chances de jamais résoudre les deux mystères cruciaux qui me tourmentaient : pourquoi ma mère serrait ces enfants dans ses bras ; et pourquoi Noddy comptait encore autant pour moi alors qu'il en avait fini avec moi. Pourquoi avais-je encore l'impression qu'il m'indiquait quelque chose de crucial, si seulement je parvenais à découvrir quoi. Je me dis, soulagé de trouver une raison pour rester, que je ne pouvais pas encore partir. Il me restait deux legs à remettre. La musique de mambo était destinée à Raoul Mendoza. Ayant vu ce qu'il avait fallu faire pour le transformer en un Sud-Africain heureux et bien établi, je ne jugeais pas nécessaire de le démasquer.

Et puis il y avait Papadop.

36

À Papadop revenaient ses reliques de Livingstone : elles comprenaient l'une des propres cartes de l'explorateur, retraçant ses prodigieux périples à travers l'Afrique subsaharienne ; un croquis des chutes Victoria, avec les mesures minutieuses de Livingstone, notées de son écriture claire : « 1 860 yards de large – 310 pieds de profondeur… » Comme si une précision de cette sorte était une manière d'imprimer une certitude dans une rencontre déconcertante avec une Afrique si résistante au bon sens, si ingrate envers les missionnaires, les explorateurs, les soldats, les marchands, les visionnaires. Et pourtant si réceptive, à l'époque comme aujourd'hui, aux babioles et aux colifichets distribués par les envahisseurs aux chefs et aux patrons, ces personnages absurdes dont le rôle a été d'escroquer leur peuple, de le réprimer, et de baiser leur continent.

Il y avait aussi un miroir cerclé de cuivre offert par Livingstone à un chef d'Ujiji, que ma mère avait reçu de son petit-fils qui conservait dans une vitrine d'autres souvenirs du docteur : rasoirs, grains de chapelet, plusieurs cuillères en fer, un cruchon et un plateau en cuivre, un canif à une lame, une boîte de tabac à priser où était gravée la tête de la reine Victoria, et un accordéon rouge et bleu qui sifflait un peu mais fonctionnait encore. Le chef avait gardé le miroir de Livingstone dans une vitrine de curiosités afin d'étudier, m'avait dit ma mère, « dans un état de perplexité permanente », les habitudes et les coutumes des premiers envahisseurs blancs. C'était l'emblème parfait de cette invasion. Quiconque regardait dans le miroir de Livingstone trouvait le visage qu'il souhaitait : le sien.

Il y avait aussi une gravure sépia du vieux manguier qui, disait-on, marquait l'endroit où Livingstone et Stanley s'étaient rencontrés à Ujiji en 1871. Au pied se trouvait une grosse pierre identifiant le site comme « L'arbre de l'homme blanc ».

Il y avait la célèbre casquette de Livingstone, avec son fond bleu et son galon rouge, celle-là même, avait toujours insisté ma mère, qu'il avait soulevée pour saluer Stanley. Mais bien sûr les casquettes de Livingstone n'étaient pas si rares que ça. Il en avait fait faire une quantité chez Starkey, dans Bond Street. C'était un accessoire essentiel de sa longue carrière, une marque de fabrique aussi distincte que le chapeau melon de Charlie Chaplin. Derrière la légende du missionnaire, du libérateur d'esclaves, de l'explorateur, du géographe, du donneur de noms de montagnes et de cascades, de l'Écossais austère qui avait fini par personnifier l'Afrique aux yeux de tout le monde anglo-saxon, il y avait l'autre Livingstone, le vieux routier mendiant, fier, entêté, négligeant cruellement sa femme et ses enfants, un acteur jamais éclipsé, avec une belle ligne de chapeaux.

J'avais vu une autre de ces casquettes exposée par la Royal Geographical Society à Londres ; ils juraient que c'était la leur que Livingstone avait ôtée pour saluer Stanley. Les questions d'authenticité vont au cœur des choses dans la longue et violente partie de poker qu'est l'Afrique. Qui la truque, et qui ment à qui ? C'étaient les seules questions qui valaient la peine d'être posées.

Je composai le numéro de Papadop à Mount Darwin, et ne reconnus pas la voix qui me répondit.

« Papadopoulos, il est pas là.
– Il revient quand ? »
Il y eut une pause. « Jamais.
– Jamais ?
– Il revient pas.
– Vous voulez dire qu'il a déménagé ?
– Oui.
– Vous savez où ?
– Non.
– Et qu'est devenue sa maison ?
– C'est plus sa maison, c'est la mienne maintenant. »

Je compris alors. J'avais entendu parler de la saisie des fermes de Blancs par des jeunes gens survoltés prétendant être d'anciens soldats des guerres de libération qu'ils étaient beaucoup trop jeunes pour avoir menées. Mais je n'avais jamais vraiment considéré Papadop comme un fermier. Il avait cessé depuis longtemps de cultiver la terre, quand il avait commencé à vendre du matériel agricole. À Mount Darwin, il possédait des terres qui s'étendaient jusqu'au fleuve, où il avait sa cabane de pêcheur, mais l'idée que quelqu'un lui prendrait sa maison, ses champs, ne m'avait jamais traversé l'esprit. D'ailleurs, Papadop n'était pas un colon blanc ordinaire : c'était un citoyen zimbabwéen ; un membre du parti dirigeant ; il parlait la langue ; il avait été camarade maire de la ville pendant des années.

Noddy me manquait beaucoup de nouveau. C'était quelqu'un à qui j'aurais pu parler de tout cela. Pour la plupart des gens, le Zimbabwe existait à peine, ou, s'il existait, c'était ce petit pays « au nord », connu auparavant sous le nom de Rhodésie, célèbre à cause des chutes Victoria et merde pour le reste, dirigé par un despote qui passait son temps à voler des fermes et à boucler tous ceux qui faisaient preuve de désobéissance. Dans la droite ligne des agissements du despote blanc cinglé qui avait gouverné auparavant la Rhodésie, avec le même soutien de notre vieille bande de desperados « le-Blanc-a-raison » que le tyran actuel obtenait de notre régime « Être-noir-c'est-mieux ». Et en grande partie pour les mêmes raisons : la grande brute du Nord était peut-être une ordure, mais elle était des nôtres ; ce n'était pas juste un ami proche, mais un frère du même sang.

Je téléphonai à tous les gens à qui je pus penser au Zimbabwe. Les soi-disant vétérans de la guerre se déchaînaient, un type du nom de Hitler Hunzvi saccageait les fermes, des gens mouraient. Personne ne savait rien sur Mount Darwin. Papadop semblait avoir disparu sans laisser de trace.

Puis j'eus de la chance. J'appelai l'un des syndicats d'exploitants agricoles qui essayaient de rester en contact avec leurs membres dépossédés, et ils me fournirent une piste. Le bruit courait qu'il n'était plus du tout au Zimbabwe. On pensait qu'il était de l'autre côté de la frontière, vivant dans une petite ville du nord-est du Mozambique qui s'appelait Chimoio. Ce n'était pas facile d'y parvenir. Je devrais prendre l'avion de Johannesburg à Beira, sur la côte est, louer une voiture et m'enfoncer dans le pays.

L'aéroport de Beira était petit et confortable, et la première chose que je remarquai fut l'absence notoire d'agressivité. Tout le monde souriait. C'était inquiétant. Je payai sept dollars de taxe d'aéroport, je fis tamponner mon passeport, et ensuite je louai une petite Toyota. Quand je dis à la fille que je me rendais à Chimoio, elle sourit et dit gentiment : « Essayez de rester tout le temps sur des routes balisées : il y a encore des mines non désamorcées de ce côté-là. »

Je quittai la mer boueuse et visqueuse de Beira. La route était déserte et des nuages floconneux étaient suspendus très bas dans le ciel bleu cuivré. Voyager de cette manière libère toujours l'esprit. J'étais seul dans le paysage du bush vert et de la terre rouge somptueuse, avec ici et là une émouvante petite villa bourgeoise portugaise, incrustée dans le passé, avec ses volets à la peinture écaillée et sa véranda ombragée. Brusquement abandonnée, quand l'indépendance était survenue en 1975. N'importe où ailleurs, ces maisons vides des anciens colons portugais auraient été vandalisées, ou cannibalisées, ou transformées en squats précaires. Mais elles attendaient parmi les bananiers et les acacias, abandonnées, désertées, sur la côte lointaine d'un monde disparu.

Après la fuite des Portugais avait commencé la guerre civile : une autre de ces guerres locales cruelles orchestrées par les grandes puissances. Après seize ans de combats, un million de morts, six millions de personnes déplacées, et la plupart des Mozambicains vivaient avec moins de un dollar par jour.

Il y aurait des mines, avait dit la fille de l'agence de location de voitures. Bien sûr ! il devait y avoir des mines. Mais la proportion de tués par des mines n'était rien en comparaison du nombre de victimes d'un individu armé d'une Kalachnikov, et pour quelqu'un qui arrivait de Johannesburg, ce qui était si extraordinaire, sur la route après Beira, dans un pays ruiné par la guerre, et aussi pauvre qu'il était possible sur terre, c'était la paix profonde et la tranquillité de l'endroit. En consultant la carte, je vis que si j'avais continué de longer la côte depuis Beira je serais arrivé au port de Quelimane, où Livingstone s'était établi quelque temps et était devenu consul britannique. Et je me trouvais là, en route pour une nouvelle aventure missionnaire sanglante dans l'intérieur, avec dans mon sac quelques-uns des mêmes colifichets que Livingstone avait distribués lors de ses pérégrinations dans ce pays. Sauf qu'il avait été là quand le spectacle avait débuté, quand l'Afrique s'était déployée comme une brillante et généreuse production dédiée « au commerce, au christianisme et à la suppression de l'esclavage ». C'était le plus grand show dans le monde et Livingstone avait été le premier de ses imprésarios.

J'étais ici à la recherche des survivants, de quiconque était resté quand le spectacle avait pris fin et que le cirque avait quitté la ville. Une tribu perdue comportant un membre unique.

Chimoio était endormi et poussiéreux. Un vieil hélicoptère, sans doute abattu pendant la guerre, était posé dans une arrière-cour tel un jouet géant. Le bar du centre de la ville était admirablement baptisé le Plymouth Arms. Il était construit simplement, de bric et de broc : un sol en béton sous un toit en tôle ondulée, et un large perron ombragé. Un énorme drapeau anglais était peint sur le mur du fond.

La patronne était une Mozambicaine du nom de Cecelia qui portait un mini-short en jean et veillait à ce que l'alcool coulât à flots dans les verres de ses clients assoiffés, une demi-douzaine de Blancs massifs en short kaki qui se soûlaient comme si c'était la dernière fois.

Je commandai une bière et interrogeai Cecelia sur Papadop.

Son anglais était joli, huilé par les fluides intonations de son portugais. « Je le connais. Un vieux cinglé, grand et brun. Je le connais. Il vient ici pour boire un verre, chercher des glaçons. Il traite tout le monde de “salopards”.

– Ouais, ça lui ressemble. Je le trouve où ? »

Elle griffonna un plan au dos d'une serviette en papier.

« À quinze kilomètres, peut-être vingt. Le terrain est difficile. Restez sur la piste et vous le trouverez. Cherchez une tente sur une colline. »

Elle surprit l'expression de mes yeux et agita la main en direction des hommes qui buvaient derrière moi. « Des Zimbabwéens.

– Des Zimbabwéens ? »

Cecelia sourit, révélant des dents blanches, régulières. « Ouais. À Chimoio on a des Zimbabwéens, des Portos et des Pongos, mais les Zimbabwéens sont... » Elle dressa un doigt comme un pistolet et le dirigea sur sa tempe droite.

« Pourquoi ça, Cecelia ?

– Parce qu'ils arrivent du Zimbabwe avec... » Elle joignit le pouce et l'index pour dessiner un *o* précis : « ... *nada em tudo* : rien. Et ils se suicident.

– Comment ?

– C'est la malaria. Ou trop de travail. » Elle lança un petit coup d'œil aux grands types dont la table était jonchée de bouteilles de bière blonde d'un litre. « Ou trop de mines. S'ils souhaitent se tuer, pour moi c'est mieux s'ils le font sur une mine. »

Elle avait raison.

La campagne torride que je traversai était luxuriante mais vide. Une belle terre agricole, mais abandonnée, brûlant d'être cultivée. Le pays tout entier donnait l'impression d'être dans l'expectative. Au bout de quinze kilomètres, je repérai une tente sur la crête d'une colline. Cela m'obligeait à manœuvrer dans une pente si rocheuse que je laissai la voiture et fis le reste du chemin à pied.

Il était assis sur une pierre devant sa tente, un vieux modèle de l'armée rhodésienne, le dos tourné vers moi, contemplant les collines basses sur l'horizon. Dans la douce vallée au-dessous de lui, je vis un énorme et magnifique champ de plants de tabac.

« Comment ça va, Papadop ? » dis-je.

Il se retourna et me fixa, puis se leva lentement, épongeant la sueur de son front avec le bord flottant de son chapeau kaki.

« Merde alors... Alex ! »

Nous passâmes les quelques heures suivantes assis devant sa tente à boire des brandy-Coca, et il me raconta de sa voix traînante à l'intonation neutre, cadencée, comment son univers s'était effondré.

« J'ai reçu la première section 5 – un genre d'avertissement, d'avis, de commandement, je me fous du nom que ça porte – qui disait que ma ferme était inscrite sur la liste. Sur la liste des expropriations. On m'expulsait. Je me suis dit, ils ne peuvent pas parler sérieusement. Ça faisait vingt ans que je n'avais pas cultivé cette terre. Je ne suis pas fermier ; j'achète et je vends du matériel. J'ai déchiré la lettre et j'en ai dit deux mots au chef du parti à Darwin, et il a répondu que je n'avais pas de raison de m'inquiéter, un vieux camarade comme moi. Trois mois plus tard, je reçois une autre section 5. Cette fois je suis allé voir un avocat à Harare et il a dit que nous allions récuser l'ordre d'expulsion. Le week-end d'après, je suis parti à la pêche, j'ai passé quelques jours dans la cabane, et quand je suis revenu j'ai découvert que ma terre avait été délimitée par des piquets, divisée, et qu'il y avait des gens installés partout. Environ quarante familles campaient chez moi. J'ai dit à ces salopards de ficher le camp. Ils m'ont répondu d'aller me faire foutre – et que si je ne dégageais pas ils me tueraient. "Essayez donc", j'ai répondu. Un mois plus tard j'ai reçu un autre commandement – une Section 7 – qui me donnait quarante-cinq jours pour vider les lieux. Je suis retourné chez l'avocat et il est allé au tribunal pour essayer d'arrêter ça. Je suis aussi allé voir le procureur, un autre vieil ami, et je lui ai demandé de l'aide. Il m'a regardé droit dans les yeux et m'a dit qu'il ferait tout son possible. Je savais qu'il le pensait et je savais aussi qu'il ne pouvait rien faire du tout. Le lendemain matin les types qui campaient sur mon terrain ont volé mes tracteurs, et la pompe du trou de sonde. Ils m'ont encore dit de foutre le camp, sinon ils me feraient la peau. Je ne veux pas donner l'impression d'en avoir tant bavé que ça. Tout le monde était envahi, tabassé, volé, tu vois, au moins on ne m'a pas assassiné. Mais j'étais seul et, si on me supprimait, personne ne l'aurait remarqué. D'autres fermiers avaient monté un réseau de soutien ; ils restaient en contact par radio, par téléphone ; ils avaient des patrouilles ; de la famille. Bordel, je n'avais même pas de clôture de sécurité. Pour quoi faire ? J'étais chez moi, non ? Mais ces types avaient des pangas, et ils ne rigolaient pas. "Je peux pas juste faire mon sac et m'en aller, que j'ai dit. Ça fait quarante ans que je suis là." "Tu pars ou tu crèves", qu'ils ont répondu. Je suis allé voir les flics et j'ai dit qu'on me menaçait ; ils ont été très polis et ont promis de venir et de régler ça. Mais ils ont pas bougé.

« Quelques soirs plus tard, les squatters ont allumé des feux dans le jardin ; ils dansaient et chantaient. Mes propres domestiques sont partis, ils avaient trop peur pour rester. J'ai essayé de téléphoner à la police, mais la ligne était coupée. J'ai veillé avec un fusil de chasse, mais les types dehors savaient que j'allais m'endormir tôt ou tard. Franchement, j'étais foutu. Alors vers minuit j'ai emballé de la nourriture, quelques habits, mon passeport, un peu d'alcool et j'ai chargé la Nissan *bakkie*. Ensuite j'ai attendu. Quand l'aube s'est levée, je savais que ces salopards allaient piquer un roupillon, j'ai ouvert les portes de la grange, je suis monté dans la *bakkie* et j'ai démarré le pied au plancher. J'ai atteint le portail de la ferme à 40 km/h et je l'ai franchi à fond de train avant même qu'ils se soient frotté les yeux. Tu sais, Alex, quand j'ai atterri à Darwin en 1963, j'en avais plus que quand j'en suis reparti. » Papadop se mit à rire. « C'est vraiment comique, non ?

– Pas vraiment.

– *Ja*, euh, non, peut-être pas ; c'est pourquoi je ris. Que faire d'autre ? » Papadop nous versa encore du brandy. « Désolé de ne pas avoir de glaçons pour le Coca, j'en prends toujours un stock au Plymouth Arms quand je vais en ville, mais je n'ai rien pour les conserver, tu vois, à part un sac isotherme. Dès que je gagnerai un peu de fric avec ça... », il agita la main en direction de son champ de tabac, « … l'achat d'un frigo est le premier sur ma liste. »

Je supposai que cette liste était longue. Il n'avait pratiquement rien : sa tente, un sac de couchage, un miroir pour se raser, et un vieux camion Nissan. Pourtant, il émanait de lui une sorte de soulagement, de lassitude. N'importe où valait mieux que là d'où il venait, c'était ainsi qu'il présentait les choses. « Ça fait maintenant cinq mois que je suis au Mozambique, et je suis en train de gagner. » En réussissant à se faire offrir par ses voisins ce dont il avait besoin, il avait planté son premier champ de tabac. Il avait eu deux crises de paludisme. « Ça sévit constamment ici. Mais ils ont de bons muti chinois à l'hôpital. Deux injections, et tu t'en débarrasses avec une bonne suée. Merde, mon vieux, je te dis que la malaria, ça se gère ; pas Mugabe. J'adore ce pays. Je remercie Dieu à genoux de m'avoir accordé ce bail.

– Tu n'es pas propriétaire du terrain ? »

Papadop se fit une joie de me l'expliquer : cela faisait appel à son sens du ridicule. Quelques mises au point orales étaient nécessaires. Le Mozambique se raccrochait d'une manière émouvante aux vieilles idées marxistes, et toutes les terres appartenaient à l'État. Les nouveaux fermiers, dit Papadop, ne pouvaient pas acheter de terres, mais avaient le droit de louer un bout de terrain pendant cinquante ans.

Il avait soixante-quatorze ans, ses cheveux noirs étaient striés de gris, mais il avait une foule de projets. Le sol était riche, les pluies généreuses, l'eau abondante, et la main-d'œuvre « merveilleuse ».

« Ils te voleraient le lait de ton café si tu les avais pas à l'œil, mais ils sont super. »

Il ne parlait pas le portugais, mais son shona était meilleur que son anglais.

« Après tout, on est juste au bout de la putain de route du Zimbabwe. Il suffit de foncer tout droit vers le nord et on arrive à Harare. Dans ces régions tout le monde parle ou comprend le shona. »

Autour de Chimoio il y avait environ deux douzaines de Zimbabwéens qui cultivaient la terre, dit Papadop.

« La femme du Plymouth Arms, elle a parlé de Portos et de Pongos. Qui sont-ils ?

– Les Portos sont des Portugais revenus au Mozambique pour faire de l'agriculture, ou autre chose. Les Pongos sont des Britanniques qui arrivent dans des drôles d'endroits comme ici, selon l'habitude des Britanniques. Nous avons même quelques Boers d'Afrique du Sud. Mais c'est nous, les Zimbabwéens, ou ex-Zimbabwéens, qui faisons pousser les choses. Ou qui introduisons des troupeaux de vaches laitières, ou qui cultivons des fleurs. »

Ça créait une sorte de logique tordue. Le Mozambique avait besoin de techniciens qualifiés, ce qu'étaient les fermiers, et les anciens patrons colons avaient besoin d'un coup de pouce. On les mettait ensemble et bingo ! Sauf que les Zimbabwéens n'étaient pas des colons, mais des citoyens – ou du moins, il l'avaient été. Jusqu'à ce qu'ils cessent brusquement de l'être. Ils étaient privés de foyer, privés d'État, innommables.

« Je ne suis pas autorisé à m'appeler "fermier" parce que le mot sous-entend trop de choses. Au Zimbabwe, il signifie colon, et colon ça veut dire blanc. Alors ici, je ne suis pas fermier ; ils disent qu'on est des "investisseurs". Mais ce qui est chiant, Alex, c'est d'être blanc. Je te jure. »

Être blanc au Zimbabwe mettait votre santé en danger ; au Mozambique, dit Papadop, ça ne faisait qu'entraver un peu votre mobilité. Le point de vue officiel était que les Zimbabwéens qui buvaient beaucoup dans le bush se mettaient à plusieurs et commençaient à mal se conduire. Et ça risquait de rappeler de mauvais souvenirs. Aussi les Mozambicains avaient pris exemple sur la vieille Afrique du Sud ethno-fasciste qui croyait toujours que la tribu l'emportait sur toutes les autres considérations : c'était une combine baptisée « contrôle du flux » que le Mozambique utilisait pour limiter le nombre de Blancs dans une même région.

Cependant, à part ces restrictions, les visiteurs pouvaient sarcler, semer, moissonner et vendre comme bon leur semblait.

Et ça marchait. Zimbabwéens, Pongos, Britanniques, Portos et Boers élevaient du bétail, des poissons, et cultivaient des fleurs. Ils échangeaient des tracteurs, mendiaient des capitaux, se vendaient aux grosses sociétés de tabac ; ils se démenaient, intriguaient, et versaient des pots-de-vin. Ils se bourraient la gueule dans le pub de Cecelia. Ils vivaient sous des tentes, dans des cabanes, ils occupaient des villas portugaises désertées, campaient dans des caravanes ou dans des ranches à demi construits sur des collines éloignées.

C'était admirable, et c'était bizarre ; ils faisaient ce qu'avaient fait leurs arrière-grands-parents, ils se créaient un foyer en Afrique. Ils étaient tapageurs, forts en gueule et grossiers : en un mot, c'étaient des pionniers. La même histoire se répétait.

En Afrique, ce qui passait pour une aube nouvelle ne se limitait pas, le plus souvent, au toilettage de l'aube ancienne. Je me souvenais à quel point Papadop avait détesté les anciennes divisions raciales telles qu'elles étaient pratiquées dans le Sud, l'esprit étriqué et les mœurs de l'État apartheid ; comment il s'était établi dans un pays libre, la Rhodésie-du-Sud, et s'y était acclimaté. Puis avait tout recommencé dans un pays libre qui s'appelait le Zimbabwe. Et il se retrouvait une fois encore sur un flanc de colline, dans le Mozambique marxiste…

« Retour à la case départ, merde alors ! Les salopards !

– Tu as l'impression d'être quoi, et qui, à présent, Papadop ?

– De m'être fait couillonner, voilà où j'en suis. Quand je suis arrivé en Afrique du Sud, j'étais grec ; ensuite j'ai déménagé à Darwin et je suis devenu rhodésien ; ensuite j'ai été zimbabwéen. Je croyais que je mourrais zimbabwéen. » Il pouffa. « Si j'y pense, ça a bien failli m'arriver !

– Alors, tu vas faire quoi ? »

Il se gratta la tête et tendit la main vers le brandy. « Continuer.

– Aller de l'avant ?

– Non, Alex. Je n'irai pas de l'avant. Il n'y a plus d'avenir pour moi. Je vais continuer, c'est tout. C'est fini pour moi. Mais ici, je peux au moins faire semblant.

– Faire semblant de quoi ?

– D'être apprécié, d'être chez moi. Quand je suis arrivé en Afrique la première fois, il y avait le Nyasaland britannique, le Sud-Ouest africain allemand, la Zambie portugaise, la Rhodésie-du-Nord et du Sud, l'Afrique Équatoriale française ; le Sahara espagnol, le Congo belge, les Indiens en Abyssinie, les Allemands au Cameroun. Il y a même eu des types qui rêvaient d'un Israël nouveau – en Ouganda. C'était l'époque des visiteurs : Asiatiques, Chinois, Russes, diamantaires libanais, prêtres belges, coloniaux français, joueurs de polo britanniques, Portos, Allemands, Rhodésiens... Zimbabwéens. Des gens de partout. Où sont-ils maintenant ? Ou plutôt, où sommes-nous ? » Il montra ses belles dents puissantes. « Je pense que c'est terminé, toute l'aventure. Fini. Et bientôt ça va gagner le Sud.

– Ça a commencé. Il y a des expatriés de Detroit à Vancouver. On les trouve même en Grèce. Tu pourrais redevenir grec ? »

Il rit de nouveau et secoua la tête. « Mon vieux, je ne me souviens pas d'avoir jamais été grec. Mon problème, c'est que j'aime l'Afrique, et c'est une très grave erreur parce qu'elle ne m'aime pas.

– Mais tu es encore ici, Papadop. »

Il secoua la tête. « Un peu de moi-même, peut-être. Qui fait semblant d'être chez lui, d'être un pionnier. C'est pas possible. Ça ne marche pas. Peut-être que ça marcherait si je m'y attaquais en partant d'une direction complètement bizarre. Peut-être qu'il faut mourir, et revenir dans la peau de quelqu'un d'autre ? Et même alors, je me tiendrais très, très près du sol, pour ne pas projeter une grande ombre. Regarde-moi. Regarde où j'en suis maintenant. Un petit bout de terre louée, quelques plants de tabac. Je ne suis pas vraiment un fermier, ni un Zimbabwéen, ni un colon. Si je roule une heure ou deux vers le nord, j'arrive à la frontière du Zimbabwe. D'ici, j'aperçois presque la propriété que j'ai quittée, mais ce n'est plus chez moi. Et je pense que ça ne l'a peut-être jamais été. »

Il ne me suggéra pas de rester, et je ne l'aurais pas souhaité. Je l'avais trouvé, j'avais fait ce que je voulais, il était encore en vie, et c'était bien de le savoir. Il m'accompagna jusqu'à ma voiture, et je lui donnai les affaires.

« Ma mère voulait te donner ça. »

Papadop examina la carte montrant le périple de Livingstone d'une côte à l'autre ; le son rouillé de l'accordéon le fit rire ; la casquette le fascinait. Il n'arrêtait pas de la tourner et de la retourner dans ses mains. Mais il avait aussi l'air un peu perplexe. Il se frotta la mâchoire, un geste dont je me souvenais toujours et que, curieusement, je trouvais très émouvant.

« Enfin bordel, mon vieux, c'est la vraie ?

– Elle le pensait.

– Ce n'est pas que je ne sois pas très reconnaissant, mon petit Alex, mais je ne sais pas très bien quoi faire de tout ça. Tu vois où je vis. » Il agita les mains vers la tente, son feu de camp, la terre vide qui s'étendait jusqu'aux collines floues sur l'horizon.

« Ouais, je vois. » Il me serra dans ses bras et je montai dans la voiture.

Je ne pouvais pas faire demi-tour avec la Toyota, aussi je reculai lentement jusqu'au bas de la pente. Il me regardait ; un homme massif sur un flanc de colline au Mozambique, m'adressant des signes d'encouragement avec la casquette jusqu'à ce que mon véhicule fût parvenu en cahotant sur la route. Quand je regardai en arrière il l'avait mise sur sa tête et me surveillait. Ça lui allait, cette casquette ; c'était juste la bonne taille.

Après leur célèbre rencontre sous le vieux manguier, Livingstone était mort en héros et en saint, et Stanley s'était chargé de foutre sérieusement la merde au Congo. Ils avaient tous les deux laissé un souvenir vivace. Personne ne se rappellerait Papadop. Sauf moi. C'était peut-être ça, le vrai signe du changement. Les Blancs qui étaient venus autrefois en Afrique avaient tout fait pour qu'on se souvînt d'eux ; aujourd'hui, tout ce qu'ils demandent, c'est qu'on les oublie et qu'on leur pardonne. Ou qu'on les ignore. Comme Jimmy Li Fu dans la lointaine Malaisie, remerciant Dieu d'être toléré par le gouvernement, et de n'être pas renvoyé « chez lui ».

Je descendis l'avenue Jan Smuts, et je me garai devant la maison. Je déverrouillai le portail de sécurité. Les fenêtres étaient éclairées et j'entendis de la musique venant du séjour. C'était *Mambo italiano*, puis *Freeway Mambo*, puis, quand je m'immobilisai dans le jardin, *Besame mucho*, et j'entendis un homme dire : « *Hecho muy bien, Seendie !* »

Je compris beaucoup de choses d'un seul coup.

Les derniers amoureux de ma mère s'étaient trouvés.

Ou du moins, ils avaient trouvé un mode de vie adapté aux circonstances. Dans la maison de ma mère ce Sud-Africain magnifiquement fini, le docteur Cornelius du Toit, pouvait prétendre un moment être redevenu un réfugié, un Latino en cavale, audacieux, déchaîné, excitant. Et Cindy pouvait faire semblant d'être ma mère.

Comme Papadop, ma mère avait senti le vent tourner ; et elle s'était raccrochée aux enfants. Ils avaient constitué une ancre bien fragile, et c'était aussi le cas du bail ridicule de Papadop, mais il s'y cramponnait néanmoins, dans sa tente, sur le flanc de colline rouge fertile d'un pays étranger. Il tenait bon pour sauver sa vie.

La musique cessa et reprit. Cette fois aussi, je connaissais l'air. Ils dansaient à présent sur *La Faroana*, et j'entendis Raoul battre des mains, et claquer des doigts, et crier, quand elle prit le rythme : «*Mambo, qué rico el mambo !*»

Je sus aussi que ce dernier rebondissement me laissait libre de partir. Mais je continuai de marcher.

Tu dois mourir, et revenir dans la peau de quelqu'un d'autre...

Qu'est-ce qui changea, alors ?

Comme on aurait pu s'y attendre, tout et pas grand-chose. J'allais toujours au zoo et je m'attardais devant le gorille. Je me souvenais qu'Alexander Barnes, qui avait bourlingué à travers le Congo avec son « cinématographe », et dont les films saccadés des pygmées waturi, ces « nains de forêt », avaient illuminé mon enfance, avait un faible particulier pour la chasse de tous les animaux sans distinction, mais que tuer les gorilles était l'une de ses formes de massacre préférées. Il avait donné à ma mère une photo d'un gorille kavu, une espèce rare, qu'il avait abattu dans les montagnes Virunga. Le gorille avait l'air vivant, assis sur l'herbe, les yeux ouverts, la bouche grande ouverte, les bras levés au-dessus de la tête : il fallait regarder attentivement pour voir qu'ils étaient liés par les poignets à une branche d'arbre. À côté du gorille rare se trouvait son domestique, identifié sur la photographie comme le «petit Swalim». C'était un homme d'une quarantaine d'années, une minuscule silhouette en tunique blanche boutonnée, assise près du grand singe pour donner une notion de l'échelle humaine.

Je me rendais presque tous les jours au musée Bernberg, bien qu'il n'ouvrît désormais que trois matins par semaine. C'était un signe des temps. L'actuel conseil municipal de Johannesburg n'était pas celui auquel les sœurs avaient légué leur maison. Il était à court d'argent. Il avait d'autres priorités. Un musée de mode européenne ne s'accordait pas avec l'esprit de ce nouveau conseil, qui voulait investir dans le smurf. Les gens qui voulaient des vieilleries eurocentriques, comme la haute couture et le ballet, n'avaient qu'à les payer de leur poche.

Au début, je pense que Cindy fut un peu perplexe de me trouver au milieu des plates-bandes, tondant le gazon, désherbant. Mais elle s'en remit. Après tout, les choses étaient à peu près redevenues normales. La maison de ma mère avait de nouveau une propriétaire, et un jardinier dans la chambre de derrière. Au bout de quelques semaines, personne ne fit plus attention à moi.

Un soir, environ six mois plus tard, j'étais dans le jardin. La lumière s'atténua et se déposa doucement sur l'herbe, les couleurs qui s'étaient éteintes sous le soleil de midi se ravivèrent, tout devint soyeux et fluide, et je pus oublier que Johannesburg était un veld plat rocheux parsemé de dépotoirs de mines. L'arroseur tournoyait sur la pelouse, l'herbe sentait l'eau et la terre, quand arriva le journal du soir, projeté par-dessus la clôture électrifiée surmontant le mur de sécurité. Il atterrit avec un choc sur l'allée de béton ; le *Star* de Johannesburg. Je pouvais lire le gros titre : « Johannesburg engage mille policiers de plus ! » À côté du journal était posé le chapeau de Noddy. La plume chatoyait au soleil tel un arc-en-ciel.

Je gardai le beau chapeau tyrolien sur la patère du mur de son ancienne chambre, où il l'attendit. Quelquefois j'allais le regarder, si bête, si perdu. Un chapeau sans tête. Je savais ce que c'était que d'exister coupé de la réalité vitale qui nous permet de trouver un sens à notre être. Sans la personne de Noddy pour lui donner un corps, une Afrique où l'emporter, ce chapeau était délaissé. Je faisais face à une situation similaire. Pars avec deux longueurs d'avance ou fiche le camp d'ici, conseillait la vieille sagesse de Johannesburg. Prends les choses à bras-le-corps, ou va te faire foutre.

Cindy le savait. Presque chaque jour il se passait quelque chose de nouveau. Elle était sur la bonne voie : le docteur du Toit venait le soir, travaillant au noir, au sens littéral du terme. Respectable médecin généraliste le jour, danseur de mambo au clair de lune, il lui enseignait les rythmes difficiles de cette danse des plus retorses. Peut-être Cindy lui apprenait-elle les choses qu'il avait le plus besoin de comprendre : le sens de *ubuntu*, par exemple ; et la responsabilisation, les parties prenantes, et ce qu'étaient les gens concernés.

Je fis donc ce qu'avait suggéré Papadop : je baissai la tête, je me tins à l'écart. Je n'étais pas un vendeur d'air conditionné, je n'étais pas un Sud-Africain blanc, je ne possédais pas d'arme, je ne m'intéressais pas à la politique, ni au prix de l'or, et je n'avais aucune intention de me présenter à quiconque.

J'ai très peu de choses dans ma chambre. Un lit, un chapeau, une boîte. C'est celle qui a contenu autrefois le crâne de Mrs. Ples, avons-nous toujours cru. J'aime à penser qu'elle a été parmi les premiers, dans ces régions, à saisir le sens des choses, à savoir qu'elle était éphémère, destinée à disparaître, mais qu'elle a engendré quelques descendants qui vous font dresser les cheveux sur la tête, d'alarmants superhominidés dont les Johannesburgiens sont encore le spécimen principal. C'est là que tout a commencé ; cela fait réfléchir. Ma mère avait tout à fait raison : cette ville n'a pas d'histoire, elle a un casier judiciaire. Ou elle l'aurait, si seulement il y avait quelques flics cosmiques dans le coin. En tout cas, je suivrais le conseil de Cindy : « Si la police t'arrête, ne t'arrête pas... »

Je l'épiais du coin de l'œil, à la façon des esprits des défunts qui, aimons-nous à penser, veillent sur le monde des vivants. Du moins, je me plaisais à l'imaginer. Cindy disait que ces apparitions la faisaient flipper, mais je devais la reprendre. Je n'étais pas un fantôme, j'étais simplement le jardinier, je vivais dans la pièce qui lui était attribuée.

Je ne faisais pas de pronostics. Je n'exerçais que peu d'autorité, même dans mon domaine privilégié ; après tout, mon savoir était minime, le peu que j'avais glané chez Noddy. Je devais en apprendre beaucoup tout seul avant de voir la différence entre un volubilis (*Schizanthus*) et une cupidone (*Catananche*). Mais je savais comment rehausser les tubercules de dahlias sans casser leurs tiges. Et j'achetai des gueules-de-loup résistantes à la sécheresse.

Composition Nord Compo (Villeneuve-d'Ascq)
Achevé d'imprimer en août 2007 sur les presses de France Quercy – N° 71932/
Imprimé en France